CO DZIEŃ
MĄDRZEJSZE
365 gier i zabaw

Denise Chapman Weston, Mark S. Weston

CO DZIEŃ MĄDRZEJSZE

365 gier i zabaw

kształtujących charakter, wrażliwość
i inteligencję emocjonalną dziecka

Przełożyła
Zofia Czarniecka-Rodzik

Prószyński i S-ka

Tytuł oryginału
PLAYWISE

Projekt okładki
Irina Pozniak

Zdjęcie na okładce
Istockphoto.com

Rysunki
Małgorzata Rittersschild

Opracowanie merytoryczne
Barbara Żebrowska

Korekta
Anna Żółkiewska

Skład komputerowy
Jacek Kucharski

ISBN 978-83-7648-448-8

Warszawa 2010

Wydawca
Prószyński Media Sp. z o.o.
ul. Garażowa 7, 02-651 Warszawa
www.proszynski.pl

Druk i oprawa
OZGraf S.A.
ul. Towarowa 2, 10-417 Olsztyn

Książkę tę dedykujemy naszym dzieciom i wszystkim dzieciom, dla których Świat nie ma barier.

Spis treści

CZĘŚĆ I
Podstawy kształtowania się charakteru

Rodzinna księga wiedzy • Książka pt. „To już potrafię" • Rodzinna encyklopedia • Szacunek i uznanie dla biblioteki • Rodzinna biblioteka • „Autor, autor... Dziękujemy za wspaniałą książkę" • Zastanawiam się • Poszukiwanie mądrości • Słownikowy obiad • Zdumiewające fakty z lodówki • Rodzinne „Pokaż i opowiedz" • Rycerze mądrości • Specjalista • Centrum naukowe i biuro prac domowych • Rodzinne zamiłowanie do nauki • Muzeum czarów • Muzeum w moim pokoju • „Wiedzące miejsce" • Unia rodziców z nauczycielami • Trzymajmy się faktów • O czym powinieneś wiedzieć – zapamiętywanka • Dziecięcy uniwersytet • Codziennie pochwała

dzień w życiu • Złota myśl dnia • Nagroda dla wspaniałego przywódcy • Zmienić świat • Wspaniałe gangi • Inspiracje między nami • Kącik osiągnięć • Mały nauczyciel • Grupy wsparcia

Rada Rodzinna • Dziesięć przykazań naszej rodziny • Kronika Dzieciaków • Kolaż rodzinnych marzeń i pragnień • Rodzinne tradycje • Rodzinna kolacja • Rodzinna akcja ku pokrzepieniu serc • Święto rodzeństwa • Transparent braterstwa • Wykaz obowiązków rodzinnej drużyny • Rodzinny emblemat • Rytuały rodzinne • Rodzinny zlot • Poszukiwania rodzinnych skarbów • Rodzinna historia/Rodzinny folklor • Mapa rodzinna • Rodzinny system wysyłania kartek z życzeniami • Rodzinny gest • Zdjęcia, które mówią • Rodzina rodzinie • Rodzinna karta ocen • Rodzinne obrączki • Rodzinne „ogródkowanie" • Zajęcia dla rodzin rozwiedzionych • Rodzinna szkocka spódniczka • Obrazek metodą kolażu • Rodzinny kalendarz • Notatnik rozwodowy

Praca w społeczności • Poszukiwanie skarbów we własnym środowisku • Troskliwość Millicent • Społeczny wolontariat • Stowarzyszenie rodzin

CZĘŚĆ II
Nabyte cechy charakteru

Karty zdolności • Jestem wspaniały! • W dowód uznania – ściskam dłoń • Weź nagrodę • Wiele umiesz zmienić • Król lub królowa dnia • Plecak pełen talentów • Maleńkie pamiątki • Ciasteczka szczęścia • Coroczny list • Komputer wzmacnia w człowieku szacunek dla samego siebie • Sztandary, dyplomy i dekoracja domu • Wizytówka wspaniałego dzieciaka • Tytułowa strona gazety • Księga wielkich czynów

Zgniatacz strachów • Potnij lęk na drobne kawałki • Magiczna tarcza siły • Amulet odwagi

„Gadający kapelusz" • Obrazki, które mówią • Rymowanka na własny temat • Popatrzeć na wygraną • Aaaaaajaaaaj! • Głos rozsądku • Pozytywne oprogramowanie „komputera myśli" • „Bieg przez płotki" • Plan motywacji • Nokaut • Wojna na poduszki • Własne hasła życiowe • Osobista księga osiągnięć • Wpółpusty i wpółpełny • Okulary realisty i optymisty • Opowieść z naszego wnętrza • W przyszłość • Bliżej marzeń • Wywiad • Słowa do śmietnika • Nagroda Tomasza Edisona „Nikt nie jest doskonały" • Znajdź swoją piosenkę

Porozumiewanie się poprzez zabawę figurkami • Bawić się, żeby zrozumieć • Bawić się, żeby nauczyć • Porozumiewanie się poprzez zabawę w teatr i przebieranki • Kufer przebierańców • Zabawa w przebieranie się w celu nawiązania lepszego porozumienia z dzieckiem • Wykorzystanie zabawy w teatr do osiągnięcia porozumienia z dzieckiem • Porozumiewanie się ze starszymi dziećmi poprzez humor i zabawę

Mąż zaufania rozstrzyga nasze spory • Słuchaj i odnajduj • Czapka, która słucha • Skup się • Miejsce do słuchania • Spacer i rozmowa • Pogawędka

• Przekładnia zmiany uczuć • „Krzesło do myślenia" • Zaczarowana śmietanka • Pomysł Scotta • Uspokajający guzik • Irytujesz mnie • Podepcz to!

Taniec radości • Mnóstwo powodów do szczęścia • „Błazeńskie okularki" • Błazeńskie przebieranki i pudełko niepotrzebnych rzeczy • Błazeńskie sztuczki • Piosenki, z którymi łatwiej ruszyć do działania • Nagroda dla Najlepszego Wygłupiacza • Święto bez Okazji • Zabawa we dnie i wieczorem • Słój przyjemnych rzeczy • Zwariowane wiadomości • Niespodzianka w pudełku na drugie śniadanie • Zwariowane rodzinne zdjęcie • Wesoła szkoła charakterów

Szuflada pod hasłem „Daj sobie z tym spokój" • Nie przeszkadzaj • Zabawa poduszkami oddalająca stresy • Kącik spokoju • Wywoływacze marzeń • Techniki oddechowe • Centrum muzyki relaksacyjnej • „Relaks na max" – wyposażenie do kąpieli • Ciastolinowe napięcie • Kaseta relaksacyjna • Myjnia samochodowa • Kompletne rozprężenie

Uwaga: złe humory w natarciu • Magiczne zapamiętywajki i subtelne napomnienia • Wielkie uszy

> W nowych ramach • Najlepsze rozwiązanie w tygodniu • Kartoteka goto-
> wych rozwiązań • Zobrazuj to • Wypuszczona para • Gotowi – do biegu
> – start! • Uporajcie się z tym! • Uczciwa kłótnia • Rozjemca • W Białym
> Domu • Jeśli tylko... Historia lubi się powtarzać

> Więcej niż ci się zdaje! • Dziesięć wspaniałych zabaw, do których można
> wykorzystać powłoczkę na poduszkę • Wykorzystajmy telewizję i kompute-
> ry • Myślenie wychodzące poza standard • Twórcza burza mózgów • Karty
> pomysłów • Rupiecie dają do myślenia • Narzuta lub prześcieradło do burzy
> mózgów • Tylko połowa • Wynalazcy, Spółka z o.o. • Wspaniała wyprawa
> • Powróćmy do prostoty – specjalne pudełko • Stos jabłek • Twórcze pu-
> dełko • Produkcja obiektów latających • Zbieranie NIP [angielski skrót
> NIT od *Nonsense, Incentive, Truth*] • Konstrukcja z gazet

> Nieustraszony Dzieciak • Co by było, gdyby... • Rodzinny plan pogotowia
> przeciwpożarowego • Klub Krzykaczy pod hasłem „Lepiej z nami nie
> zaczynaj" • Film wideo o zasadach bezpieczeństwa • Zestaw ratunkowy
> • Ludzie, którzy mogą ci pomóc • Osobisty system ostrzegawczy • Zestaw
> do zabawy • 997 • Sposób na tych, którzy mają swoje sposoby • Co jest
> w porządku, a co nie • Korzystaj z chwili • System kumpelski • Zasada
> „Najpierw zapytaj" • Hasło

Wstęp

Po sukcesie naszej książki „Playful Parenting" zostaliśmy poproszeni o prowadzenie warsztatów dla rodziców, opartych na tej samej zasadzie wychowywania przez zabawę, jaką przedstawiliśmy w poradniku. Jak to często w życiu bywa, pomysł na następną książkę, „Co dzień mądrzejsze", narodził się zupełnie nieoczekiwanie właśnie na którymś z takich spotkań. Jedna z matek, zupełnie wykończona i zdesperowana, szukała jakichś wskazówek, które pomogłyby jej poradzić sobie z synem. Wyglądało na to, że mały Will, osiągnąwszy trudny wiek ośmiu lat, jest na najlepszej drodze, by stać się prawdziwym cwaniaczkiem.

Chłopiec uporczywie odmawiał stosowania się do zasady, której przestrzegania wymagała od niego matka, żeby był w domu, zanim zrobi się ciemno. Sytuacja powtarzała się co wieczór. Był jednak zbyt sprytny na to, by jak gdyby nigdy nic wkroczyć do domu w porze, kiedy powinien już leżeć w łóżku. Nie, Will wymyślił sobie, że jeśli zostanie u kolegi do zmroku, a następnie zadzwoni do mamy, informując ją, że właśnie wychodzi, po czym jeszcze trochę zamarudzi, nie spiesząc się w drodze, wtedy będzie mógł jechać rowerem po ciemku, a matka nie będzie miała żadnych podstaw, żeby go ukarać.

Will stawał się sprawnym manipulatorem. Ale nie koniec na tym. Matka zauważyła, że jej syn zaczął przejawiać skłonność do dręczenia innych, dokuczając młodszym dzieciom po to tylko, żeby rozbawić swoich rówieśników. Wszystko to bardzo ją trapiło. Dziecko, które zaledwie parę lat temu było uroczym i kochanym chłopcem, stawało się niegodziwym egoistą. Martwiła się, że Will nie potrafi odróżnić dobra od zła, przestrzega zasad tylko wtedy, gdy akurat odpowiada to jego zamiarom, i nie ma pojęcia, że takie zachowanie sprawia innym ból – a zwłaszcza jego własnej mamie.

Przede wszystkim jednak kobieta ta martwiła się, jaki człowiek wyrośnie w przyszłości z jej syna. Chwilę z nią porozmawialiśmy i wkrótce stało się jasne, że po naszym seminarium oczekiwała znacznie więcej niż tylko pomysłowych koncepcji na utrzymanie dziecka w ryzach. Szukała głębszego potraktowania zagadnienia. Dyskusję zaczęliśmy od problemu zachowania, ale szybko przeszliśmy do tematu o wiele bardziej złożonego. Skupiliśmy się na wychowaniu dzieci jako istot postępujących moralnie i dojrzałych emocjonalnie, które będą należycie przygotowane do tego, by stawić czoło wyzwaniom, jakie niesie życie we współczesnym, skomplikowanym świecie.

Problem z Willem wymknął się spod kontroli, ponieważ jego matka, tak samo jak wielu z nas, była po prostu wyczerpana. Tak bardzo zaangażowała się w codzienne staczanie bojów z synem, że straciła z oczu główny cel, który jej przyświecał – wychowanie dziecka na człowieka moralnie dojrzałego i rozumiejącego, że jego zachowanie może ranić innych ludzi i źle wpływać na stosunki z nimi.

Chociaż matka chłopca uznawała sprawę za przegraną, pomogliśmy jej dostrzec, że mimo nagannego zachowania jej syn nie jest wcale złym dzieckiem. Naprawdę bardzo chciał być lubiany i ogromnie ją kochał. Ale w jego charakterze po prostu brakowało równowagi, poszczególne elementy nie były odpowiednio zintegrowane. Will miał zdecydowanie silną wolę, był szalenie wytrwały i odważny. Umiał także znakomicie rozwiązywać problemy, czego dał dowód, objawiając talent do manipulowania ludźmi. Wyraźnie natomiast rzucał się w oczy brak innych istotnych cech charakteru: empatii, odpowiedzialności, samoświadomości i samodyscypliny, które są niezbędne do ukształtowania się inteligencji (dojrzałości) emocjonalnej. Tego dnia, w czasie narady w pokoju hotelowym, matka Willa znalazła brakujące ogniwo łańcucha, potrzebne do prześledzenia na nowo celów wychowawczych, jakie sobie stawiała. Postanowiła, że musi poszukać sposobu, w jaki mogłaby pomóc chłopcu rozwinąć te brakujące cechy, i poprosiła nas, abyśmy jej w tym pomogli. Od tego momentu zaczęła działać, zamiast przeciwdziałać.

Świat, w którym wychowujemy nasze dzieci, jest niestety moralnie niejednoznaczny i nie wystarczy, że będziemy dbać o dyscyplinę i mieć nadzieję na lepszą przyszłość. To wielkie nieporozumienie sądzić, że dyscyplina jest sposobem na ukształtowanie człowieka postępującego szlachetnie i osiągającego sukces. W rzeczywistości zdyscyplinowane dziecko może zachowywać się właściwie, ale na tym koniec. A wychowanie musi sięgać głębiej, dokonywać się poprzez rozwijanie różnych umiejętności i siły charakteru.

I o tym właśnie traktuje ta książka; jest podręcznikiem wychowania dzieci zdolnych i pewnych siebie zarówno pod względem emocjonalnym, jak i intelektualnym.

Gdzie naprawdę tkwi problem?

Rodzice, którzy przychodzą na nasze warsztaty lub odwiedzają nas w biurze, najczęściej skarżą się, że ich dzieci:
- nie słuchają rodziców,
- ociągają się z odrabianiem lekcji,
- najpierw działają, potem myślą,
- wykorzystują młodsze rodzeństwo,
- zbyt łatwo się poddają,
- lekceważą wprowadzone zasady,
- nie sprzątają w swoich pokojach,
- nie chcą rozmawiać z rodzicami.

Kiedy kończą wymieniać swoje skargi, prosimy ich, żeby pomyśleli, jakie główne cele wyznaczyli swoim dzieciom. Nie dziwi nas, że pytanie to początkowo wywołuje konsternację, ponieważ bardzo często zapomina się o tym pośród takich spraw, jak konieczność wykonania pilnej pracy, codzienne problemy małżeńskie, odwożenie dzieci do szkoły i na zajęcia, utrzymanie dyscypliny i pilnowanie odrabiania lekcji. Po chwili jednak rodzice przypominają sobie odpowiedź i zapewniają nas, że ich celem jest, by dziecko:

- było uczciwe, szlachetne i uprzejme,
- przestrzegało prawa,
- było człowiekiem myślącym niezależnie,
- odniosło sukces,
- prowadziło życie moralne i zgodne z zasadami,
- było godne zaufania i szacunku,
- umiało kochać i było szczodre,
- było zdyscyplinowane i odpowiedzialne,
- pragnęło pogłębiać wiedzę,
- dbało o swoje ciało,
- umiało rozwiązywać wielkie i małe problemy,
- cieszyło się życiem i było szczęśliwe,
- łatwo nawiązywało kontakty i umiało zachować dystans,
- było dobrym człowiekiem.

Kształtowanie charakteru musi być sprawą najważniejszą

Tak samo jak matka Willa, wielu rodziców traci z oczu swój dalekosiężny cel i wkłada ogromny wysiłek w osiągnięcie tego, co akurat teraz wydaje się im ważne, nie dlatego że zmienili zdanie, ale dlatego że skupili się na tym, co widać w danej chwili najwyraźniej. To, co powinno być dla nas, rodziców, najistotniejsze, zbyt często zostaje zepchnięte na bok przez różne presje, zbliżające się ostateczne terminy, przeładowane programy i niekończące się żądania.

Mówimy o tych wyzwaniach nie tylko jako ludzie, którzy często przemawiają do matek i ojców oraz są rodzinnymi terapeutami, ale także jako rodzice dwóch małych dziewczynek, Emily i Arielle. Dlatego musimy mieć na względzie przede wszystkim dalekosiężne, priorytetowe cele, a więc cierpliwie i bez pośpiechu uczyć nasze dzieci i pomagać im w kształtowaniu charakterów. Jednakże nader często zdarza nam się, że kołowrót codziennych zajęć i obowiązków bierze górę, ogarnia nas niczym potężne tornado, porywa i zmiata z powierzchni nasze najlepsze intencje, a wtedy nawet najstaranniej przygotowane plany działania całkowicie biorą w łeb. Ale w takich wypadkach zamiast marnować czas na rozważanie, jakimi to jesteśmy „złymi rodzicami", starajmy się odzyskać panowanie nad sytuacją i nad celami, które sobie postawiliśmy. Szukajmy naprawdę twórczych rozwiązań.

Co to jest charakter?

Charakter jest opisywany w literaturze jako wewnętrzna wiedza, uczucia i wartości, którymi kierujemy się w życiu, prowadzące nas do osiągnięcia wyznaczonych celów. I chociaż możemy urodzić się już z pewnymi określonymi, osobistymi cechami charakteru, to na ukształtowanie się całego charakteru człowieka wpływają nie tylko wrodzone predyspozycje. Charakter nie jest „sposobem bycia", określa raczej „bycie zdolnym do czegoś". Innymi słowy, opiera się głównie na indywidualnych możliwościach opanowania własnego temperamentu i wykształcenia na tej podstawie dobrze wyważonego zbioru wiążących się ze sobą umiejętności, nawyków, cech, zdolności oraz znajomości rzeczy, które zdobywa się przez całe życie wyłącznie dzięki doświadczeniu i nauce.

Podstawy kształtowania się charakteru

Jeśli chcemy, aby nasze dzieci wykształciły te (podstawowe dla ogólnego rozwoju) umiejętności, cechy i wiadomości, należy stworzyć im takie warunki, które będą pożywką dla dojrzewającego charakteru. Odpowiednie środowisko powinno w każdej chwili służyć dziecku podanymi niżej pięcioma podstawowymi elementami wychowania oraz być ich żywym przykładem. Do podstaw tych zaliczamy:

• wiedzę i zrozumienie,
• równowagę i stabilizację,
• bezwarunkową miłość i akceptację,
• inspirację i kształtowanie pozytywnych postaw,
• więzi rodzinne i społeczne.

My jesteśmy – to stwierdzenie trzeba uznać za podstawową prawdę dotyczącą wychowania dzieci. *My* – to znaczy rodzice, opiekunowie i wychowawcy – *jesteśmy* mentorami naszych pociech. Ukształtowanie się ich charakteru zależy od tego, w jakim stopniu skutecznie wyposażymy je w wiedzę, której będą potrzebować do zrozumienia i podejmowania właściwych decyzji; jak silne będzie poczucie stabilizacji, którym je obdarzymy, by umiały w pędzącym na oślep świecie znaleźć równowagę we własnym życiu; zależy również od komfortu i bezpieczeństwa, jakie daje bezwarunkowa miłość; od tego, czy nauczymy je i pokażemy im przykłady prawidłowego postępowania, oraz od rodziny i społeczności, do której zawsze będą czuły się przynależne. Bez tych podstaw dzieci nie będą miały na czym budować własnego charakteru. Wyobraźcie sobie drapacz chmur wybudowany na słabym i niestabilnym podłożu. W waszych głowach szybko powstanie obraz chaosu i katastrofy, jaka niewątpliwie nastąpi pewnego dnia, gdy budynek zacznie zapadać się pod swoim ciężarem. Dzieci są właśnie tak bardzo bezbronne i nie można ich zostawić samym sobie, ponieważ bez solidnych fundamentów mogą pogrążyć się pod presją i ciężarem dorastania.

Najważniejsze nabyte cechy charakteru

Aby przebrnąć przez różne przeszkody, jakie szykuje dla nas życie, trzeba nabyć naprawdę wiele umiejętności i zdolności. My wybraliśmy spośród nich te najważniejsze i pogrupowaliśmy je tak, aby niezbyt wdzięczne zadanie opanowania ich stało się nieco łatwiejsze. Każda zebrana przez nas grupa cech zależy ściśle od pozostałych i rozwija się w zależności od wieku dziecka i jego możliwości rozwojowych. Celowo nazwaliśmy je nabytymi cechami charakteru, a nie cechami charakteru, żeby podkreślić, że charakter kształtuje się i wzmacnia dzięki procesowi nauczania. A oto one:

- osobisty potencjał: wiedza o sobie samym, szacunek dla siebie i wewnętrzna motywacja do wytrwałości,
- samoświadomość: radzenie sobie z emocjami, wejrzenie w głąb siebie, ekspresja i intuicja,
- harmonia społeczna (nazywana także umiejętnością życia z ludźmi): umiejętność porozumiewania się z innymi, życia w społeczeństwie i pracy w zespole,

- wrażliwość: świadome podejmowanie decyzji moralnie słusznych oraz niezależne myślenie,
- radość życia: radość, radzenie sobie ze stresem oraz odnalezienie spokoju wewnętrznego,
- twórcze myślenie: radzenie sobie w sytuacjach krytycznych i rozwiązywanie konfliktów,
- humanitaryzm: empatia, szacunek i wdzięczność.

Jeśli ta lista wydaje wam się przerażająca, popatrzcie na nią z innej strony. Wymienione umiejętności są zarówno dla was, jak i dla waszego dziecka bronią w walce z przeciwnościami losu, z negatywnymi wpływami środowiska i z wielu innymi nieszczęściami, które spędzają rodzicom sen z powiek. Dzieci muszą w sobie wykształcić te cechy nie tylko dlatego, żeby być dobrymi, postępującymi moralnie i świadomie ludźmi. Potrzebują ich, by przetrwać. Czytacie tę książkę dlatego, że jak wielu innych ludzi, którzy troszczą się o przyszłość swoich dzieci, postanowiliście, że najważniejszą sprawą będzie dla was ukształtowanie ich charakteru. Wasze cele są także naszymi i z tego powodu napisaliśmy ten poradnik. Aktywne podejście do wychowania wymaga cierpliwości, ale na dalszą metę zostaje sowicie wynagrodzone, a także oszczędza czasu i bólu serca.

Aby czegoś nauczyć, nie można się spieszyć

Czas, który przeznaczymy na nauczenie dziecka empatii, w przyszłości zwraca się z nawiązką, gdy nie musimy gderać i przypominać mu, że powinno reagować empatycznie, lub karać go za każdym razem, gdy zrani czyjeś uczucia albo nie zechce przyjąć punktu widzenia innego człowieka. Jeśli bez nadmiernego pośpiechu będziemy kształcić u swojej pociechy poczucie wdzięczności i uznania dla innych, zamiast przypochlebiać się rodzinie i nerwowo podpisywać kartki z podziękowaniami, wtedy dziecko samo to zrobi, ponieważ naprawdę doceni dobrą wolę innych i będzie chciało im podziękować za odwiedziny w dniu urodzin i prezenty z tej okazji. W ten sposób mamy o jedną rzecz mniej do zrobienia na krótką metę, a na dalszą – o jedną nabytą przez dziecko cechę charakteru więcej!

Proponowane przez nas podejście do kształtowania charakteru i inteligencji emocjonalnej rzeczywiście wymaga czasu. Wydaje się, że czas jest jednym z najcenniejszych dostępnych towarów, jednym z tych, z których ludzie niezbyt chętnie rezygnują, bez względu na to, na co ma być przeznaczony. Kiedy pojawia się pytanie, jak długo będzie trwało przeprowadzanie z dziećmi gier i zabaw, zanim nauczy się je określonych cech, na ogół odpowiadamy także pytaniem: „Czy smarujecie dzieci kremem z filtrem przeciwsłonecznym, zanim wyjdziecie na słońce?". Po otrzymaniu standardowej odpowiedzi pytamy znowu, ile na ogół czasu zajmuje smarowanie kremem całej rodziny. Pięć minut? Dziesięć minut? Następnie zadajemy kolejne pytanie: „Co się dzieje, kiedy dzieciaki wyjdą z wody i trzeba je ponownie posmarować? Znowu trwa to pięć lub dziesięć minut?". Wtedy wyciągamy kalkulator i robimy małą lekcję rachunków. Jeśli dodamy te minuty do siebie, biorąc pod uwagę całe dzieciństwo jednego tylko malucha, uzyskamy dość pokaźną ilość czasu, który można było przeznaczyć na coś naprawdę ważnego, na przykład na rozliczenie rachunków. Gdy pytamy rodziców, co by się stało, gdyby nie przeznaczyli tego czasu na posmarowanie dziecka kremem, na ich twarzach pojawia się przebłysk zrozumienia. Nagle zdają sobie sprawę z tego, że te pięć czy dziesięć minut, które przeznaczają na pielęgnację skóry, jest niczym w porównaniu z wygojeniem poważnego poparzenia słonecznego lub, w przyszłości, leczeniem nowotworu skóry. Troska o dojrzewanie emocjonalne naszych pociech nie różni się od troski o ich ciała. Ten dodatkowy czas, który poświęcimy wpajaniu im ważnych cech charakteru, w przyszłości zaoszczędzi nam właśnie cennego czasu i uchroni przed poważnymi problemami.

Nie powinniśmy na wychowywanie zrównoważonych i zdolnych dzieci patrzeć jak na drogę przez mękę, usłaną niekończącymi się wykładami i nieżyciowymi instrukcjami oraz radami. Przeciwnie, wychowanie powinno następować w codziennym zdobywaniu życiowego doświadczenia, dzieleniu się różnymi odkryciami, zaplanowanymi i nieoczekiwanymi zdarzeniami i ćwiczeniami, stymulowanymi przygodami, w których razem z dziećmi bierzemy udział.

Rozumiemy przez to, że dzieci należy uczyć, stosując ich ulubioną metodę zdobywania wiedzy – zabawę. Ktoś może pomyśleć, że nie należy bawić się charakterem, ale to właśnie jest najmocniejszy punkt naszego podejścia.

Jak bawiąc – uczyć?

Zabawa jest najbardziej efektywnym sposobem uczenia dziecka. W zabawie możecie zapoznawać je ze skomplikowanymi koncepcjami, poglądami filozoficznymi i emocjami, które trudno opisać słowami. Wpajacie maluchom różne umiejętności i pokazujecie im, jak rozwiązywać problemy wtedy właśnie, kiedy z pełnym zaangażowaniem bawicie się z nimi w gry przeznaczone specjalnie dla nich, które stymulują zarówno ciało, jak i umysł.

W przeciwieństwie do innych metod nauczania, zabawa całkowicie pochłania dzieci, gdyż angażuje wszystkie zmysły. Nie tylko widzą lub słyszą przekazywaną lekcję, ale ją wykonują. Pomyślcie o swoich własnych doświadczeniach z zabawą. Wyobraźcie sobie, że zapisaliście się na kurs garncarstwa, a instruktor cały czas pokazuje tylko slajdy z glinianymi naczyniami i opowiada o nich. Jak wiele nauczyliście się na temat pracy w glinie? A teraz przedstawcie sobie w myśli obraz instruktorki, która wręcza wam mokry kawał gliny i każe wam go miętosić, skręcać i eksperymentować z różnymi technikami, które wcześniej wyjaśniła i zademonstrowała. Z której lekcji wyciągnęliście więcej wiadomości na temat garncarstwa?

Zabawa jest królestwem dzieci. Jest naturalnym sposobem wyobrażania sobie przez nie świata. Przedstawimy teraz, jak nasza córka Emily nauczyła się budować zamek z piasku i jednocześnie zdobyła większą niezależność i zaufanie do samej siebie.

Na początku nasypała suchego piasku z plaży do wiaderka. Kiedy obróciła je do góry dnem, uzyskała tylko dużą, luźną kupkę piasku. Ponieważ z natury dobrze sobie radzi z rozwiązywaniem problemów, nie zaczęła jęczeć z tego powodu ani nie poprosiła o pomoc. Rozejrzała się dookoła i w pobliżu wody dostrzegła kilkoro dzieci, które budowały zamki z mokrego piasku. Podeszła tam, zaczerpnęła rękami mokrego błocka, napełniła nim wiaderko, a następnie ponownie je obróciła. Tym razem nic się nie wydarzyło. Mokry piasek pozostał w wiaderku, mocno do niego przyklejony. Emily jeszcze nie była skora dać za wygraną. Wygrzebała błoto i odkryła, że pomiędzy oceanem a suchym piaskiem znajduje się rejon, gdzie piasek jest wilgotny. Kiedy tym razem nabrała go do wiaderka, które następnie przewróciła do góry dnem, poklepała przepisowe trzy razy w denko i ostrożnie podniosła, ku swemu wielkiemu zdumieniu ujrzała doskonale uformowany kopczyk, który w końcu stał się jej pierwszym zamkiem z piasku. Emily rozwiązała problem całkiem samodzielnie i właśnie dzięki zabawie.

To było bardzo pouczające doświadczenie, które pojawiło się w sposób naturalny. Byłoby wspaniale, gdyby każde działało podobnie. Ale na ogół tak się nie dzieje i dlatego właśnie powinniśmy zadbać o to, by w życiu naszych dzieci pojawiło się wiele zaplanowanych, celowych zabaw, na podstawie których mogłyby się uczyć. Kiedy przestaniemy patrzeć na zabawę jak na coś banalnego albo dodatek, na który zwykle nie mamy czasu, przekonamy się, że jest ona integralnym składnikiem zdrowego rozwoju człowieka. Oprócz tego, że wiele można się dzięki niej nauczyć, redukuje także stres i ułatwia kreatywne myślenie. Wszystkie te argumenty dowodzą, że posługiwanie się zabawą w wychowywaniu dzieci jest ze wszech miar słuszne i mądre.

Rozwijanie charakteru poprzez zabawę

Zawsze, i przed, i po napisaniu „Playful Parenting", szczególnie bliskie i interesujące wydawały nam się lekarstwa na potwory. Jedna z zabaw opisanych w tej książce pobudziła wyobraźnię naprawdę wielu ludzi. Do dziś zarówno rodzice, jak i dzieci śmieją się z niej, dziękują za nią i chwalą pomysł. Zatytułowaliśmy ją „Spray na potwory". Jak zapewne się domyślacie, specyfik ten sprawia, że „potwory" znikają, kiedy się je nim popryska. Do butelki z rozpylaczem należy po prostu nalać „magicznej" wody. Wystarczy, że przestraszony maluch kilka razy naciśnie pompkę i psiknie wodą pod łóżko lub w łazience i – puf! – dziecko samo spowodowało, że potwory zniknęły! Właściwie możemy opowiedzieć o jeszcze jednym sposobie na potwory. Tym razem jest to prawdziwa historia, która, mamy nadzieję, dużo lepiej przekona was, niż moglibyśmy to zrobić my, że zabawa jest świetną metodą kształtowania charakteru.

Czteroletni Roy panicznie bał się potworów. Jego matka próbowała logicznymi argumentami przekonać go, że monstra nie istnieją, ale chłopiec nawet nie chciał o tym słyszeć. W rezultacie zapewnienia matki tylko pogorszyły sprawę, ponieważ upewniły malca, że nikt go nie rozumie. W końcu przestał się skarżyć, ale lęk przed potworami znacznie się pogłębił. Dziecko nie mogło w nocy zasnąć i obawiało się próbować czegokolwiek nowego. Strach z całą mocą wtargnął w życie chłopca i tak bardzo zapanował nad innymi cechami jego charakteru, że nie potrafił on przywołać na pomoc swojej odwagi i umiejętności rozwiązywania problemów, aby przezwyciężyć to destrukcyjne uczucie. I wtedy jego mama pokazała swój talent do zabawy. Uznała, że jeśli chce się pomóc dziecku, należy myśleć jak dziecko. Powiedziała Royowi, że potwory nie jedzą małych chłopców, natomiast bardzo lubią rodzynki. Co wieczór przez cały tydzień maluch kładł się spać, ściskając pełną garść rodzynek. Rano okazywało się, że smakołyki znikały (dzięki mamie, która każdej nocy otwierała zaciśniętą piąstkę synka).

W rezultacie chłopiec zmienił swoje nastawienie, po części dlatego, że poczuł, iż matka mu wierzy, ale także z tego powodu, że ostatecznie mógł zapanować nad sytuacją. Potwory przestały mu się pokazywać. Najcenniejszy rezultat całego doświadczenia objawił się kilka lat później. Młodsza siostra Roya zaczęła okazywać lęk przed potworami. „Nie martw się – powiedział wtedy starszy brat. – Czy wiesz, że potwory nie jedzą ludzi? Żywią się rodzynkami! Chodź ze mną, pokażę ci, co trzeba zrobić!" Zaprowadził dziewczynkę do mamy i mrugnął porozumiewawczo. W ten sposób chłopiec zdobył odwagę i umiejętność rozwiązywania problemów. A poza tym potrafił empatycznie zareagować na uczucia swojej siostry. Wszystkich tych ważnych cech charakteru nauczył się poprzez zabawę.

Na tym właśnie polega uczenie zabawą – jest przekazywaniem mądrości poprzez grę. Czasami przychodzi to w sposób naturalny, jak w przypadku Emily i jej zamku z piasku. Innym razem trzeba bardziej się nagłowić, jak to było z Royem i potworami. Najczęściej jednak do rodziców należy wymyślenie zabawy, która będzie uczyć.

Gry i zabawy prezentowane w tej książce pokazują, jak można kształtować charakter i inteligencję emocjonalną. Przedstawimy wam różne sposoby wprowadzania w życie dziecka wymienionych wcześniej pięciu podstawowych elementów kształtowania się charakteru oraz siedmiu najważniejszych cech nabytych, proponując setki praktycznych i zabawnych zajęć. Te lekcje życia, doświadczane na własnej skórze, rozwiną w waszym dziecku zainteresowanie swoim wnętrzem i indywidualnymi umiejętnościami, wzmocnią poczucie własnej wartości i dadzą wam okazję do wspaniałej, wspólnej zabawy, w czasie której będziecie się uczyć.

Jak korzystać z tej książki?

Ponieważ dobrze rozumiemy, jak bardzo cenny jest wasz czas, skomponowaliśmy tę książkę tak, by w każdej chwili można było z niej skorzystać. Materiał w niej zawarty został podzielony na grupy ściśle ze sobą związanych elementów, wpływających na kształtowanie się charakteru, oraz cech, które dziecko powinno nabyć w procesie wychowania.

Część pierwsza (rozdziały od pierwszego do piątego) mówi o owych pięciu podstawowych elementach kształtowania się charakteru: wiedzy i świadomości, inspiracji i kształtowaniu postaw, równowadze i stabilizacji, bezwarunkowej miłości i akceptacji oraz więziach społecznych i rodzinnych.

Część druga (rozdziały od szóstego do dwunastego) mówi o nabytych cechach charakteru: osobistym potencjale, harmonii społecznej, samoświadomości, wrażliwości, szczęściu, umiejętności podejmowania decyzji, twórczym myśleniu i humanitaryzmie.

Każdy rozdział rozpoczyna się krótkim wstępem na temat tego, co powinniście wiedzieć, żeby zrozumieć, co jest najważniejsze w omawianych w danym fragmencie cechach charakteru. W rozdziałach od szóstego do dwunastego zamieściliśmy także zwięzły i przejrzysty przegląd poszczególnych etapów rozwojowych dziecka, który ułatwi wam dostosowanie swoich oczekiwań do jego aktualnych wiekowych i rozwojowych możliwości. Korzystajcie z tego wraz z podanymi wcześniej informacjami na temat podstaw kształtowania się charakteru lub nabytych cech. W ten sposób trafniej ocenicie poziom predyspozycji waszego malucha. A to z kolei ułatwi wam ustalenie, na czym przede wszystkim powinniście się skupić, oraz uporządkowanie tego, co już wiecie na temat swojej pociechy.

Pamiętajcie, że każde dziecko jest jedyne w swoim rodzaju, posiada sobie tylko właściwe mocne punkty, słabości i talenty. Książka ta ma pomóc w jak najlepszym wykorzystaniu tych naturalnych właściwości oraz w przezwyciężeniu ewentualnych niedostatków. Bacznie zwracajcie uwagę na to, kim jest wasz maluch. Zastanówcie się, co potrafi, a czego potrzebuje. Następnie powiążcie te spostrzeżenia z tym, co wiecie na temat jego lub jej zachowania i sposobu bycia.

Ta część każdego rozdziału, w której przedstawiliśmy zabawy i gry wpływające na kształtowanie się charakteru, prawdopodobnie spodoba się wam (a przede wszystkim waszemu dziecku) najbardziej. W zależności od podejmowanego zagadnienia proponujemy od piętnastu do czterdziestu różnych zajęć, które, wymagając aktywnego uczestnictwa, pomogą w rozwinięciu określonych cech u waszej pociechy, a jednocześnie pozwolą w pełni cieszyć się zabawą. Przy każdym z nich opisujemy, na czym polega, wyjaśniamy cel i podajemy wiek dzieci, dla których jest przeznaczone.

Poza tym, niejako na marginesach głównego tekstu, porozrzucaliśmy zachwycające opowieści o prawdziwych młodych bohaterach, którzy swoimi czynami udowadniają, jak wspaniałe cechy charakteru udało im się rozwinąć w zadziwiająco młodym wieku. Wszystkie historie są prawdziwe, a zaczerpnęliśmy je z danych społecznej organizacji o nazwie Giraffe Project, która inspiruje ludzi do pożytecznych działań dla wspólnego dobra. Jej pracownicy przeprowadzili wywiady z setkami osób w różnym wieku, które są cudownymi przykładami właściwych postaw i źródłem inspiracji tak samo dla dzieci, jak i dla dorosłych. Przeczytajcie je sobie, a łatwiej będzie wam uwierzyć w ogromny potencjał, jakim obdarzone są nasze dzieci. Więcej informacji na temat Giraffe Project i proponowanego przez tę organizację programu kształtowania charakteru dla szkół zamieściliśmy w suplemencie na s. 425.

I już bez dalszych zwlekań, niech ćwiczenie charakteru rozpocznie się! Do roboty i miłej zabawy!

CZĘŚĆ I

Podstawy kształtowania się charakteru

ROZDZIAŁ 1

Wiedza

Wiedza jest jakby soczewką umysłu; czyni bardziej zrozumiałym własne doświadczenie, nadaje ostrość interpretacji wydarzeń i pomaga ludziom skupić się na otaczającym ich świecie. Wiedza dzieci kształtuje się na podstawie interpretacji doświadczeń i formułowania opinii. Ta, którą świeżo zdobyły, jest skrzętnie przechowywana i wykorzystywana później, w nowych sytuacjach, interpretowana ponownie i znów przechowywana na przyszłość. Za każdym razem w trakcie przebiegu tego procesu maluchy rozwijają umiejętność rozumienia.

Nasze pociechy mają naturalny głód wiedzy, co widać wyraźnie w nigdy niekończących się próbach zaspokojenia ciekawości. Jeśli ciekawość uznajemy za podstawę uczenia się, musimy przyznać, że konieczne jest stałe jej podsycanie i karmienie. To właśnie rodzice (lub inne osoby dorosłe ważne w życiu dziecka) są odpowiedzialni za przygotowanie gruntu podatnego na zdobywanie wiedzy. Zdolność poznania rozkwita wtedy, gdy potraficie stworzyć prawdziwie otwartą, przyjazną, wolną od krytyki atmosferę, która sprzyja uczeniu się. W takich warunkach dziecko będzie chętnie zdobywało nowe wiadomości i umiejętności. Pamiętajcie, że proces uczenia się trwa dwadzieścia cztery godziny na dobę, siedem dni w tygodniu, przez całe życie. Nie ogranicza się do godzin spędzonych w szkole czy do innych programowych lekcji i zajęć.

Nauka nie kończy się także wraz z opuszczeniem szkoły. Człowiek uczy się przez całe życie (zastanówmy się, jak wiele nowych wiadomości muszą zdobyć młodzi rodzice podczas pierwszych tygodni pobytu niemowlęcia w domu). Jednakże wielu dorosłych nie zawsze potrafi wykorzystać okazje, jakie zsyła im los. Zamykają się na nowe wiadomości, kończąc proces uczenia się we wczesnej młodości. Natomiast ludzie, którzy przez całe życie pozostają aktywni w poszukiwaniu wiedzy, stale pielęgnują sztukę rozumienia rzeczy tak nieuchwytnych jak dobro i miłość. Rezultatem takiej postawy jest życie bogatsze, pełniejsze, takie, jakie podajemy za wzór młodym ludziom.

Proces uczenia rozpoczyna się od przyjęcia pewnej liczby informacji, ale pamiętajmy, że dziecko to nie komputer, do którego wprowadza się dane. Ono musi stale wypróbowywać nowo zdobyte wiadomości. To właśnie dlatego nieustannie powtarzamy naszym dwulatkom: „Nie właź na blat w kuchni". One po prostu muszą wiedzieć, co się stanie, jeśli to zrobią. Zdobywamy wiedzę dzięki instrukcji i obserwacji, a rozwijamy ją poprzez doświadczenie. Weźmy na przykład sytuację, kiedy opowiadamy dziecku, jak się gra w baseball. Młody człowiek próbuje uderzyć kijem w piłkę i ciągle mu się nie udaje. W końcu trafia. Celne uderzenie i towarzyszące temu wspaniałe uczucie sprawia, że lekcja była cenna.

Proces uczenia się zależy od etapu rozwoju człowieka, zwłaszcza w pierwszych latach życia, kiedy dzieci gwałtownie przeskakują z jednego poziomu na drugi. (Dlatego właśnie rozwój niemowlęcia i małego dziecka jest mierzony najpierw w tygodniach, potem w miesiącach i na koniec w latach). Wiek pomaga nam określić, jak wiele dziecko umie oraz w jaki sposób się uczy, a także jaki rodzaj informacji jest w stanie przyjąć. Pamiętajmy jednak, że każdy ma swój własny styl uczenia się, swoje mocne i słabe punkty. Niektórzy najlepiej przyswajają wiadomości podane w formie regularnej lekcji, inni czują się lepiej, jeśli materiał przedstawiony jest wizualnie i pokazowo. Uczenie się wymaga wysiłku i cierpliwości. Dzieci muszą wiedzieć, że wysiłek ten jest drogą prowadzącą do mistrzostwa, a osiągnięcie mistrzostwa jest z kolei jedną z największych satysfakcji w życiu.

Dzięki wiedzy dzieci:

- potrafią podejmować lepsze decyzje. Wykorzystują swoje wiadomości do dokładnego oszacowania sytuacji, uświadomienia sobie celu i wybrania drogi, którą chciałyby podążać, aby go osiągnąć. Wszystko to dzieje się w całej serii różnych działań, które mogą trwać niespełna sekundę. Wiedzę swoją pogłębiają stale, przez całe dzieciństwo;
- potrafią zinterpretować wydarzenia, których są świadkami, i zrozumieć swoje własne myśli, uczucia i zachowania;
- potrafią przezwyciężać swoje lęki („Potwory nie istnieją naprawdę i to oznacza, że żaden z nich nie mógł się schować pod moim łóżkiem") i zdenerwowanie („Wiem wystarczająco dużo, aby poradzić sobie pierwszego dnia w szkole");
- potrafią podejmować błyskawiczne (ale nie pochopne) decyzje, nawet w nagłych sytuacjach, jak wypadek, pożar czy presja rówieśników;
- dociekają prawdy; gdy zdaje im się, że uzyskane informacje nie mają sensu lub są błędne, ciągle zadają pytania. Ufają swoim najbliższym opiekunom i zwracają się do nich z delikatnymi i trudnymi sprawami, ponieważ mają pewność, że uzyskają uczciwą odpowiedź;
- umieją odczuć satysfakcję, gdy kawałki układanki nagle zaczynają do siebie pasować (znają ten miły moment oświecenia, kiedy można powiedzieć: „Aha! Wiem!"). W takiej chwili zdają sobie sprawę z tego, że uczenie się jest aktem autoafirmacji, i pragną doświadczać jej jeszcze więcej;
- zyskują zaufanie i szacunek do samych siebie, co wyzwala w nich wzmożony głód wiedzy. Ta z kolei powiększa się sama przez się, ponieważ im więcej wiedzą, tym większą mają świadomość, ile jeszcze mogą się nauczyć. Lepiej także potrafią docenić, jak wiele umieją dorośli;
- posiadają coś, czego im nikt nie odbierze, coś, co może być bardzo przydatne w różnych trudnych chwilach.

Bez wiedzy dzieci:
- łatwiej ulegają emocjom, zachowują się impulsywnie, podejmują pochopne decyzje, nie zdając sobie sprawy z konsekwencji;

- polegają wyłącznie na własnej intuicji lub bezkrytycznie słuchają innych ludzi;
- otrzymują niepełne informacje, co może prowadzić do nieporozumień, zawstydzenia i lęków. Jeśli kierują się fałszywymi informacjami, mogą nie potrafić zrozumieć, że to właśnie informacja, a nie jej interpretacja, jest niewłaściwa.

Jak pogłębiać wiedzę dziecka, aby lepiej kształtować jego charakter

- Bądźcie konsekwentni w tym, czego uczycie i jak to robicie. Pamiętajcie, abyście sami stosowali się do swoich nauk. Jak wiele dzieci palaczy słyszy od swoich rodziców, żeby nie brały z nich złego przykładu?
- Miejcie na uwadze ograniczenia waszej pociechy. Zastanawiajcie się, jakie informacje może przyswoić dziecko w określonym wieku, i znajdźcie najlepszy sposób ich przekazania. Sięgnijcie pamięcią do własnego dzieciństwa i spróbujcie przypomnieć sobie, co najlepiej trafiało do was.
- Zostańcie ekspertami w dziedzinie indywidualnego sposobu uczenia się waszego dziecka, jego mocnych i słabych punktów. Bądźcie nienatrętnymi obserwatorami. Przyglądajcie się mu, gdy zabiera się do nowego zadania, składa zabawkę lub wyjaśnia, jak coś działa. Zwróćcie uwagę, kiedy ogarnia je frustracja i poddaje się, a kiedy pęka z dumy, że coś mu się udało. Nad czym trudziło się za każdym razem? Jak zabierało się do poszczególnych zadań?
- Połóżcie nacisk na pogłębianie zdobytej wiedzy. Jeśli stworzycie klimat otwartości i ekscytującego poszukiwania, sprawicie, że dziecko zapała miłością do dowiadywania się coraz to nowych rzeczy. Sukces ma potężną siłę motywowania, a młody człowiek, który uczy się poprzez doświadczenie, wie, jaką przyjemność daje wyobrażanie sobie celu, do którego zmierza. Ktoś taki nie poprzestanie na słomianym zapale.

- Dobrze poznajcie siebie i swoje własne motywy. Pomagacie dziecku nauczyć się czegoś, co zaspokaja jego ambicje czy wasze? Delikatna aluzja: jeśli dziecko walczy z wami na każdym kroku, coś może być nie tak.
- Kontrolujcie dopływ informacji. Tak samo, jak nie powierzylibyście ośmiolatkowi kluczyków do samochodu, nie powinniście także pozwalać na nieograniczone oglądanie telewizji, filmów, wideo oraz spędzanie czasu przy komputerze.
- Uważajcie na to, w jakim środowisku przebywa wasze dziecko w domu i szkole. Zwracajcie przy tym uwagę na jego sposób uczenia się, wiek i stopień rozwoju.
- Dzieci chciałyby widzieć swoich rodziców jako nauczycieli z powołania, którzy zawsze pragnęli uczyć, którzy szukają okazji, aby utrzymać atmosferę nauki, konsekwentnie pracują nad poszukiwaniem odpowiedzi na różne pytania. Z tej wiary wypływa ich zaufanie do was i przekonanie, że potraficie im pomóc.

Zabawy, które pogłębiają wiedzę

Rodzinna księga wiedzy

Książka, w której zapisujemy to wszystko, czego się nauczyliśmy.
wiek: bez ograniczeń

Uczymy się przez całe życie. Nasza wiedza poszerza się za każdym razem, gdy bierzemy do ręki gazetę lub dyskutujemy nad czymś z przyjacielem. Doświadczenia naszych dzieci związane z uczeniem się zdominowane są przez proces edukacji szkolnej. Ale tak samo jak dorośli, najcenniejsze lekcje pobierają w najmniej oczekiwanych miejscach i chwilach.

„Rodzinna księga wiedzy" pomaga dzieciom zachować ślad tego procesu uczenia się.

Wykorzystajcie do tego celu duży notes. Notujcie w nim wszystkie sytuacje, w których następuje proces uczenia się – poprzez przyswajanie faktów, intuicję, działanie itd. Pamiętajcie o umiejętnościach praktycznych (jak przyrządzić kanapkę z masłem orzechowym), ale także o wiadomościach szkolnych (pierwiastek z siedmiu, data urodzin Benjamina Franklina). Może przyda się podzielić księgę na kategorie, na przykład: „Fakty dotyczące naszego świata", „Jak działają różne rzeczy", „Fakty dotyczące ludzi", „Interesujące informacje o naszej rodzinie". Pamiętajcie, aby umieścić w niej rozdziały, które będą dotyczyły szczególnych zainteresowań – zarówno waszych, jak i waszych dzieci – takich jak „Wspaniała nowa muzyka", „Zwierzęta", „Baseball".

Traktujcie tę księgę jak czasopismo: odkładajcie ją czasami na bok, aby porozmawiać o nowo nabytych umiejętnościach, bierzcie ją do ręki, aby je zapisać, i zostawiajcie na wierzchu, żeby można było do niej zajrzeć, kiedy ktoś będzie miał chęć. Każdy nowy wpis opatrzcie datą. Wasze dzieci będą zachwycone, gdy zobaczą, jak i kiedy zdobyły poszczególne wiadomości. Przy przeglądaniu „Rodzinnej księgi wiedzy" w prawdziwe zdumienie wprawi je pokaźna ilość informacji, które posiadają, i będą szalenie dumne z tego konkretnego dowodu, że ich wiedza jest tak rozległa.

Książka pt. „To już potrafię"
Coroczny przegląd fizycznych i intelektualnych umiejętności twojego dziecka.
wiek: bez ograniczeń

Rozpocznijcie pewien rodzinny rytuał. Co roku, przy okazji urodzin waszego dziecka, zapisujcie wszystkie te rzeczy, których się nauczyło w ciągu ostatnich 12 miesięcy. Tutaj postępujemy inaczej niż przy „Rodzinnej księdze wiedzy", gdyż musimy spojrzeć wstecz na miniony czas, by zdecydować, czego maluch się nauczył.

Usiądźcie razem i przypomnijcie sobie wszystkie wyczyny fizyczne, których wasze dziecko dokonało od czasu swoich ostatnich urodzin, osiągnięcia intelektualne i zdobyte w tym okresie wiadomości. Zapiszcie to wszystko w książce, a następnie schowajcie ją do następnego roku. W dniu urodzin zróbcie nowy wpis i przeczytajcie stary.

Rodzinna encyklopedia
Skoroszyt z pracami domowymi.
wiek: bez ograniczeń

Tym razem tworzymy składnicę wszystkich szkolnych referatów, esejów, domowych artykułów i wycinków z gazet, które stale i wy, i dzieci przynosicie do domu. „Rodzinna encyklopedia" jest nieco podobna do „Rodzinnej księgi wiedzy", z tym że tutaj zbieramy raczej to, co nas interesuje, zamiast zapisywać nowe wiadomości i umiejętności.

Skoroszyt wypełniamy szkolnymi pracami, ale także artykułami z gazet i czasopism, które interesują członków rodziny. Dołączcie swoje własne zapiski dotyczące pracy czy hobby. Wzorujcie się na tradycyjnej encyklopedii, a zawartość podzielcie na kategorie (na przykład „Reportaże na temat życia rodziny", „Inne kultury" albo „Wakacje").

Cała rodzina może korzystać z tej encyklopedii jako ze źródła wiedzy lub inspiracji. Trzymajcie ją pod ręką, tak aby dzieci miały do niej dostęp i w każdej chwili mogły zajrzeć do środka, by zachwycić się swoją pracą lub ją skrytykować.

Szacunek i uznanie dla biblioteki
Zadbajcie o to, by dziecko szanowało bibliotekę publiczną.
wiek: bez ograniczeń

Warto pamiętać, że w każdym środowisku można znaleźć bezcenne skarbnice wiedzy. Jeśli wasze dzieci regularnie odwiedzają bibliotekę i odkrywają bogactwa, jakie się w niej znajdują, nabiorą zwyczaju czytania, który zachowają do końca życia.

Dość łatwo można stać się dobroczyńcą biblioteki. Pomożecie więc dzieciom doceniać jej wartość, jeśli nauczycie je w nią inwestować.

Każdego roku kupcie kilka książek, które ofiarujecie bibliotece. A może wasze dziecko zechce sprezentować parę własnych egzemplarzy, które są jeszcze w dobrym stanie. Pomagajcie w uzyskaniu funduszy na powiększenie księgozbioru. Możecie w tym celu uczestniczyć w zbiórkach pieniężnych lub przyłączyć się do działalności komitetu rozwoju biblioteki i zaproponować swoje pomysły. Upewnijcie się, że dzieci rozumieją, jak bardzo ważne jest, by dzieliły się swoim czasem, zdolnościami i możliwościami z biblioteką. Przecież biblioteka dzieli się z nimi swoją wiedzą.

Rodzinna biblioteka
Zbiór waszych ulubionych książek.
wiek: od 2 lat

Nawet jeszcze zanim zostajemy rodzicami, zaczynamy zbierać swoje ukochane książki z dzieciństwa. Poruszają one najróżniejsze tematy. Jedne chwytają za serce, inne prowokują do myślenia. Wszystkie są cudowne.

Nasza własna kolekcja jest ogromna i ciągle się zmienia. Czytanie to codzienny rytuał w naszej rodzinie. To coś, co możemy robić wspólnie. To także znakomity sposób zapoznawania dzieci ze światem. Czytanie łączy rozrywkę z edukacją.

Mamy tak wiele książek, że często wspaniałe, ale malutkie książeczki giną pod stosami równie wspaniałych, ale większych książek. Postanowiliśmy stworzyć minibibliotekę. Tomy podzieliliśmy według kategorii, na przykład: „Zwierzęta", „Życie rodzinne", „Przyjaciele", „Uczucia", „Zabawne historyjki", „Być innym", „Potrafisz to zrobić!" (przeglądamy rocznie całe tuziny książek na temat poczucia własnej wartości i osiągania osobistego sukcesu, więc możecie sobie wyobrazić, ile pozycji mamy pod tym hasłem), „Straszne tematy", „Wakacje" i wiele innych. Nie jest to może system dziesiętny Deweya, ale w ten sposób dużo łatwiej znajdujemy książkę, której akurat szukamy. Wy możecie na przykład wytapetować swoją bibliotekę mapami i ustawić w niej globus.

„Autor, autor... Dziękujemy za wspaniałą książkę"
Napiszcie do autora ukochanej książki waszego dziecka.
wiek: od 4 lat

Autorzy książek dla dzieci poświęcają bardzo dużo czasu i wysiłku na stworzenie opowieści, która spodoba się młodym czytelnikom. Namówcie dziecko, aby wyraziło swoje uznanie dla ulubionego pisarza i napisało do niego list lub namalowało obrazek. Zaadresujcie list nazwiskiem autora i adresem wydawcy, a na kopercie dopiszcie tytuł książki. Pisarze uwielbiają dostawać listy od swoich wielbicieli i na ogół odpisują na nie, co może być prawdziwym wydarzeniem w życiu twojego dziecka.

Dwie jedenastolatki – Janine Givens i Lee Palmer – były ogromnie zdumione, gdy dowiedziały się, że nie mają prawa nieograniczonego wstępu do biblioteki publicznej w swoim mieście, ponieważ nie chodzą jeszcze do siódmej klasy. A przecież zawsze mówiono im, że uczenie się nie zna granic.

Janine i Lee rozprowadziły wśród uczniów młodszych klas szkół podstawowych petycję wzywającą Library Board of Trustees, czyli ich bibliotekę w Andover, w stanie Massachusetts, do zmiany tych zasad. Głos dzieci zignorowano. Niezniechęcone tym faktem, zwróciły się do mediów. Walczyły o swoją sprawę w radiu, telewizji i w wywiadach udzielanych prasie. Cała kampania przykuła uwagę Massachusetts Civil Liberties Union (Stowarzyszenie Wolności Obywatelskich w Massachusetts), które udzieliło dzieciom wsparcia. W rezultacie, cztery miesiące od rozpoczęcia akcji, Janine i Lee dopięły swego i regulamin biblioteki został zmieniony.

Zastanawiam się
Sprawdźcie wiedzę swojego dziecka i rozbudźcie jego ciekawość w kierunku tych wszystkich spraw, nad którymi sami zawsze się zastanawialiście.
wiek: bez ograniczeń

W czasie długiej jazdy samochodem, przy obiedzie czy kiedy macie czas, by usiąść i porozmawiać, dajcie dziecku szansę połamania sobie głowy nad pytaniami, które nigdy nie dawały wam spokoju. Każde zdanie rozpocznijcie od „Zastanawiam się...". Na przykład:

„Zastanawiam się, kto wymyślił pizzę" lub „Zastanawiam się, ile zębów mają psy". (Stawiając problem, weźcie pod uwagę wiek dziecka i pozwólcie mu samodzielnie poszukać właściwej odpowiedzi). Wyraźnie zaznaczcie, że jest jedyną osobą, której udało się rozwiązać ten problem. Wynotujcie „ciekawostki", na które nie potrafiliście znaleźć odpowiedzi.

Poszukiwanie mądrości
Spędźcie dzień na studiowaniu jakiegoś zagadnienia.
wiek: od 2 lat

Znajdźcie sobie jakiś temat, który będziecie odkrywać razem z dzieckiem. Jeżeli malec zastanawia się, jak działa telewizja, spędźcie dzień, poszukując odpowiedzi na to pytanie. Możecie to zrobić, wypożyczając książki z biblioteki, badając wnętrze telewizora albo organizując wycieczkę do siedziby lokalnej telewizji. Nawet dokładne przyjrzenie się antenie satelitarnej i wieży telewizyjnej może mieć dla dziecka bardzo duże znaczenie. Zróbcie zdjęcia i dokładne notatki, które potem umieścicie w „Rodzinnej księdze wiedzy" lub „Rodzinnej encyklopedii". Poproście dziecko, by podzieliło się swoimi odkryciami z kimś, kto nie brał udziału w poszukiwaniach, na przykład z dziadkami lub z przyjacielem.

badając wnętrze telewizora

Bardzo dobrym tematem do poszukiwań mądrości są różnice kulturowe. Spróbujcie dowiedzieć się, dlaczego żydzi świętują Chanukę albo dlaczego niektórzy ludzie jedzą chińskie potrawy pałeczkami. Przedmiotem poszukiwań może być wszystko. Czy zastanawialiście się kiedykolwiek, jak zrobione są ołówki, jak ludzie uczą się żonglerki, czy też jaka jest różnica między diamentami prawdziwymi a zrobionymi przez człowieka? Weźcie dziecko za rękę i pójdźcie się dowiedzieć.

Latem 1990 roku licealistka Camellia Elantably przyjrzała się liście lektur z literatury angielskiej i uznała, że systemowi oświatowemu przydałoby się nie mniej edukacji niż jej samej, uczennicy trzeciej klasy. Wśród piętnastu umieszczonych na liście autorów znajdowały się tylko dwie kobiety, a i to „nadobowiązkowo". Dziewczynce odmówiono pozwolenia na zastąpienie połowy lektur książkami autorstwa kobiet, a dyrektor szkoły uzasadnił swoją decyzję stwierdzeniem, że nie ma dobrych powieści napisanych przez kobiety, gdyż z natury swej nie mogą być one dobrymi pisarkami.

Camellia zbojkotowała więc lekcje angielskiego, a także wszystkie inne, na których dyskredytowano wkład kobiet. Zamiast tego ułożyła własny, indywidualny tok nauczania, w którym zachowała równowagę w doborze lektur pomiędzy udziałem każdej z płci. Nie po raz pierwszy dziewczynka zaprotestowała przeciwko dyskryminacji kobiet w programie szkolnym. W drugiej klasie zamiast szkolnych lekcji angielskiego zrealizowała swój własny program. Przyjmując taką postawę, ryzykowała, że nie będzie mogła zdać do następnej klasy. Jednakże na krótko przed końcem roku z pomocą swojego opiekuna naukowego wynegocjowała pewien kompromis z władzami szkoły i otrzymała świadectwo. Głębokie przeświadczenie Camelli o słuszności własnych racji stało się przykładem dla młodzieży i, jak ufają niektórzy, dla systemu oświatowego w jej rodzinnym mieście.

Słownikowy obiad
Ułóżcie słownik w czasie obiadu.
wiek: od 4 lat

Wyrzućcie tę okropną paterę z koszmarnymi plastikowymi owocami i na jej miejsce połóżcie słownik. W czasie posiłków po kolei losujcie słowa i czytajcie określające je definicje. Używajcie ich przy stole, stosując je zarówno w poważnych, jak i humorystycznych kontekstach.

Zdumiewające fakty z lodówki
Przyczepcie na lodówce nowo zdobyte informacje.
wiek: od 3 lat

Przygotujcie do tej zabawy dużo przyczepów magnetycznych. Co tydzień wybierzcie ciekawe informacje (z gazety, czasopisma, coś, czego dowiedzieliście się z telewizji, w szkole itd.) i przyczepcie je na lodówce. Zróbcie z tego rodzinny rytuał, tak aby nawet maluchy, które nie umieją jeszcze czytać, mogły spojrzeć na ostatnie wydarzenia. Prawdopodobnie zechcecie, aby to starsze dzieci zajęły się wyszukiwaniem ciekawostek.

Rodzinne „Pokaż i opowiedz"
Specjalnie wyznaczona pora, kiedy domownicy mogą pokazać, czego nowego się nauczyli.
wiek: od 3 lat

Wyznaczcie specjalną porę określonego dnia w tygodniu, kiedy każdy z was po kolei będzie mógł zaprezentować nowe umiejętności i wiadomości, które zdobył w ciągu minionych siedmiu dni. Pamiętajcie o tym, byście wy, dorośli, także wzięli w tym udział. Wykorzystajcie czas swojej prezentacji na przekazanie różnych wartościowych informacji. Na przykład pokażcie i opowiedzcie dzieciom, jak zrobić w domu bitą śmietanę lub masło, żeby nie trzeba było kupować gotowych w sklepie.

Rycerze mądrości
Okażcie swoje uznanie ludziom, którzy inspirują wasze dziecko.
wiek: od 4 lat

Kiedy Denise była w czwartej klasie, miała wspaniałą, pełną entuzjazmu nauczycielkę, która ufała, że absolutnie każdy z uczniów ma ogromne możliwości. Panna Terchin rozbudziła w niej trwającą całe życie miłość do nauki jedynie dzięki temu, że niezachwianie w nią wierzyła.

Jeśli wasze dziecko ma to szczęście, że uczy je taki rycerz mądrości jak nasza panna Terchin, powiedz nauczycielowi, jaki jest wspaniały. Nauczyciele powinni wiedzieć, że mają cudowny wpływ na dzieci, a do rodziców należeć powinno złożenie im za to podziękowania.

Każdy może być rycerzem mądrości. Raz w tygodniu przyjrzyjcie się wraz z dzieckiem tym osobom z rodziny, najbliższego otoczenia, kraju lub świata, dzięki którym posiedliście nowe wiadomości. To może być oficer policji, który wygłosił w szkole pogadankę na temat bezpieczeństwa jazdy na rowerze, albo laureat Nagrody Nobla w dziedzinie fizyki, który swoimi odkryciami podzielił się ze światem. Napiszcie do waszego rycerza mądrości i podziękujcie mu, że nauczył waszą rodzinę czegoś nowego. Możecie też poznać tę osobę prywatnie, a wtedy porozmawiajcie z dziećmi na temat wiadomości, które zdobyły dzięki niej.

Specjalista
Mianujcie każdego z członków rodziny ekspertem w jakiejś dziedzinie.
wiek: od 3 lat

Każdy człowiek jest w czymś lepszy od innych. Postarajcie się odkryć i pielęgnować specjalność każdego domownika. Wszystko jedno, czy będzie ona dotyczyła sprawności fizycznej, intelektualnej, czy emocjonalnej sfery życia. Można wykorzystać w tym celu urodziny dziecka i tak dobrać prezenty, żeby rozwijały jego zdolności. Dotyczy to także zajęć szkolnych – lekcji i warsztatów.

Może będziecie chcieli powiększyć krąg specjalistów, włączając do niego członków dalszej rodziny i przyjaciół. W ten sposób zyskujecie więcej okazji do zacieśnienia więzi pomiędzy specjalistami w tej samej dziedzinie – na przykład dziecko i dziadkowie mogą podzielać zainteresowanie szyciem, gotowaniem czy żonglowaniem. Upewnijcie się, że wszyscy zdają sobie sprawę, w czym specjalizują się poszczególni domownicy, i wiedzą, że w każdej chwili mogą uzykać od nich pomoc, jeśli jej potrzebują. Wspaniałe jest nie tylko odkrycie, że jesteś w czymś bardzo dobry. Fakt, że inni uznali cię za eksperta w jakiejś dziedzinie, bardzo podbudowuje poczucie własnej wartości.

Centrum naukowe i biuro prac domowych
Specjalne miejsce, w którym twoje dziecko odrabia lekcje.
wiek: od 4 lat

Jeśli chcecie, żeby wasza pociecha poważnie traktowała prace domowe zadawane w szkole, wy również musicie poważnie podejść do tego zagadnienia. Jednym ze sposobów jest uznanie odrabiania lekcji za co najmniej tak ważne jak praca zawodowa dorosłych. Możecie okazać dziecku, że sądzicie tak naprawdę, organizując mu specjalne biuro.

Powinno się ono znajdować daleko od miejsc, w których zazwyczaj przebywa dużo osób lub gdzie coś innego może rozpraszać uwagę. Nie chcielibyście przecież, żeby wasz uczeń próbował rozwiązywać zadania z matematyki przy stole, obok którego wiedzie główna trasa do lodówki, albo na linii kanapa – telewizor.

Wyznaczcie odpowiednie miejsce, w którym dziecko będzie czuło się jak w pracy – urządźcie je na wzór prawdziwego biura. Podajemy poniżej listę ekwipunku, który dzieci uznają za szczególnie atrakcyjny:

1. Biurko z dużą liczbą szuflad, przegródek i schowków. Do górnej szuflady włóżcie długopisy, ołówki, flamastry, kredki i przybory potrzebne do prac ręcznych, jak nożyczki czy klej. Do pozostałych schowajcie blok, papier kolorowy, foldery, fiszki i cokolwiek jeszcze wyda wam się przydatne.
2. Na ścianie powieście kalendarz.
3. W zasięgu ręki niech zawsze będą słowniki dla dzieci.

4. Pamiętajcie o specjalnych drobiazgach, jak magnetofon, przybornik biurowy ze stojakiem na długopisy lub wygrawerowana tabliczka z nazwiskiem. Odkryliśmy także, że dzieci uwielbiają terminarze spotkań. Kiedy biuro jest już wyposażone, zachęćcie swoje dziecko, by wykorzystało je do odrabiania lekcji. Być może macie w domu swój własny gabinet albo specjalne miejsce, gdzie rozliczacie rachunki lub wykonujecie pracę związaną z zawodem. Wykorzystując do tych celów domowe biuro, kształtujesz w dzieciach stałe nawyki pracy.

Pokażcie dziecku, że szkołę można traktować podobnie jak interesy. Tygodniowe prace domowe może zaplanować z wyprzedzeniem, wpisując je do terminarza. Wytłumaczcie mu, że samo ponosi odpowiedzialność za swoje lekcje, ale zawsze może liczyć na waszą pomoc. Zapiszcie w kalendarzu, o jakiej porze jesteście do jego dyspozycji. W ten sposób unikniecie sytuacji, że dziecko będzie oczekiwać od was ratunku w ostatniej chwili, gdyż wcześniej zwlekało z poproszeniem o pomoc. Tą drogą wzmocnicie w nim świadomość konsekwencji, jakie wynikają z nieodpowiedzialnego traktowania lekcji.

Rodzinne zamiłowanie do nauki
Zabawne gry edukacyjne.
wiek: od 4 lat

Dzieci rodzą się po to, by się uczyć. Ale ta wrodzona ciekawość może łatwo zmarnieć, jeśli nie będzie pielęgnowana. W rodzinach, które uznają edukację za prawdziwą wartość, wychowują się ludzie uczący się przez całe życie. Jeżeli dziecko wcześnie odkrywa, że życie jest łamigłówką, którą nieustannie próbujemy rozwiązać, nigdy nie straci motywacji do nauki.

Przytoczone przez nas gry pokażą wam, jak w zabawny sposób sprawić, by uczenie się było w rodzinie wartością priorytetową. Najważniejsze jest to, żeby dziecko obserwowało was, gdy się uczycie z przyjemnością. Wtedy na pewno jemu także w przyszłości uczenie się będzie sprawiało przyjemność.

Miejcie w pogotowiu program szkolny, zwłaszcza specyficzne tematy i zadania. Wtedy łatwiej będzie wam włączyć je do programu rodzinnej przygody naukowej. Regularnie rozmawiajcie z wychowawcą waszego malca, żebyście na bieżąco orientowali się, jak radzi sobie w szkole i co powinien wiedzieć na każdy temat. Teraz jesteście gotowi do przeistoczenia waszego domu w naukowe centrum zabaw i gier. Oto kilka propozycji:

Rodzinne „Koło fortuny". Przeprowadźcie grę wzorowaną na telewizyjnym „Kole fortuny" lub innych teleturniejach. Pytania mogą odzwierciedlać aktualnie przerabiany materiał w szkole. Zmieniajcie się w roli prowadzącego i nie zapomnijcie o nagrodach, jak na przykład wycieczka do muzeum lub wyjście na lody.

Rodzinne przygody naukowe. Zabierzcie dziecko na rodzinną wycieczkę, która jakoś będzie wiązała się z tematami lekcji w szkole. Potraktujcie to twórczo i wyszukajcie takie miejsca i zajęcia, których nie daje uczniom zwykła szkolna wycieczka.

Rodzinne dni nauki. Sprawcie, aby uczenie się stało się sprawą rodzinną. Razem pobierajcie lekcje. Wybierzcie przedmiot, którego możecie uczyć się wspólnie, jak język migowy lub konwersacje z francuskiego. Może zaczniecie uczyć się gry na tym samym instrumencie lub weźmiecie udział w kursie astronomii. Albo pójdziecie razem na lekcje rzemiosła, na przykład dziewiarstwa, garncarstwa czy malarstwa. Najważniejsze, żebyście byli wzorem ucznia dla swojego dziecka. Pokażcie na własnym przykładzie, jak uważać na lekcji, zadawać pytania, planować i uczyć się. Dziecko podejmie wasz entuzjazm i przejmie nawyki. Jeśli to możliwe, tak zaplanujcie urlop lub weekend, żeby wiązały się z waszymi lekcjami. Na przykład pojedźcie do kraju hiszpańskojęzycznego, jeśli uczycie się hiszpańskiego.

Muzeum czarów
Zwiedzajcie muzea sztuki, bawiąc się i ucząc jednocześnie.
wiek: od 2 lat

Gdy byliśmy w trakcie pisania tej książki, spotkaliśmy interesującą parę. Allen był dyrektorem Museum of Fine Arts w Bostonie, a obecnie jest wicedyrektorem National Gallery w Waszyngtonie, natomiast Nancy była przez dwadzieścia lat nauczycielką w liceum, potem została prawnikiem, a teraz specjalizuje się w reprezentowaniu imigrantów, którzy szukają azylu z powodu prześladowań w swoim kraju ojczystym. Allen i Nancy pokazali nam, jak można wykorzystać wizytę w muzeum do kształtowania charakteru i nauki życia. Wiele muzeów na przykład ma galerie specjalizujące się w sztuce jednego, określonego regionu kulturowego. Mogą one pomóc dziecku w rozumieniu innych kultur oraz dać poczucie dumy i tożsamości ze swoją własną. Edukacyjna funkcja muzeów jest oczywista, ale rzadko bierze się pod uwagę galerie sztuki. Skorzystajcie z okazji, żeby pokazać dziecku, jak artyści mogą na różne sposoby interpretować to samo zagadnienie. Przyjrzyjcie się na przykład portretom kobiet z różnych epok i zwróćcie uwagę, jak zmieniały się one przez wieki. Niech maluch obejrzy kilka różnych stylów malarskich i zastanowi się, czy któryś z nich szczególnie mu się podoba.

Muzeum w moim pokoju
Założcie prywatne muzeum.
wiek: od 5 do 12 lat

Po odwiedzinach w muzeum pomóżcie dziecku założyć w kąciku jego pokoju małą wystawę. Młody człowiek będzie jej kustoszem, a zaprezentować może tam wszystko – od modeli samochodów do miniaturowego modelu Układu Słonecznego.

Zachęćcie go, by podszedł do zabawy twórczo i z pomysłem. Jeżeli pokazuje dinozaury, pomóżcie mu zaaranżować odpowiedni dla nich krajobraz. Opatrzcie każdą figurkę właściwą etykietką i dodajcie tabliczki z informacjami na ich temat. Niech mały kustosz zaprosi ciebie i innych na wycieczkę do swojego muzeum, po którym będzie was oprowadzać. Wystawy powinny zmieniać się co miesiąc. Ten sam pomysł z muzeum można wykorzystać do prezentacji prac plastycznych. Przeznaczcie jedną ścianę na wyeksponowanie rysunków dziecka oraz reprodukcji jego ulubionych dzieł sztuki.

„Wiedzące miejsce"

Specjalne miejsce do rozmowy o ważnych rzeczach.
wiek: od 2 lat

Znajdźcie razem z dzieckiem specjalne miejsce, gdzie będziecie omawiać ważne sprawy i dzielić się wiedzą. Wasze „wiedzące miejsce" może być na tapczanie, na krześle w kuchni, w specjalnej kryjówce albo pod ulubionym drzewem w ogrodzie lub w parku.

Kiedy dziecko zadaje pytanie typu: „Dlaczego musisz codziennie wychodzić do pracy?", wymagające dobrze przemyślanej odpowiedzi, zabierz je do tego „wiedzącego miejsca", zanim jej udzielisz. To podkreśli powagę pytania i wyjaśnienia. Na pytania dzieci nie zawsze łatwo się odpowiada. Bardzo ważne jest, żebyśmy potrafili poświęcić im nieco czasu i wyłącznej uwagi.

wiedzące miejsce

Unia rodziców z nauczycielami

Załóżcie centrum pomysłów dla rodziców i nauczycieli.
wiek: od 5 lat

Spróbujcie wpłynąć na pogłębianie wzajemnego szacunku między rodzicami i nauczycielami. Zaproponujcie stworzenie „centrum pomysłów dla rodziców i nauczycieli". Być może szkolna biblioteka zgodzi się przeznaczyć jedną lub dwie półki, na których będą się znajdować ofiarowane książki na temat rodzicielstwa, zdrowia, medycyny i wielu innych dziedzin, które pomagają nam w uczeniu i wychowywaniu szczęśliwych i zdrowych dzieci. Rozważcie także pomysł ustanowienia funduszu na zakup nowych książek lub opłacenie warsztatów dla rodziców i nauczycieli.

Obserwując taką współpracę, wasze dziecko będzie potrafiło docenić, jak ważne jest podejmowanie wspólnego wysiłku dla osiągnięcia wspólnego celu.

Trzymajmy się faktów
Mówcie tylko to, o czym wiecie, i pokażcie dziecku, jak wyszukiwać dowody.
wiek: od 2 lat

Ta zabawa przeznaczona jest zarówno dla waszego dziecka, jak i dla was. Czasami zbytnio spieszymy się z udzieleniem odpowiedzi na pytanie, chociaż tak naprawdę wcale jej nie znamy. Schowajcie dumę do kieszeni i ustanówcie w domu rodzinną policję, której zadaniem będzie pilnować, żeby każda informacja, jaka jest wymieniana pomiędzy domownikami, ściśle odpowiadała faktom. Informacje można odnaleźć bardzo łatwo. Zapytajcie przyjaciół, wybierzcie się do czytelni, zadzwońcie gdzieś, ale trzymajcie się faktów. W ten sposób przekonacie dziecko, że często lepiej przyznać, że się czegoś jeszcze nie wie. Dodatkowo ważnym czynnikiem jest przeświadczenie, że nie wprowadzacie malucha w błąd przez udzielanie mu nieprawdziwych informacji.

O czym powinieneś wiedzieć – zapamiętywanka
Ważne instrukcje przedstaw na piśmie.
wiek: od 4 lat

Są rzeczy, które dzieci muszą wiedzieć, na przykład co zrobić w razie pożaru domu, oraz takie, które powinny wiedzieć, na przykład jak korzystać z piecyka, odebrać telefon czy zrobić pranie.

Instrukcje dotyczące małych i wielkich zadań życiowych należałoby spisać w formie zapamiętywanki. Powinny to być proste, krótkie notatki, wyjaśniające całą rzecz punkt po punkcie. Karteczki-za-pamiętywanki pt. „O czym powinieneś wiedzieć" wręczamy bezpośrednio dziecku, żeby wkleiło je do księgi (por. Rodzinna księga wiedzy, s. 37) albo przyczepiło na urządzeniu, którego dotyczą, na przykład na telefonie lub koszu z brudną bielizną.

Oto na przykład zapamiętywanka na temat otwierania drzwi: 1. Nie otwieraj drzwi, jeśli nie widzisz i nie słyszysz, kto chce wejść. 2. Nie otwieraj drzwi, jeśli nie znasz tej osoby. 3. Jeśli wiesz, kto to, zapytaj mamy lub taty, czy można otworzyć. 4. Jeśli rodziców nie ma w domu, możesz otworzyć drzwi: (lista osób, które dziecko może wpuścić do domu).

Każdą nową zapamiętywankę przygotuj z humorem. Nawet najpoważniejsze sprawy można potraktować z przymrużeniem oka. Niech na przykład jedno z was udaje kogoś obcego, kto chce wejść do domu, mówi przy tym śmiesznym głosem, a dziecko będzie miało świetne praktyczne ćwiczenie, jak powinno się zachować. Same notatki też mogą być zabawne, jeśli połączymy je z błahymi tematami, na przykład „Jak ofiarować najlepszy uścisk na dobranoc" lub „Sześć etapów rozwijania papieru toaletowego". Takie zapiski mogą stać się specjalnym sposobem porozumiewania się między wami a dziećmi. Ale strzeżcie się! Pewnego pięknego dnia to wy możecie dostać zapamiętywankę od córki, w której wyjaśni wam szczegółowo, jak powinniście się zachować z okazji jej pierwszej randki.

Dziecięcy uniwersytet
Przygotujcie swoje dziecko na nowe doświadczenia.
wiek: od 3 do 12 lat

Kiedy nadchodzi pora, że twoje dziecko będzie musiało zmierzyć się z czymś nowym (na przykład zacząć naukę w szkole lub pójść do szpitala), przygotuj je na to zawczasu, tak jak młodych ludzi przygotowuje się do podjęcia pracy – wyślij je na uniwersytet. Dziecięcy uniwersytet może działać zawsze i wszędzie.

Małe dzieci uwielbiają bawić się w szkołę i jest to świetny, niestresujący sposób przygotowania ich do nadchodzących zmian.

Jako profesorowie przygotujcie atrakcyjne, oddziałujące na wyobraźnię lekcje i starannie je przeprowadźcie. Mogą tu się znaleźć „czytanki" (książkowe historyjki związane z tematem) oraz hospitacje (wizyta w nowej szkole lub w szpitalu). W dniu zakończenia nauki wręczcie swojemu studentowi dyplom i wydajcie przyjęcie na jego cześć. Prezent z okazji absolutorium powinien być związany z „celem głównym". Może to być nowa walizeczka na pobyt w szpitalu albo piórnik na przybory szkolne.

Ów „cel główny" nie musi dotyczyć rzeczy zasadniczych. Możecie wysłać swoje dziecko na dziecięcy uniwersytet, aby nauczyło się prawidłowo myć, chodzić samo spać albo też właściwie zachowywać się na weselu. Warto pamiętać, że absolwenci tej jedynej w swoim rodzaju uczelni w przyszłości stają się idealnymi nauczycielami dla młodszego brata lub siostry, którzy staną w obliczu podobnego doświadczenia.

Aja Henderson, mieszkanka Bato Rouge w stanie Luizjana, w wieku dwunastu lat była wytrawną czytelniczką – dziewczynka znakomicie rozumiała, jak wiele przyjemności może dać dobra książka. Ale zamiast szukać samotności na kartach powieści, Aja potrafiła podzielić się swoją pasją z innymi dziećmi. Przekonała rodzinę, żeby zamienić ich cichy dom w bibliotekę publiczną.

Biblioteka czynna jest codziennie i zawsze Aja ze swoją mamą obsługują czytelników jako bibliotekarki. A dzieci z sąsiedztwa chodzą do nich po książki, zamiast brać narkotyki i narażać się na kłopoty.

W ciągu pięciu lat księgozbiór Aji rozrósł się do trzech tysięcy tomów. Ilu osobom odmieniła życie, tego nie da się policzyć.

Codziennie pochwała
Dokładnie to, co znaczy tytuł.
wiek: bez ograniczeń

Nie pozwólcie, by minął chociaż jeden dzień, w którym nie pochwalilibyście tych, którzy wzbogacają wasze życie. Nie pomijajcie ludzi, którzy sprawiają, że wasza rodzina staje się bogatsza o nowe doświadczenia, takich jak wychowawczynie w przedszkolu, licealistka, która opiekuje się dzieckiem, sąsiadka, która piecze przepyszne ciasteczka lub ma przepiękny ogród. Dzieci muszą wiedzieć, że zawsze szanujecie wiedzę, bez względu na to, skąd pochodzi. Kiedy ostatnio dwunastoletni chłopiec o imieniu Matthew odgarnął śnieg z naszego podjazdu, daliśmy mu parę groszy i pochwaliliśmy w obecności naszych dzieci za wykonanie „z pomyślunkiem" potrzebnej pracy. Kilka tygodni później, kiedy poszliśmy na spacer po zamieci śnieżnej, nasza młodsza córka zatrzymała się przy mężczyźnie odgarniającym śnieg sprzed domu i zapytała: „Znakomicie pan odśnieża, czy nauczył się pan tego od Matthew?".

ROZDZIAŁ 2

Równowaga i stabilizacja

Śniadanie. Wsypujesz dziecku pełną miseczkę czekoladek M&M's i nalewasz szklankę lemoniady do popicia. Gdy nadchodzi pora obiadu, wyciągasz pudełko lodów – z pewnością rzuci się na nie z apetytem. Przy kolacji jesteś już zbyt zmęczona, by szykować coś fikuśnego, sklecasz więc parę mamałygowatych kanapek. Wydaje ci się, że to wystarczy, przecież poza tym wszystkim twój malec przez cały dzień pogryzał galaretkowe drażetki.

No dobrze, to nie waszą rodzinę opisaliśmy powyżej. Tak naprawdę nikt nie odpowiada temu wizerunkowi (z wyjątkiem, być może, rodziców, których wymarzyło sobie wasze dziecko). Dlaczego? Ponieważ wiemy dobrze, jak ważne jest przestrzeganie prawidłowej diety. Niestety, zapominamy o tym, że zachować równowagę trzeba również w innych dziedzinach życia. Przeważnie jesteśmy na co dzień tak bardzo zagonieni, że nie zwracamy uwagi, co ma nam do przekazania nasze wnętrze. Zanim się o tym przekonamy, poczucie odpowiedzialności za to, co się dzieje, zaczyna nas przytłaczać do tego stopnia, że nasza kondycja psychiczna znacznie się pogarsza. Rezultat – stajemy się znerwicowani, zestresowani, zdziwaczali lub, co gorsza, chorzy psychicznie.

Tak samo jak regulujecie swoją dietę, postarajcie się zadbać o swoje potrzeby emocjonalne, duchowe, psychiczne i intelektualne. Równowaga psychiczna umożliwia pozbycie się zahamowań, ułatwia szukanie nowych dróg, pozwala na wyzwolenie nowej energii.

Dziecko odczuwa równowagę jako proporcjonalną mieszaninę wolności i dyscypliny. Proporcje te zmieniają się, w miarę jak młody człowiek dorasta, ale potrzeba zachowania równowagi między tymi dwoma składnikami pozostaje niezmienna. Dwulatek na przykład z utęsknieniem wygląda wolności i niezależności, podczas gdy siedmiolatek bardzo dobrze prosperuje w świecie reguł i zasad, które ograniczają jego świeżo uzyskaną autonomię. Potrzeby dzieci to połączenie odpowiedzialności, dyscypliny, lekkomyślności, wyobraźni, współzawodnictwa, współpracy, socjalizacji, czasu spędzanego sam na sam ze sobą i z rówieśnikami, podniecenia, spokoju, sukcesu, porażki, frustracji, wyzwań dla ciała i stymulacji intelektualnej. Kiedy jedna z dziedzin bierze górę nad innymi, dziecko może czuć się zagubione i zestresowane. Zwracano się do nas z prośbą o konsultację w sytuacjach, gdy dzieci były tak ogromnie zaangażowane w wyczynowe uprawianie sportu i zajęcia wymagające niezwykłej aktywności, że doprowadziło je to do stresu o natężeniu tak wielkim, że mogły się pod tym względem porównywać z inwestorami bankowymi na Wall Street. Właściwe ustalenie proporcji między wolnością i dyscypliną może sprawiać spore trudności. Gdy zastanawiacie się nad uczestnictwem swojej pociechy w nowych zajęciach lub podjęciem przez nią nowych obowiązków typu udział w pracach organizacji młodzieżowych czy uprawianie sportu, weźcie pod uwagę następujące kwestie:

• wiek dziecka i jego możliwości na tym etapie rozwoju,
• jego predyspozycje i aktualne potrzeby,
• sprawy praktyczne (na przykład duże prawdopodobieństwo konfliktu),
• szersze spojrzenie na zagadnienie – jak ta zmiana wpłynie na inne codzienne i rutynowe zajęcia,
• potrzeby całej rodziny i obciążenia, jakie mogą ponosić inni domownicy z powodu tej zmiany.

Jeśli wprowadzenie zakazów lub jasno określonych zasad przypomina wam jakieś przykre sytuacje z własnego dzieciństwa, pamiętajcie, że zastosowanie ograniczeń i reguł tworzy zewnętrzny kształt i wewnętrzny sens poczucia bezpieczeństwa i w rezultacie chroni dziecko.

Życie rodzinne także wymaga zrównoważenia. To może oznaczać, że potrzeby jednej osoby mogą być czasem ważniejsze niż innej i odwrotnie. Ośmioletniego Sama można na przykład poprosić, żeby zajął się młodszą siostrą, podczas gdy mama gotuje obiad dla całej rodziny. Taki podział ról daje wszystkim okazję zrobienia czegoś dla innych (jedenastoletni Danny zatrzymuje się, idąc do kuchni, i pyta, czy jeszcze ktoś chciałby coś przegryźć). Rodzice mogą również pomóc dziecku w osiągnięciu wewnętrznej równowagi, uświadamiając mu, że gdy nie zachowuje się, jakby było pępkiem świata, w rzeczywistości wtedy właśnie jest prawdziwą gwiazdą. Młode pokolenie uczy się cierpliwości, gdy wie, że potrzeby innych są równie ważne jak jego własne. Chłopiec, który pilnuje młodszej siostry, gdy mama jest zajęta w kuchni, z pewnością rozumie, że w życiu chodzi o coś więcej niż dbanie tylko o swoje sprawy.

Dzięki stabilizacji i równowadze dzieci:
* rozwijają inteligencję emocjonalną i czują się wystarczająco bezpiecznie, by próbować pokonywać własne ograniczenia, podejmować nowe zadania i stawiać czoło przeciwnościom losu. Obserwując je, możemy zauważyć prawdziwą determinację na twarzy malca, który zbiera siły, aby sprostać nowemu wyzwaniu, pogodną buzię dziecka, które dobrze bawi się w swoim własnym towarzystwie, lub dumne oblicze tego, które po raz pierwszy wykonało powierzone mu zadanie;
* są lustrzanym odbiciem środowiska, w jakim żyją. W stabilnym, dobrze zrównoważonym domu wychowują się zazwyczaj zrównoważone dzieci, które zwycięsko wychodzą z ciężkich prób i dobrze sobie radzą ze zmianami;
* są zrównoważone – dają sobie radę z porażką w meczu, kłótnią z przyjaciółką czy trudnym problemem naukowym. Potrafią uporać się z emocjami także w obliczu prawdziwych katastrof życiowych, takich jak rozwód rodziców czy śmierć ukochanej osoby;
* myślą problemowo i podejmują lepsze decyzje. Dzieci wychowane w domach, w których panuje stabilizacja i równowaga, pozostają

wierne swoim ideałom, gdy ich siła woli i charakter zostają wystawione na próbę.

Bez stabilizacji i równowagi dzieci:

- łatwiej wpadają w złość. Jeśli poddawane są ciągłym zmianom, czyli wytrącane z ustalonego porządku życia, często zachowują się nieprzewidywalnie i wymykają się spod kontroli. Mogą skupiać się wyłącznie na sobie, kaprysić, kwestionować to, co do nich mówimy, i mieć niską tolerancję na frustracje;
- od których zbyt usilnie wymaga się wybitnych osiągnięć w jednej dziedzinie (obiecująca gimnastyczka, trenująca do upadłego, gdyż chce zostać gwiazdą), narażone są na ryzyko niedorozwoju w innych ważnych sferach – dla dziecka jest to potencjalnie niezdrowy sposób życia;
- mogą mieć zaburzenia emocjonalne, czuć się zagubione lub myśleć, że są zepsute. Zbyt mało poświęconej uwagi i niewiele ograniczeń prowadzi do wypaczonego wyobrażenia o własnej mocy i władzy. Odpowiednia dawka dyscypliny z jednej strony i ograniczeń z drugiej wyrabia w dziecku poczucie szacunku i zaufania do samego siebie.

Jak wzmacniać stabilizację i równowagę, aby kształtować charakter dziecka

- Zawsze miejcie jasno przed oczami „szeroki obraz", uwzględniajcie obecny i przyszły styl życia waszego dziecka.
- Jako rodzice musicie spełniać wiele ról: towarzysza zabaw, sędziego, żywiciela, nauczyciela, najwyższego autorytetu, zwierzchnika i wzoru. Pozwólcie, aby dziecko miało wpływ na to, jakie role przyjmujecie. W ten sposób dowiedziecie, że sami jesteście zrównoważeni.
- Przyjrzyjcie się dobrze samym sobie i upewnijcie się, czy udało się wam zachować harmonię między rolą rodziców a innymi celami,

które sobie wyznaczyliście, między dzieckiem a innymi obowiązkami.
* Starajcie się, aby w życiu waszej rodziny zostały zachowane właściwe proporcje między pracą i rozrywką, karierą zawodową i rodziną, cierpieniem i radością, samotnością i życiem w gromadzie, nagrodą i karą. Wtedy stanowimy całość, gdy widzimy oba krańce spektrum.

Zajęcia wprowadzające równowagę

Na szalkach wagi, zwanej życiem
Zawsze aktualny pomiar proporcji między stresami a przyjemnościami, jakie niesie życie.
wiek: od 5 lat
materiały: kubeczki papierowe lub inne niewielkie pojemniki jednakowych rozmiarów, tasiemka, wieszak na ubrania, grosiki lub szklane kulki, które będą służyć za ciężarki

Ta zabawa powinna ułatwić dziecku zrozumienie, jak ważna jest w życiu równowaga. Na początek uczestnicy spisują na karteczkach wszystkie swoje zajęcia, zobowiązania i codzienne obowiązki. Powinni uwzględnić zarówno prace systematyczne, jak chodzenie na lekcje tańca czy zbiórki harcerskie, jak i te przypadkowe, jak oglądanie telewizji. Wśród zobowiązań należy zaznaczyć odwiedziny u krewnych oraz pomoc przyjaciołom. Codzienne obowiązki to między innymi szkoła, praca i pomoc w domu. Każde z zajęć oznaczamy symbolem wskazującym, czy dana rzecz jest dla nas przyjemnością, czy stresem. Możecie pomóc dzieciom w wypisaniu zajęć, ale o tym, jak je zakwalifikować, niech zadecydują same.

Do przeciwnych końców wieszaka na ubrania przywiążcie tasiemki, a na nich zamocujcie papierowe kubeczki. W ten sposób powstanie waga. Jeden z pojemniczków oznaczcie napisem „życiowe stresy", a drugi „życiowe przyjemności". Zawieście wagę na drucie lub długim haczyku, tak aby balansowała swobodnie. Każdy pieniążek lub szklana kulka będzie odpowiadać jednemu hasłu z listy. Możecie je oznaczyć markerem, żeby wiadomo było, które odnoszą się do przyjemności, a które do stresów. Każdy z domowników może ocenić swoją życiową równowagę, wrzucając do odpowiednich pojemników własne „odważniki". Kiedy już wszystkie się tam znajdą, przyjrzyjcie się szalkom. Równoważą się? Jeśli tak – świetnie! Jeśli jednak stresy przeważają, zastanówcie się, co zrobić, żeby odzyskać równowagę. Przytoczmy przykład. Lista dziewięcioletniej Sally powiększa się znacznie szybciej niż pozostałych uczestników. Znajdują się tam treningi sportowe, lekcje tenisa, zajęcia plastyczne, nie wspominając już o obowiązkach domowych i szkolnych. Jak na ironię, zajęcia, które miały być relaksem, stały się źródłem stresu, ponieważ nazbierało się ich zbyt wiele. Jeśli dziewczynka zrezygnowałaby z jednego z nich, pozostałe mogłyby stać się bardziej przyjemne.

Kiedy już każdy z was oszacuje swoją życiową równowagę, wrzućcie na szalki wszystkie odważniki naraz, żeby zobaczyć, jak rzecz się ma w przypadku całej rodziny. Wspólnie musicie zadecydować, co należy do kategorii stresu, a co do przyjemności. Jeśli wszyscy pozostajecie pod wpływem zbyt wielu stresów, postarajcie się popracować nad odzyskaniem równowagi. Jeśli przeważają przyjemności, niczego nie zmieniajcie.

Zawrót głowy od nadmiaru zajęć
Ćwiczenie to demonstruje, jak zbytnia aktywność może doprowadzić do zawrotu głowy.
wiek: od 3 do 10 lat

Maluchy uwielbiają wirować w kółko, aż zakręci im się w głowie. Wykorzystaj to do pokazania swojemu dziecku, jak bardzo może poczuć się zagubione, jeśli będzie nadmiernie pobudzane.

Poproś je, żeby kręciło się z szybkością dostosowaną do tempa twojego głosu. Im szybciej będziesz mówić, tym ono szybciej powinno się obracać. Zacznij od spokojnego i powolnego opowiadania

zawrót głowy od nadmiaru zajęć

na temat rutyny codziennego życia, którego spokój osiągacie dzięki równemu podziałowi między obowiązki i zabawę. Przerwij na chwilę i zapytaj, czy czuje już, że kręci mu się w głowie. Następnie z szybkością karabinu maszynowego wyrecytuj, jak wygląda niezaplanowany dzień, wypełniony po brzegi różnymi zajęciami i obowiązkami. W tym momencie dziecko powinno wirować jak nakręcany bączek. Niech maluch pod koniec takiego „dnia" spróbuje stanąć. Jest mało prawdopodobne, żeby udało mu się utrzymać równowagę. To mówi samo za siebie.

Porozmawiaj z nim na temat tego doświadczenia i wspólnie zastanówcie się, jak sprawić, żeby zbyt wypełnione zajęciami dnie nie wymknęły się spod kontroli. Poproś swoją pociechę, by to samo zrobiła dla ciebie. Możesz się bardzo zdziwić, gdy poznasz jej wersję twojego dnia zapełnionego do zawrotu głowy.

„Zbyt wiele garnków na kuchni"
(Przysłowie angielskie, którego odpowiednikiem w języku polskim jest „Nie można trzymać kilku srok za ogon")
Zastosujcie w praktyce znane przysłowie.
wiek: od 5 lat

Denise miała w liceum nauczycielkę higieny, która, wykorzystując powiedzenie „zbyt wiele garnków na kuchni", przeprowadziła godną zapamiętania lekcję życia. A przebiegała ona tak. Tego dnia miało nie być zwyczajnych lekcji. Uczniowie zostali poproszeni o przyniesienie turystycznych kuchenek. Kiedy Denise wraz z koleżankami weszła do klasy, zobaczyła, jak ich nauczycielka próbowała ugotować na dwóch kuchenkach osiem garnków wody. Spowita w kłęby pary, opowiadała spokojnym głosem o tym, jak to zbyt wiele nacisków i zobowiązań (których przedstawicielami były garnki) może stać się przyczyną stresów zwracających się przeciwko działalności człowieka (reprezentowanej przez palniki).

W trakcie wykładu ciągle dokładała nowe garnki na i tak już przepełnione kuchenki. Naczynia z gotującą się wodą przesuwała na bok, żeby zrobić miejsce na podgrzanie nowych. Sama do siebie mamrotała pod nosem, że już ugotowana woda ostudzi się, zanim kolejne garnki dojdą do właściwej temperatury. Wtedy zakręciła palniki pod dwoma z nich i zaczęła szaleńczo biegać dookoła, usiłując utrzymać wodę w garnkach w temperaturze wrzenia. Wyłączyła większość palników, a sama coraz bardziej była pooblewana wodą. Na zakończenie lekcji miała do ugotowania piętnaście garnków wody i tylko jeden działający palnik.

Nauczycielka higieny zrobiła w ten sposób z wyświechtanego powiedzonka prawdziwy teatr. Unaoczniła swoim uczennicom, że wyznaczając sobie cel, trzeba liczyć się z różnymi ograniczeniami wynikającymi z ułomności ludzkiej natury. Jeśli macie zdolności aktorskie, spróbujcie przeprowadzić taką lekcję w domu (nie musicie wcale używać do tego prawdziwej kuchni). Poproście dzieci, aby zastanowiły się, co wywołuje u nich stres (w naszym przykładzie były to garnki) oraz jakie są ich potrzeby (u nas palniki).

Rodzic na jeden dzień
Zamień się z dzieckiem rolami.
wiek: od 5 do 12 lat

W tej zabawie ty i twoja pociecha poddajecie się staremu jak świat magicznemu urokowi, jaki ma zamienienie się rolami na kilka godzin w ciągu dnia. Teraz ty jesteś dzieckiem. Dziecko pełni rolę rodzica. Nie przerażaj się, użyj własnej fantazji i baw się. Tak na pewno zachowa się twoje dziecko.

Pozwól mu zaplanować dzień, ale pamiętaj o tych rzeczach, które muszą być zrobione, jak pranie, sprzątanie i przygotowanie posiłków. Niech malec da ci listę rzeczy, które masz do zrobienia. Na zakończenie porozmawiajcie o wzajemnych doznaniach.

Zaplanuj i przygotuj
Przedyskutuj z dzieckiem wydarzenia dnia.
wiek: od 2 lat

W pewnym sensie rodzina to też instytucja. Działa dobrze i sprawnie, jeśli każdy pracuje z oddaniem. Wykwalifikowany dyrektor ułatwia innym pracę, dobrze ją planując, co z kolei wymaga dokładnej znajomości przyszłych potrzeb firmy. Z tego wynika, że dobry menedżer rodzinny powinien mieć takie samo podejście do swoich obowiązków w domu.

Planując zajęcia obowiązkowe, organizując dzień powszedni i codzienne obowiązki, eliminujecie wszelkie ewentualne konflikty. Z wyprzedzeniem pomyślcie o problemach, które mogą się pojawić. Może na przykład nadejść moment, gdy nie będziecie wystarczająco elastyczni w działaniu lub gdy dziecko będzie bardziej kaprysić. Jeśli potraficie właściwie zaplanować swój dzień, poradzicie sobie nawet wtedy, gdy będzie on wypełniony różnymi zajęciami.

Przygotuj swoje dziecko do całego dnia, wyjaśniając mu dokładnie, co je czeka w ciągu najbliższych sześciu godzin ("Najpierw pójdziemy do pani doktor, żeby mogła sprawdzić, jaki jesteś silny i zdrowy. Potem zabierzemy Spota do weterynarza, a następnie odwiedzimy ukochaną ciocię Mimi, która czeka na ciebie z całuskami i uściskami"). Postępując tak, macie z głowy problem, że dziecko niewłaściwie się zachowa, bo nastąpiła nieoczekiwana zmiana w planie dnia.

Inną ważną metodą wzmocnienia w dziecku poczucia bezpieczeństwa są stałe rodzinne obyczaje, takie jak opowiadanie bajeczek do poduszki czy wspólne wychodzenie w piątek wieczorem na kolację do pizzerii. Stabilizacja i równowaga biorą się z rutyny i przewidywania, co wcale nie znaczy, że nie powinniśmy być spontaniczni. Potrzebujemy po prostu wiedzieć, co ma się zdarzyć z dnia na dzień. Szczególnie dzieci mają wielką potrzebę bezpieczeństwa, wynikającego z rutyny. Poniżej podajemy zajęcia, które w zabawny sposób, poparty rutyną, uczą dzieci, jak wypełniać obowiązki i gospodarować własnym czasem.

Domowa mapa „Co dalej?"
Plan dnia waszego dziecka narysowany na ścianie.
wiek: od 5 do 12 lat
materiały: rolka tapety, okleiny lub papieru pergaminowego na tyle długa, aby wystarczyła na oklejenie wzdłuż ścian sypialni twojego dziecka, gruby karton

Naklejcie papier na ścianach sypialni, a następnie podzielcie go na odpowiadające półgodzinnym okresom segmenty, ilustrujące dzień od rana do nocy. Porozmawiajcie z dzieckiem o tym, jak wygląda jego normalny, zwykły dzień, i wspólnie narysujcie obrazki odpowiadające poszczególnym czynnościom. Wytnijcie je i naklejcie na planie we właściwych przedziałach czasowych. Uwzględnijcie jak najwięcej możliwych zajęć, włącznie z myciem zębów, ubieraniem się i wsiadaniem do szkolnego autobusu. W ten sposób młody człowiek będzie miał jasny obraz tego, co po czym następuje w ciągu dnia, co trzeba zrobić i jak wiele czasu należy temu poświęcić. Jeśli któregoś dnia jego plan zajęć się zmieni, zedrzyjcie nieaktualny obrazek i zastąpcie go nowym. Co wieczór przed pójściem do łóżka przyjrzyjcie się wspólnie planowi na dzień następny – niech dziecko wymieni wszystkie czynności, które ma wywieszone na ścianie.

Terminarz
Terminarz dla dziecka na każdy dzień.
wiek: od 6 lat
materiały: zrobiony własnoręcznie lub kupiony kalendarz
z notesem lub kalendarz ścienny

Przeważnie czujemy się zagubieni, jeśli wyraźnie sobie nie zapiszemy, co i kiedy mamy zrobić. Każdemu człowiekowi, z dziećmi włącznie, jest bardzo trudno wywiązać się ze wszystkich obowiązków i zadań, jeśli wcześniej dokładnie ich sobie nie rozplanuje. Pokażcie dziecku, jak wykonać własny terminarz. Wieczorem w każdą niedzielę lub, jeśli chcecie, częściej, pomóżcie mu zapisać, co ma do zrobienia w najbliższych dniach. Weźcie pod uwagę każdy dzień, zarezerwujcie czas na wstanie z łóżka i na punktualne wyjście do szkoły, uwzględnijcie również czas przeznaczony na zabawę. Nie zapomnijcie o specjalnych obowiązkach czy zadaniach i zaplanujcie je tak, aby były wykonane we właściwym czasie. Być może zechcecie zaznaczyć czas, w którym będziecie na tyle dyspozycyjni, by pomóc dziecku w pracy domowej lub wykonaniu projektu.

Takie plany są znakomite nie tylko dlatego, że unaoczniają dziecku, co dzieje się z dnia na dzień i z tygodnia na tydzień. Pokazują mu także, jak rozsądnie rozplanować swoje zajęcia, a co za tym idzie, zachować równowagę i stabilizację w życiu. Najlepiej mu w tym pomożecie, jeśli nauczycie je robić to samodzielnie.

Wielki rodzinny kalendarz
Kalendarz dla całej rodziny.
wiek: bez ograniczeń

Prawdopodobnie, jak większość rodzin, macie w kuchni kalendarz ścienny. I wszyscy zgodzimy się, że nasze kalendarze po brzegi wypełnione są datami spotkań, przyjęć urodzinowych i zebrań towarzyskich. Rodzinny kalendarz to świetny sposób na dobre zorganizowanie czasu i zaplanowanie obowiązków.

Problem w większości przypadków polega na tym, że to, co zostało tam zaznaczone, na ogół jest czytelne wyłącznie dla osoby zainteresowanej i nikogo więcej. Rodzinny kalendarz nigdy nie będzie spełniał swojej funkcji, jeśli nie wszyscy będą mogli z niego korzystać. Powinien być na tyle duży, by pomieścić terminy wszystkich domowników. Jeśli nie można takiego kupić, spróbujcie go zrobić sami. Dołączcie do niego na długim sznurku długopis i powiedzcie wszystkim członkom rodziny, żeby wpisywali tam swoje zobowiązania, daty treningów, specjalnych wydarzeń, uroczystości i ostateczne terminy oddania prac. Wasz syn ma na przykład trening piłki nożnej w każdy wtorek, przyjęcie u kolegi w pierwszą sobotę miesiąca i dużą pracę naukową, którą musi skończyć do piętnastego. Poproście go, by zaznaczył te daty w kalendarzu. Pamiętajcie, by umieścić tam swoje własne terminy związane z pracą, aby reszta rodziny wiedziała, kiedy jesteście zajęci innymi obowiązkami. Dobrym pomysłem jest wykorzystanie zebrania rady rodzinnej (patrz s. 89), aby ustalić dzień, w którym będziecie zapisywać swoje daty. Termin spotkania zaznaczcie w kalendarzu. Nawiasem mówiąc, w sklepach z artykułami biurowymi można kupić ogromne kalendarze, które znakomicie nadają się do tego celu.

Zabawy, które kształtują stabilizację

Bezpieczny kocyk
Bezpieczne miejsce, w które można się wtulić.
wiek: bez ograniczeń

Jeśli mieliście kiedyś ukochany bezpieczny kocyk, wiecie doskonale, że może być on prawdziwym przyjacielem w chwilach stresu. Czy wasze dziecko ma coś takiego? Dlaczego więc nie możecie się doczekać, kiedy z niego wyrośnie? (Być może dlatego, że jest już strasznie zniszczony i wytarty, wygląda raczej jak kiepska namiastka zakurzonego chodnika).

W porządku, w takim razie proponujemy bezpieczny kocyk, z którego się nigdy nie wyrasta (i wy także możecie z niego korzystać, nawet przy dzieciach). Wybierzcie z dzieckiem specjalny ciepły i przytulny koc lub szal, na tyle duży, żeby cała rodzina mogła się pod nim schronić. Nazwijcie go domowym kocykiem bezpieczeństwa. Niech wam służy w chwilach, gdy szczególnie łatwo was zranić lub gdy po prostu pragniecie odrobiny komfortu. Tego, kto jest w potrzebie, owińcie w kocyk. Bez względu na to, czy jest pod nim jedna osoba, czy pięć, pamiętajcie, by porozmawiać z nią o tym, jak dobrze i bezpiecznie czuje się człowiek w potrzebie, gdy może wtulić się w coś tak ciepłego i miłego. Przynoście kocyk tym, którzy wyglądają na łaknących poczucia bezpieczeństwa i kilku chwil komfortu.

Uwaga: kocyk może okazać się prawdziwym dobrodziejstwem, kiedy dziecko denerwuje się z powodu nocowania poza domem.

Domowy system ochronny
System ochronny stworzony dla zabawy, żeby uciszyć lęki dziecka.
wiek: od 4 do 12 lat
materiały: małe pudełko, karton i flamastry do udekorowania

Pomyślcie, jak bardzo ważna jest dla was świadomość posiadania domu, w którym możecie czuć się bezpiecznie. Dla dziecka potrzeba bezpiecznego schronienia jest szczególnie ważna. Małe dzieci muszą być pewne, że zrobiliście wszystko, co w waszej mocy, by uchronić ich dom przed wszelkim złem. Pokażcie maluchowi, gdzie w waszym domu jest wykrywacz dymu, jak dobrej jakości są zamki w drzwiach oraz alarm przeciwwłamaniowy, jeśli taki posiadacie. Wprowadzenie dziecka w sekrety zabezpieczenia domu nie przestraszy go. Raczej wyzwoli w nim poczucie odpowiedzialności, skoro wy przywiązujecie tak wielką wagę do tych wszystkich detali. Mianujcie swoją pociechę „oficjalnym kontrolerem okien" lub „asystentem do spraw testowania wykrywacza dymu".

Pamiętajcie jednak stale, że dzieci mają także inne lęki, z których my, dorośli, dawno powyrastaliśmy (a przynajmniej większość z nas), jak na przykład potwory. Wyobraźnia dziecka jest bardzo żywa, tak więc to, co zobaczy ono w telewizji (lub usłyszy od starszego rodzeństwa), staje się dla niego trwałą rzeczywistością. Maluszek może być przekonany, że źli ludzie z telewizji w każdej chwili mogą frontowymi drzwiami wkroczyć do jego domu. Pomóżcie dziecku poradzić sobie z tymi lękami, zarówno realnymi, jak i wyimaginowanymi. Stwórzcie specjalnie dla niego domowy system zabezpieczający. Dajcie mu pudełko. Niech je przyozdobi tak, by wyglądało jak urządzenie alarmowe. Przyczepcie dwa okrągłe guziki podpisane „zagrożenie prawdopodobne" i „zagrożenie nieprawdopodobne". Wytłumaczcie maluchowi, że przez zagrożenie prawdopodobne rozumiemy takie niebezpieczeństwo, które faktycznie może się wydarzyć, ale mamy sposoby, żeby sobie z nim poradzić. Zagrożeniem nieprawdopodobnym natomiast nazwaliśmy to, co w żadnym wypadku nie może nas spotkać.

Kiedy dziecko zdradza objawy niepokoju, poproście je, żeby sprawdziło przyczynę swojego lęku systemem zabezpieczającym i ustaliło w ten sposób, jakiego rodzaju zagrożenie odczuwa. Jeśli boi się, że zapali się dom, pokaż mu guzik „zagrożenie prawdopodobne", a następnie przypomnij, że przedsięwzięliście odpowiednie środki ostrożności i zainstalowaliście wykrywacz dymu. Natomiast gdy obawia się, że ulicą będzie przechodził *tyranosaurus rex* i zje wasz dom, wskaż mu przycisk „zagrożenie nieprawdopodobne". Teraz powinniście oddalić strach, jednocześnie nie pomniejszając go. Możecie posłużyć się odrobiną humoru. Udajcie na przykład, że jesteście urządzeniem alarmowym, wydającym dźwięk „piiiiiiiip! piiiiiiip!". „Ta maszyna wie doskonale, że *tyranosaurus rex* nie może po prostu przyjść do waszego domu i was zjeść! piiiiiiiip! piiiiiiiiip! Dinozaury wymarły dawno, dawno temu i mogą żyć tylko w filmach, piiiiiiiip! piiiiiiiip!"

Stabilizujący zestaw ratunkowy
Zestaw do podtrzymania ustabilizowanego stylu życia w różnych nagłych sytuacjach.
wiek: od 4 lat
materiały: komplet kart, małe pudełko

Bardzo często zdarza się, że rodzinna stabilizacja zostaje wystawiona na próbę z powodu różnych zmian. Może to być coś tak ważnego jak nowe dziecko lub coś tak pospolitego jak nowa świnka morska. Takie próby będą mniej rozbijały wasze życie, jeśli przygotujecie sobie plan neutralizacji ich destrukcyjnego działania.

„Stabilizujący zestaw ratunkowy" zachęci dziecko do przygotowania się na nagłe wypadki, dzięki czemu będzie mogło ono zaplanować swoje reakcje. Zacznijcie od wykonania pudełka ratunkowego, w którym umieścicie „stabilizatory", czyli spokojne reakcje na niezwykłe sytuacje. Może to być zwykłe pudełko po chusteczkach higienicznych, pomalowane na czerwono, na które nakleicie etykietkę „Stabilizujący zestaw ratunkowy".

Wspólnie z całą rodziną przemyślcie te sytuacje z przeszłości, które wprowadziły zamęt w wasze życie. Mogą się wam przypomnieć momenty, gdy codzienną rutynę przerwała choroba lub nie pojawiła się długo oczekiwana niania. Przedyskutujcie razem, jak radziliście sobie w tych chwilach. Spróbujcie pomyśleć o tym, co zrobiliście, aby wszystko poszło łatwiej. Na przykład: „Kiedy dziadek był bardzo chory, to chociaż mamy bardzo często nie było w domu, zawsze byliśmy pewni, że kolację zjemy o zwykłej porze". Wasza pewność, że godzina kolacji pozostanie niezmiennie ta sama, zadziałała tutaj jako stabilizator.

Zapiszcie każdy stabilizator na osobnej kartce. Jeśli podpatrzyliście jakiś pomysł u zaprzyjaźnionej rodziny, także to zapiszcie. Następnie pomyślcie, jakie zmiany, które mogą naruszyć równowagę w waszym domu, czekają was w przyszłości, i spiszcie środki, które pomogłyby im przeciwdziałać. Wszystkie kartki włóżcie do pudełka ratunkowego. Niech tam pozostaną do czasu, kiedy będziecie potrzebować w trybie szybkim pomysłu na przywrócenie stabilizacji w zwariowanym okresie zmian.

Przygotujcie się także na możliwość prawdziwego zagrożenia, na przykład trąby powietrznej. Spróbujcie przewidzieć, jakie środki pomogą wam poradzić sobie ze skutkami żywiołu. Aż tak daleko posunięta zapobiegliwość może się zdawać nieco przesadzona. Musicie pamiętać jednak, że podobne wypadki są szalenie intrygujące dla dzieci, które pragną wiedzieć, że rodzina da sobie radę, gdyby pojawiło się takie niebezpieczeństwo.

ROZDZIAŁ 3

Bezwarunkowa miłość i akceptacja

Kiedy kochamy kogoś bezwarunkowo, kochamy go za to, kim jest, a nie za to, co może zrobić. Jeśli deklarujemy bezwarunkową miłość do naszych dzieci, musimy tego dowieść poprzez swoje zachowanie.

Równie ważne jak spełnianie potrzeb fizycznych jest wychodzenie naprzeciw emocjonalnym potrzebom dziecka. Dziecko, tak samo jak jedzenia, łaknie przytulenia. Tak samo jak snu potrzebuje słuchania czułych słów.

Dziecinne pragnienie akceptacji i miłości jest instynktowne i nie da się wytłumaczyć w żaden racjonalny i intelektualny sposób. Ludzie zbyt często powstrzymują się przed fizycznym i werbalnym okazywaniem miłości. Zazwyczaj czują się niezręcznie, gdy wyrażają swoje uczucia. Ekspresja dzieci jest bardzo żywa – zatem i my bądźmy hojni wobec nich. Bezinteresowna miłość i akceptacja przekazuje w sposób bezdyskusyjny informację o tym, co ważne i wartościowe. Dzieci, które w niej wzrastają, mają właściwy stosunek do samych siebie i miłości własnej.

Nie należy mylić bezwarunkowej miłości z nadmierną rodzicielską pobłażliwością. Powinniście bezwarunkowo zaakceptować swoje dziecko – a nie jego zachowanie. Przyjrzyjcie się bliżej życiu dzieci z okolicy i spróbujcie zrozumieć, jak bardzo ważna jest miłość w rodzinie. Na przykład na placu zabaw często mogą one przypisywać sobie wzajemnie określone z góry, czasem nieprawdopodobne, standardy zachowań. Jeśli zachowujesz się we właściwy sposób, zyskujesz akceptację grupy, jeśli nie – jesteś bezdyskusyjnie odepchnięty. Czasem, jeśli nawet dziecko wszystko robi dobrze, i tak może zostać odrzucone po prostu dlatego, że jego włosy są rude albo kędzierzawe, za długie lub za krótkie, zbyt ciemne lub zbyt jasne. Wtedy często spędza bardzo dużo czasu wśród przykrych i szorstkich krytyków, na których akceptacji tak bardzo mu zależy.

NAJCUDOWNIEJSZY KOT NA ŚWIECIE!!

Bardzo trudna dla miłości własnej dziecka może być szkoła. System edukacyjny w samej swojej istocie jest oparty na ciągłym sądzeniu. Uczniowie szybko zdają sobie sprawę z tego, że nie są oceniani za to, jak się przykładają do nauki, ale za to, ile punktów osiągnęli na sprawdzianie. A stąd już krótka droga do tego, by zaczęli uczyć się przede wszystkim po to, by zadowolić nauczyciela.

Gdy to wszystko wziąć pod uwagę, łatwo przekonać się, że posiadanie bezpiecznego schronienia jest dla dziecka zasadniczą potrzebą. Ciepły, pełen miłości dom daje mu spokój i poczucie bezpieczeństwa, pozwala odetchnąć od napięcia wywołanego koniecznością spełniania różnych oczekiwań i pragnieniem bycia lubianym.

Dzięki bezwarunkowej miłości i akceptacji dzieci:
- rozumieją, że niektóre rzeczy są po prostu konsekwencją ich zachowania. Dzięki temu starają się zachowywać jak najlepiej i biorą odpowiedzialność za swoje czyny;
- nie boją się, że stracą miłość rodziców. Taka obawa jest destrukcyjna i trudniej wtedy skoncentrować się na poczuciu odpowiedzialności;

- czują się bezpiecznie, pewnie i mają poczucie własnej wartości. Naturalny proces dorastania jest wtedy łatwiejszy. Droga
do wykorzystania tkwiącego w nich potencjału jest już przetarta,
skuteczniej można się starać;
- wiedzą, gdzie mają się skierować, żeby odpocząć i nabrać sił
do dalszych zmagań ze światem, którym kierują sukces i osąd,
światem rówieśników, wykładowców czy sportowców;
- osiągają spokój wewnętrzny i potencjał, dzięki któremu potrafią
podejmować ryzyko (zaprosić inne dziecko do wspólnej zabawy, zainicjować szkolną akcję, spróbować swoich sił w drużynie
hokejowej);
- zachowują właściwą skalę między różnymi priorytetami i mają
realistyczny dystans do sukcesu. Nie przedkładają osiągnięć zawodowych i sukcesów finansowych nad przyjaźń i związki między
ludźmi.

Bez bezwarunkowej miłości i akceptacji dzieci:

- mogą dojść do wniosku, że miłość zależy od ich osiągnięć i zachowania. Ich życie może pójść dwiema drogami: 1) mogą obwiniać
siebie o to, że nie są kochane, lub 2) mogą zacząć cierpieć z powodu braku akceptacji, ale jednocześnie bać się odrzucenia i poczucia, że nie nadają się do tego, by być kochane. Stają się wtedy
nieufne, unikają ludzi i nie próbują zdobywać niczyjej miłości;
- dziecięce poczucie własnej wartości jest bardzo delikatne. Wszelkie słowa krytyki, także te wypowiedziane w dobrych intencjach,
dzieci odbierają jako napaść. W rezultacie stają się defensywne
i nie potrafią wyciągnąć korzyści z krytyki;
- stają się zależne i niepewne. Jeśli ciągle musiały sobie udowad-
niać, że zasługują na miłość rodziców, uzależniają się od pochwał,
które mogą otrzymać od innych ludzi. Opinię o samych sobie
kształtują na podstawie tego, co sądzą o nich inni. Są bardzo
podatne na wpływy, ponieważ nie potrafią myśleć niezależnie;
- mogą nigdy nie wykorzystać w pełni swoich możliwości. Jeśli
nie wierzą w siebie, nie mają także przeświadczenia, że potrafią
przeciwstawić się nieszczęściu.

Jak rozwijać i podtrzymywać bezwarunkową miłość i akceptację swojego dziecka

- Kochajcie, obdarzajcie pieszczotami i akceptujcie swoje dzieci tylko dlatego, że są waszymi dziećmi. One muszą wiedzieć, że wasza miłość jest stała i nie zależy od ich zachowania.
- Niekoniecznie oznacza to, że musicie akceptować zachowanie swojego dziecka lub ukrywać własne uczucia. Macie prawo być wściekli, źli, rozczarowani, smutni czy nawet przerażeni z powodu zachowania, czynów, poglądów lub postaw swojego dziecka. Miłość i akceptacja altruistyczna oznaczają, że potraficie znaleźć sposób okazania dziecku, iż jest kochane i akceptowane.
- Miłość okazujemy słowem i czynem. Jeżeli nie bardzo to potraficie, popatrzcie na swoje dziecko. Fizyczne okazanie uczuć do własnego potomstwa może być doświadczeniem przełomowym, zwłaszcza gdy w przeszłości ludzie nie zachowywali się w stosunku do was zbyt serdecznie. Należy okazać cierpliwość wobec siebie i dziecka, które różnie może reagować. Zaproponujcie zabawy pozwalające przełamać bariery wzajemnego dotykania się, takie jak zapasy na niby. Jeśli w dzieciństwie wasza potrzeba bycia dotykanym była ignorowana, pogwałcona lub zaspokajana w sposób pozbawiony czułości, czeka was dużo pracy, zanim dojdziecie do etapu, w którym będziecie czerpać przyjemność z takiego kontaktu z własnymi dziećmi. W rozwiązaniu tego problemu może okazać się zasadna pomoc terapeuty, specjalizującego się w takich zagadnieniach.
- Jeśli czujecie się niezręcznie, werbalizując swoją miłość do dziecka, znów przypomnijcie sobie własne dzieciństwo. Prawdopodobnie waszym rodzicom także trudno było mówić o uczuciach. Wiele osób próbuje okazywać miłość poprzez prezenty, ale to nie zastąpi wyrażania uczuć słowami i czynami. Spróbujcie pisać do dziecka listy lub wiersze. Potem może wyniknąć z tego jakaś dyskusja. Być może stanie się to bardzo sympatycznym rodzinnym rytuałem. Znamy kobietę kontynuującą zwyczaj, który rozpoczęła, jak mówi jej mąż, dwadzieścia lat temu. Do jego pudełka na drugie śniadanie

wkłada sentymentalną (uczuciową) notatkę lub miły drobiazg. Mąż natomiast zastosował tę metodę wobec ich nastoletniej córki, kiedy ta zmagała się z problemami związku ze swoim chłopakiem i czuła się osamotniona nawet we własnym domu.

Zajęcia, które pomagają okazywać bezwarunkową miłość

„Uciekaj, króliku" (*Runaway, Bunny*)

Korzystajcie na co dzień z tej klasycznej bajeczki na temat bezwarunkowej miłości.

wiek: od 2 do 5 lat

„Uciekaj, króliku" to opowiedziana prostym językiem wspaniała bajka Margaret Wise Brown na temat bezwarunkowej miłości mamy króliczka do dziecka. My zaczęliśmy czytać ją dzieciom, kiedy miały zaledwie roczek. Historyjka jest raczej krótka, wobec tego zaczęliśmy w dowolny sposób wymyślać swoje własne scenariusze przygód małego króliczka i jego mamy. Dodaliśmy także postać kochającego tatusia królika.

Książka ta do tego stopnia stała się nieodłączną częścią naszego życia, że często, gdy nasze dziewczynki czymś się martwią, łapiemy się na tym, że przemawiamy do nich, naśladując sposób mówienia króliczej mamy. W ten sposób pragniemy je zapewnić o naszej miłości.

Pewnego wieczora Mark musiał do późna zostać w biurze, zadzwonił więc do córek, by powiedzieć im „dobranoc". Arielle musiała wyczuć w jego głosie poczucie winy, wywołane nieobecnością w domu, ponieważ powiedziała: „W porządku, nawet jeśli uciekniesz do biura, i tak cię odnajdę i zawsze będę kochać!". Najsłodszą nagrodą, jaką można otrzymać za bezwarunkową miłość, jest wzajemność.

Złoty Medal Miłości

Nagroda za myślenie o innych.
wiek: od 3 do 10 lat
materiały: tektura, papier z bloku, błyszcząca lub złota cynfolia, sznureczek lub wstążka

Raz w tygodniu przeprowadźcie ceremonię dekorowania Złotym Medalem Miłości tego z domowników, który w ciągu ostatnich siedmiu dni okazał komuś najwięcej serca. Odznaczenie powinno być wzorowane na medalu olimpijskim. Dołączcie sznureczek lub wstążkę, żeby można było zawiesić je na szyi.

Co tydzień wybierajcie osobę, która najhojniej obdarzyła innych swoją miłością. Różne mogą być sposoby wyrażenia jej, wystarczy coś tak prostego, jak pomoc młodszemu bratu w założeniu butów. Upewnijcie się, czy każdy z członków rodziny regularnie otrzymuje

WIDOK
Z PRZODU

WIDOK
Z TYŁU

to szczególne wyróżnienie, z dorosłymi włącznie. A od czasu do czasu przyznajcie medal komuś spoza rodziny, na przykład osobie, której jeszcze nie znacie, ale o której słyszeliście dużo dobrego. W ten sposób dacie dzieciom dowód na to, że dobrzy, kochający ludzie są wszędzie wokół nas.

Uściski i buziaki – nasza rodzinna specjalność
Uosobione wyrażanie uczuć.
wiek: bez ograniczeń

Nasza rodzina ma swoje specjalne uściski i buziaki – wydaje nam się, że są naprawdę niepowtarzalne, typowe tylko dla nas. Wymyśliliśmy je wraz z dziećmi. Obdarowujemy się uściskami i buziakami Westonów zawsze, gdy podrzucamy dziewczynki do szkoły albo kiedy po prostu chcemy powiedzieć „kocham cię". Jednym z nich jest powietrzny uścisk, który wymyśliła Arielle, ponieważ nie lubi posyłanych całusów. Mała ściska powietrze, jakby naprawdę kogoś przytulała, a my robimy to samo w odpowiedzi. Innym „kocham cię" jest uścisk dłoni. Trzymamy się za ręce i ściskamy je trzykrotnie. Cztery razy oznacza „ja ciebie też kocham!". Wymyślcie jakieś specjalne całusy i uściski, charakterystyczne dla waszej rodziny. Możecie zachować je w tajemnicy albo podzielić się pomysłem z innymi rodzinami. To zależy wyłącznie od was.

Dziękuję, tego mi było trzeba
Wdzięczność za okazanie uczuć.
wiek: bez ograniczeń

Jako rodzice małych dzieci uwielbiamy robić sobie w życiu drobne przyjemności, jak spontaniczne przytulania i buziaki niespodzianki. Wtedy przypominamy sobie, jak to miło być tym, kto odbiera takie niczym nieskrępowane, szczere wyznanie uczuć. Kiedy wasze dziecko z miłością przytula się do was lub was dotyka, powiedzcie mu, jacy się wtedy czujecie szczęśliwi. Nie pozwólcie, aby te wyrazy bezwarunkowej miłości przeszły niepostrzeżenie.

Obrus „Kocham cię"

Dowód uznania od całej rodziny, wykonany własnoręcznie.

wiek: bez ograniczeń
materiały: flamastry, obrus

Zróbcie swojemu dziecku specjalny obrus, którym będziecie nakrywać stół raz do roku, na przykład na jego urodziny. Na rozłożonym materiale narysujcie i napiszcie flamastrami, jak bardzo kochacie waszego brzdąca. Zaangażujcie do tego całą rodzinę, włącznie z dziadkami, i każdy niech doda coś miłego od siebie. Może to być rysunek na temat tegorocznego święta, symbol waszej miłości, krótki wierszyk lub cokolwiek innego, co waszym zdaniem wyraża prawdziwą miłość do dziecka.

Na kawałku obrusa maluch może sam napisać lub narysować swoją miłość do własnej osoby. (Przyzwyczajajcie go do tego od najmłodszych lat, zanim stanie się zbyt powściągliwy, żeby pokazywać, że lubi siebie).

Dlaczego cię kocham

Członkowie rodziny mówią, dlaczego się kochają.
wiek: bez ograniczeń (tak, nawet nastolatkowie!)

Bethelena i Timothy Knottsowie z New Jersey opowiedzieli nam o pewnym wspaniałym rytuale, który odbywa się w ich domu co wieczór, kiedy kładą dzieci spać (mają ich czworo). Kiedy mama i tata układają każdą pociechę do łóżka, zadają głośno pytanie: „Dlaczego cię kocham?", a następnie podają przynajmniej trzy powody. Potem przychodzi kolej na dziecko, które zadaje to samo pytanie mamie i tacie. Bethelena twierdzi, że to prawdziwe wyzwanie – codziennie wynajdywać nowe odpowiedzi, ale dzięki temu musi pamiętać o wszystkich najdrobniejszych szczegółach minionego dnia. Oczywiście, zachwycają ją odpowiedzi dzieci, jednak mówi, że jeszcze lepiej jest, gdy maluchy zadają te pytania między sobą. Od kilku miesięcy, kiedy ona sama lub Tim wychodzą z pokoju, w którym śpi najstarsza dwójka, zdarza im się usłyszeć szept: „Dlaczego cię kocham? Ponieważ...".

„Cieplutkie puchatki"

Recepta na miłość i zadowolenie.
wiek: bez ograniczeń
materiały: słój, małe pomponiki

Czy nie byłoby miło, gdyby można było pójść do sklepu i kupić słoik sympatycznych, cieplutkich uczuć? Potem moglibyśmy podzielić się nimi z tymi, którzy potrzebują nieco miłości. A może sami zrobilibyście coś takiego? Takie „cieplutkie puchatki" możecie wykonać razem z dziećmi z małych pomponików, dostępnych w każdej pasmanterii. Namalujcie na nich uśmiechnięte buzie albo zostawcie takie, jakie są. Włóżcie je do słoja z napisem „Cieplutkie puchatki", a obok umieśćcie instrukcję, jak należy ich używać, żeby wyrazić miłość lub podtrzymać kogoś na duchu. W niektórych sytuacjach jeden puchatek nie wystarczy, zadbajcie więc o to, żeby do instrukcji dodać informację o dawkowaniu. Przyczepcie ją z tyłu słoja. Naczynie postawcie w takim miejscu, żeby dzieci zawsze miały je pod ręką i mogły stosować „cieplutkie puchatki", kiedy tylko zajdzie potrzeba.

Wiersze i piosenki miłosne

Wyrażamy miłość, układając rymy.
wiek: bez ograniczeń

Obydwoje uwielbiamy układać różne rymowanki i pioseneczki. Są zabawnym sposobem mówienia dzieciom o uczuciach i naprawdę bardzo specjalnym prezentem, zwłaszcza jeśli się je zapisze i zachowa.

Proponujemy wam, żebyście układanie wierszyków i piosenek zamienili w rodzinną ceremonię na specjalne okazje, na przykład urodziny. Poematy własnego autorstwa zapisujcie w specjalnym zeszycie.

Słowny ping-pong pod hasłem „kocham cię"

Sympatyczny, zupełnie niepoważny sposób wyznania miłości.
wiek: bez ograniczeń

Gra jest odbywającą się w szybkim tempie rozgrywką słownego ping-ponga. Dwóch graczy prowokuje się nawzajem do wymyślania coraz to nowych, różnych okoliczności, kiedy się kochają. Na przykład pierwszy mówi do drugiego: „Kocham cię w deszczowe dni", na co ten z kolei odpowiada: „Kocham cię, kiedy pada śnieg". Odpowiedzi padają na zmianę, jak w pingpongowym meczu, dopóki ktoś nie skusi. Zabawę można nieco odmienić, jeśli ograniczymy się do określonego tematu (na przykład w cyrku, w samochodzie, późnym wieczorem). Razem z dzieckiem próbujemy dopóty wyznawać sobie miłość w danych okolicznościach, dopóki któreś nie skusi.

„Kocham cię" w różnych językach świata

Jak inaczej powiedzieć „Kocham cię".
wiek: bez ograniczeń

Miłość to pojęcie uniwersalne. Wyznają ją sobie ludzie na całym świecie. Nauczcie się, jak mówić „Kocham cię" w kilku różnych językach. Podajemy kilka przykładów.

Francuski: *Je t'aime.*
Hiszpański: *Te amo.*
Hebrajski: *Ani ohev otach.*

Amerykański język migowy: palec wskazujący, mały i kciuk jednej ręki podniesione, wnętrzem dłoni na zewnątrz. Pozostałe dwa palce zgięte do dołu.

Walentynki

Wysyłajcie dziecku walentynki przez cały rok.
wiek: od 3 lat

Bądźcie lepsi od hurtowników, sprowadzających kartki walentynkowe; kupcie ich cały stos i korzystajcie z nich na co dzień, zapisując słowa miłości skierowane do dziecka.

Pięćdziesiąt sposobów zapewnienia kogoś o naszej miłości

Wymyślcie różne sposoby wyrażenia miłości.
wiek: od 4 do 12 lat
materiały: kartoniki

Proponujemy wspaniałą zabawę dla całej rodziny. Spróbujcie wymyślić ponad pięćdziesiąt sposobów wyrażenia miłości, tak aby było to przekonywające dla adresata. Wiarygodne może być zarówno serdeczne przytulenie kogoś, jak i przyniesienie ciepłego rosołu komuś, kto się przeziębił.

Każdy pomysł zapiszcie na oddzielnym kartoniku. Jeśli nie potraficie wymyślić aż pięćdziesięciu, stwórzcie nowe na podstawie tych, które już powstały. Na przykład „Przytulenie i jednocześnie powiedzenie »Kocham cię«" można przekształcić w „Przytulenie bardzo mocno, ale tak, żeby nie bolało".

Zadbajcie o to, by wasza kolekcja stale się powiększała w miarę upływu kolejnych dni, tygodni i lat. Kiedy zauważycie, że dziecko robi coś z miłości, zapiszcie to na kartoniku i dołóżcie do istniejącego już zbioru.

Z miłością

Wybieramy sposób, jak zareagować z miłością na teoretycznie możliwą sytuację.
wiek: od 5 do 12 lat

Zgromadzony w poprzedniej zabawie komplet kart może ułatwić dziecku zrozumienie, jak wyznanie miłości pomaga innym czuć się i zachowywać znacznie lepiej. Wyszukajcie książki, czasopisma i artykuły w gazetach mówiące o ludziach, zwierzętach i wszelkich żywych stworzeniach, które pragną miłości (na przykład nastolatek uciekający z domu lub bezpański pies). Przejrzyjcie wraz z dzieckiem odpowiednie zdjęcia i opowiadania, a potem poproście je, żeby z kompletu kart wybrało to, czego trzeba danemu osobnikowi. Jeśli nie macie stosownej karty, zapiszcie swój pomysł na nowym kartoniku i dołączcie go do reszty. Zaobserwujcie, czy wasza pociecha potrafi znaleźć więcej niż jedno rozwiązanie danej sytuacji.

Karty można także wykorzystać do pokazania, że potrzebujemy bardzo szczególnych wyrazów miłości w wyjątkowo trudnej sytuacji. Jeśli w takich chwilach maluch nie ma pewności, czego by chciał, przejrzyjcie cały komplet kart. Przerzucając je jedna po drugiej, poproście go, żeby dał wam znać, kiedy natraficie na coś, co pomogłoby mu poczuć się lepiej.

Rodzinny plakat – deklaracja bezwarunkowej miłości
Stwierdzenie bezwarunkowej miłości.
wiek: bez ograniczeń
materiały: karton na plakat

Stale przypominajcie dziecku, że konsekwentnie przestrzegacie „praw" bezwarunkowej miłości i akceptacji. Niech to będzie na przykład zdanie: „Być może czasem nie podoba mi się twoje zachowanie albo coś, co powiedziałeś, ale bez względu na wszystko zawsze będę cię kochać!". Możecie cytować to „prawo", kiedy wyznaczacie jakąś łagodną karę za niewłaściwe zachowanie.

Wykonajcie razem z dzieckiem plakat-deklarację bezwarunkowej miłości. Główne prawo obowiązujące w waszej rodzinie wypiszcie dużymi, grubymi literami. Na pozostałym wolnym miejscu naklejcie zdjęcia lub narysujcie portrety domowników.

Listy miłosne
Wyrażamy miłość na piśmie.
wiek: od 3 lat

Wyślijcie swojemu najdroższemu list miłosny – chodzi oczywiście o dziecko, które jest zawsze najdroższe. Napiszcie go w stylu zrozumiałym dla malucha i oświadczcie swoją bezgraniczną do niego miłość. Żeby nadać całości specjalną wymowę, pokropcie kopertę swoimi ulubionymi perfumami lub wodą kolońską.

Pewien znany nam ojciec wysyła swojej córce i synowi wyjątkowe liściki na Dzień Świętego Walentego. Pisze je na prawdziwym papierze pergaminowym, a do koperty wsypuje mnóstwo powycinanych czerwonych serduszek. Wprowadził tę rodzinną tradycję dlatego, że zdał sobie sprawę, iż dużo łatwiej wypowiada się na piśmie. Jego dzieci uwielbiają dostawać co roku swoje walentynki.

Brianne Schwantes urodziła się z rzadką chorobą, która powoduje złamania kości pod najlżejszym naciskiem. Lekarze orzekli, że należy „pozwolić jej umrzeć".

Choroba ta, zwana *osteogenesis imperfecta* (OI), sprawia, że kości są tak delikatne, iż łamią się jeszcze przed narodzinami dziecka. Brianne przyszła na świat z ponad tuzinem złamań.

Jednakże trzynaście lat później, w 1993 r., dziewczynka ściągnęła na siebie uwagę opinii publicznej, kiedy to jako wolontariuszka pomagała mieszkańcom Des Moines w Iowa likwidować skutki niszczycielskiej powodzi.

Od samego urodzenia przypadek Brianne był przedmiotem badań w Nationale Institutes of Health. Bardzo poważnie traktowała swój udział w pracach naukowych, miała bowiem nadzieję, że jej doświadczenia mogą pomóc innym dzieciom cierpiącym na OI.

Złote makaronowe obietnice

Symboliczne przypomnienie dziecku o waszym przywiązaniu do niego.

wiek: od 3 lat
materiały: makaron rurki, złota farba, paski papieru

Dzieci zawsze się zastanawiają (i na ogół robią to na głos), czy rodzice na pewno będą zawsze przy nich. Która matka lub ojciec nie słyszeli cieniutkiego głosiku pytającego: „Czy będziesz mnie kochać, nawet jeśli zrobię coś złego?" albo: „Czy będziesz się mną ciągle opiekować, jeśli zachoruję?". Zdaje się, że bez względu na to, jak bezpiecznie czuje się dziecko, często odczuwa potrzebę usłyszenia od was, że nie opuścicie go, choćby nie wiadomo co się zdarzyło.

Dzięki tej zabawie nie tylko mówicie maluchowi, że zawsze przy nim będziecie, ale także dajecie mu okazję, żeby waszą obietnicę na zawsze zatrzymał.

Kupcie pudełko makaronu rurek i nieugotowany pomalujcie złotą farbą. Następnie na paskach papieru zapiszcie obietnice składane dziecku. Pozwijajcie je i wsuńcie do „złotego sejfu obietnic". Wytłumaczcie swojej latorośli, że w każdym ze „złotych sejfów obietnic" przechowywana jest złota obietnica – taka, której będziecie dotrzymywać do końca życia.

„Złote obietnice" powinny być schowane do specjalnego pudełka. W miarę upływu lat, za każdym razem, kiedy pociecha zacznie pytać, czy aby na pewno nie przestaniecie jej kochać, obiecajcie jej, że nigdy nic takiego się nie zdarzy, zapiszcie tę obietnicę i włóżcie do „złotego sejfu obietnic".

Namówcie dziecko, żeby i ono złożyło wam „złote obietnice". Te z kolei należałoby zachować na specjalne okazje, zwłaszcza dotyczące ważnych wyborów moralnych. Może to być na przykład przyrzeczenie, że zasięgnie u was rady, kiedy w jego życiu pojawi się naprawdę ważny problem. Albo że nigdy nie będzie brało narkotyków i nigdy nie ucieknie z domu. Wy także możecie przechowywać „złote obietnice" złożone przez dziecko w specjalnym pudełku. I zadbajcie o to, by mieć pod ręką dodatkowe „złote sejfy obietnic" – na przyszłość.

Pudełko z pamiątkami
Pudełko, w którym będziecie przechowywać prezenty od dziecka.
wiek: bez ograniczeń

Przeznaczcie specjalne pudełko, w którym będziecie przechowywać wszystkie drobne podarki, jakimi obdarza was dziecko (jeżeli nie zrobiliście tego dotychczas). Powinno być wystarczająco duże i wytrzymałe, żeby wszystko mogło się tam zmieścić – kwiaty z bibułki, rysunki, laurki własnoręcznej roboty i gliniane statuetki wykonane na lekcjach plastyki.

Możecie także zapisywać te szczególne wypowiedzi dziecka, które były wyjątkowo przesycone miłością i uczuciem, a następnie wkładać notatki do pudełka.

pudełko, w którym będziecie
przechowywać prezenty

Love Stories
Opowiedzcie dziecku, jak rodziła się miłość między wami.
wiek: od 2 lat

Jedną z najbardziej ulubionych opowieści naszych dzieci jest historia, jak mama i tata zakochali się w sobie. Często im ją opowiadamy, dodając coraz to więcej szczegółów, w miarę jak dorastają. Dziewczynki są zafascynowane, kiedy mówimy im, jak się poznaliśmy, jak dojrzewała nasza miłość, zaufanie i bezwarunkowe przywiązanie do siebie. Ich ulubionym fragmentem jest jednak moment, w którym zdecydowaliśmy się pobrać i mieć dzieci. Bardzo lubią także słuchać o tym, jak spotkali się i zakochali w sobie ich dziadkowie, ciotki, wujkowie i nasi bliscy przyjaciele.

Zdjęcia bez powodu

Trzymajcie aparat fotograficzny pod ręką, żebyście mogli robić spontaniczne zdjęcia.

wiek: bez ograniczeń

Zbyt często aparat fotograficzny jest głęboko schowany, a wygrzebujemy go tylko na specjalne okazje. Nie ograniczajcie się do fotografowania wyłącznie przyjęć urodzinowych i wakacji. Róbcie dziecku zdjęcia „tak po prostu", bez powodu, i zapewnijcie je, że robicie to dlatego, że je kochacie.

Dzień Twoich narodzin

Opowiedzcie dziecku historię jego narodzin.

wiek: od 2 lat

Nasze córki tak bardzo lubią słuchać opowieści o tym, jak przyszły na świat, że stały się one w naszym domu rytuałem przed zaśnięciem. Zaczynamy od tego, jak zdecydowaliśmy się mieć dziecko, potem mówimy o powiększającym się brzuszku Denise i o tym, jak bardzo już wtedy kochaliśmy dzidziusia, który mieszkał w środku. W końcu dochodzimy do wielkiego finału – narodzin. W tym miejscu upewniamy obie dziewczynki, że w momencie, gdy każda z nich się urodziła, obdarzyliśmy ją miłością „na zawsze i na wieki". „Nieważne, co zrobisz i dokąd pójdziesz, zawsze będziemy cię kochali i zrobimy wszystko, co w naszej mocy, by być jak najlepszą mamą i jak najlepszym tatą!" Dzieci znają tę opowieść już tak dobrze, że kiedykolwiek zdarzy się nam pominąć jakiś szczegół, natychmiast go uzupełniają i same dobierają właściwe słowa!

W tej zabawie można pójść o krok dalej. Spróbujcie napisać książkę pt. „Dzień Twoich narodzin". Jako ilustracje niech posłużą prawdziwe zdjęcia z okresu ciąży i porodu.

Zajęcia, które budują zaufanie

Poniższe zabawy i gry są wspaniałym sposobem wykształcenia zaufania, ponieważ poprzez prawdziwe doświadczenie uczą dzieci, że zawsze przy nich będziecie.

Upadek zaufania

Jeden uczestnik upada do tyłu prosto w ramiona pozostałych graczy.
wiek: od 3 lat

Do tej zabawy potrzebni będą wszyscy domownicy. Dziecko stoi, a pozostali klęczą za nim. Nadstawcie ręce dokładnie za jego plecami i namówcie je, żeby przewróciło się do tyłu, prosto w ramiona oczekującej rodziny.

Ćwiczenie najlepiej uda się wtedy, jeśli pozwolicie młodemu człowiekowi upadać wciąż na nowo, aż zdobędzie tyle zaufania, że po prostu położy się na plecach, nie myśląc o tym, że ma się przewrócić.

Opaska zaufania

Uczestnicy po kolei zakładają na oczy ciemną opaskę i dają się prowadzić innym.
wiek: od 4 lat

Załóżcie dziecku na oczy opaskę i oprowadźcie je po domu (oraz, jeśli to możliwe, na zewnątrz). Wcześniej wytłumaczcie mu, że dla własnego bezpieczeństwa musi absolutnie wam zaufać. Następnie zaprowadźcie je w różne miejsca, poproście, żeby zgadywało, gdzie aktualnie się znajduje, i namówcie do dotykania różnych przedmiotów oraz wyobrażenia sobie, co to jest. Po skończonej wycieczce zachęćcie malucha, żeby opowiedział, jak się czuł, kiedy musiał dla własnego bezpieczeństwa całkowicie wam zaufać. A teraz cięższa próba – wasza kolej. Przypomnijcie wszystkie zasady i dajcie wyraźnie do zrozumienia, że zupełnie mu ufacie, iż zadba o wasze bezpieczeństwo. Załóżcie sobie na oczy opaskę i pozwólcie się prowadzić. Kiedy skończycie, opowiedzcie dziecku, jak się czuliście, całkowicie mu ufając.

Spacer zaufania dla zaawansowanych
Tak samo jak w ćwiczeniu powyżej, tylko bez kontaktu fizycznego.
wiek: od 4 lat

Tym razem jedna osoba ma na oczach opaskę, a druga prowadzi ją, udzielając wskazówek wyłącznie głosem. Oczywiście zarówno „spacerowicz", jak i jego przewodnik muszą poruszać się bardzo powoli. Kiedy nabiorą do siebie zaufania i osiągną większą wprawę w porozumiewaniu się, mogą próbować wspólnie pokonać trudniejsze przeszkody. Potem zamieńcie się rolami, a gdy skończycie grę, porozmawiajcie o tym, jak wiele zaufania miał spacerujący do swojego przewodnika, i o głębokim poczuciu odpowiedzialności, którym musiał wykazać się ten ostatni.

W stosunku do starszych dzieci możecie wykorzystać tę zabawę jako metaforę ograniczeń, które musicie im stawiać.

Zajęcia, które pomogą przeżyć rozłąkę

Kiedy dziecko musi zostać na parę godzin z opiekunką lub spędzić tydzień u babci, zawsze ciężko przeżywa rozłąkę z rodzicami. Bardzo ważnym etapem rozwojowym jest nauczenie się opanowywania lęków tego typu. Podajemy kilka zabawnych pomysłów, które pomogą twojemu dziecku czuć się kochanym i bezpiecznym także w czasie rozłąki.

Ukochana przytulanka
Towarzystwo pluszowej zabawki.
wiek: od 2 lat
materiały: pluszowa zabawka, karton z bloku, zdjęcie rodziny

Poproś dziecko, żeby wybrało którąś ze swoich pluszowych maskotek. Zróbcie wspólnie kołnierzyk z paska wyciętego z kartonu. Przyklejcie na nim fotografię, która odtąd będzie przypominała maluchowi o jego rodzinie. Teraz twoje dziecko ma swoją własną specjalną przytulankę, która pomoże mu czuć się bezpiecznym i kochanym, kiedy ty jesteś daleko.

Pluszowy zwierzak może także pomóc w przygotowaniu do rozłąki. Kiedy na przykład szykujesz dziecko do przedszkola, poproś je, aby upewniło się, czy jego przytulanka jest już gotowa. Przygotuj różne potrzebne rzeczy, takie jak mała kołderka czy pudełko na drugie śniadanie dla maskotki.

„To mama – to tata!"
Umieść siebie w książeczce dziecka.
wiek: od 2 lat

Ostatnio wybraliśmy się w podróż i zostawiliśmy córki z dziadkami (którzy doskonale się nimi zajmują). Zanim wyjechaliśmy, postanowiliśmy zrobić dzieciom niespodziankę; powycinaliśmy ze zdjęć nasze sylwetki i nakleiliśmy je na obrazkach w ich ukochanej książeczce. Efekt był fantastyczny! Mama siedząca na drzewie, tata jedzący z psiej miski...

oprawiamy w ramki: To mama! To tata!

Kiedy babcia i dziadek czytali im bajeczki, dziewczynki były zachwycone, że mogą zobaczyć mamę i tatę właśnie w ulubionych historyjkach. I zamiast czuć się samotnie bez rodziców, dostały miły i ciepły sygnał od nas, jak bardzo je kochamy, nawet gdy jesteśmy daleko.

Oprawiamy w ramki naszego ukochanego malucha

Dziecko robi dla was ramkę do obrazka.

wiek: od 2 lat

materiały: zdjęcie dziecka, ramka do obrazków, coś do dekoracji ramki

W prosty, pełen miłości sposób możemy pokazać dziecku, jak bardzo ważne jest ono dla nas. Wystarczy wybrać jego najukochańszą fotografię i poprosić, aby pomogło ci ją oprawić. Ramkę możesz samodzielnie zrobić z kartonu lub kupić w sklepie, a następnie ozdobić ją papierowymi serduszkami i kokardkami. Najistotniejszym elementem jest pokazanie dziecku, że gdy wychodzisz do pracy albo wyjeżdżasz na wakacje czy też w podróż służbową, oprawione zdjęcie jedzie z tobą i zawsze przypomina ci, jak bardzo kochasz swoje maleństwo, nawet gdy jesteś daleko.

ROZDZIAŁ 4

Inspirowanie i kształtowanie pozytywnych postaw

Słowo „inspiracja" ma w sobie coś boskiego. Zakładamy, że potrzebne jest jakieś nadzwyczajne wydarzenie, które da nam natchnienie, podczas gdy w rzeczywistości inspiracja rodzi się w najzwyklejszych okolicznościach. Nawet najmniejsze wydarzenie zostawia w nas jakiś ślad, w dwójnasób oddziałując na dzieci, które są tak bardzo podatne na wpływy.

Mamy w domu zwierzątko, czarnego króliczka o imieniu Sam. Pewnego dnia, kiedy zeskakiwał z rąk Marka, złamał sobie ząb i zranił się w pyszczek. Nie chciał sam nic jeść i mógł zdechnąć z tego powodu, więc musieliśmy trzy razy dziennie karmić go z ręki miksturą z bananów i przetartej karmy dla królików. Często go przytulaliśmy i nosiliśmy do weterynarza. Nasze dziewczynki były tak przejęte oddaniem, jakie okazywaliśmy temu stworzonku, że bardzo długo pamiętały, jak uratowaliśmy mu życie. „Króliczek ma szczęście, że należy do rodziny Westonów" – powiedziała Emily.

Możemy nie zdawać sobie z tego sprawy, ale jako rodzice inspirujemy i kształtujemy postawy naszych dzieci w każdej chwili i każdego dnia. Nawet nieznaczne inspiracje związane z czymś tak niewielkim jak czarny, kudłaty króliczek, który przeżył dzięki czyjejś trosce i zaangażowaniu, wpływają na dziecięcą wizję zachowań ludzi. Jedną z najważniejszych wskazówek, jak być dobrym rodzicem, jest być dobrym człowiekiem.

Uosabiane wzorce postaw pełnią rolę przewodników w działaniu – są przykładami tego, jak należy się zachowywać i traktować innych. Dzieci więcej uczą się dzięki obserwacji dobrego przykładu, niż gdy mówi im się, jakie mają być. Przez obserwację i współzawodnictwo z tobą przyswajają sobie wiele wzorców: zachowań, sposobów mówienia, rozwiązywania problemów i porozumiewania się, przekonań, wartości i postaw moralnych.

Wydawać się może, że bardzo łatwo jest być właściwym wzorem dla dziecka, ale w rzeczywistości wymaga to wielu przemyśleń i starań. Aby się to udało, musicie być konsekwentni. Dorosły może kształtować pożądane zachowania dziecka na dwa sposoby. Pierwszy z nich jest bardziej stylem życia niż techniką. Pociąga za sobą ocenę waszego systemu wartości, a następnie zbadanie zachowania, aby sprawdzić, jak dalece się nim kierujecie. Jeżeli na przykład staracie się być zawsze punktualni, uczycie dziecko dotrzymywania honorowych zobowiązań. Aby łatwiej umiało wyrazić wdzięczność, wpajacie mu potrzebę doceniania innych. Drugim sposobem kształtowania zachowań jest określenie, jakie wartości chcemy wpoić dziecku, a potem planowe ich demonstrowanie. Jeśli na przykład dziecko ma kłopoty z zawieraniem przyjaźni, zabierzcie je ze sobą, kiedy sami przedstawiacie się nowym sąsiadom. Nie mówiąc ani słowa, uczycie inicjowania rozmowy i poznawania nowych ludzi.

Dzięki inspiracji i kształtowaniu pozytywnych postaw dzieci:

* w swoich nieświadomych jeszcze umysłach mają wdrukowany gotowy wzorzec postępowania. Jest tam zawsze, zdolny w każdej chwili do szybkiej konsultacji i wskazania właściwego rozwiązania, nawet jeśli w pobliżu nie ma osoby dorosłej, którą darzą zaufaniem;
* będą miały poczucie, że „to już kiedyś się zdarzyło", gdy znajdą się w sytuacji moralnie niejednoznacznej. Będą wiedziały, co wtedy robić;
* wiedzą, do kogo się zwrócić, kiedy czują się zagubione lub potrzebują wskazówki, jak należy postąpić;

- będą mniej skłonne do przegrywania, poddawania się lub działań destrukcyjnych w różnych trudnych sytuacjach i chwilach próby.

Bez inspiracji i kształtowania pozytywnych postaw dzieci:

- są zagubione, niepewne, niespokojne i nie mając wzoru pozytywnych postaw, mogą zwrócić się o pomoc do kogokolwiek, nawet do zupełnie nieodpowiednich, podejrzanych typów;
- odczuwają psychiczny dyskomfort, zwłaszcza gdy sytuacja wymaga samodzielnej decyzji, bez udziału zaufanej osoby dorosłej;
- są raczej skłonne do przyswojenia wzorców zachowań (palenie przez was papierosów) niż tego, co tylko mówicie („Nie pal. To szkodzi"), czy nawet ich własnych deklarowanych przeświadczeń („Nigdy nie będę palił. To obrzydliwy nałóg");
- łatwo będą się poddawać.

Jak rozwijać i podtrzymywać gotowość dziecka do przyjęcia wzorców pozytywnych postaw

- Znajdźcie inne osoby, które zainspirują dziecko do współzawodnictwa lub od których będzie się uczyło.
- Bądźcie żywym, chodzącym przykładem właściwego działania. Nie ukrywajcie przed dzieckiem faktu, że cały czas poszukujecie i uczycie się.
- Bądźcie konsekwentni, róbcie to, co mówicie, i mówcie to, co robicie.
- Zacznijcie jak najszybciej, póki dziecko jest małe.
- Upewnijcie się, że pozytywne cechy swojego charakteru okazujecie dziecku stale. W ten sposób przekazujecie informacje, w które wierzycie. To, co robicie, a więc przykład, jaki dajecie, w sposób naturalny wynika z waszych prawdziwych charakterów. Musicie żyć z nimi w zgodzie, aby być wiarygodnymi dla swoich dzieci.
- Bądźcie świadomi, czego uczycie. Usiądźcie sobie spokojnie w samotności lub we dwoje i uczciwie zastanówcie się nad swoim

charakterem i zachowaniem. Pomyślcie, czy są zgodne z tym, co sobie przypisujecie, jak chcielibyście, żeby wyglądało wasze życie oraz co mówicie dziecku. Jeśli tak – możecie sobie pogratulować – jesteście sami najlepszą lekcją życia dla waszego dziecka. Jeśli uznacie, że nie ma takiej zgodności, przyjrzyjcie się z bliska swoim pragnieniom, oczekiwaniom i życzeniom i porównajcie je z cechami swojego charakteru i zachowaniem. Czy wasze oczekiwania wobec siebie i dziecka nie są irracjonalnie wysokie? Czy nie zachowujecie się sztucznie, na siłę próbując sprostać tym zawyżonym wymaganiom? Jakiekolwiek byłyby przyczyny tych niezgodności, przygotujcie się na zmiany. Wyznaczcie sobie cel i plan działania. Nie musicie wcale ukrywać tego procesu przed dzieckiem – próbując zmienić swoją postawę, dajecie mu pozytywny komunikat o sobie, informację, że chcecie i możecie stać się lepsi i macie odwagę być uczciwi.

Zajęcia, które inspirują i ilustrują siłę oddziaływania

Rodzinna kronika pomysłów
Zapis pomysłowych przedsięwzięć całej rodziny.
wiek: bez ograniczeń
materiały: zeszyt lub notes

Pomysły: „14 stycznia 1996 r. Tata podniósł w parku cztery wyrzucone puste puszki po coli. Sue zaprosiła nową dziewczynkę z sąsiedztwa do wspólnej zabawy, a Debbie sam, bez przypominania, wysprzątał chomikowi klatkę". Oto przykłady trzech – prawdziwie inspirujących – przedsięwzięć. Teraz będą one regularnie odnotowywane w rodzinnej kronice pomysłów. Zacznijcie prowadzić księgę pomysłów waszej rodziny, gdzie będziecie zapisywać wszelkie zachowania domowników, które uznacie za wręcz rewelacyjne lub tylko po prostu rozsądne. Możecie zwykły notes ozdobić wspólnie wykonaną okładką i umieścić na niej tytuł „Nasza rodzinna księga pomysłów". Miejcie oczy i uszy otwarte na takie pomysłowe zachowania swojej rodziny, które zdarzają się codziennie, ale zazwyczaj umykają uwadze. Zapisujcie znaczące dokonania, jak napisanie klasówki na szóstkę lub awans w pracy, ale także drobne uczynki, jak pamięć o babci i wysłanie jej kartki na imieniny. Książka będzie tym ciekawsza, im więcej rzeczy w niej uwiecznicie. Oczywiście nie zapominajcie przeglądać jej od czasu do czasu, by przypomnieć sobie, jak bardzo pomysłowa potrafi być wasza rodzina.

Rób to, co ja
Lekcja na temat siły perswazji.
wiek: od 6 lat
materiały: dwa identyczne komplety kredek, blok rysunkowy, obiekt do narysowania, na przykład wazon z kwiatami lub półmisek z owocami

Postaw na stole kwiaty lub półmisek z owocami. Razem z dzieckiem zabierz się do ich rysowania. Nie zdradzając przyczyny, wpłyń na dziecko, aby narysowało taki sam obrazek jak ty. Na przykład: „Ten banan wyglądałby ładniej, gdyby był zielony. Narysujmy go zieloną kredką. Na moim rysunku półmisek będzie kwadratowy. Czy nie byłoby śmiesznie, gdybyś narysował taki sam?". Spróbuj nakłonić dziecko, aby stworzyło dokładnie taki sam obrazek jak twój, i postaraj się, aby twoja martwa natura wyglądała inaczej niż rzeczywisty model. Kiedy skończycie, porozmawiaj z dzieckiem o tym doświadczeniu. Pokaż mu, w jaki sposób twoje silne sugestie wpłynęły na kształt tego, co przedstawia jego rysunek. Zapytaj, czy zdawało sobie sprawę z tego, że nim kierowałaś. Niech spróbuje się zastanowić, jak czułoby się, gdyby wykonana przed chwilą praca artystyczna była wyłącznie jego dziełem. Jeśli rysunek dziecka mimo wszystko różni się od twojego, niech spróbuje powiedzieć, jak czuło się, odrzucając twoje sugestie. Następnie wyjaśnij, że poprzez swoje słowa i czyny możemy skłonić i zainspirować innych ludzi, aby zachowali się w określony sposób. Opowiedz mu, jak ludzie mogą wpływać na innych, zarówno w pozytywnym, jak i w negatywnym sensie, w dobrych i złych zamiarach.

Niech to przejdzie na mnie
Doceniamy dobre uczynki.
wiek: bez ograniczeń

Jeśli kiedykolwiek ktokolwiek z domowników zrobi dobry uczynek albo zachowa się w sposób inspirujący dla innych, koniecznie zwróćcie na to uwagę i oświadczcie: „Mam nadzieję, że to przejdzie na mnie". Sugerujemy tutaj, żebyście do swoich działań wychowawczych dodali nieco humoru i potarli swoim ramieniem o ramię tego, kto tak wspaniale się zachował. Ta zabawa zdecydowanie utwierdza dzieci w przekonaniu, że warto być dobrym człowiekiem. Dostrzegajcie zarówno wielkie, jak i drobne uczynki.

Plakat idola
Własnej roboty plakat, przedstawiający osobistych bohaterów.
wiek: od 5 lat
materiały: papier na plakat, zdjęcia

Tym razem dziecko może wykonać plakat swojego własnego bohatera, tego, który jest dla niego wzorem i pomaga mu być dobrym człowiekiem. Zachęćcie je do starannego przejrzenia czasopism, gazet, albumów ze zdjęciami i książek, w których mogłoby znaleźć taką osobę. (To oczywiście może zająć nawet kilka tygodni). Zobaczcie, co wybrała wasza pociecha, i namówcie ją, aby zastanowiła się nad różnymi typami bohaterów, nie tylko sportowcami i gwiazdami filmowymi, ale także zwyczajnymi, szarymi ludźmi, włączając w to członków rodziny i przyjaciół, którzy robią coś naprawdę wspaniałego. Zwróćcie na przykład uwagę na to, że babcia, która ciężko pracowała przez 45 lat po to, aby zapewnić swojej rodzinie bezpieczne i szczęśliwe życie, jest dużo większą bohaterką niż ktoś, kto pobił rekord w skoku w dal.

Kiedy dziecko wybierze już bohaterów, zróbcie fotokopie ich wizerunków lub wzmianek na ich temat i naklejcie na plakat. Taki plakat idola będzie stale przypominał o niezwykłym potencjale czynienia rzeczy wielkich, tkwiącym w nas wszystkich.

Mój bohater
Powiedz swojemu idolowi, za co go podziwiasz.
wiek: od 5 lat

Zaproponujcie dziecku, aby napisało list do któregoś ze swoich idoli. Niech wyjaśni, dlaczego właśnie ten ktoś stał się jego mistrzem i w jaki sposób próbuje mu dorównać. (Jeśli synek lub córeczka są zbyt mali, aby napisać list samodzielnie, zróbcie to wy przy ich współudziale). Dopilnujcie, aby list został wysłany. Jeśli trudno będzie zdobyć adres, zwróćcie się o pomoc do nauczyciela lub bibliotekarki.

Jak z nasionka wyrasta drzewo
Spróbuj znaleźć zalążek własnego sukcesu u swojego prywatnego bohatera.
wiek: od 6 lat

Każdy wspaniały dorosły był niegdyś fantastycznym dzieciakiem. Namów dziecko, żeby spróbowało dowiedzieć się czegoś o dzieciństwie tych osób, które chciałoby naśladować w przyszłości. Jeśli jego

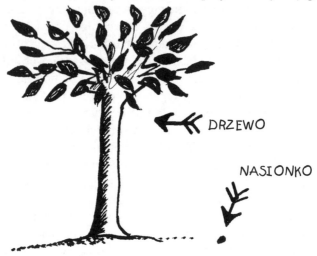

jak z nasionka wyrasta drzewo...

bohaterami są sławne osobistości, powinno przeczytać ich biografie lub artykuły prasowe na ich temat. Jeśli jest to przyjaciel lub krewny, może przeprowadzić z nim wywiad.

Pewien dzień w życiu
Wizyta w pracy.
wiek: od 4 lat

Czy wasze dziecko wie, kim chciałoby zostać, gdy dorośnie? Może marzy o tym, by być lekarzem, nauczycielem albo artystą? Zaaranżujcie sytuację, w której będzie mogło przyjrzeć się bliżej wymarzonemu zawodowi.

Poproście rodzinę i przyjaciół o pomoc. Może znacie kogoś (lub znacie kogoś, kto zna kogoś), kto wykonuje taką pracę. Zapytajcie, czy zgodzi się, żeby dziecko mogło przypatrzyć się mu w czasie pracy. Takie doświadczenie może być bezcenne.

Przy okazji prawdopodobnie zaskoczy was, jak wielu dorosłych czerpie prawdziwą przyjemność z tego, że może pokazać dziecku, czym się zajmuje zawodowo. Nic tak bardzo nie odnawia zapału do pracy, jak ktoś, kto wierzy w to, co robisz.

Złota myśl dnia
Poślijcie dziecko do szkoły, na biwak czy do świetlicy zaopatrzone w inspirującą notatkę.
wiek: od 3 lat

Istnieją tysiące dostępnych nam książek pełnych cudownych, inspirujących myśli. W zabawny sposób możemy podzielić się nimi z naszymi dziećmi.

Wybierzcie notatki, złote myśli, wiersze, obrazki lub rozważania, które mogą twoim zdaniem zainspirować dziecko i korzystnie na nie wpłynąć. Spiszcie je na paskach papieru lub małych fiszkach i powtykajcie w różne dziwaczne miejsca tak, aby musiało się na nie natknąć (może to być pudełko na drugie śniadanie lub pantofelki baletowe). Pamiętajcie, aby wśród zapisków były i śmieszne, i poważne stwierdzenia. Jeśli dziecko jest dostatecznie duże, żeby samodzielnie wyszukać inspirujące myśli, zachęćcie je, by wybrało i poukrywało swoje ulubione powiedzonka, które potem wy odnajdziecie.

Nagroda dla wspaniałego przywódcy
Nagroda za szczególne uzdolnienia przywódcze.
wiek: od 4 lat
materiały: karton z bloku, elementy dekoracyjne, na przykład brokat

Nagrodę tę dostaje przywódca, który w sposób pozytywny wzbudza respekt. Proponujemy, żebyście ustanowili takie odznaczenie i dekorowali nim co tydzień tego z domowników, który zainspirował, rozbudził właściwą motywację lub w inny sposób pozytywnie wpłynął na drugiego człowieka. Wyjaśnijcie dziecku, że cechy przywódcze mogą przybierać różne formy. Starszy brat, który uczy młodszego, na czym polega nowa gra, jest tak samo godnym uznania autorytetem jak przewodniczący samorządu klasowego.

Zmienić świat
Zachęć dziecko do zaangażowania się w sprawę, która wydaje mu się bardzo ważna.
wiek: od 5 lat

Dzieci mają niewzruszoną wiarę, że mogą dokonać wielkich zmian. Kiedy odkryją coś, co głęboko je poruszy, często z oddaniem o to walczą. Przeczytajcie sobie opowieści z Giraffe Project, które zamieściliśmy na marginesach naszych gier, i zachęćcie swoją pociechę, żeby zastanowiła się dobrze nad tym, jak może zainspirować innych ludzi.

Jeśli dziecko wierzy w jakąś sprawę, jest nią naprawdę przejęte i chce się jej poświęcić, nie rozwiewajcie jego złudzeń. Może wam się wydawać, że jednemu małemu dziecku nie uda się nic zmienić. Możecie pragnąć ochronić je przed rozczarowaniem. Pamiętajcie jednak, że wtedy ulegacie typowej rodzicielskiej nadopiekuńczości, która tylko potęguje niezaradność dziecka. Okażcie maluchowi całkowite poparcie. Zaangażujcie w to całą rodzinę, aby jego sprawa stała się waszą wspólną sprawą (zobacz też „Inspiracje między nami", poniżej). Dziecko, które w coś wierzy, jest w stanie przenosić góry, jeśli tylko ludzie mu bliscy mają taką samą wiarę.

Wspaniałe gangi
Zachęć dziecko do przyłączenia się do grupy rówieśników o podobnych zainteresowaniach.
wiek: od 5 lat

Gang posiada ogromną moc oddziaływania. Niestety, samo słowo kojarzy nam się zazwyczaj z przestępstwem i przemocą. Ale ta sama siła, która wiedzie członków gangu na złą drogę, może poprowadzić ich w dobrym kierunku. Zależy to tylko od filozofii konkretnej grupy. Pomyślmy, ile mamy pozytywnych „gangów", takich jak harcerstwo, organizacje młodzieżowe, koła zainteresowań, kluby osiedlowe, ogniska taneczne, plastyczne i inne. Teraz zastanówmy się, dlaczego dzieci tak chętnie zakładają gangi – mają silnie rozwiniętą potrzebę przynależności i muszą coś robić z wolnym czasem. Sugerujemy zatem, aby zapisać dziecko do takiego „pozytywnego gangu" dość wcześnie, póki jest małe, żeby nabrało chęci do przyłączenia się do organizacji młodzieżowych. Radzimy także, by samo wybrało grupę, do której chciałoby przynależeć. Przestudiujcie razem wszelkie dostępne materiały, porozmawiajcie z kierownictwem grupy, dowiedzcie się jak najwięcej na temat jej dążeń, ideologii i proponowanych zajęć. Dziecko będzie musiało zadecydować, czy są one zgodne z jego oczekiwaniami. Pewien nasz znajomy chłopiec zrezygnował ze wstąpienia do harcerstwa, gdy dowiedział się, że drużyna jest wyłącznie męska. Wynikało to z jego głębokiego przekonania, że chłopcy i dziewczynki są równi i powinni mieć takie same szanse. W zamian zapisał się do koedukacyjnej organizacji młodzieżowej.

Inspiracje między nami

Podajcie przyjazną dłoń rodzinie, która akurat tego potrzebuje.
wiek: od 2 lat

Jedna rodzina może wpływać na życie drugiej i inspirować ją do różnych działań na wiele sposobów. Wystarczy dobrze się zastanowić, a okaże się, że bardzo dużo możecie zaoferować innym.

Może ktoś z was potrafi nauczyć innych jakiejś nowej umiejętności albo wygłosić wykład lub udzielić lekcji z zakresu literatury. Wasze dzieci mogą poprowadzić wśród rówieśników program profilaktyki uzależnień (na przykład alkoholizmu i narkomanii). Ktoś z rodziny zasłuży może na miano Wielkiego Brata lub Wielkiej Siostry. Być może postanowicie nawet stać się rodziną zastępczą dla innych maluchów.

Ale w inspirowaniu innych kryje się znacznie, znacznie więcej, niż mogłoby się zdawać na pierwszy rzut oka. Jeśli dobrze się zastanowicie, okaże się, że korzyść jest obustronna, że wzajemnie ofiarowujecie sobie mądrość i troskę. Kiedy my całą rodziną pracowaliśmy z bezdomnymi, starcami albo osobami niepełnosprawnymi, zawsze okazywało się, że nie jesteśmy wyłącznie stroną dającą. Bardzo wiele otrzymywaliśmy w zamian. Każdy człowiek, któremu pomogliśmy, inspirował nas w ten czy inny sposób. Ich darem była niezwykła

najwiȩksza bańka mydlana na świecie

mądrość, hart ducha, bogate wnętrze oraz wdzięczność. A więc – do dzieła. Zainspirujcie kogoś. Zobaczycie, że będzie to bardzo twórcze doświadczenie.

Kącik osiągnięć

Wydzielcie w domu miejsce na powieszenie fotografii szczególnie ważnych członków rodziny.
wiek: bez ograniczeń

Wyznaczcie w mieszkaniu kawałek ściany, który stanie się waszym rodzinnym „Kącikiem osiągnięć". Powieście tam zdjęcia i portrety tych członków rodziny, których dokonania, zdolności i osiągnięcia uważacie za inspirujące dla was (dzieci i rodziców). Prawdopodobnie będzie trzeba zagłębić się w historię rodziny, aby odnaleźć ukryte talenty i nieznane sukcesy waszych przodków. Koniecznie umieśćcie w „Kąciku osiągnięć" rysunki i dokonania dziecka. W miarę jak będą się one rozrastać, powiększcie także „Kącik osiągnięć". Maluchy będą z dumą oprowadzać po nim przyjaciół i krewnych, którzy przyjdą w odwiedziny.

Mały nauczyciel

Jeśli zaproponujecie w szkole wprowadzenie uczniowskiego programu nauczania, dzieci mogą pełnić w nim funkcje nauczycieli.
wiek: od 6 lat

Obserwowanie, jak jedno dziecko może inspirować drugie, jest jak uczestniczenie w seansie magicznym. Kiedy malec musi wykorzystać wszystko, co wie, aby przekazać to koledze, obydwaj odnoszą korzyść. W tej zabawie wasze dziecko może się przekonać, jak cudownym przeżyciem jest nauczanie.

Zaproponujcie w szkole wprowadzenie programu „mały nauczyciel", polegającego na tym, że starsze dzieci będą uczyć młodsze czegoś, co już dobrze znają. Może to być coś tak prostego jak abecadło czy kilka zabawnych piosenek albo bardziej skomplikowanego, jak równania kwadratowe.

Lekcje „małego nauczyciela" powinny odbywać się regularnie, powiedzmy co tydzień, ale trzeba im wyznaczyć określone ramy czasowe, na przykład miesięczny kurs ceramiki lub języka hiszpańskiego. Oczywiście dziecko może program zajęć ze swoimi uczniami regularnie aktualizować w zależności od ich postępów. Całe doświadczenie będzie wtedy miało dla niego znacznie większą wartość. Osobista satysfakcja, jaką będzie odczuwało, ucząc i inspirując innego malucha, jest nie do przecenienia. Łatwo sobie wyobrazić, jaką korzyść z tego pozytywnego doświadczenia odniesie nie tylko wasza pociecha, ale także jego uczniowie, którymi zajął się taki zdolny i wspaniały dzieciak. Dokładnie taki jak oni sami.

Grupy wsparcia
W razie konieczności zwróćcie się o fachową pomoc.
wiek: od 3 lat

Czasami tak się zdarza, że kłopoty wymykają się nam spod kontroli i potrzebujemy dodatkowej pomocy. Wtedy dobrym rozwiązaniem są grupy wsparcia. Służą one pomocą dzieciom i dorosłym w przeróżnych sprawach – od rozwodu do narodzin nowego członka rodziny. [W Polsce organizacją tego typu jest Uniwersytet dla Rodziców, mający swoje siedziby we wszystkich większych miastach – przyp. tłum.]

ROZDZIAŁ 5

Więzi rodzinne i społeczne

Aby zrozumieć konstrukcję współczesnej rodziny, należy dobrze przyjrzeć się naszemu życiu społecznemu. Znaczenie słowa „rodzina" ściśle zależy od epoki i kultury, w jakiej przyszło nam żyć. Na początku XX wieku, w związku z ogromnym napływem imigrantów do Ameryki, rozwijał się tam model rodziny typowy dla obcych w nowym kraju. Ludzie otwierali swoje domy i serca przed każdym, kto urodził się tam, gdzie oni. Świadomość wspólnego pochodzenia dawała im bardzo silne poczucie wspólnoty. Przybysze osiedlali się w jednym miejscu, w pobliżu swoich dziadków, ciotek, wujów i kuzynów.

W latach pięćdziesiątych i sześćdziesiątych wzorem idealnej rodziny stał się model „Ojciec Wie Najlepiej", z mamą zajmującą się wyłącznie domem, niewidzącą świata poza dziećmi, zawsze czekającą z gotową kolacją na tatę, kiedy ten wracał zmęczony po ośmiogodzinnym dniu pracy. Od dziewczynek oczekiwano, że będą pomagać w gospodarstwie i opiekować się młodszym rodzeństwem, podczas gdy chłopcy mieli uprawiać sporty i wywiązywać się z obowiązków poza domem, takich jak zwyciężanie wszelkich przeciwników.

Kiedy rozwinął się ruch wyzwolenia kobiet, wiele z nich rozpoczęło pracę zawodową. Rozwód stał się społecznie akceptowanym rozwiązaniem nieszczęśliwego małżeństwa, a samotne macierzyństwo zaczęło być coraz bardziej powszechne. Pojawiły się także alternatywne modele życia, takie jak związki homoseksualne. Narastała świadomość wykorzystywania dzieci i nadużyć wobec nich, ale jednocześnie rosła liczba adopcji, troskliwych rodzin i wielopokoleniowych gospodarstw prowadzonych przez dziadków. Rzadziej zdarzały się przypadki małżeństw formalnie ze sobą związanych, w których jedno z małżonków prowadziło osobne gospodarstwo setki mil od drugiego i widywało go tylko w weekendy. Spośród tych wszystkich zmian najbardziej znaczące wydaje się zdecydowane rozluźnienie więzów rodzinnych. Coraz większa mobilność oznaczała sposobność częstego przeprowadzania się w poszukiwaniu nowych możliwości w innych rejonach kraju.

Na początku lat dziewięćdziesiątych nastąpił wielki powrót „wartości rodzinnych". Stały się one popularnym hasłem wielu kampanii prezydenckich. Ale jednocześnie z coraz większym poczuciem przywiązania do tradycyjnych wartości narastała świadomość, że z ekonomicznego punktu widzenia niemożliwe jest związanie końca z końcem, jeśli na utrzymanie rodziny ma się do dyspozycji tylko jedną pensję. Kobiety muszą pracować zawodowo (chociaż cały czas stanowią niezwykle wysoki procent najsłabiej zarabiających pracowników). Model „Ojciec Wie Najlepiej" zupełnie się zdezaktualizował, ponieważ najczęściej mężczyzna nie jest w stanie sam utrzymać rodziny.

A oto co mamy dzisiaj: żyjemy w społeczeństwie, w którym widoczne jest silne pogłębianie się więzi rodzinnych, ale równocześnie więcej niż 40 procent małżeństw kończy się rozwodem. Wiele osób albo zawiera ponowne związki, albo decyduje się samotnie wychowywać dziecko. To mimo wszystko nie powstrzymuje nas przed ponownym skupianiem się na domu i rodzinie. Na przekór wyraźnej konieczności wpływów z pensji obojga małżonków stosujemy nowe rozwiązania, które pomagają zrównoważyć pracę i potrzeby rodziny. Nowy model zarobkowania opiera się na elastycznym planie, dającym możliwość pracy na część etatu, wykonywania zleceń oraz pracy w domu z wykorzystaniem połączeń sieci komputerowej i innych nowoczesnych osiągnięć techniki.

Istotną sprawą jest uświadomienie sobie, jakie siły społeczne działają przeciwko jedności rodziny. Współczesne społeczeństwo coraz bardziej przedkłada indywidualne i materialne dobro ponad potrzeby rodzinne lub społeczne i ponad wartości duchowe. W takiej atmosferze rodzina staje się czymś mniej znaczącym, a w wielu rodzinach pojawia się poczucie chaosu, bezładu i niedowartościowania. Jednak nie zawsze tak się dzieje. Nawet w dobrze prosperującej i rozwijającej się rodzinie warto pamiętać, że świat tutaj się nie kończy. Jej członkowie nie powinni skupiać się wyłącznie na sobie i wzajemnych stosunkach, ale także wychodzić na zewnątrz ze swoimi dokonaniami i systemem wartości.

Zależnie od modelu życia, jaki prezentuje wasza rodzina, jej wierzeń i przekonań, możecie nauczyć dziecko, jak żyć wśród ludzi, lub odizolować je od nich. Jakość wzajemnych relacji pomiędzy członkami rodziny w znaczący sposób kształtuje w dziecku poczucie przynależności i pokrewieństwa. Więź tego typu nie wytwarza się w pierwszym lepszym momencie życia, ale jest wynikiem zadowalających kontaktów z rodziną jako całością i poszczególnymi osobami, które ją tworzą.

Jeśli nawet mieszkacie daleko od pozostałych krewnych, pamiętajcie, że dzięki rozszerzonym kontaktom z rodziną powstaje specyficzny związek pomiędzy młodym pokoleniem i dziedzictwem, z którego się wywodzi. Bardzo istotne jest wykształcenie w dziecku poczucia, że w olbrzymiej, rodzinnej wspólnocie ma swoje własne miejsce. Taka świadomość pomoże mu zrozumieć, co się działo, zanim pojawiło się na świecie, i co nastąpi po nim. I dlatego właśnie jest takie ważne, aby poznało swoje miejsce w rodzinnej społeczności. Zacznie zdawać sobie z tego sprawę, gdy dostrzeże różnice i podobieństwa pomiędzy swoją rodziną i innymi rodzinami. Chociaż każda z nich ma swój własny, niepowtarzalny model życia, wiele jest wspólnych zasad i zwyczajów, jak na przykład obchodzenie urodzin czy układanie dzieci do snu. Dlatego gdy malec zostanie na noc u kolegi, może czuć się nieco niespokojny, ale będzie również dokładnie wiedział, czego może się spodziewać. Pierwsze doświadczenia i wyobrażenia na temat funkcjonowania innych rodzin młody człowiek zdobywa zazwyczaj, gdy idzie do szkoły i zaczyna odwiedzać kolegów w ich domach. Wtedy po raz pierwszy próbuje zdać sobie sprawę z tego, że w jego własnym domu wiele rzeczy robi się inaczej. Czasami takie doświadczenie wzmacnia poczucie wdzięczności dla własnej rodziny, zdarza się jednak także, że osłabia je.

Pierwsze kontakty ze światem zewnętrznym, z panią w przedszkolu lub chłopcem z podwórka rozpoczynają proces stawania się częścią społeczności. Społeczeństwa funkcjonują tak jak rodziny, mają określone normy zachowania, wspólne wierzenia, razem troszczą się o wzajemne bezpieczeństwo. Pamiętajmy, że w samym środku jest rodzina, podstawowe źródło całej wiedzy dziecka na temat relacji międzyludzkich, porozumiewania się, przyjaźni i miłości. Dziecko, któremu przekażemy te wartości, wykorzysta je do wprowadzenia korzystnych zmian w swoim otoczeniu, środowisku, a w efekcie także całym świecie.

Dzięki społecznym i rodzinnym więziom dzieci:
- uczą się, że nie są pępkiem świata i że w życiu chodzi o coś więcej niż tylko o zaspokojenie ich własnych potrzeb. Widzą, że każdy ma do odegrania pewną rolę w życiu rodziny i społeczności;
- czują się bezpiecznie i pewnie, ponieważ wiedzą, że są częścią czegoś stabilnego i stałego;
- mają silniejsze poczucie własnej tożsamości i godności;
- są szczęśliwsze. Czują się ważniejsze i silniejsze. Siła jedności rodziny lub społeczności stale przez nie przenika;
- budują głębsze więzi z innymi ludźmi, oparte na wspólnym doświadczeniu i wspólnych staraniach;
- uczą się żyć według zasad. W rodzinie muszą najpierw przyjąć i zrozumieć, następnie zinterpretować, a potem zastosować się do niepisanych praw, zasad i oczekiwań, według których powinny postępować.

Bez społecznych i rodzinnych więzi dzieci:
- nie wiedzą, co to znaczy należeć do grupy i współuczestniczyć w jej życiu;

• w końcu są zmuszone do znalezienia kogoś, kto da im wsparcie, kiedy opuszczą dom – prawdopodobnie zresztą zbyt wcześnie. Nie mając bezpośrednich doświadczeń, jak funkcjonują więzi między członkami rodziny, nie nauczą się zawierać przyjaźni. Trudno im będzie stworzyć autentyczne i trwałe związki z innymi ludźmi;

• tracą dwie cenne rzeczy: 1) nieuchwytny, ulotny składnik psychiki – poczucie przynależności i znajomość rodzinnych i społecznych zwyczajów oraz 2) wartości, które pozostają stale niezmienne i do czego zawsze można powrócić;

• mogą same siebie obwiniać za to, że nie miały dobrej rodziny ani właściwych stosunków z otoczeniem. Istnieje ryzyko, że dojdą do wniosku, iż nie zasługują na naprawdę wartościowe przyjaźnie czy związki. Wtedy mogą zawrzeć niewłaściwe i autodestrukcyjne znajomości.

Jak umacniać więzi rodzinne i społeczne

• Stworzenie rodzinnej atmosfery przynależności i akceptacji wymaga wytężonych starań, odwagi i cierpliwości. Szczególnie daje się to odczuć, jeśli sami wychowywaliście się w niezbyt silnej rodzinie. Bardzo pomocne może być przypomnienie sobie różnych zdarzeń i zachowań (takich jak zwyczaje i tradycje) oraz sytuacji i okoliczności, które wpłynęły na to, że oceniacie wasze dzieciństwo pozytywnie lub negatywnie. Wykorzystajcie te wiadomości do znalezienia sposobu na umocnienie własnej rodziny.

• Rodzinne zwyczaje i tradycje wzmacniają poczucie tożsamości i przynależności, ale nie powstają same z siebie. Są rezultatem świadomego działania rodziców, ciągłego inicjowania zdarzeń i sytuacji aż do momentu, kiedy wszystkim będzie się zdawać, że tak było zawsze. Zainicjujcie kultywowanie obyczajów, które będą jedyne i niepowtarzalne, tylko wasze. Nie martwcie się o to, co pomyślą inni – wasze dziecko będzie pielęgnowało te wyjątkowe rzeczy, które robicie razem. Spróbujcie nie ograniczać się do powszechnie uznawanych tradycji, chociaż możecie oczywiście przenieść do własnej rodziny zwyczaje ze swojego dzieciństwa, nawet jeśli wydają się mało ważne lub niezbyt sensowne. Kiedy Mark był małym chłopcem, jego rodzina po kupieniu każdego nowego samochodu chodziła do eleganckiej, zawsze tej samej restauracji w centrum miasta. Teraz on chodzi tam ze swoją żoną i dziećmi.

• Jeśli starsze dzieci niechętnie odnoszą się do waszych sugestii, powierzcie im odpowiedzialność za pielęgnowanie tych rodzinnych czy społecznych obyczajów, które sprawiają im przyjemność. W pozostałych wypadkach spokojnie róbcie swoje. Malkontentowi pozwólcie po prostu stać z boku i przyglądać się.

• Wprowadzeniu wielu rodzinnych i społecznych tradycji trzeba poświęcić sporo czasu, ale wysiłek zazwyczaj opłaca się i jest wart zachodu.

• Jeśli jesteście nieśmiali lub trudno jest wam sprostać temu zadaniu, poproście przyjaciół lub sąsiadów, żeby się do was przyłączyli lub pozwolili wam dołączyć się do nich.

• Na koniec wreszcie, nie oczekujcie, że natychmiast nastąpi wielki przełom. Zmiany zawsze są trudne, bądźcie więc cierpliwi. Jeśli naprawdę zaangażujecie się i będziecie wytrwale pracować nad stworzeniem wymarzonego modelu rodziny – po trochu, dzień po dniu – osiągniecie swój cel.

Zajęcia, które wzmacniają więzi rodzinne

Rada Rodzinna
Regularnie odbywające się spotkania rodzinne.
wiek: od 2 lat

Zebranie Rady Rodzinnej jest okazją do przedyskutowania wielu ważnych problemów i spraw, do poskarżenia się i do okazania wdzięczności. Spotkania tego typu podtrzymują przekonanie, że wszyscy członkowie rodziny przyczyniają się do stworzenia atmosfery współpracy i wzajemnego szacunku. Zebrania odbywają się regularnie co tydzień i przebiegają według określonego planu.

Podajemy kilka wskazówek, przydatnych do rozpoczęcia i prowadzenia spotkań Rady Rodzinnej.

1. Zebrania powinny odbywać się regularnie, w ustalonym terminie i przebiegać według określonych zasad. Wśród nich powinien znaleźć się zakaz krzyczenia, oskarżania innych i zabierania głosu poza kolejnością. Należy to jasno sformułować, a następnie konsekwentnie przestrzegać.

2. Wszyscy członkowie powinni dzielić odpowiedzialność za przebieg i uczestnictwo w zebraniu. Funkcje przewodniczącego i sekretarza należy powierzać za każdym razem komu innemu.

3. Wykorzystajcie zebranie do wskazania nurtujących was problemów, podziału domowych obowiązków i sprawdzenia stopnia

odpowiedzialności każdego z was za różne rodzinne sprawy. Zaplanujcie jednak także coś zabawnego i dbajcie o to, by zachęcić członków Rady do wyrażania sobie nawzajem wdzięczności i uznania.

4. Istotne jest, aby wprowadzić do obrad Rady Rodzinnej zasady właściwego porozumiewania się, takie jak obustronny szacunek, empatia, mówienie o swoich uczuciach i efektywne słuchanie. Wszystkie one zostały opisane w rozdziale o komunikowaniu się.

5. Należy skrupulatnie unikać krytykowania i dyskredytowania pomysłów i sugestii członków Rady. Każdy musi mieć pełną swobodę wyrażania własnych sądów i uczuć.

Inną korzyścią płynącą z utworzenia Rady Rodzinnej jest wzmocnienie poczucia jedności, kształtowanie ducha pracy w zespole i podniesienie poczucia własnej wartości każdego z członków rodziny. Z pewnością jest to wystarczająca przyczyna, dla której warto znaleźć raz w tygodniu trochę wolnego czasu, aby przeprowadzić takie zebranie, pobyć trochę razem, uczestniczyć w ważnych wydarzeniach z życia każdego domownika i wspólnie robić plany na przyszłość.

Dziesięć przykazań naszej rodziny
Zasady życiowe dla twojej rodziny.
wiek: od 3 lat

Zasady rodzinne są niezwykle ważne. Pomagają w tworzeniu więzi, kiedy wszyscy członkowie rodziny zobowiązują się do przestrzegania tych samych reguł postępowania. Ustalenie tych reguł, czy też raczej praw, powinno dokonać się w sposób jasny i konsekwentny, ale nie za bardzo poważny, aby dziecko nie obawiało się kary za nieposłuszeństwo. Ta zabawa pomoże wam w sposób dowcipny i lekki wprowadzić niektóre zasady w życie.

Usiądźcie razem i sporządźcie listę dziesięciu najważniejszych reguł, których powinni przestrzegać wszyscy domownicy. Mogą być one wzorowane na biblijnych dziesięciu przykazaniach i spisane na dużym kartonie, tak ozdobionym, by udawał bardzo stary dokument. Podajemy przykład Dziesięciu Przykazań pewnej znajomej rodziny, w której jest dwoje nastolatków i dwóch przedszkolaków.

Dziesięć Przykazań Lambertów:

1. Bądź miły i uprzejmy dla rodziny i przyjaciół.
2. Nie krzywdź innych słowem ani uczynkiem.
3. Wypełniaj obowiązki swoje.
4. Wracaj do domu o umówionej godzinie lub przynajmniej zawiadom stroskaną matkę swoją, jeśli przewidujesz, że się spóźnisz.
5. Nie jedz, nie rozmawiaj i nie spaceruj jednocześnie.
6. Dwa razy w tygodniu jedz kolację w domu, z całą rodziną.
7. Nie wpadaj w złość więcej niż trzy razy dziennie.
8. Czytaj przynajmniej jedną dobrą książkę na tydzień.
9. Każdego dnia pomóż komuś z rodziny lub przyjaciół.
10. Przynajmniej dwa razy w tygodniu rozśmiesz kogoś, opowiadając głupie dowcipy lub zabawne historyjki.

dziesięć przykazań naszej rodziny

Kronika Dzieciaków
Kronika prawdziwych i zmyślonych przygód.
wiek: od 3 lat

Ostatnio napisaliśmy do pewnego czasopisma artykuł, w którym opowiedzieliśmy o naszej rodzinnej kronice. Trzeba przyznać, że jest ona zupełnie niezwykła. Nie ma w niej tradycyjnych zdjęć z wakacji czy pamiątkowych odcinków biletów wstępu. Zamiast tego wypełniliśmy ją po brzegi różnymi historyjkami – prawdziwymi i całkowicie zmyślonymi.

Wymyślaliśmy te historie, oglądając wakacyjne fotografie, przywołując wspomnienia, szczególne wydarzenia czy zwykłe, codzienne zajęcia. Dzieciaki bardzo pomagały nam w stworzeniu tej kroniki; wycinały i naklejały zdjęcia, wspólnie pracowały nad tekstem. Jedno z opowiadań, które ułożyły, mówiło o nowych przygodach bohaterów Disneya, którzy dziwnym trafem znaleźli się w naszej rodzinie. Zdjęcia naszych własnych głów i ciał przemieszały z obrazkami Księżniczki Jaśminy i tyranosaurusem reksem. Gorąco polecamy ten dziecięcy styl w takiej kronice. Tworzenie jej daje ogromną radość, gdy można z własnej wyobraźni wyczarować niezwykłe historie, i wiele zadowolenia z uwiecznienia tych, które naprawdę się zdarzyły.

Wskazówka: Kodak wydaje ostatnio nowe książeczki, które mogą inspirować do tworzenia podobnych kronik, z wykorzystaniem zabawnych rysunków i historyjek obrazkowych. Więcej informacji o Kodak's Storyteller Books można uzyskać pod adresem: Eastman Kodak Company, 1100 University Ave, Rochester, N.Y. 14607.

Kolaż rodzinnych marzeń i pragnień
Stwórzcie kolaż marzeń i pragnień swojej rodziny.
wiek: od 4 lat

Wszyscy mamy własne marzenia, nadzieje i pragnienia. Ale marzymy i pragniemy także jako rodzina. Zbyt często, niestety, tę sferę pragnień traktujemy jako mniej istotną. Ważniejsze wydaje się nam osiągnięcie osobistych celów. Powstanie kolażu, który tu proponujemy, pomoże uzewnętrznić marzenia całej rodziny, a wtedy każdy będzie mógł przyjrzeć się im i zobaczyć, jak wielką mają wartość.

Zacznijcie od rozmowy na temat rodzinnych marzeń i pragnień, zachęćcie dzieci, by zrobiły to samo. Zadecydujcie wspólnie, które z nich wydają się wam najbardziej prawdopodobne do osiągnięcia.

Następnie wytnijcie z ilustrowanych pism lub samodzielnie narysujcie obrazki, które wyobrażają te marzenia. Naklejcie je na duży karton. Na górze wymalujcie napis „Kolaż rodzinnych marzeń i pragnień". Powieście wasz kolaż na widocznym miejscu, tak żeby każdy mógł go obejrzeć.

Rodzina może sobie zażyczyć, żeby zastanowić się nad innymi, specyficznymi dla niej wyzwaniami, jak „Nasze pragnienia po rozwodzie" czy „Marzenia o zniknięciu przemocy".

Rodzinne tradycje
Czas rozpocząć rodzinną tradycję.
wiek: bez ograniczeń

Pewna znana nam rodzina hołduje niezwykłej tradycji. Możecie wierzyć lub nie, ale co roku, w styczniu, przez jeden tydzień wszyscy w komplecie celebrują czekoladę. Przez pełne siedem dni każdy, włącznie z krewnymi w Niemczech, robią czekoladę, kupują czekoladę, wkładają czekoladę do wszystkiego, co jedzą, i mnóstwo czekolady wysyłają sobie nawzajem.

Głupia tradycja? Chyba nie, jeśli zbadamy jej korzenie. Prawie sto lat temu, w styczniu, praprababka (w owym czasie nastolatka) wygrała wielki konkurs na najlepsze ciasto. Użyła, oczywiście, czekolady – dużo czekolady. Pieniężna nagroda, jaką otrzymała, wystarczyła na pokrycie kosztów biletu na statek do Ameryki. Podróż uratowała jej życie, a rodzinie zapewniła bezpieczną przyszłość.

Rodzinne tradycje stanowią pomost między pokoleniami. Wzmacniają poczucie przynależności i pomagają przetrwać mądrości i kulturze przodków.

Jeśli nie macie jeszcze żadnej rodzinnej tradycji, nie jest za późno, żeby właśnie teraz ją rozpocząć i wprowadzić w życie. Wytłumaczcie dziecku jej niezwykłe znaczenie i wspólnie zacznijcie obchodzić jedyny, wyłącznie wasz obyczaj. Niech stanie się on częścią historii waszej rodziny. Tradycje mogą uświetniać szczególne wydarzenia, pomagać w przekazywaniu i tworzeniu dziedzictwa, mogą wiązać się z określonymi działaniami lub podkreślać specyfikę waszej rodziny.

Jeśli uda się wam nakłonić krewnych do uczestniczenia w nich, tym większa będzie szansa na to, że przetrwają.

Rodzinna kolacja
Zjedzcie razem kolację lub obiad.
wiek: bez ograniczeń

Wiele już zostało powiedziane na temat problemów związanych z obecnym szaleńczym tempem życia, z powodu którego, między innymi, zanikł rytuał wspólnego zasiadania do kolacji.

Jemy po to, żeby zapełnić żołądki, ale pora posiłku jest także okazją do spędzenia razem czasu – do socjalizacji i wzajemnej komunikacji. W trakcie posiłku rozmawiamy o ważnych interesach, wykorzystujemy poczęstunek do zgromadzenia ludzi w celu celebrowania różnych wydarzeń, prowadzenia obserwacji, a nawet trudnych negocjacji. Zgromadzenie ludzi wokół jedzenia jest niezwykle istotnym elementem w prawie każdej kulturze.

Zobowiążcie rodzinę do poszanowania tej ważnej tradycji. Ustalcie, że przez określoną liczbę dni w tygodniu będziecie jedli wspólnie kolację lub chociaż śniadanie. Jedzcie przy stole, nie przed telewizorem. Włączcie domowników do gotowania i sprzątania ze stołu. Sprawcie, aby ten czas był ważny, wykorzystajcie go do powiedzenia „cześć" i zapytania, co słychać nowego.

Rodzinna akcja ku pokrzepieniu serc
Rozweselmy tych, którzy potrzebują pocieszenia.
wiek: bez ograniczeń

Pewna samotna matka z Bostonu opowiedziała nam o wspaniałej tradycji, którą wiele lat temu rozpoczęła jej prababcia. Mianowicie wraz z córką zrobiły „koszyk pocieszenia". Był to zwykły koszyk wypełniony ciasteczkami, czekoladkami, konfiturami i herbatnikami, który dawały każdemu, komu akurat było źle na świecie. Matka i córka, znakomity zespół, wyszukiwały koszyki na wyprzedażach i przechowywały w nich ciastka oraz cukierki do czasu, kiedy zauważyły, że komuś przydałoby się dodać nieco otuchy. Rozdawały je przyjaciołom, którzy albo byli chorzy, albo stracili jakąś wielką szansę, albo nie mogli znaleźć pracy, albo po prostu mieli zły dzień. Niosły swoją specyficzną pomoc także w sytuacjach bardzo poważnych, takich jak śmierć lub pobyt kogoś bliskiego w szpitalu. Robiły to, ponieważ uwielbiały pocieszać innych, zwłaszcza wtedy, gdy mogły to robić razem. Być może warto byłoby pomyśleć o czymś podobnym i podtrzymać nieco na duchu swoich bliskich.

Święto rodzeństwa
Dzień, w którym świętujemy fakt posiadania rodzeństwa.
wiek: od 2 lat

Wyznaczcie trzy lub cztery dni w roku, które będziecie obchodzić jako Dni Brata i Siostry. Wykorzystajcie to rodzinne święto do porozmawiania z dziećmi o tym, dlaczego lubią i szanują się wzajemnie. Wspomnijcie te chwile, kiedy emocjonalna więź między nimi była szczególnie silna, oraz sytuacje, w których zachowywały się względem siebie wyjątkowo miło. Namówcie je, żeby wspólnie wymyśliły sposób celebrowania tego święta i zachęciły innych członków rodziny do wzięcia w nim udziału. Na koniec przed domem lub na drzwiach wejściowych do mieszkania wywieście transparent braterstwa (patrz poniżej).

Transparent braterstwa
Transparent symbolizujący relacje pomiędzy waszymi dziećmi.
wiek: od 3 lat
materiały: farby do malowania na płótnie, drewniany kij na maszt

Dzieci mogą wspólnie namalować swój transparent. Wywieście go potem na zewnątrz w widocznym miejscu, tak aby każdy mógł zobaczyć, jak fantastyczni są bracia i siostry w waszym domu.
Nasze dziewczynki zrobiły piękny transparent „Siostry!", na którym umieściły odciski swoich dłoni, własnoręcznie wykonane rysunki ulubionych wspólnych zabaw i wielkie złote serce symbolizujące

w naszej rodzinie sztukę dawania i troszczenia się o innych. Ta flaga często pojawia się na zewnątrz domu, zwłaszcza wtedy, gdy wskazane jest przypomnienie, że „lepiej być siostrami zgodnymi niż kłótliwymi i krzyczącymi" (słynne powiedzonko w naszej rodzinie).

Wykaz obowiązków rodzinnej drużyny

Wykaz obowiązków domowych wszystkich członków rodziny.
wiek: od 4 lat

Obowiązki domowe umacniają więź między dzieckiem a domem i rodziną. Dają mu poczucie własnej wartości i odpowiedzialności, rozwijają ambicję i niezależność. Przygotowują do podjęcia bardziej odpowiedzialnych zadań w przyszłości.

Ale, prawdę mówiąc, w obowiązkach nie ma nic specjalnie zabawnego. Chyba że przemienicie je w rodzaj gry. To jest łatwiejsze, niż się wydaje, zwłaszcza jeśli do zabawy włączycie całą rodzinę.

Najpierw ułóżcie wykaz obowiązków w taki sposób, żeby każdy domownik poczuł się jak gracz w drużynie. Jeśli wszyscy wywiążą się z podjętych zobowiązań, tak że cała rodzina zwycięży jako zespół, przyznajcie sobie wspólnie uzgodnioną nagrodę – na przykład wyjście do ulubionej restauracji lub kupno do domu czegoś, co wszystkim się spodoba.

Data:	Wykaz obowiązków naszej rodziny *(zaznacz krzyżykiem lub pinezką, jeśli wykonałeś swoje zadanie)*							
	zmywanie	nakrywanie do stołu	wynoszenie śmieci	wyprowadzanie psa	wywieszanie prania	sprzątnięcie łazienki	odkurzanie	suma punktów
GEORGE	Poniedziałek	Wtorek	Środa	Czwartek	Piątek	Sobota	Sobota	
TAMMY	Wtorek	Środa	Czwartek	Piątek	Sobota	Poniedziałek	Sobota	
SUZY	Środa	Czwartek	Piątek	Sobota	Poniedziałek	Wtorek	Sobota	
MAMA	Czwartek	Piątek	Sobota	Poniedziałek	Wtorek	Środa	Sobota	
TATA	Piątek	Sobota	Poniedziałek	Wtorek	Środa	Czwartek	Sobota	

Ustalcie, które prace muszą być wykonywane codziennie, następnie każdemu dziecku wyznaczcie trzy do siedmiu z nich – zależnie od wieku i możliwości. Wytłumaczcie, że wypełnianie obowiązków niczym się nie różni od grania na ustalonej pozycji w drużynie koszykarskiej, piłkarskiej lub futbolowej. Zachęćcie dziecko, by przypominało innym domownikom o ich zadaniach, które powinni wykonywać w imię dobra całej drużyny. Być może zechcecie wprowadzić sekcję „osobistych obowiązków", która będzie wymagała od dzieci odrabiania lekcji, ścielenia łóżek czy ćwiczeń na instrumencie.

Rodzinny emblemat
Oryginalny emblemat – wizytówka rodziny.
wiek: od 2 lat

Rodzinny emblemat spełnia trzy funkcje: uczy rodzinę jej własnej historii, jest wyrazem niepowtarzalnej współpracy jej członków oraz buduje rodzinną dumę i jedność. Może być wzorowany na znaczkach wojskowych albo zaprojektowany samodzielnie, ale cała rodzina musi demokratycznie zadecydować, jak ma on wyglądać.

Wiele rzeczy może zainspirować projekt rodzinnego emblematu. Wybierzcie ten, który uznacie za najlepszy dla was:
• Nadajcie swojej rodzinie imię i włączcie jego znaczenie w rodzinny emblemat.
• Porozmawiajcie z krewnymi, zwłaszcza starszymi, na temat osiągnięć waszej rodziny w przeszłości.
• Poszukajcie czegoś, co było przekazywane z pokolenia na pokolenie. Może to być coś konkretnego, na przykład spadek, albo coś abstrakcyjnego, na przykład jakaś widoczna, rodzinna cecha.
• Wybierzcie się do biblioteki i poszukajcie informacji na temat waszego pochodzenia. Wykonajcie flagę symbolizującą kraj lub kraje, z których wywodzi się wasza rodzina.
• Poszukajcie czegoś, co symbolizowałoby szczególne dokonania i talenty każdego z domowników, i umieśćcie to w emblemacie.
• Zróbcie zdjęcie lub namalujcie portret waszej rodziny.

- Podzielcie emblemat na dwie części: jedna niech odzwierciedla dziedzictwo etniczne i kulturowe waszej rodziny, druga – obecne jej dokonania.

Kiedy już będziecie mieli gotowy projekt, możecie wydrukować go na koszulkach, kubkach, breloczkach do kluczy albo na wizytówce przy drzwiach wejściowych. Możecie zamontować swój emblemat na stałe lub też ozdobić nim papier listowy czy kartki pocztowe. Innym ze sposobów pokazania go ludziom może być wymalowanie na transparencie i zawieszenie na maszcie – będziecie wtedy mieli swoją własną flagę. A może by tak narysować go na drzwiach wejściowych do domu? Pewna znana nam rodzina zrobiła sobie totem z ogromnych pojemników na lody. Każdy tak ozdobił swój pojemnik, aby symbolizował jego własną osobowość i zainteresowania. Następnie połączyli je wszystkie i powstał wysoki na osiem stóp totem, który teraz stoi w ich salonie.

Rytuały rodzinne
Ustanówcie rodzinny rytuał.
wiek: bez ograniczeń

Rodzinny rytuał jest istotnym składnikiem tworzenia rodzinnej jedności. Może to być zupełny drobiazg, na przykład pizza na obiad określonego dnia w tygodniu albo czytanie co roku przed Bożym Narodzeniem „Opowieści wigilijnej" (*The Night Before Christmas*). Warunkiem powodzenia jest świadome i systematyczne podtrzymywanie rytuału. Jeśli odbędzie się tylko raz czy dwa, nie odegra swojej roli.

Jeśli do tej pory nie macie żadnego rodzinnego obyczaju, stwórzcie go. Wspólne działanie, które odbywa się regularnie i jest waszą rodzinną specjalnością, zjednoczy was i wasze dzieci, dając każdemu poczucie przynależności do czegoś wychodzącego poza własne „ja".

My obydwoje zachowaliśmy żywo w pamięci uczucie wielkiej przyjemności, jaką dawały nam w dzieciństwie rodzinne rytuały. Ojciec Marka, kładąc dzieci do łóżek, co wieczór wymyślał nowy odcinek historyjki przygodowej, którą im opowiadał. Rodzina Denise do dnia dzisiejszego, gdy zbiera się z okazji świąt czy jest na obiedzie w restauracji, a nawet na przyjęciach weselnych, zwyczajowo przedstawia „sztuczkę magiczną", polegającą na utrzymaniu na nosie balansującej łyżeczki do herbaty. Łatwo sobie wyobrazić, że stało się to szczególnym znakiem firmowym tej rodziny. W zależności od tego, jaki jest styl życia i status waszej rodziny, ustanówcie obyczaj, który będzie spełniał jej specyficzne potrzeby. Pozwólcie wszystkim wziąć udział w jego wymyśleniu i zaplanowaniu. Podajemy kilka pomysłów:

• Znajdźcie takie zajęcie, w którym co tydzień weźmie udział cała rodzina. Może to być wspólne wyjście na pizzę, spędzenie sobotniego wieczoru w kinie albo niedzielna tajemnicza wyprawa w poszukiwaniu nowych miejsc.

spécialité de la maison

- Wymyślcie *spécialité de la maison* – przepis na potrawę (deser, przekąskę lub danie główne), w którym wasza rodzina będzie się specjalizować. Nazwijcie tę sekretną recepturę imieniem rodziny i serwujcie danie z okazji różnych przyjęć, świąt, proszonych kolacji, pikników i innych szczególnych wydarzeń.
- Sporządźcie specjalny rodzinny pamiętnik, w którym odnotowane będą ważne wydarzenia, osiągnięcia szkolne, święta, urodziny i zmiany zachodzące w każdym z domowników. Do pamiętnika trzeba zaglądać przynajmniej raz w miesiącu, żeby przypomnieć sobie to, co minęło, i uzupełniać go nowymi informacjami.
- Raz do roku zaplanujcie całą rodziną wspólne wakacje lub podróż.
- Odbywajcie narady rodzinne (por. Rada Rodzinna, s. 108) lub po prostu zaplanujcie czas tak, aby jedną godzinę w tygodniu przeznaczyć na rozmowę o swoich planach, ewentualnych wzajemnych skargach, obowiązkach i osiągnięciach.
- Przygotujcie torbę, w której będziecie wraz z najbliższymi zbierać różne drobiazgi – ślady waszych wspólnych dokonań i działań. Następnie włóżcie ją do pojemnika, zamknijcie go i schowajcie „do otwarcia w przyszłości". Może to stać się całe lata lub nawet dziesięciolecia później. Zbieranie drobiazgów i zamykanie ich w skrzyni powinno stać się dorocznym rytuałem. Co kilka lat można otwierać stary, a zamykać nowy kontener.

Rodzinny zlot
Bądźcie gospodarzami rodzinnego zlotu.
wiek: bez ograniczeń

W dzisiejszym świecie mamy tak mało czasu na cokolwiek, nawet na odpoczynek, że proponowanie zgromadzenia się w jednym miejscu wszystkich krewnych brzmi jak oferta podróży na Księżyc. Oczywiście, ale mimo wszystko nie zapominajmy, że przecież polecieliśmy tam i wróciliśmy, i to niejeden raz. Dlatego też wszyscy członkowie rodziny są w stanie przybyć jednocześnie w to samo miejsce jednego dnia.

Zloty rodzinne są znakomitym pretekstem do zebrania się kilku pokoleń po to tylko, żeby celebrować fakt, że są jedną rodziną. Uczestnictwo w takim wydarzeniu da dziecku poczucie przynależności. Włączcie je do organizacji zlotu. Może wysyłać zaproszenia, wymyślać program lub przygotowywać menu. Niech zaproponuje jakieś zabawne gry, które pomogą rozruszać gości. Może zechce poprowadzić pokaz talentów? Relacje pomiędzy poszczególnymi krewnymi na pewno łatwiej będzie mu zrozumieć, jeśli spróbuje narysować drzewo genealogiczne. Książka Iry Wolfman pt. *Do People Grow on Trees? Genealogy for Kids and Other Beginners* [„Czy ludzie rosną na drzewach? Genealogia dla dzieci i innych początkujących" – przyp. tłum.], Workman Publishing, 1991, dokładnie wyjaśnia, jak przebiega linia pokrewieństwa między kuzynami, ciotkami, dziadkami i innymi powinowatymi.

Zadbajcie o to, aby w dniu zlotu zostało zrobione mnóstwo zdjęć. Dodatkową atrakcją może być zamówienie koszulek z nadrukiem, na którym umieścimy nazwisko lub grupową fotografię rodziny. A kiedy już będzie po wszystkim, można namówić dziecko, aby podtrzymało miłą rodzinną atmosferę i wysłało uczestnikom zlotu listy ze zdjęciami upamiętniającymi to wydarzenie. Może zechce robić to co kwartał, aby krewni wiedzieli na bieżąco o wszystkich interesujących sprawach i nadchodzących wydarzeniach, w tym także, na przykład, o następnym rodzinnym zlocie.

Poszukiwania rodzinnych skarbów
Zabawa w odkrywanie cennych, rodzinnych cech.
wiek: bez ograniczeń

Znakomita zabawa na wszelkie rodzinne zgromadzenia i święta. Daje świetną okazję do zaangażowania dzieci w poszukiwanie skarbów rodzinnych – historyjek, sekretów i obyczajów – potraktowane historycznie, ale także humorystycznie. Przed przystąpieniem do gry przygotuj listę pytań, które pomogą odkryć różne nieznane dotąd, interesujące fakty. Podajemy kilka propozycji:
  1. Ile lat ma najstarszy żyjący krewny?

**kto z członków rodziny popadł w tarapaty,
robiąc coś niebezpiecznego**

2. W którym roku nasza rodzina przybyła do tego kraju?
3. Jak nazywali się nasi praprapradziadkowie?
4. Kto w rodzinie ma najwięcej dzieci?
5. Czy ktoś z naszej rodziny jest sławny?
6. Kto z członków rodziny popadł w tarapaty, robiąc coś niebezpiecznego?
7. Kto z członków rodziny opowiada najlepsze dowcipy?
8. Jaka jest najśmieszniejsza anegdota o naszej rodzinie?
9. Z jakich krajów przybyli członkowie naszej rodziny?
10. Jakie piosenki najbardziej lubią twoi dziadkowie?
11. Jak się tańczy ludowy taniec ze starego kraju?

Powielcie listę w kilku egzemplarzach, tak żeby każde dziecko
miało swoją. Może dobrze będzie, żeby najmłodsze dzieci pracowały

ze starszymi. Powiedzcie im, że powinny zwrócić się do wielu krewnych, żeby znaleźć wszystkie poszukiwane części rodzinnych skarbów. Gdy już napiszą wszystkie odpowiedzi, powinny dostać jakąś nagrodę (na przykład pyszny deser). Kiedy zbierzecie ich kartki z odpowiedziami, przeczytajcie je głośno – niech wszyscy mają dobrą zabawę.

Rodzinna historia/Rodzinny folklor
Zbadajcie historię waszej rodziny.
wiek: bez ograniczeń

Wiele kultur kładzie nacisk na przekazywanie z pokolenia na pokolenie historii, tradycji, rodowodu i folkloru. Jaka jest historia waszej rodziny? Czy znacie ją szczegółowo? Spróbujcie ją prześledzić i podzielcie się potem swoimi odkryciami z dziećmi. Niech one same też włączą się do tej zabawy, porozmawiają ze starszymi członkami rodziny i w ten sposób wezmą udział w badaniu dziejów rodziny.

jak wyglądało wasze miasto, gdy powstawało...

Może zechcecie zapisać wasze odkrycia w książce pt. „Historia naszej rodziny". Opowieść można ozdobić ilustracjami i zdjęciami. Takie dzieło z pewnością stanie się niezwykłym dziedzictwem przekazywanym z pokolenia na pokolenie.

Mapa rodzinna
Zaznaczcie na mapie, gdzie mieszkają wasi krewni.
wiek: od 3 lat

Dziecku często jest bardzo trudno osiągnąć, a potem utrzymać poczucie przynależności do dużej rodziny, kiedy nie widuje krewnych regularnie. Łatwiej uświadomi sobie, jak rozległe są powiązania między nimi, jeśli powiesicie w pokoju mapę, a na niej, w miejscach zamieszkania dalszej rodziny, przypniecie zdjęcia i informacje o tych ciotkach, wujach i kuzynach, którzy nie mieszkają w waszym mieście.

Najpierw trzeba kupić mapę kraju (albo świata, jeśli macie krewnych za granicą). Dostatecznie dużą mapę można nabyć w księgarniach dla nauczycieli [w Polsce – w księgarniach geograficznych – przyp. tłum.]. Poświęćcie czas na to, aby wspólnie z dzieckiem przypiąć na niej zdjęcia lub karteczki z imionami i nazwiskami krewnych w odpowiednich miastach, województwach czy państwach.

Może zechcecie zaznaczyć na mapie przebieg migracji waszej rodziny. Do tego będziecie potrzebować mapy świata. Zawieście zdjęcia lub karteczki z imionami i nazwiskami prapradziadków w miejscach, gdzie się urodzili, a następnie narysujcie flamastrem szlak wiodący do nowej ojczyzny. Podajcie rok przesiedlenia.

Rodzinny system wysyłania kartek z życzeniami
Plan, który zapewnia wysłanie na czas kartek z życzeniami.
wiek: od 3 lat

Notorycznie zapominamy o wysłaniu na czas wszelkich okolicznościowych kartek. Na szczęście nasi krewni są bardzo wyrozumiali, jeśli chodzi o życzenia świąteczne czy walentynkowe, i chyba tylko dlatego nie wyrzucili nas jeszcze z rodzinnego klanu, mimo licznych przewinień, jakich się dopuszczamy. Pewien nasz przyjaciel, gdy dowiedział się, że mamy swoje udziały w spółce „opóźnionych kart urodzinowych", zdradził nam swój sposób na pozbycie się tego problemu. Trzeba sporządzić kartotekę z 12 przegródkami

– po jednej na każdy miesiąc – w których będziemy przechowywać zaadresowane kartki do naszych krewnych i znajomych. Wcześniej należy przygotować listę wszystkich ważnych urodzin, imienin, rocznic i innych szczególnych wydarzeń, na przykład ślubów lub absolutoriów. Następnie czeka nas wyprawa całą rodziną do sklepu z pocztówkami, na co warto przeznaczyć dosyć dużo czasu. Z listą w garści wybierzcie dla każdego stosowną kartkę. Prawdopodobnie trudno będzie kupić na zapas kartki świąteczne, czyli i to także trzeba przewidzieć.

Po powrocie do domu adresujemy każdą pocztówkę i na kopercie zaznaczamy lekko ołówkiem datę, kiedy powinna zostać nadana. Jeśli chcecie, możecie także nakleić znaczki. Na początku każdego miesiąca wyciągamy właściwą przegródkę i wysyłamy stosowne życzenia.

My nie zastosowaliśmy jeszcze tej metody, ale wydaje się, że faktycznie jest to dobry sposób na wybrnięcie z problemu terminowego wysyłania życzeń (oraz zachowania pewnego i bezpiecznego miejsca na rodzinnym drzewie genealogicznym).

Rodzinny gest
Wymyślcie swój tajemny gest, który będzie znać tylko wasza rodzina.
wiek: od 2 lat

Wasz sekretny gest może składać się z szeregu ciekawych ruchów – klaśnięcia, pstryknięcia palcami, stuknięcia guzikami czy mrugnięcia. Posługujcie się nim, gdy się witacie, żegnacie lub mówicie sobie dobranoc.

Zdjęcia, które mówią
Obejrzyjcie stare rodzinne fotografie.
wiek: od 3 lat

Proponowana zabawa jest jednym z najlepszych sposobów zbliżenia do siebie młodszego i starszego pokolenia. Poproście starszych krewnych, aby na większe rodzinne spotkanie przynieśli dawne albumy ze zdjęciami. Niech usiądą razem z dziećmi i wspólnie je obejrzą. Zachęćcie ich, żeby opowiedzieli o fotografiach, o wydarzeniach z nimi związanych, o tych członkach rodziny, których najmłodsi mogą wcale nie znać. Nagrajcie to spotkanie na wideo – zasługuje na to, by o nim pamiętać.

Rodzina rodzinie

Pomoc rodzinie potrzebującej.
wiek: od 2 lat

Naprawdę nabieramy właściwego dystansu do naszych spraw, jeśli zechcemy oderwać się od tego, co przytrafiło się właśnie nam, i spojrzeć na kogoś innego. Wzmocnicie swoją własną rodzinę, jeśli wyciągniecie rękę w stronę innej.

Taką „adoptowaną" rodzinę można znaleźć przez biuro opieki społecznej lub schronisko dla bezdomnych [w Polsce także organizacje kościelne – przyp. tłum.]. Armia Zbawienia, na przykład, proponuje specjalny program wakacyjny dla takich przysposobionych rodzin. W zależności od potrzeb rodziny i waszych możliwości możecie sami pomóc jej znaleźć mieszkanie lub pracę albo po prostu pokazać, jak robić zakupy w waszej okolicy. Rodzice nastolatków i imigranci często desperacko potrzebują przewodnika i zaprzyjaźnionej rodziny. Przekażcie kontakt z nimi innym.

Carol i Hurt Porter Jr. wraz z dziećmi, Richardem i Jamilhah, stworzyli program opieki nad potrzebującymi dziećmi w Houston i nazwali go Kid-Care. Polega on na tym, że w swojej własnej kuchni przygotowują dla nich posiłki, które finansują z darowizn i dotacji rządowych.

Porterowie odpowiadają codziennie na pięćdziesiąt próśb o pomoc, rozprowadzają używane ubrania i w razie palącej potrzeby ofiarowują nocleg. Przekonali lekarza pediatrę i stomatologa, aby bezpłatnie udzielali porad i leczyli „ich" dzieciaki. Celem, do którego dążą, jest założenie tylu podobnych kuchni, żeby można było wyżywić wszystkie głodne dzieci w Houston.

Rodzinna karta ocen

Zrobiona specjalnie dla was karta ocen pomoże określić, w jakim stopniu dobrze funkcjonujecie jako rodzina.
wiek: od 6 lat

Czy znacie te karty oceny, które w restauracji wkładają do serwetników lub pod cukiernicę? Zadają tam pytania typu „Jak oceniają Państwo naszą obsługę?" lub „Czy zadowoleni są Państwo z naszej kuchni?". W sumie nie jest to taki zły pomysł, żeby w podobny sposób dowiedzieć się, jak sami oceniacie swoje życie rodzinne.

W tej zabawie domownicy robią komplet rodzinnych kart ocen. Wymyślcie swój własny zestaw pytań dotyczących tych działań każdego z was, które wszyscy uznajecie za ważne w życiu całej rodziny. Podajemy kilka przykładów: „Oceń naszą gotowość do wychodzenia naprzeciw twoim potrzebom", „Oceń, ile czasu w sumie spędzamy z tobą", „Czy rodzice słuchają dzieci?", „Czy dzieci słuchają rodziców?".

Razem z dziećmi wpiszcie te pytania na karty i zostawcie poniżej wolne miejsce, żeby można było zaznaczyć, czy działania rodziny są celujące, dobre, dostateczne czy mierne. Wymyślcie tyle pytań, ile tylko się da, i zostawcie rubryki na wpisanie ocen.

Zróbcie wiele takich kart i porozrzucajcie je tu i tam, aby każdy mógł wpisać swoją opinię, wtedy gdy uzna to za ważne. W pobliżu połóżcie puste pudełko po chusteczkach higienicznych, do którego będziecie wrzucać karty. Od czasu do czasu wyjmijcie je, przeczytajcie i sprawdźcie, jak funkcjonuje wasza rodzina.

Rodzinne obrączki

Drobiazg identyfikujący rodzinę.
wiek: od 3 lat

Zastosujcie pomysł z zakładaniem obrączek ślubnych dla wszystkich członków rodziny. Wybierzcie pierścionki, które każdy z was będzie nosił. Rozdajcie je potem ukochanym dziadkom, ciociom, wujkom i kuzynom.

Rodzinne „ogródkowanie"
Uprawiajcie ogródek całą rodziną.
wiek: od 6 lat

Mark uwielbia pracę w ogrodzie. Całymi godzinami znika na tyłach domu i ten jego wielki wysiłek daje wspaniałe rezultaty – wiosną i latem mamy tam prawdziwy mały raj! Zamiłowanie do roślin odziedziczył po swoim ojcu, a teraz także nasze dzieci zaczynają przejawiać zainteresowanie działalnością ogrodniczą. Mają swoje własne narzędzia i specjalnie wydzielony kawałek ziemi, który same uprawiają. Uwielbiają to zajęcie, a szczególną radość sprawia im, gdy razem z tatą kompletnie upaprzą się w ziemi (który dzieciak nie lubi brudzić się zupełnie bezkarnie?).

Praca w ogrodzie jest frajdą. Ale jest także inspirująca i kształcąca. Ogrodnik obserwuje, jakie owoce daje ciężka praca, i może przyglądać się temu, co potrafi zdziałać sama natura.

Jeśli do tej pory tego nie zrobiliście, koniecznie zacznijcie rodzinne „ogródkowanie". Wcale nie potrzebujecie do tego własnego ogrodu. Poszukajcie w pobliżu publicznego ogrodu lub nawet zasiejcie jakieś nasionka w doniczce z ziemią. Widzieliśmy już robiące niezwykłe wrażenie ogródki w puszkach po kawie, w których rosły olbrzymie pomidory, i przepiękne kwiaty w skrzynkach balkonowych, a nawet po prostu na parapetach okiennych. Hodowla roślin jest dla dzieci także wspaniałą, naturalną lekcją o cyklach życia.

Zajęcia dla rodzin rozwiedzionych
Nawet jeżeli jesteście rozwiedzeni i dziecko nie mieszka razem z obojgiem biologicznych rodziców, ważne jest, żeby nie zapominało, że nadal ma i mamę, i tatę, a także całą dalszą rodzinę z obu stron – dziadków, kuzynów, ciotki i wujków. Poniższe zajęcia pomogą mu utożsamić się z nią poprzez podtrzymywanie wiedzy o wzajemnych powiązaniach.

Rodzinna szkocka spódniczka
Uszyjcie metodą patchworku szkocką spódniczkę z resztek ubrań rodziny.
wiek: od 2 lat

Zszyjcie razem skrawki materiałów ofiarowanych przez nowych członków rodziny i biologicznych krewnych. Użyjcie do tego na przykład starej sukienki babci, ulubionego fartucha dziadka, który zakłada, szykując barbecue, koszulki gimnastycznej taty z wytartym kołnierzykiem, apaszki jego nowej żony i starego kombinezonu roboczego jej brata.

Podczas cięcia i zszywania poszczególnych kawałków porozmawiaj z dzieckiem o tym, jak każdy z kawałków materiału symbolizuje kolejne osoby. I nawet jeśli jesteście od siebie oddzieleni, nadal jesteście połączeni tą samą, wspólną nitką.

Obrazek metodą kolażu

Wykonajcie metodą kolażu obrazek, na którym znajdą się członkowie rodziny.
wiek: od 2 do 12 lat

Posługując się tą samą metodą, co przy szyciu szkockiej spódniczki, wykonajcie kolaż ze zdjęć i rysunków z wizerunkami poszczególnych członków rodziny. Wśród nich powinny się znaleźć, obok aktualnych, obrazki z przeszłości, tak żeby kolaż przedstawiał zmiany, jakie dokonały się w waszej rodzinie przez lata.

Rodzinny kalendarz

Z dwunastu zdjęć przedstawiających waszą rodzinę zróbcie kalendarz na cały rok.
wiek: od 2 do 12 lat

Należy przeznaczyć po jednej fotografii na każdy miesiąc. Mogą to być portrety osób, ale także domu rodziców lub zdjęcia dzieci bawiących się z nimi. Niektóre fotografie trzeba będzie prawdopodobnie powiększyć. Właśnie na tym kalendarzu zaznacz te dni, które dziecko spędza z jednym rodzicem, a także te, które spędza z drugim. Napisz w nim, gdzie maluch spędzi wakacje lub też gdzie będzie obchodzić specjalne święta. Dodaj do tego informacje, które pomogą mu zrozumieć, co dzieje się w ciągu całego roku. Ta zabawa umożliwi dziecku ogarnięcie tak bardzo często skomplikowanej i trudnej do pojęcia struktury rodziny. Wytłumacz mu, że rozwód wprowadza bardzo wiele zmian w życiu, ale rodzicielska miłość i troska pozostaje trwała mimo upływu czasu.

Notatnik rozwodowy
Notatnik, który pomaga wyrazić uczucia wywołane rozwodem.
wiek: od 2 do 12 lat

Załóż notes, w którym wasze dziecko będzie mogło zapisywać wszelkie zachodzące w nim procesy, uczucia i zmiany wywołane przez rozwód. Możesz wykorzystać książkę Sally Blakeslee, Michelle Lash i Davida Fasslera pt. *The Divorce Workbook: A Guide for Kids and Families* („Podręcznik rozwodowy: Przewodnik dla dzieci i rodzin"), Waterfront Books, 1985, która jest właśnie takim roboczym notesem z wolnymi miejscami na zapiski i zachęca dzieci do pisania i rysowania tego, co myślą i czują w związku z rozwodem.

Zajęcia, które wzmacniają więzi społeczne

Praca w społeczności
Odwiedźcie różne miejsca pracy w waszym otoczeniu.
wiek: od 4 lat

Ta zabawa jest jednym z ulubionych zajęć naszych dzieci. Co roku odwiedzamy różne miejsca pracy w naszym mieście. Chodzimy na pocztę, do biblioteki, zakładów energetycznych, do komendy policji i straży pożarnej, do szpitali, kościołów, biur, sądów, a nawet na wysypiska śmieci. Wcześniej umawiamy się na spotkanie z tymi, dzięki którym w naszym mieście wszystko działa sprawnie i gładko. Ludzie są na ogół bardzo zadowoleni, że mogą nas oprowadzić po swoim miejscu pracy i opowiedzieć, czym się zajmują. Na koniec wizyty staramy się w jakiś sympatyczny sposób okazać wdzięczność gospodarzom. Bez względu na to, czy mieszkacie w dużym, czy małym mieście, ta zabawa przynosi bardzo duże korzyści, ponieważ daje dziecku większe pojęcie o tym, jak funkcjonuje społeczność i komu to zawdzięczamy.

Poszukiwanie skarbów we własnym środowisku

Wykorzystajcie mapę swojego otoczenia do odnalezienia różnych ciekawych miejsc.
wiek: od 4 lat

Każda społeczność ma swoje głęboko ukryte skarby. Pomóżcie dziecku wydobyć na światło dzienne najcenniejsze spośród nich. Spróbujcie za pomocą mapy ustalić, jak wyglądało wasze miasto wtedy, gdy powstawało. Odszukajcie miejsca, gdzie wybudowano pierwsze domy, szkoły i urzędy (tu może się przydać pomoc miejscowego towarzystwa historycznego lub biblioteki). Zaznaczcie różne interesujące miejsca, takie jak cmentarze czy domy, w których mieszkali znani ludzie. Poszukiwanie skarbów może odbywać się na szerszą skalę z uwzględnieniem komendy policji, szpitala i innych miejsc, o których dziecko powinno wiedzieć, w razie gdyby coś się stało. Niech spróbuje odnaleźć je na mapie, a następnie wybierzcie się tam razem.

Troskliwość Millicent

Zwracajcie uwagę na to, czy u waszych sąsiadów jest wszystko w porządku.
wiek: bez ograniczeń

Dzwoni telefon: „Halo, Denise, tu Millicent. Jak się masz, kochana? Nie chciałabym wyjść na wścibską sąsiadkę, ale powiedz mi, czy masz włączoną suszarkę?". „Owszem. Czy to coś złego?" – odpowiada Denise. „Bogu dzięki. Nie. Zdawało mi się, że widzę dym wydostający się z twojego domu, ale to musiała być para z suszarki. Chciałam się tylko upewnić, że to nic gorszego!" Gdyby tylko w naszym sąsiedztwie było więcej takich Millicent! Szkoda, że w dzisiejszych czasach społeczeństwo stało się tak cyniczne i podejrzliwe, że obawiamy się, aby przypadkiem nie posądzono nas w sąsiedztwie o szpiegostwo. Jesteśmy zadowoleni, że Millicent się tego nie boi. Dzwoni, kiedy nasz pies gdzieś się zapodzieje, i daje znać, gdy nasze śmieci mogą wyfrunąć na ulicę. Millicent jest troskliwa, dba o swoje sprawy, ale na szczęście dla nas nasze życie obchodzi ją również. Wielu rzeczy nauczyliśmy się od naszej dobrej sąsiadki i mamy nadzieję, że inni też mogą powiedzieć to o sobie. Znajdźcie czas, żeby wyjrzeć przez okno. Zadbajcie o pomyślność swoich sąsiadów. Bądźcie wścibscy i poproście innych, aby byli tacy w stosunku do was. Któregoś dnia ta para może okazać się dymem.

David Cox doskonale wie, co to znaczy potrzebować pomocy, więc postawił sobie za główny cel ofiarowywać taką pomoc. Chłopiec urodził się z porażeniem mózgowym i ma sparaliżowaną całą lewą stronę. Mimo to znalazł sposób, by móc pomagać innym.

Odkąd skończył 12 lat, ofiarowywał swoją pomoc ludziom starszym i niepełnosprawnym. Odgarniał śnieg sprzed domów, wynosił śmieci, robił zakupy i wykonywał drobne domowe naprawy. Gdy osiągnął wiek, w którym można już zdobyć prawo jazdy, zaczął wozić swoich sąsiadów na wizyty lekarskie.

David naprawdę wie, jak sprawić, aby życie wśród otaczających go ludzi stało się rzeczywiście o wiele przyjemniejsze.

Społeczny wolontariat
Stańcie się zaangażowanymi obywatelami.
wiek: od 2 lat

Włączcie całą rodzinę w działalność na rzecz waszej społeczności. Możecie pracować jako wolontariusze w swoich szkołach, szpitalach, centrach handlowych, stowarzyszeniach ochrony środowiska i ogrodach zoologicznych. Bierzcie udział w akcjach dobroczynnych. Zabierajcie ze sobą dzieci, kiedy idziecie głosować w wyborach.

Niesłychanie ważne jest, by widziały, jak bardzo zależy wam na innych ludziach żyjących w tym samym środowisku.

Stowarzyszenie rodzin

Poszukajcie innych rodzin, którym leżą na sercu podobne sprawy co i wam.

wiek: bez ograniczeń

W każdym otoczeniu można znaleźć ludzi do siebie podobnych. W tej zabawie spróbujcie określić, które sprawy żywo was obchodzące mogą leżeć na sercu także innym rodzinom w mieście. Jeśli zależy wam bardzo na odpowiednim poziomie nauczania w waszym środowisku, zaznajomcie dziecko z takimi organizacjami i działaczami politycznymi, którzy wspierają szkoły. Jeżeli uważacie, że warto byłoby zbudować ciekawy i bezpieczny plac zabaw dla dzieci, poszukajcie innych ludzi, którzy także chcieliby zrealizować ten pomysł. Zacznijcie działać razem. Spróbujcie namówić swoją pociechę, żeby również połączyła swoje siły z innymi, a wtedy łatwiej będzie dojść do wspólnego celu.

CZĘŚĆ II

Nabyte cechy charakteru

ROZDZIAŁ 1

Osobisty potencjał

Szacunek dla samego siebie.
Odwaga i pewność siebie.
Wytrwałość i optymizm.

Naszą córkę Arielle często porównywano do płatka kwiatu, aniołka czy orzeszka. Była malutka i miała bardzo delikatną naturę. Obdarzona wielką intuicją i potrafiąca dostroić się do innych, Arielle już od urodzenia umiała nawiązywać wspaniałe przyjaźnie ze zwierzętami i przejawiała dużą wrażliwość w stosunku do swojego otoczenia. Te właśnie wspaniałe cechy sprawiły, że była kimś wyjątkowym, w czyim towarzystwie miło było przebywać.

Mimo to w pewnych sytuacjach te same zalety obracały się często przeciwko niej. Jak wszyscy ludzie, była w niektórych dziedzinach uzdolniona bardziej, a w innych mniej. Drobna budowa ciała i dosyć wolny rozwój fizyczny często przysparzały jej kłopotów. Niektóre zajęcia sportowe sprawiały jej sporo trudności i zwykle poddawała się wtedy, krzycząc: „Nie potrafię tego zrobić!". My sami także odczuwaliśmy jej ból i frustrację i pragnęliśmy pomóc jej przezwyciężyć problemy, które utrudniały jej życie.

Wiedząc już o tym, zaczęliśmy wprowadzać w życie plan, który miał pomóc naszej córce zbudować zaufanie do samej siebie. Zachęcaliśmy ją do ciągłego, upartego ponawiania prób i namawialiśmy ją, by się nie poddawała. Staraliśmy się docenić wszystkie osiągnięcia, szczególnie zaś te, które wymagały siły lub odwagi, wykorzystywaliśmy do tego każdą okazję, kiedy dopięła swego i sprostała nowemu zadaniu.

Zdarzało się, że wątpiliśmy, czy kiedykolwiek uda się nam osiągnąć cel, ale gdy dokładniej przyglądaliśmy się zachowaniu Arielle, mogliśmy dostrzec, że zaczęła wierzyć w siebie. Pewnego ranka zebrała się na odwagę, by zamówić u kelnerki śniadanie. Innego dnia po raz pierwszy rozpędziła się swoim rowerkiem z trzema kółkami na podjeździe do garażu, a także nauczyła koleżankę, jak narysować drzewo. Pomimo tych sukcesów nadal musiała bardzo się starać, by dorównać fizycznie dzieciom, z którymi chciała się bawić. Ponieważ widzieliśmy wyraźnie, że nasz wysiłek daje efekty, wierzyliśmy, że warto stale ją zachęcać.

Siła ciągłego i niezachwianego poparcia sprawiała, że nasza wiara w córkę stała się jej wiarą w siebie. Słowa zachęty, których jej nie szczędziliśmy, same w sobie stworzyły podstawę wystarczająco mocną, aby Arielle podjęła największe wyzwanie dla swoich sił fizycznych: wspinaczkę po małpich drążkach.

Jakież było nasze zdziwienie, gdy pewnego popołudnia przyjechaliśmy po nią do przedszkola i usłyszeliśmy zapowiedź, że nasza córka przejdzie bez pomocy po małpich drążkach. Przybrawszy odważny, zdecydowany wyraz twarzy, pomaszerowała w stronę metalowych przyrządów. Drążki zupełnie zasłaniały naszą drobniutką córeczkę. Dziewczynka wspięła się na szczyt i chwyciła pierwszą drabinkę. Całkowicie zdeterminowana, podążała naprzód, przedostając się z jednego drążka na drugi. W pewnym momencie ześlizgnęła się jej ręka i Arielle spadła. Zamarły w nas serca, a za chwilę znów pęcznieliśmy z dumy, kiedy mała otrzepała się i wróciła, by zacząć od początku.

Okazało się, że Arielle w tajemnicy przed wszystkimi trenowała wspinaczkę po małpich drążkach aż do tego dnia. Z jakichś powodów, których prawdopodobnie nigdy do końca nie zrozumiemy, zdecydowała się sama podjąć to swoje największe wyzwanie. Dokonała tego, gdy zebrała wszystkie rezerwy sił, odwagi i wytrwałości

Od tego dnia stała się bardziej pewna siebie. Całymi tygodniami przejawiała niebywałą tolerancję wobec swojej siostry, młodszej, ale

za to zdecydowanie obdarzo-
nej silną wolą dziewczynki. Potrafiła stanąć twarzą w twarz
wobec różnych sytuacji, przed
którymi na pewno uciekłaby
parę dni wcześniej. Dokonała najważniejszego wyczynu
w swoim życiu i teraz pławi-
ła się we własnej chwale.

Biorąc pod uwagę charak-
ter Arielle i jej drobną budowę,
małpie drążki można uznać
za typowy przykład wyzwania
ponad siły. Ponieważ wcześniej nie miała wystarczającej
wiary w siebie, mogłaby sądzić,
że po prostu nigdy nie sprosta
temu zadaniu. Jej historia doskonale pokazuje, ile można
zdziałać, wykorzystując osobisty potencjał dorastającego
dziecka. W tym rozdziale będziemy mówić o składnikach osobistego
potencjału: szacunku dla samego siebie, odwadze i pewności siebie
oraz wytrwałości i optymizmie. Osobisty potencjał nie jest czymś,
z czym człowiek się rodzi. Tworzy się on na podstawie doświadczeń,
takich jak Arielle na małpich drążkach, doświadczeń, które pozwalają dzieciom poznać własne ograniczenia, nie poddawać się, nawet
jeśli coś im się nie uda, przełamać negatywną samoocenę typu: „Nie
potrafię tego zrobić. Nie jestem na to dość silny" i zastąpić ją pozytywnym postrzeganiem własnej osoby. Dzięki takim wydarzeniom,
kształtującym pewność siebie, powstaje głęboka wiara we własne
siły, która każe mówić: „Potrafię to zrobić, jestem zdolny, wierzę
w siebie". Dlatego dzieci, które rozwijały swój osobisty potencjał,
łatwiej osiągają wyznaczone cele, nawet wtedy, gdy pozornie wydaje się, że zadanie stanowczo przekracza ich możliwości.

Poprzednie pokolenie dzieci nie miało wielkiej mocy oddziaływania na otoczenie i niewiele również przyznano mu praw, dlatego też dzieci uciekały przed podejmowaniem ważnych decyzji i zadań. W praktyce sprawiało to z pewnością, że maluchy stawały się bardziej posłuszne, a rodzicielstwo łatwiejsze... dopóki dzieciaki nie zaczęły domagać się swoich praw. Od dzisiejszych pociech oczekuje się, że wcześnie staną się samodzielne. Często pozbawione nieustannej opieki rodziców, muszą same siebie nadzorować, a czasami także dopilnować młodszego rodzeństwa lub przygotować posiłek. W dodatku stale stają wobec sytuacji, którym można sprostać, jeśli ma się już sporą wiedzę i umie podjąć dojrzałą decyzję. Rodzice z kolei dali dzieciom więcej praw, większą siłę i więcej informacji. Nowa pozycja młodego pokolenia w świecie pogłębia potrzebę dobrego mniemania o sobie i poczucia własnej wartości.

Szacunek dla samego siebie

Na każdym etapie życia szacunek dla samego siebie warunkuje w nas umiejętność podejmowania trafnych decyzji, wtedy gdy jest to potrzebne. Szacunek dla samego siebie można zdefiniować jako poważanie, wiarę i miłość do własnej osoby. Wywodzi się on ze sposobu, w jaki postrzegamy siebie samych, a na tym z kolei opiera się nasz sposób definiowania myśli o sobie. Kiedy czujemy się z tymi myślami dobrze, nasz szacunek do samych siebie jest duży. Samoocena zaczyna się kształtować w pierwszych latach życia i rozwija się pod wpływem działania rodziców, a także innych opiekunów odgrywających istotną rolę w życiu dziecka.

Dzieci, które wyrastają w pozytywnym poczuciu własnej wartości, potrafią obronić się przed okolicznościami, na które nie mają wpływu, tak jak rozwód, śmierć, nieobecność ojca lub matki. Wysokie poczucie własnej wartości pociąga za sobą wysoką samoocenę, a ta z kolei sprawia, że dziecko nie ulega autodestruktywnym i szkodliwym zachowaniom, jak używanie narkotyków lub rozwiązłość seksualna. Obdarzone zdrowym szacunkiem dla własnej osoby, będzie umiało docenić wartość życia, swoich dążeń i swego ciała bez względu na namowy rówieśników i wpływ mediów.

Odwaga i pewność siebie

Jeśli rodzice i nauczyciele przyjmą do wiadomości fakt, że dzieci czują coś w rodzaju osobistego potencjału i mocy, będą mogli im pomóc rozwijać odwagę i pewność siebie. Pewne siebie i śmiałe dziecko potrafi podjąć odpowiednie ryzyko, niezbędne do zmierzenia się z różnymi fizycznymi, intelektualnymi i emocjonalnymi wyzwaniami, i robi to raczej z entuzjazmem niż z lękiem.

Będzie umiało pokonać obawy i niepewność i nie podda się im, tak jak malec, który odczuwa strach przed wodą i uczy się pływać. Takie sukcesy nie tylko uczynią jego życie pełniejszym, ale także staną się swego rodzaju katalizatorami dla wyzwań, jakie w przyszłości zgotuje mu życie.

Wytrwałość i optymizm

Dzieci, które ćwiczą wykorzystywanie swojego osobistego potencjału w praktyce, działają planowo, potrafią określić swoje dążenia i z rozmysłem starają się je osiągnąć. Potrafią konkretnie wyobrazić sobie odległą jeszcze nagrodę, ich oczekiwania są optymistyczne i realistyczne, umieją nie ustawać w wysiłkach, nawet jeśli oznacza to wytężoną naukę przez cały semestr, aby utrzymać swoją pozycję w klasie, lub też wielomiesięczne, bolesne leczenie, które ma pokonać ciężką chorobę. Ćwicząc wytrwałość w dążeniu do celu, dzieci uczą się cierpliwości, kontrolowania emocji, organizacji, twórczego rozwiązywania problemów, odpowiedzialności i niezależności.

Jak ocenić, czy dziecko ma trudności z własną siłą wewnętrzną

Przeczytajcie przewodnik „Poprzez lata", żeby upewnić się, czy wasze oczekiwania są zgodne z wiekiem i możliwościami rozwojowymi dziecka. Jako punkt odniesienia wykorzystajcie „Pytania, na które trzeba sobie odpowiedzieć" – niech posłużą wam do oszacowania jego mocnych i słabych stron. Jeśli na którekolwiek z pytań odpowiedzieliście twierdząco, dobrze byłoby dodatkowo pomóc dziecku w rozwinięciu tych umiejętności.

POPRZEZ LATA

Wskazówki pomagające w rozwijaniu charakteru dziecka

Uwaga: Ten przewodnik ma służyć jako zbiór pewnych ogólnych informacji, dających orientację, czego i kiedy możecie oczekiwać od dziecka. Nie ma żadnych ścisłych norm i granic określających, jak i kiedy powinny pojawiać się dane możliwości, charakterystyczne dla określonego przedziału wiekowego. Każde dziecko jest jedyne w swoim rodzaju, a my podajemy tutaj tylko pewien przekrój etapów rozwojowych, które charakteryzują się ogólnie podobnymi i prawdopodobnymi wzorcami zachowań i predyspozycji. Pamiętajcie, że rozwój osobowości jest z natury rzeczy dynamiczny i powtarzalny, co oznacza, że bez przerwy się zmienia, a cechy i umiejętności mogą się pojawiać, znikać i znów pojawiać w jego trakcie.

Osobisty potencjał – szacunek dla samego siebie, odwaga, pewność siebie, wytrwałość, optymizm

Etap I – Niemowlęctwo: od urodzenia do 24 miesięcy
Okres życia od noworodka do dwulatka

Okres ten ma fundamentalne znaczenie dla kształtowania się wielu wzorców zachowań, postaw i ekspresji emocjonalnej. Wychowanie w ciągu pierwszych 12 miesięcy polega przede wszystkim na karmieniu i podstawowej opiece pielęgnacyjnej.

Oczekujcie od dziecka: Wyrażania wzrastającej pewności siebie poprzez zmniejszanie zależności od was już w wieku około 10 miesięcy (na przykład samo chce jeść, samo się rozbiera); wyrażania wzrastającej ruchliwości i niezależności w zachowaniach motorycznych w wieku 12–24 miesięcy (na przykład siedzenie, raczkowanie, sięganie po upatrzone przedmioty, wspinanie się do pozycji stojącej i w końcu chodzenie); ujawniania wzrastającego zainteresowania innymi ludźmi i tolerowania krótkich okresów rozłąki z najbliższymi opiekunami; informowania o swoich potrzebach i zachciankach; okazywania ciekawości i zainteresowania zabawą; w wieku 20–24 miesięcy wykorzystywania nowo odkrytej metody szybkiego poruszania się, zaspokajającej wzrastającą potrzebę niezależności (uciekanie przed goniącym rodzicem). Takie wczesne zachowania oznaczają, że dziecko ma pozytywne nastawienie w stosunku do samego siebie i swoich możliwości.

Nie oczekujcie od dziecka: Okazywania w tym okresie jakichkolwiek jawnych i oczywistych oznak opanowania tych umiejętności.

Etap II – Wczesne dzieciństwo i wiek przedszkolny: od 2 do 6 lat
Okres życia od dwulatka do starszaka

Etap ten często bywa nazywany okresem zabawy, ponieważ wtedy właśnie przypada szczytowe zainteresowanie zabawkami i grami, wyrażające się dążnością do poszukiwań, twórczej zabawy, myślenia abstrakcyjnego, z wykorzystaniem wyobraźni, niestrudzonej walki o niezależność i zwiększonych kontaktów społecznych. Jest to okres przygotowawczy do nauki podstaw zachowań społecznych, niezbędnych w nadchodzących latach pobytu w szkole.

Między 2 a 4 rokiem życia oczekujcie od dzieci: przejawów gwałtownego wzrostu osobistego potencjału, kiedy chcą wszystko robić samodzielnie; okazywania pewnej obawy czy rezerwy w podejmowaniu nowych zadań i działań; dumy z nowo zdobytych umiejętności motorycznych, nawet jeśli nie osiągnęły jeszcze całkowitej wprawy (zawiązywanie butów, nalewanie napojów, samodzielne ubieranie się i jedzenie); traktowania tego, co mówią dorośli, jako ingerencję we własne życie wewnętrzne i zamach na autonomię oraz upartego stawiania na swoim. Dzięki tym cechom pojawiło się miano „koszmarny dwulatek".

Nie oczekujcie od dzieci: zrozumienia, że takie zachowania mogą im zaszkodzić, zdawania sobie sprawy z niebezpieczeństwa i ryzyka, jakie czasem podejmują, żeby pokazać swoją samodzielność (wspinanie się na stół po szklankę, przebieganie przez ulicę).

Między 4 a 6 rokiem życia oczekujcie od dzieci: chęci współzawodnictwa („Pokonam cię, jestem szybszy"); większego zaufania do innych ludzi i większej zaradności (pobyt w przedszkolu, zapraszanie kolegów do domu); próbowania ciągle nowych rzeczy (zabaw sportowych, zamawiania posiłku w restauracji, spędzania nocy u kolegi lub krewnego); większego poczucia bezpieczeństwa, świadomości swojego miejsca w świecie i swoich praw („Jeśli będziesz dla mnie niedobry, pójdę do domu", „To jest mój dom i moja rodzina").

Nie oczekujcie od dzieci, że: łatwo pogodzą się z ponowną rozłąką (nawet jeśli wcześniej zniosły ją dobrze); będą umiały wygrywać lub przegrywać z wdziękiem; będą potrafiły rozwinąć te umiejętności bez wsparcia, zachęty i miłości ze strony opiekunów.

Etap III – Wiek wczesnoszkolny: od 6 do 11 lat
Ten etap życia zaczyna się podjęciem nauki, a kończy wejściem w okres dojrzewania

Ten okres objawia się głównie wielkim zainteresowaniem i koncentracją na nawiązywaniu kontaktów z rówieśnikami, uczestniczeniu w popularnych grach zespołowych oraz wzrastającą motywacją do nauki, przyswojenia wiedzy technicznej, dużej ilości informacji i osiągania sukcesów w szkole. Jest to niezwykle ważny czas dla ustabilizowania się postaw i nawyków w stosunku do nauki, pracy i wykorzystania osobistego potencjału.

Oczekujcie od dzieci, że: wobec konieczności sprostania coraz to nowym zadaniom mogą przechodzić zahamowanie w rozwoju osobistego potencjału; będą zmagać się z poczuciem niższości, nieprzystosowania i utratą pewności siebie spowodowaną docinkami, przezywaniem, odrzuceniem przez rówieśników, rasizmem, uprzedzeniami, trudnościami w nauce lub tkwiącymi w świadomości społecznej stereotypami związanymi z płcią; pewność siebie będą zyskiwać poprzez osiąganie sukcesów w nauce i akceptacji przyjaciół, drużyny sportowej i kolegów z podwórka; pozytywne odczucia będą czerpać ze związków z niektórymi dorosłymi i autorytetami spoza rodziny (na przykład nauczycielami, trenerami, drużynowymi w harcerstwie).

Nie oczekujcie od dzieci, że: będą rozwijać swój osobisty potencjał w atmosferze drwin, krytycyzmu lub braku stabilizacji, bez osiągania sukcesów w szkole i poczucia bezpieczeństwa ze strony opiekunów.

Etap IV – Wczesnonastoletni: wiek od 11 do 15 lat

Ten etap życia zaczyna się w czasie, gdy dziecko kończy szkołę podstawową, trwa przez okres nauki w szkole średniej, a zamyka go wstąpienie do szkoły wyższej[*]

Ten okres charakteryzuje ogromny chaos. Wraz z gwałtownym wejściem w okres dojrzewania następuje nagła zmiana wyglądu, wzrasta zainteresowanie rówieśnikami płci przeciwnej i zaczyna się bezwzględna walka o własną osobowość i niezależność.

Oczekujcie od nastolatka, że: będzie czuł się niezrozumiany i wyobcowany w kontakcie z rodzicami, od czasu do czasu nierealistycznie i nazbyt optymistycznie będzie podchodził do własnych aspiracji i oczekiwań, co spowoduje cierpienie z powodu rozczarowania samym sobą, a szczególnie swoimi rodzicami, w pewnym stopniu także całym światem; będzie odczuwał dyskomfort spowodowany zmianami zachodzącymi w jego (jej) ciele i w wyglądzie zewnętrznym, co stanie się przyczyną osłabienia poczucia własnej wartości, zawstydzenia, drażliwości i zniechęcenia; będzie okazywać pewność siebie i śmiałość w podejmowaniu zadań, które może wykonać bez asysty rodziców (na przykład rozpoczęcie pracy); będzie podnosił swój osobisty potencjał, podejmując pracę na godziny i starając się osiągnąć sukces w szkole.

Nie oczekujcie od nastolatka, że: pozostanie ufny i będzie miał poczucie bezpieczeństwa, tak jak w poprzednim etapie; pozostanie optymistycznie nastawiony, gdy poniesie porażkę; poczuje się znacznie lepiej, gdy rodzice pozytywnie ocenią jego wygląd zewnętrzny (ale niech to was nie powstrzymuje przed pozytywnymi komentarzami).

---

[*] Według polskiego systemu edukacyjnego okres ten obejmuje czas nauki w wyższych klasach szkoły podstawowej, jej ukończenie i wstąpienie do szkoły średniej – przyp. tłum.

Pytania, na które trzeba sobie odpowiedzieć

Czy dziecko często uznaje, że nie nadaje się do czegoś? (Mówi: „Nie potrafię tego zrobić, nie jestem dość sprytna, żeby poradzić sobie z tą układanką").

Czy dziecko odpowiada na frustrację agresją, gniewem lub przemocą w stosunku do samego siebie lub tego, co akurat wpadnie mu w ręce? (Rozbija i łamie zabawkę, jeśli nie może sobie z nią poradzić).

Czy dziecko wyładowuje swoją siłę wewnętrzną poprzez agresję i przemoc, odgrywa role agresywnych postaci z książek i filmów oraz innych czarnych charakterów? (Dziecko idealizuje te postacie z komiksów i telewizji, które rozwiązują problemy przez agresję i walkę, i są to jedyni jego bohaterowie).

Czy dziecko zwleka z wywiązaniem się ze szkolnych zadań do ostatniej chwili? (Pracę semestralną wykonuje w przeddzień ostatecznego terminu jej oddania).

Czy dziecko koncentruje się na minionych porażkach i przeszkodach? (Każde nowe zajęcie podejmuje z obawą, wyobrażając sobie wszelkie możliwe rzeczy, które mogą się nie udać).

Czy dziecko sprawia wrażenie, że musi kontrolować innych i być zawsze w centrum uwagi? (Lubi manipulować innymi i jest apodyktyczne w zabawach z kolegami. Nie chce się bawić, jeśli nie może przewodzić).

Czy dziecko z trudnością uznaje coś za sukces i nie umie cieszyć się z własnych osiągnięć? (Jest niezadowolone lub zakłopotane, gdy się je nagradza lub wyraża uznanie).

Czy dziecko potrzebuje natychmiastowej nagrody? (Wybiera takie zadania, które dają natychmiastową gratyfikację; jeśli tak się nie dzieje, szybko się poddaje).

Czy dziecko naśladuje innych, nie uświadamiając sobie w sposób widoczny, jakie są jego własne poglądy? (Przyswaja sobie sposoby ubierania się, zachowania i mówienia rówieśników, często je zmieniając, tak aby dopasować się do innych).

Jak wzmacniać osobisty potencjał dziecka?

1. Jako rodzice, opiekunowie czy nauczyciele możecie pomóc dzieciom w odkryciu ich osobistego, wewnętrznego potencjału poprzez ocenę ich mocnych i słabych punktów, a następnie przez zmobilizowanie wewnętrznych sił i wyzwolenie tych umiejętności, które pozwolą przezwyciężyć słabości. Pamiętajcie, że dzieci muszą same odkryć, na co je stać. Wy możecie jedynie sprowokować sprzyjającą sytuację, wskazać drogę, a potem podążać obok, na tyle blisko, by zamortyzować twarde lądowanie. Dzieci zrobią resztę.

2. Będzie wam łatwiej, jeśli określicie swoje własne uczucia i przekonania uzależnione od waszego osobistego potencjału i oddzielicie swoje rozwiązania od tych, które wybierze dziecko. Większość z nas od czasu do czasu walczy o szacunek dla samego siebie, pewność siebie lub śmiałość. W ten sposób zdobywamy doświadczenia, które mogą pomóc w kształtowaniu podobnych umiejętności u naszych dzieci. Jeśli z natury wszystkiego się boicie, ściśle kontrolujcie swoją tendencję do nadopiekuńczości. Dzieciom bardzo potrzebne jest podejmowanie pewnego ryzyka (na przykład wysokie huśtanie się czy wspinanie na najwyższą, niebezpieczną gałąź drzewa). W ten sposób pragną udowodnić swoją odwagę i pewność siebie.

3. Nasze dzieci są narażone na negatywne wpływy i bałamutne informacje prawdopodobnie znacznie bardziej, niż było to z którąkolwiek generacją wcześniej. Nasi synowie i córki, uczniowie, wnuki muszą nauczyć się, że niczego nie osiąga się natychmiast i automatycznie. Uczcie ich cierpliwości i wytrwałości. Bądźcie sami chodzącym przykładem i opowiadajcie im o nagrodzie, jaką otrzymuje się za ciężką pracę, i słodkiej zapłacie za cierpliwość.

4. Dzieci muszą sprawdzić, gdzie leży granica między ich władzą a waszymi zasadami. Robią to przy każdej nadarzającej się okazji. Możecie wierzyć lub nie, ale czterolatek, mówiący przy kasie w sklepie po raz piąty: „Nie, nie chcę tego", czy trzynastolatek, wracający do domu po umówionej godzinie, prawdopodobnie wcale nie chcą cię zezłościć. Musicie uzbroić się w cierpliwość, aby samych siebie ochronić przed zachowaniami, którym nie możecie przeciwdziałać. Uznacie wtedy, że wszystkie emocje, które w związku z tym odczuwacie, są właściwe i do przyjęcia. Chodzi o to, by nie dać się uwikłać w nieustanne kontrolowanie poszukiwań dziecka. W ten sposób uda się wam zobaczyć, czemu służą jego eksperymenty, badające własną autonomię i poczucie siły.

5. Jeśli zaczynacie czuć się zagrożeni przez wzrastającą niezależność i siłę dziecka, sprawdźcie, czy rzeczywiście macie ku temu jakiś powód. Przyjrzyjcie się, jak daje ono sobie radę w ogóle, czy stosuje się do waszych wymagań oraz jak zachowuje się poza domem. Porównajcie swoje obserwacje z tym, co wiecie o innych dzieciach w tym samym wieku. Zastanówcie się, czy na to, co się dzieje, nie wpływają tymczasowe okoliczności związane z rozwojem dziecka lub jego środowiskiem.

6. Zachęcajcie dziecko do realizowania marzeń i stale je w tym utwierdzajcie. Czasem ich rozwianie wydaje się dużo prostsze, ale nawet wtedy bądźcie źródłem siły i przypominajcie mu, że jest odważne i potrafi pokonać przeszkody, by osiągnąć cel. Po jakimś czasie dziecko zacznie określać siebie poprzez sukces, a w rezultacie uzyska pozytywną wizję samego siebie.

Zajęcia, które wzmacniają szacunek dla samego siebie

Karty zdolności
Komplet kart zawierających wspaniałe umiejętności członków rodziny.
wiek: od 3 lat

Takie karty zdolności będą głównym składnikiem innych gier w tej książce. Gry te mają pomóc dzieciom w nabraniu głębszego przeświadczenia o własnych zdolnościach. Taka świadomość jest fundamentem osiągnięcia osobistego potencjału.

Każdy członek rodziny posiada własny komplet, składający się ze stu do dwustu kart zdolności. Nazwanie umiejętności każdego z was zajmie na pewno sporo czasu (jeśli trzeba, nawet kilka dni). Powinno się tam znaleźć wszystko – od dobrych wyników w sporcie do starannej opieki nad psem. Dokładnie zastanówcie się nad charakterem, osobistymi cechami i talentami każdego z domowników. Starannie przyjrzyjcie się ich pasjom, wyglądowi i uśmiechowi. Wykorzystajcie jedną zdolność do odkrycia różnych umiejętności, które się za nią kryją. Na przykład dobry baseballista potrafi łapać, rzucać, biegać, pracować zespołowo i wytrzymać nieznośny upał w ciągu dnia. Jeśli naprawdę dokładnie się przyjrzycie, znajdziecie rzeczy godne podziwu w zajęciach, które wydają się zupełnie bezużyteczne. Wasze dziecko na przykład świetnie rozwinęło koordynację ręka – oko, grając bez końca w gry komputerowe. Jeśli w dalszym ciągu potrzebujecie pomocy, zajrzyjcie do suplementu na końcu tej książki. Zawiera on kilkaset umiejętności i zdolności, które może posiadać dziecko.

Zapiszcie każdą umiejętność na karcie. Wszyscy członkowie rodziny powinni pod koniec tej zabawy zebrać komplet kart.

Większość rodzin i nauczycieli, których nauczyliśmy tej gry, aby potrafili znaleźć to, co w nich najlepsze, używa kart zdolności według własnych pomysłów. Poniżej podajemy trzy propozycje, które pomogą wam zacząć.

Jestem wspaniały!
Plakat ilustrujący zdolności i możliwości twojego dziecka.
wiek: od 3 do 12 lat
materiały: karton na plakat, film i aparat fotograficzny

Razem z dzieckiem wybieramy przynajmniej dwadzieścia cztery spośród kart zdolności. Powinny się tam znaleźć, obok szczególnych talentów, jak uzdolnienia sportowe, taneczne, plastyczne czy muzyczne, także zwyczajne, codzienne zachowania – mycie zębów, dzielenie się zabawkami i rozśmieszanie taty.

W ciągu normalnego tygodnia pracy robimy dziecku wiele zdjęć ilustrujących jego zaangażowanie w różne zajęcia, a następnie umieszczamy je na plakacie zatytułowanym: „Jestem wspaniały!".

Obie nasze córki mają w swoich sypialniach takie plakaty. Złapaliśmy się na tym, że często odwołujemy się do nich, kiedy dziewczynki czują się sfrustrowane lub zaczynają tracić pewność siebie.

W dowód uznania – ściskam dłoń

Cudaczny sposób przypomnienia dzieciom, że należy być hojnym wobec siebie w wyrażaniu pochwał.
wiek: od 3 lat
materiały: rękawica, rękaw od koszuli, plusz do wypchania

W tej zabawie bierze udział trzecia ręka, której tak często nam brakuje. Z tym że ta jest zarezerwowana wyłącznie do gratulowania pracy, którą wykonały pozostałe dwie. Z wypchanego rękawa koszuli połączonego z rękawicą szyjemy rękę. Służy nam zawsze w tych razach, gdy zdarza nam się przeoczyć lub nie docenić jakiegoś osiągnięcia. Kiedy dziecko wraca do domu z szóstką z matematyki, wręczcie mu rękę i powiedzcie, by samo sobie uścisnęło dłoń.

Weź nagrodę

W dużym słoju kolekcjonujemy pochwały. Potem wydzielamy je jak herbatniki.
wiek: od 4 lat
materiały: słój, paski papieru

Ozdabiamy słój i umieszczamy na nim napis: „Weź nagrodę". Za każdym razem, kiedy dziecko dostaje pochwałę, spisujemy ją na pasku papieru i wrzucamy do pojemnika. Naczynie trzymamy zawsze pod ręką, aby można było do niego sięgnąć, ilekroć maluch potrzebuje wzmocnienia swojego ja.

Wiele umiesz zmienić

Pokażcie dziecku efekty jego pozytywnych zachowań.
wiek: od 2 lat

Kiedy dziecko zrobi coś, co zasługuje na nagrodę, wyraźcie swoje uznanie. Wytłumaczcie pozytywne konsekwencje dobrych uczynków. Jeśli na przykład pomogło w nakrywaniu do stołu, wyjaśnijcie mu, dlaczego doceniacie jego wysiłek.

Król lub królowa dnia

Traktujcie dziecko po królewsku, wyznaczając dzień, w którym oddacie cześć jego niezwykłym atrybutom.
wiek: od 3 lat

Ubieramy naszego małego króla lub królową w koronę i płaszcz. Rodzina i przyjaciele wybierają spośród kompletu kart te zdolności, które najbardziej podziwiają w dziecku, a następnie przypinają je do królewskiego stroju. Jego Królewska Wysokość będzie panowała przez cały dzień, odziana w płaszcz, koronę i w pełnej obfitości swoich szlachetnych cech.

król dnia

Plecak pełen talentów

Dziecko nosi karty zdolności w plecaku, przypominając sobie o własnych talentach.
wiek: od 4 lat

Włóżcie część kart do plecaka. Zakładając go na plecy dziecka, wytłumaczcie mu, że mając swoje zdolności tuż obok siebie, z pewnością podoła każdemu wyzwaniu, jakie napotka na swojej drodze.

Zaaranżujcie sytuacje, w których mały czuje się niepewnie. W każdym przypadku zachęcajcie go, aby sięgnął do plecaka po tę umiejętność, która w danej chwili jest potrzebna i która przywróci mu wiarę w siebie. Codziennie dodawajcie nowe karty do kompletu. W ten sposób uświadomicie dziecku, jak wielkie są jego możliwości.

Niech dziecko zakłada plecak zawsze, gdy potrzebuje większej pewności siebie. Najważniejsze jest, by wiedziało, że jego umiejętności są zawsze z nim, niezależnie od tego, gdzie w danej chwili znajduje się pudełko z kartami.

Maleńkie pamiątki
Miłosne karteczki niespodzianki.
wiek: od 4 lat

Pomyślcie o tych wszystkich rzeczach, które kochacie w swoim dziecku, a następnie spiszcie je na małych samoprzylepnych fiszkach. Zostawcie je w różnych dziwnych miejscach, na przykład w słoiczku z kaszą albo w łazience obok szczoteczek do zębów.

Zadaniem dziecka będzie ich odszukanie. Zabawę można zmienić i poprosić dziecko, aby powtykało karteczki w różne najdziwniejsze miejsca, a wtedy wy ich szukacie. Pod koniec dnia sprawdźcie, jak wiele zdołało zapamiętać z tego, co chcieliście mu przekazać.

Ciasteczka szczęścia
Wypełnij ciasteczka szczęścia życzeniami dobrego losu dla swojego dziecka.
wiek: od 4 lat
materiały: przepis i składniki na ciasteczka szczęścia

Upieczcie lub kupcie ciasteczka szczęścia i pęsetą delikatnie wyjmijcie znajdujące się tam karteczki. Na to miejsce włóżcie sentencje dotyczące waszego dziecka. Może się tam znaleźć na przykład taka informacja: „Jesteś wspaniałym dzieciakiem i wiesz, jak opowiadać dowcipy i rozśmieszyć ludzi".

Coroczny list
Spojrzenie na życie waszego dziecka z perspektywy roku.
wiek: bez ograniczeń

Na każde urodziny napiszcie do dziecka list, w którym przypomnicie wszystko, co w minionym roku było dla was szczególnie ważne. Będzie to na pewno dla niego cenna pamiątka.

Komputer wzmacnia w człowieku szacunek dla samego siebie
Gry komputerowe, które rozwijają szacunek dla samego siebie.
wiek: od 4 lat

Jeśli macie w domu komputer, zdajecie sobie zapewne sprawę z tego, jak magiczny wpływ może on mieć na wasze dziecko. Nieustannie zdumiewa nas niezwykła zręczność, jaką wykazują dzieci w operowaniu klawiaturą lub myszką.

Na rynku dostępne są fantastyczne programy edukacyjne. Przejrzyjcie w sklepach oprogramowanie dotyczące wychowania dzieci i czasopisma komputerowe, aby znaleźć te, które będą najlepsze dla waszego dziecka. Mistrzowskie opanowanie komputera jest dla wielu dzieci źródłem poczucia wewnętrznej siły i w wielu przypadkach jedynym, w czym czują się dobre. Poniższe zabawy oparte są na tych właściwościach komputera, dzięki którym można poczuć się wzmocnionym psychicznie. Pamiętajcie, że każdą z nich można przeprowadzić, używając starych, niezawodnych sprzymierzeńców: długopisu i papieru.

Sztandary, dyplomy i dekoracja domu
Projektujemy powszechnie stosowane dowody uznania, aby uhonorować osiągnięcia dziecka.
wiek: od 4 lat

Wykorzystując odpowiednie programy komputerowe (takie jak Banner Mania z Broderbund Software), zaprojektujcie sztandary i dyplomy. Dziecko będzie dumne z oficjalnych dowodów uznania dla własnych sukcesów, powieście więc te zabawne pamiątki w domu.

Wizytówka wspaniałego dzieciaka

Karty wizytowe, na których znajduje się imię i specjalność dziecka.

wiek: od 5 lat

Na przyciętych wizytówkach napisz imię swojego dziecka, jego talenty lub specjalności. Na przykład: „John Roberts: specjalista od dowcipów opartych na grze słów" albo „Sarah Tyler: pogodna i kochająca". Twoje dziecko będzie czuło się bardzo ważne, wręczając je przyjaciołom lub krewnym.

Tytułowa strona gazety

Wasze dziecko projektuje tytułową stronę.

wiek: od 5 lat

Zapoznajcie dziecko z łatwym i przystosowanym do potrzeb młodego użytkownika programem edytorskim, dzięki któremu będzie mogło zaprojektować własną gazetkę. Skoncentrujcie się na pojedynczych osiągnięciach, jak opanowanie sztuki jazdy na rowerze czy znalezienie ostatecznego argumentu w grupowej dyskusji.

Prześledźcie razem artykuły z tytułowych stron gazet, aby zobaczyć, jak skomponowane są historie tam publikowane. Napiszcie proste opowiadanie na temat ostatnich dokonań dziecka, a następnie nadajcie mu atrakcyjną formę zewnętrzną, umieśćcie kolumnę z komentarzami, wywiady z dumnymi rodzicami i dziadkami. Nie zapomnijcie o podpisaniu każdego artykułu imieniem i nazwiskiem autora, datą i miejscem powstania. Przeznaczcie odpowiednie miejsce na zdjęcie dziecka i skopiujcie to specjalne wydanie w kilku egzemplarzach, które rozdacie przyjaciołom i rodzinie.

Prawie każdy spośród sąsiadów Laury-Beth zgadzał się co do tego, że na osiedlu powinny stać kontenery na surowce wtórne, ale nikt nic w tym kierunku nie robił. Wobec tego, gdy siedmioletnia dziewczynka obeszła wszystkie domy z petycją o wprowadzenie programu recyklingu szkła, aluminium, plastyku i papieru, każdy z chęcią podpisywał się. Ale kiedy wysłała tę petycję do władz, nic się nie zdarzyło. Burmistrz odpowiedział, że byłoby to zbyt kosztowne.

Laura-Beth wpadła na nowy pomysł. Przysięgła sobie, że znajdzie miejsce, gdzie ludzie będą mogli składować surowce wtórne. Ale realizacja okazała się trudniejsza, niż dziewczynka przypuszczała. Zwróciła się ze swoją prośbą do bardzo wielu ludzi, ale nikt nie traktował jej poważnie, ponieważ była tylko dzieckiem.

Po półtora roku uporczywych starań Laura-Beth w końcu przekonała władze miasta, żeby poświęciły część szkolnego boiska na realizację projektu recyklingu. Teraz ludzie wyrzucają tam całe tony materiałów, które znalazłyby się na wysypiskach śmieci.

Laura-Beth Moore twierdzi, że najważniejszą rzeczą, której nauczyła się dzięki temu doświadczeniu, była głęboka wiara w to, że możemy dokonać wszystkiego, jeśli tylko się nie poddamy.

Księga wielkich czynów
Opublikujcie autobiografię swojego dziecka.
wiek: od 4 lat

Wraz z dzieckiem sporządźcie listę jego osiągnięć. Zacznijcie od urodzin, potem przypomnijcie takie kamienie milowe niemowlęctwa, jak pierwszy uśmiech, pierwszy ząbek, dzień, w którym zaczęło chodzić. Zachęćcie je do przypomnienia sobie przeróżnych wyczynów. Mogą to być sprawy bardzo ważne, jak zdobycie pierwszego miejsca w szkolnych zawodach, ale nie pomijajcie także tych zupełnie drobnych, jak samodzielne rozbujanie nogami huśtawki na placu zabaw.

Następnie dziecko na podstawie tej listy sukcesów wyda książkę, korzystając z programu komputerowego do przygotowywania publikacji. Praca nad nią powinna być systematyczna, a dzieło należy uzupełniać w miarę, jak dziecko dorasta.

Pewni nasi znajomi – małżeństwo z Chicago, które ma troje dzieci i bawi się z nimi w tę grę – znaleźli sposób okazania, jak bardzo cenne są te autobiografie. Kiedy każde z dzieci kończy dwanaście lat, rodzice dają mu w prezencie skórzaną oprawę na książkę z wygrawerowanym imieniem i nazwiskiem autora.

Zajęcia, które pomagają w kształtowaniu odwagi i pewności siebie

Zgniatacz strachów

Obrotowa maszyna, która ściera na miazgę wszystkie strachy.
wiek: od 5 do 12 lat
materiały: wałek lub maszynka do ciasta, flamastry, krakersy

Strach jest uczuciem o wielkiej mocy i może zniszczyć pewność siebie u dziecka. „Zgniatacz strachów" daje dziecku siłę do zniszczenia lęków i w efekcie pokazuje mu, jak wykorzystać swoje wrodzone zdolności i talenty, by być odważnym.

Porozmawiajcie z dzieckiem o tym, czego się boi, a następnie zapiszcie ostrożnie ołówkiem każdą z tych rzeczy na krakersie. Wykorzystując karty zdolności dziecka, sporządźcie listę broni przeciwko strachom (na przykład: „z entuzjazmem próbuje nowych rzeczy", „bystry", „szybko myśli"). Zapiszcie te cechy na kawałku papieru, owińcie go wokół wałka do ciasta i przyklejcie taśmą.

Połóżcie na stole krakersy i wytłumaczcie dziecku, że każda z cech zapisanych na zgniataczu strachów jest silniejsza niż sam strach i jeżeli zmobilizuje się je wszystkie i obmyśli odpowiednią strategię działania, z pewnością zwyciężą.

Aby „zgniatacz strachów" zaczął działać, dziecko musi mocno i pewnie chwycić jego rączki, wypowiedzieć na głos cechy, które zwalczą strach, i z całej siły zgnieść krakersy.

Żeby przekonać dziecko, iż trwogę o wiele łatwiej pokonać, gdy jest już złamana, prosimy je, by zdmuchnęło krakersy. Można to zrobić, choć nie tak prosto. Teraz poproście je, żeby jeszcze dokładniej pokruszyło krakersy „zgniataczem strachów" i potem zdmuchnęło okruchy. Są już niczym innym jak pyłkiem na wietrze.

Potnij lęk na drobne kawałki
Zlikwidowanie lęku dzięki symbolicznemu pocięciu go i pozbieraniu elementów, z których się składa.
wiek: od 5 lat
materiały: karton z bloku, flamastry, nożyczki

Zanim rozpoczniecie tę grę, wyjaśnijcie dziecku, że strach jest właściwie zbiorem różnych lęków, które nagromadziły się przez pewien czas i zdołały wniknąć w naszą osobowość. Na przykład strach przed pływaniem może wynikać z doświadczeń, z którymi większość z nas radzi sobie dość łatwo, jak stres spowodowany utratą gruntu pod nogami czy trudnością w złapaniu oddechu. Jeśli dodamy do tego jakieś przykre zdarzenie, na przykład nieoczekiwane poślizgnięcie się i wpadnięcie do wody w basenie, mamy strach jak się patrzy – w pełnej krasie.

Pocięcie lęku pokazuje dziecku, jak przezwyciężyć strach, rozdrabniając go na łatwe do zniszczenia kawałki.

Rzeczy, które przerażają wasze dziecko, zapiszcie wielkimi literami na kartonie z bloku. Odszukajcie razem różne składniki tego strachu, spiszcie poszczególne sytuacje, doświadczenia i obawy, które go podsycają. Zapiszcie je na odwrotnej stronie kartonu, zostawiając tyle miejsca, by później można było to wyciąć. Wspólnie przyjrzyjcie się dokładnie każdemu z elementów. Zastanówcie się, skąd się wzięły i w jaki sposób się ich pozbyć. Jeśli to niemożliwe, pomyślcie, jak nauczyć się z nimi żyć. Na koniec wytnijcie je. Wtedy okaże się, że z wielkiego, wszechogarniającego strachu z odwrotnej strony kartonu pozostały dosłownie tylko strzępy. Kiedy pojawi się następnym razem, twoje dziecko będzie wiedziało, jak symbolicznie rozerwać go na kawałeczki.

Magiczna tarcza siły

Dodajmy dziecku więcej pewności siebie.
wiek: od 5 lat
materiały: talerz papierowy, ilustrowane pisma, rodzinne zdjęcia

Indianie ozdabiali swoje tarcze ze skóry zwierząt rysunkami duchów, które, jak wierzyli, broniły ich w czasie wojny. Takie magiczne tarcze siły dawały wojownikom pewność i moc w ciężkich chwilach, a także odnawiały ich wiarę w siebie.

Razem z dzieckiem możecie wykonać indiańską tarczę mocy. Maluch nakleja lub rysuje na papierowym talerzu portrety swoich własnych opiekunów i stróżów

magiczna tarcza siły

– rodziców, psa, detektora dymu, policjanta. Z tyłu wypisuje swoje metody walki z niebezpieczeństwem. Na koniec przykleja rączkę.

Aby pokazać dziecku, jak działa jego tarcza, stwórz hipotetyczną sytuację zagrożenia i zapytaj je, w jaki sposób rysunki na awersie i napisy na rewersie mogą uchronić przed niebezpieczeństwem, tak jak to było z Indianami.

Amulet odwagi
Przedmiot dodający dziecku odwagi.
wiek: od 3 lat

Kiedy Arielle skończyła cztery lata, nagle zaczęła bać się wszystkiego, co nowe. Zauważyliśmy, że ta nieśmiałość wpływa na inne sfery jej życia i niszczy jej wiarę w siebie. Stało się jasne, że córeczka potrzebowała jakiejś pomocy, przywracającej jej wiarę w siebie. W naszym przypadku przybrała ona formę kamienia.

Był kształtny, szary i wystarczająco mały, aby zmieścić się w małej dziecinnej piąstce. Znaleźliśmy go w ogrodzie i ułożyliśmy całą historię na temat jego magicznych właściwości. Powiedzieliśmy Arielle, że stanie się bardziej odważna, po prostu trzymając go w ręku. Mała wzięła kamień i zważyła w dłoni. Przyjrzała się dokładnie jego kolorowi i fakturze. Następnie zaniosła go do domu, umyła i pomalowała na swoje ulubione kolory.

Zabierała kamień wszędzie. Towarzyszył jej podczas wizyt u lekarzy, woziła go ze sobą w kieszeni, kiedy uczyła się jeździć na łyżworolkach. Z biegiem czasu kamień znalazł się u Arielle na półce, stał się tylko pamiątką. Kiedy zapytaliśmy, dlaczego przestała nosić go ze sobą, odpowiedziała: „Ponieważ jego siła przeniknęła do mojego wnętrza i nie muszę już ciągle go trzymać".

Jeśli wasze dziecko przechodzi trudny okres, proponujemy, abyście znaleźli własny ekwiwalent kamienia Arielle. Może to być cokolwiek, a pomagać będzie niezależnie od wieku latorośli. Jedna z naszych znajomych nosi ze sobą małego, drewnianego lwa od czasu pewnych wakacji, gdy miała czternaście lat i ktoś z krewnych powiedział jej, że rzeźbiona figurka da jej siłę, która pomoże przetrwać rozwód rodziców. Dużo ważniejsza niż sam przedmiot jest wiara w osobę, która go przekazuje, i wiara osoby, która go przejmuje.

Zajęcia, które uczą wytrwałości i optymizmu

„Gadający kapelusz"

Wasze dziecko uczy się myśleć pozytywnie przez werbalizowanie swoich myśli w momencie, gdy zakłada kapelusz.
wiek: od 5 lat

Jedną z najlepszych metod wzmocnienia dziecięcej wiary w siebie jest zachęcenie malca do pozytywnego mówienia o sobie samym. Nie sugerujemy tutaj, że młode pokolenie powinno iść przez życie, zachwalając samo siebie, ale żeby wsłuchiwało się w swój wewnętrzny głos i uczyło się czerpać z tego przyjemność.

Kiedy mówimy o wewnętrznym głosie, mamy na myśli owo „ja", które komentuje każdy nasz dzień. Głos ma potężną moc. Może nas podbudować („Potrafię to zrobić!"; „Świetnie wyglądam w tej koszuli!"), ale także może podciąć nam skrzydła („Ależ ze mnie idiota!"; „Nawet nie spróbowałem!"). Właśnie dlatego wasze dziecko powinno nauczyć się słuchać swoich myśli i wykorzystywać je tak, by działały na jego korzyść, a nie przeciw niemu.

gadający kapelusz

Naklejcie na kapeluszu napis „Gadający kapelusz". Traktujcie go jak komentatora, który transmituje myśli tego, kto go nosi. Na przykład dziecko zmaga się z pracą domową z matematyki. Wiecie dobrze, że te wszystkie równania kotłują mu się w głowie jak w młynie, więc wciśnijcie mu na głowę kapelusz i poproście, aby myślało głośno, tak aby mogło słyszeć swoje rozważania. Negatywne myśli nie są tak podstępne, kiedy się je zwerbalizuje.

Dobrze byłoby, gdybyście sami zastosowali tę metodę, aby dziecko mogło się przekonać, jak ona działa. Zakładajcie więc kapelusz, gdy oglądacie telewizję, robicie obiad czy szykujecie się do pracy.

Obrazki, które mówią
Dzieci wizualizują swoje myśli w postaci obrazków.
wiek: od 4 lat

Podczas pracy z niesłyszącymi dziećmi Denise nauczyła się, że ludzie, którzy komunikują się poprzez język migowy, mówią do siebie, używając systemu znaków i wizualizacji. Opiekowała się wtedy grupą głuchych dzieci, które uczyły słyszących kolegów, jak posłużyć się takim samym systemem. Zdrowi uczniowie mieli na papierze narysować swój proces myślowy w jakiejś określonej sytuacji, na przykład przy kupowaniu pięciu różnych rzeczy w sklepie spożywczym lub nauce jazdy na nartach.

Celem tego eksperymentu była pomoc dzieciom niesłyszącym w łatwiejszym zaakceptowaniu ich metody komunikowania się. Miały poczuć się lepiej, dając innym pojęcie o tym, jak mogą przekazywać sobie informacje ludzie, którzy nie słyszą. Jednakże nieoczekiwanie pojawił się zupełnie inny rezultat – dzieci słyszące odkryły, że ich myśli są dużo bardziej konkretne, kiedy się im nada formę rysunku, a wtedy łatwiej sobie z nimi poradzić.

Rymowanka na własny temat
Ułóżcie wierszyk ułatwiający autoakceptację.
wiek: 4 do 10 lat

Pokażcie dziecku, jak można przekształcić wewnętrzny głos na stwierdzenia afirmacyjne, a potem pomóżcie mu je zapamiętać, układając z nich rymowankę.
Na przykład:
Jesteś miły, fajny, koleżeński.
Dla nowych kolegów przyjacielski.
Powiedz cześć i uśmiechnij się.
Zobaczysz wtedy, że lubią cię.

Inny przykład na melodię „Wyszły w pole kurki trzy":
Jesteś mądra i wspaniała.
Chcesz, by wszystko się udało.
Jeśli coś ci pójdzie źle,
Wcale tym nie przejmuj się.
Ważne, żebyś się starała,
Wtedy dzielna jesteś cała.

Popatrzeć na wygraną
Wizualizacja celu.
wiek: od 4 lat

Zaczynając od ćwiczenia „Obrazki, które mówią", pomóż dziecku udoskonalić technikę wizualizacji. Jest to doskonała metoda, pozwalająca skupić się nad celem, który chcemy osiągnąć, wykorzystywana często także przez biznesmenów i sportowców olimpijskich. Należy sobie wyobrazić siebie coraz bliżej celu (tak jak łyżwiarz figurowy spędza całe miesiące, pracując nad doskonałym lądowaniem po perfekcyjnie wykonanym skoku). Rzecz w tym, by z pełną jasnością wyobrazić sobie, że jest to realne. Nie musisz być wcale medytacyjnym guru, żeby z powodzeniem stosować tę technikę. Przedstawiona niżej zabawa może pomóc nawet zupełnie małym dzieciom zdać sobie sprawę z własnego potencjału.

Zacznij od zasugerowania dziecku, by zdecydowało się na jeden konkretny cel, na przykład nauczenie się jazdy na łyżwach. Wytłumacz mu, że ty wymyślisz historyjkę, ale ono musi ją sobie wyobrazić. Poproś je, by zamknęło oczy, podczas gdy ty szczegółowo i realistycznie opowiesz mu o zakończonej pełnym sukcesem lekcji jazdy na łyżwach – od początku do końca. Powtórz opowiastkę, tylko tym razem poproś, by pomogło ci zdecydować, co wydarzy się w dalszej kolejności. Niech opisze, w co jest ubrane i jak się czuje. W końcu niech całą historię opowie samo. Kolejny etap nie jest konieczny, ale może pomóc dziecku w wizualizacji bez opowiadania. Następnym razem, kiedy któreś z was będzie opowiadać historyjkę, „złapcie" ją do pudełka, i zamknijcie szybko, żeby nie uciekła. Owińcie pudełko ładnym papierem i przewiążcie wstążeczką. Następnym razem, jeśli dziecko nie będzie mogło osiągnąć celu, wystarczy, że tylko weźmie tę nagrodę w ręce, zamknie oczy i przypomni sobie, co jest w środku. Jeśli kiedykolwiek nie będzie wierzyło we własne siły, przypomnij mu, żeby „dobrze przyjrzało się swojej nagrodzie".

Już ponad dziesięć lat temu Ocean Robins zagrał w filmie „Peace Child", ale rolę tę wziął sobie bardzo do serca. Doświadczenie to udowadniało, że dziesięciolatek może zmienić świat. Bohater trzykrotnie pełnił funkcję ambasadora młodzieży w ZSRR. Wraz z trzystoma innymi młodymi ludźmi z całego świata napisał petycję dotyczącą podstawowych spraw dręczących naszą planetę, jak głód czy nierówność ekonomiczna, i wysłał ją do wszystkich szefów rządów na świecie.

Robins założył grupę, którą nazwał „Przywódcy przyszłości" – były to oczywiście dzieci – i rozpoczął podróż od miasta do miasta po całych Stanach. Wraz z czterema kolegami, także ochotnikami, nazwali się YES (Youth for Environmental Sanity – Młodzi dla Zdrowia Środowiska) i organizowali przedstawienia w szkołach podstawowych i średnich w całym kraju, promujące dbałość o środowisko. Ich przesłanie brzmiało: „Każdy może zmienić świat, a Ziemia należy do nas, więc naszym zadaniem jest dbać o nią".

Aaaaaajaaaaj!
Osobiste zaklęcie dające moc.
wiek: od 3 lat

Kiedy Arielle musi podjąć nowe wyzwanie, wydaje okrzyk „aaaaaajaaaaj!", jakby była karateką przepoławiającym deskę.

Powiedziała nam, że oznacza to: „Dobrze! Dalej! Dobra robota! Możesz to zrobić!". Wymyśliła swoje własne zaklęcie dające moc, kiedy jeszcze była malutka, i stosuje je, gdy musi poradzić sobie z nowym zadaniem lub przedsięwzięciem. Słyszeliśmy, jak używa go w każdej sytuacji – od skoku do basenu począwszy, na pociągnięciach pędzla na obrazku skończywszy. Uwielbiamy to głośne zawołanie, ale najwięcej satysfakcji odczuwamy, kiedy wnioskujemy z jej wyrazu twarzy, że wypowiada je po cichu do samej siebie.

Głos rozsądku
Nauczcie dzieci mówić dobrze o sobie.
wiek: bez ograniczeń

Nasze dzieci narażone są na działanie wielu negatywnych i demoralizujących czynników, które mogą zakłócić ich umiejętność oddzielenia dobra od zła, a także zdolność przeciwstawienia się środowisku. Może nadejść dzień, w którym rówieśnicy będą próbowali je namówić do wzięcia narkotyku, wyrządzenia komuś krzywdy lub do kradzieży. Prawdopodobnie staną twarzą w twarz z sytuacjami wymagającymi konfrontacji i trudnego wyboru.

Pomóż dziecku wybrać cztery lub pięć stwierdzeń na własny temat, które ułatwią mu przywrócenie wiary w siebie w takich trudnych momentach. Zdania typu: „Jestem odpowiedzialny za swój los", „Wiem, że potrafię" czy „Umiem odróżnić dobro od zła", w prosty sposób kształtują pozytywną samoocenę. Słowa te będą tkwiły w umyśle dziecka i uruchomią wewnętrzny głos, który da mu siłę i wskaże właściwy kierunek.

Pozytywne oprogramowanie „komputera myśli"
Negatywną samoocenę zastąpcie pozytywnymi myślami o sobie.
Do tego celu wykorzystajcie grę komputerową.
wiek: od 7 lat
materiały: pudełko na buty, czasopisma komputerowe, naklejki na dyskietki, komplet przeciętych na pół karteczek o wymiarach dziesięć na piętnaście centymetrów

Jeśli trudno jest wam zrozumieć, skąd bierze się wasz wewnętrzny głos, spróbujcie pomyśleć o swoim umyśle jak o komputerze. Mózg jest „komputerem", a doświadczenie życiowe „programem". Wewnętrzny głos to mózg interpretujący doświadczenia. Komputer uruchamia program. Program zostaje zainstalowany już w pierwszym dniu życia. Na początku wypełniają go z zewnątrz inni ludzie, co jest dosyć frustrujące, ponieważ oznacza, że jako bardzo małe dzieci nie mamy wyboru i o tym, co mamy myśleć, decydują inni. Kiedy dorastamy, uczymy się większego krytycyzmu. Akceptujemy pewne sprawy, odrzucamy inne, jednak cały czas posługujemy się wewnętrznym głosem ukształtowanym przez kogoś. Ta zabawa pomoże dziecku stworzyć swój własny wewnętrzny głos.

„Komputer myśli" symbolizuje myślący umysł. Istnieje konkretny sposób, aby wasze dziecko mogło przetestować swój wewnętrzny głos i odrzucić negatywną samoocenę. Równie dobrze mogą skorzystać z tego dorośli, proponujemy więc, żebyście stworzyli taki komputer także dla siebie.

Kiedy zobaczycie, że wasze dziecko dobrze wyczuwa swój wewnętrzny głos, przedstawcie mu metaforyczną wizję mózgu jako komputera. Narysujcie lub naklejcie obrazki z czasopism na pudełku po butach – w ten sposób powstanie wasz komputer. Wytnijcie otwór imitujący stację dyskietek.

Przestudiujcie programy, które znajdują się w umyśle dziecka. Zacznijcie od tych negatywnych, ponieważ na ogół szybciej i łatwiej przychodzą do głowy. Będą one zawierać te złe doświadczenia, które wpłynęły na wizję samego siebie. Jeśli na przykład dziecku często zdarza się wyrzucać na aut piłkę, może myśleć, że kiepski z niego sportowiec. Wymyślcie nazwę dla każdego programu i zapiszcie ją na naklejce. Tę nałóżcie na karteczkę. Na odwrocie każdej z nich wypiszcie te myśli dziecka o samym sobie, z których zrodził się program. Na przykład: „Jestem fajtłapa", „Nie cierpię grać w piłkę", „Nikt nie chce, żebym grał w jego drużynie". Następnie pomyślcie o programie pozytywnym i zróbcie to samo. Pamiętajcie, że to doświadczenie dotyczy zarówno pozytywnej, jak i negatywnej samooceny, więc starajcie się uwzględniać obie.

Po pewnym czasie będziecie mieć mnóstwo „dyskietek z programami". Zadbajcie o to, by dziecko zainstalowało je w swoim „komputerze myśli" i włożyło wszystkie do stacji dyskietek. Ta zabawa powinna trwać co najmniej kilka tygodni. Wszystkie dodatkowe pomysły, które wpadną dziecku do głowy, zapiszcie na nowych dyskietkach. Kiedy uzna, że ma już przekopiowaną większość programów, które zostały zainstalowane w jego umyśle, otwórzcie „komputer myśli" i zobaczcie, co jest w środku. Czy dziecku podobają się programy? Czy chciałoby wprowadzić jakieś zmiany? Czy stwierdzenia negatywne są częstsze niż pozytywne? Czy niektóre programy zdezaktualizowały się? Czy jest zachowana jakaś hierarchia ważności? Teraz młody człowiek powinien zadać sobie pytanie, co kupiłby, gdyby wybrał się do sklepu sprzedającego oprogramowanie do „komputera myśli". W każdym razie dokonajcie tego zakupu, ale pamiętajcie, że komputer musi go zaakceptować. Jeśli dziecko chce kupić program „Rysuję piękne obrazki", zapisz je na lekcje rysunku albo zachęć do przestudiowania w bibliotece całej masy książek na temat sztuki. Tylko wtedy komputer będzie mógł współpracować z nowym programem.

Amber Coffman nie ma wiele pieniędzy. Jej rodzina jest mała – tylko ona i jej niezamożna matka. A jednak dziewczynka jest bogata w sensie wykraczającym poza materialne wartości świata.

Kiedy Amber miała osiem lat, zaczęła pracować w schronisku dla bezdomnych, dopóki nie okazało się, że jej matki nie stać już dłużej na przywożenie i odwożenie dziecka do domu i pracy. Dziewczynka nade wszystko pragnęła służyć innym, znalazła więc organizację działającą bliżej jej domu, w Glem Burnie, Maryland. Tam co weekend pomagała robić kanapki.

Kiedy przeczytała książkę opowiadającą o posłannictwie Matki Teresy, postanowiła zorganizować grupę dzieci, które pragnęłyby pomóc bezdomnym. Niosący Pomoc Bezdomnym spotykają się każdej soboty u niej w domu i przygotowują czterysta toreb z lunchem.

Amber zbiera chętnych do pracy, organizuje pakowanie i osobiście roznosi torby bezdomnym z ulicy. Na swoje dwunaste urodziny po raz kolejny pokazała, co to znaczy dawać. Zaprosiła na obiad swoich podopiecznych i wszystkim gościom wręczyła prezenty.

„Bieg przez płotki"

Plakat ilustrujący przeszkody codziennego życia.
wiek: od 6 lat

Narysujcie na dużym kartonie z bloku trasę wyścigu, gdzie znajdzie się start, meta i płotki. Wytłumaczcie dziecku, że osiąganie celu jest jak uczestnictwo w wyścigu. Jeżeli za cel uznamy napisanie referatu do szkoły, na starcie umieścimy nauczyciela zadającego temat, płotkami będą kolejne etapy przygotowania pracy (wybranie tematu, przestudiowanie go i napisanie konspektu), a na mecie znajdzie się wykończony referat. Naklejcie zdjęcie dziecka na każdym płotku, kiedy „przeskoczy" przeszkodę, którą ten symbolizuje. Kiedy dojdzie do mety, uczcijcie to.

Plan motywacji

Podobnie do „biegu przez płotki", z dodatkowymi zachętami.
wiek: od 6 lat

Do każdej przewidzianej przeszkody, która może stanąć na drodze do osiągnięcia celu, dodaj stosowną zachętę. Jeśli na przykład celem jest napisanie referatu o życiu podwodnym, a twoje dziecko ma akwarium, nagradzaj je za pokonanie kolejnych „płotków" kupieniem nowej tropikalnej ryby.

Nokaut

Rozwalamy ścianę z pudełek symbolizujących przeszkody w osiągnięciu celu.
wiek: od 5 lat
materiały: paczka białych etykiet o wymiarach dziesięć na piętnaście centymetrów, kilka tuzinów pudełek po butach lub chusteczkach higienicznych

Poproście dziecko, żeby spisało swoje życiowe cele. Wspólnie spróbujcie wyobrazić sobie, jakie przeszkody mogą stanąć na drodze do ich osiągnięcia, wypiszcie je na etykietkach, a te naklejcie na pudełkach. Ustawcie pudełka jedno na drugim, aby stworzyły ścianę, symbolizującą barierę pomiędzy dzieckiem a jego zamierzeniami. Skorzystajcie z kart zdolności i na pozostałych etykietkach zapiszcie te umiejętności dziecka, które pomogą mu przezwyciężyć trudności. Przyczepcie je do ubrania malca. Tak wyposażonego w zdolności i umiejętności postawcie przed barykadą. Niech zbierze wszystkie siły, aby ją rozwalić. Kiedy już będzie dostatecznie przygotowany psychicznie, zdoła przebić się przez tę ścianę i wyjść naprzeciw swoim celom. Zachęćcie go, żeby zupełnie sobie pofolgował i podeptał, okładał pięściami i całkowicie zniszczył piętrzące się przeszkody.

Wojna na poduszki
Zorganizujcie wojnę na poduszki przeciwko destruktywnym siłom, które przeszkadzają w osiągnięciu sukcesu.
wiek: od 5 do 12 lat
materiały: poduszka, czysta biała poszewka, flamaster, papier

Ta zabawa jest podobna do „Nokautu", z tym że teraz wy, rodzice, gracie w niej główną rolę. Wypiszcie na poszewce umiejętności swojego dziecka, w razie potrzeby ilustrując je, i włóżcie do środka poduszkę. Niektóre z marzeń swojego dziecka spiszcie na papierze (zostać baletnicą, napisać na szóstkę klasówkę z matematyki) i naklejcie na ścianie. Dziecko staje przodem do niej, trzymając w ręku poduszkę.
Teraz przygotujcie się na bezwzględną wojnę, w której staną przeciwko sobie zdolności waszego dziecka i przeszkody w osiągnięciu sukcesu. Wy, oczywiście, reprezentujecie przeszkody. Kiedy maluch zaczyna długi marsz do celu, stajecie mu na drodze i wykrzykujecie wyzwanie („Wiele godzin ćwiczeń!", „Uważanie na lekcji!"). Dziecko bije was poduszką, wypowiadając głośno umiejętności, dzięki którym może przeszkody pokonać (wytrwałość, koncentracja). Im

starsze dziecko, tym większe wyzwania. Zaangażujcie innych członków rodziny, by zagrali rolę przeszkód.

Własne hasła życiowe
Podsumowanie planów i celów życiowych.
wiek: od 5 lat

Większość przedsiębiorstw ma swoje własne hasła, które podsumowują ich ideologię i wyznaczają kierunek dalszego rozwoju. Ludzie natomiast powinni mieć swoje hasła życiowe, według których chcieliby postępować.

Wyjaśnijcie dziecku ideę haseł życiowych. Namówcie je, żeby wymyśliło odpowiednie dla siebie. Pamiętajcie, że powinny one być wyrażone w sposób generalizujący i skupiać się raczej na ogólnych ideach niż konkretnych osiągnięciach (te przydadzą się w następnej grze pt. „Osobista księga osiągnięć"). Przykłady: „Staraj się być szczęśliwy!", „Dobrze się baw, ucz się nowych rzeczy, bądź dobry dla ludzi i zwierząt na ziemi".

Żeby zrealizować te życiowe hasła, najlepiej jest określić swoje własne cele, a następnie wymyślić sposób działania, który pomoże je zrealizować. Sami popracujcie równocześnie z dzieckiem nad swoimi życiowymi zamierzeniami. Poproście pozostałych domowników o to samo i utwórzcie w ten sposób rodzinne hasła życiowe.

Osobista księga osiągnięć
Zapis celów i dokonań.
wiek: od 5 lat

Możecie zacząć bawić się z dzieckiem w tę grę, kiedy tylko zacznie ono rozumieć, co to jest cel i jakie są etapy jego zdobywania. Takie rozumowanie pojawia się mniej więcej około czwartego roku życia. Osobista księga osiągnięć pomoże waszemu maluchowi określić swoje cele i wyznaczyć sposoby ich realizacji.

Zacznijcie od wyjaśnienia mu celów. Opowiedzcie o swoich własnych sukcesach i pokażcie mu te, które już sam osiągnął. Może to być na przykład zrezygnowanie ze smoczka, zmiana koła w samochodzie, perfekcyjne dzielenie dużych liczb.

Z papieru technicznego zróbcie książkę, w której dziecko będzie wpisywać lub ilustrować swoje osiągnięcia. Na każdym napiszcie datę podjęcia i – obok – zdobycia celu. Przynajmniej raz w miesiącu uaktualniajcie całość nowymi zapisami. Działajcie twórczo; możecie na przykład dodać zdjęcia małego na drodze do celu.

Pamiętajcie, że tu nie chodzi o to, by sukces traktować jak zwycięstwo. Rzecz w tym, by pokazać wartość włożonego weń wysiłku.

Wpółpusty i wpółpełny
Pokazuje, jak pozytywne myślenie wpływa na nasze postrzeganie rzeczywistości.
wiek: od 4 lat

Ta zabawa jest (bardziej lub mniej) prostą techniką nauczenia dziecka, co to jest pesymizm i optymizm. Być optymistą oznacza mieć nadzieję, pogodę ducha, być szczęśliwym, entuzjastycznym i śmiałym. Być pesymistą to być cynicznym, niepewnym, niedowierzającym i nieśmiałym.

Metaforę „wpółpusty i wpółpełny" możemy zilustrować, napełniając szklankę do połowy wodą. Pokaż dziecku, że w zależności od tego, jak popatrzy na szklankę, może postrzegać ją jako wpółpustą lub wpółpełną. Jeśli widzi ją jako pustą do połowy, oznacza to, że myśli pesymistycznie, jeżeli natomiast zauważa, że jest w połowie wypełniona, jego myślenie ma charakter optymistyczny.

Zastosuj metaforę „wpółpustej lub wpółpełnej szklanki" w codziennym, rodzinnym życiu, kiedy należy dziecku pokazać, że na niektóre rzeczy można popatrzeć z dwóch stron.

Okulary realisty i optymisty
Pomagają dzieciom postrzegać sprawy z innej perspektywy.
wiek: od 4 lat

Przeznaczcie jedną parę przeciwsłonecznych okularów na okulary realisty, a drugą na okulary optymisty. Zabawcie się z dzieckiem w udawanie, że mają one moc zmiany spojrzenia na różne sprawy. Jeśli więc zdarzy się dziecku, że przegra piąty z kolei mecz piłki nożnej, powinno założyć okulary optymisty, by całą sytuację widzieć weselej. Jeśli uparcie twierdzi, że go nie kochacie, ponieważ nie pozwalacie mu jeździć na rowerze po ulicy, niech założy okulary realisty. Innym razem zapytajcie je, co widzi. Jeśli nie będzie chciało wam powiedzieć, sami załóżcie okulary i powiedzcie mu, co wy dostrzegacie.

Opowieść z naszego wnętrza
Odnajdujemy elementy dobra w złych sytuacjach.
wiek: od 4 lat

Wszyscy dźwigamy w swoich głowach całe tomy różnych opowieści. Mówią one o naszej przeszłości, spoglądają na teraźniejszość i pomagają wyobrazić sobie przyszłość. Niektóre z nich biorą się z doświadczenia, inne tworzone są przez potok pragnień i oczekiwań. Charakter tych opowieści mniej zależy od tematu, który podejmują, a dużo bardziej od naszego postrzegania samych siebie. Jeśli postrzegamy siebie pozytywnie i mamy mocne poczucie własnej wartości, pozytywne będą także nasze historie.

Porozmawiaj z dzieckiem o swoich i jego opowieściach. Opowiedz mu kilka najszczęśliwszych z nich, potem poproś je o to samo. Następnie podziel się z nim tymi, które nie są zbyt radosne. Upewnij się, że są one odpowiednie dla dziecka w tym wieku i mówią coś o tobie i twoich zdolnościach odnajdywania elementów dobra nawet w złych sytuacjach. Być może zechcesz trochę poćwiczyć sposób, w jaki podasz swoją opowieść, aby nie zdenerwować zbytnio dziecka.

Zachęć je do zadawania pytań i poproś, aby pomogło ci zdecydować, które z doświadczeń zmieniły twoje życie na lepsze. Teraz jego kolej. Niech opowie ci o swoich nieszczęśliwych zdarzeniach i razem popracujcie nad tym, jak wydobyć z nich pozytywne aspekty.

W przyszłość
Sporządzamy plan własnej przyszłości, a następnie zapisujemy go w książce.
wiek: od 5 lat

Zabawa podobna do „Opowieści z naszego wnętrza", z tym że historia jeszcze się nie wydarzyła. Dziecko tworzy opowieść osoby, którą chciałoby się stać w przyszłości. Zacznijcie od tego, że to wy opowiecie mu, jakie cele stawialiście sobie dziesięć lat temu i w jaki sposób to osiągnęliście.

Nagrajcie opowieść swego dziecka na kasecie lub spiszcie ją. Pomóżcie mu, przypominając o umiejętnościach, jakie posiada i dzięki którym może z powodzeniem zrealizować swoje pragnienia. Pamiętajcie jednak, że opowieść waszego dziecka musi pochodzić rzeczywiście z jego wnętrza.

Być może marzenia te ożyją, gdy „opublikuje" je w książce. Pospinajcie razem kolejne strony, a z grubszego kartonu zróbcie okładkę. Na dole każdej kartki wypiszcie zdanie-motto do danej historii, a dziecko niech je zilustruje.

Taka książka to prawdziwy bank. Zaglądajcie do niego za każdym razem, gdy trzeba będzie przypomnieć dziecku o cudownej przyszłości, która je czeka.

Bliżej marzeń
Karuzela nad łóżkiem, ilustrująca cele i aspiracje dziecka.
wiek: od 4 lat
materiały: sznurek, wieszak na ubrania, karton z bloku, nożyczki

Wiemy dobrze, że dzieci uwielbiają wyobrażać sobie siebie jako dorosłych. Wystarczy je nieznacznie zachęcić, aby popuściły wodze fantazji i wybiegły daleko w przyszłość.

W tej zabawie dziecko ma wykonać „karuzelę marzeń", która będzie przypominać mu o tych wszystkich wspaniałych rzeczach, które ma nadzieję kiedyś osiągnąć. Poproście je, aby na papierze namalowało przynajmniej pięć pierzastych obłoczków, a następnie ostrożnie je wycięło. Potem niech pomyśli o swoich marzeniach (zostać lekarzem, założyć rodzinę, podróżować po świecie) i zapisze je lub narysuje na poszczególnych chmurkach. Na środku górnego brzegu każdej z nich wytnijcie dziurkę, przez którą przeciągniecie sznureczki różnej długości. Wszystkie „obłoczki marzeń" przywiążcie do dolnego krańca wieszaka, zachowując taką odległość między nimi, by po powieszeniu całość była dobrze wyważona. Zawieście „karuzelę marzeń" nad łóżkiem dziecka. Za każdym razem, gdy będzie układało się do snu i popatrzy w górę, będzie mogło pomarzyć o przeróżnych możliwościach, które wciąż jeszcze są przed nim.

Uwaga. Dzieciom, które mają koszmary senne, na chmurkach należy namalować spokojne, relaksujące obrazki.

Wywiad
Wasze dziecko spotyka siebie samego już dorosłego i przeprowadza wywiad ze sobą.
wiek: od 6 do 12 lat

Możecie zrobić konspekt wyimaginowanego wywiadu, w którym reporter będzie rozmawiał z dzieckiem jako z dorosłym, którym pragnie ono zostać w przyszłości. Pytania mogą dotyczyć refleksji respondenta na temat obecnego życia, codziennych zajęć, a także tego, w jaki sposób osiągnął swój cel.

Jeśli chcesz (i nie przewidujesz problemów z powrotem do rzeczywistości!), pozwól dziecku poudawać dorosłego. Weź go na barana, na głowę załóż mu kapelusz, na nos okulary, a na obie wasze postacie narzuć za duży płaszcz. Poproś kogoś, aby zagrał rolę reportera i wykorzystał wasze notatki do przeprowadzenia wywiadu z twoim dorosłym. (Nie zapomnij o nagraniu tego na wideo).

Słowa do śmietnika
Wyrzucamy krzywdzące myśli.
wiek: od 5 lat
materiały: wiele kartek (mogą być z jednej strony zapisane), duży pojemnik na śmieci

Ta zabawa jest ćwiczeniem uczącym dziecko kontrolowania autodestrukcyjnych myśli.

Wytłumaczcie dziecku, w jaki sposób negatywny punkt widzenia może zniszczyć jego opinię o samym sobie. Poproście, aby na kartkach wypisało te wszystkie krzywdzące opinie, które wypowiada na własny temat lub na temat innych ludzi. (Na przykład: „Jestem gruba i brzydka", „Mam za duży nos", „Moja rodzina jest dziwaczna"). Zachęćcie je do tego, by rzeczywiście wyrzuciło z siebie te wszystkie myśli, które mogą negatywnie wpływać na szacunek dla samego siebie.

Przeczytajcie zapiski i przyjrzyjcie się krytycznie każdemu ze stwierdzeń (por. „Okulary realisty i pesymisty"). Jeśli razem uznacie, że coś nie jest prawdą, dziecko powinno ze złością pognieść i podrzeć papier, na którym to zapisało, a następnie wyrzucić go do śmieci. Pod koniec cały pojemnik będzie przepełniony.

Nagroda Tomasza Edisona „Nikt nie jest doskonały"

Pokazuje dzieciom, jak zaakceptować własne błędy i czerpać z nich naukę.
wiek: od 6 do 12 lat

Z wielkim trudem nam, dorosłym, udaje się przyznać, że w życiu niewiele jest rzeczy doskonałych. Dla dzieci jest to jeszcze trudniejsze.

Jeśli wasze dziecko reaguje nadmiernym rozgoryczeniem na wydawane zakazy, jeśli zbyt łatwo się poddaje, nadszedł czas, by wprowadzić zabawę o nagrodę Tomasza Edisona „Nikt nie jest doskonały". Przy okazji należy wspomnieć, że ten wielki uczony wykonał dwa tysiące nieudanych prób, zanim wynalazł żarówkę, i warto, aby wasza pociecha o tym wiedziała.

Kupcie ładny puchar (taki, jakie wręcza się sportowcom) i dajcie do wygrawerowania napis: „Nagroda Tomasza Edisona»Nikt nie jest doskonały«". Wyjaśnijcie dziecku, że za każdym razem, gdy zaakceptuje swój błąd i zacznie od nowa działać, wrzucicie do środka grosik (lub żeton albo szklaną kulkę). Kiedy puchar będzie pełen, stanie się własnością dziecka.

Każcie wygrawerować imię małego na pucharze, zanim go mu wręczycie. Upewnijcie się, że dobrze zrozumiał przesłanie tej zabawy – popełniając błędy, można osiągnąć wspaniałe wyniki, jeśli pójdzie się śladem Tomasza Edisona i będzie się z nich wyciągać wnioski na przyszłość.

Znajdź swoją piosenkę
Pomóż dziecku odnaleźć piosenkę, która doda mu otuchy.
wiek: od 4 lat

Pewna piosenkarka, używająca imienia Desiree, śpiewała piosenkę wyrażającą przeżycia wielu, wielu dzieci, które poznaliśmy w czasie naszej pracy terapeutycznej. Piosenka nosiła tytuł „Możesz być" i chór śpiewał w niej głośno i mocno: „Możesz być zły. Możesz być zuchwały. Możesz być mądrzejszy. Możesz być twardy, możesz być nieustępliwy, możesz być silniejszy".

Desiree musiała znać te same dzieci, co my. A może wiedziała o tym z własnego doświadczenia, ponieważ śpiewała o tych dzieciakach, które muszą zebrać wszystkie siły, aby jakoś przebrnąć przez swoje pogmatwane życie. Takie dzieci nazywaliśmy „tymi, co przetrwały", ponieważ potrafiły wyjść na prostą z zupełnie beznadziejnych sytuacji jedynie dzięki swojej woli życia i odwadze, żeby temu życiu nadać jakiś sens. Ta ich zdolność do śmiałości i odwagi opiera się na instynktownej potrzebie bycia dobrymi i pożytecznymi ludźmi. Są naprawdę żywym uosobieniem słów „osobisty potencjał". Mieliśmy zaszczyt towarzyszyć w dorastaniu pewnej młodej osobie, która była właśnie dzieckiem typu „możesz być".

Miała na imię Taunya i, kiedy ją spotkaliśmy, była odważną ośmioletnią dziewczynką. Brała udział w prowadzonych przez nas zajęciach pozaszkolnych. Cała aż kipiała ze złości! Jej buzia mówiła wszystko: „Jestem nieustępliwa, bezwzględna i przetrwam!".

Wyzwania i kryzysy pojawiały się i znikały w jej życiu z częstotliwością cotygodniowego prania (gdy ją spotkaliśmy po raz pierwszy, spała właśnie w pralni na stercie brudnych ubrań).

Wobec wszystkich znieważających i ohydnych rzeczy, które przytrafiły się jej w życiu, miała dosyć powodów, by złościć się na cały świat. Jednak zawsze umiała znaleźć sposób, by przez to przebrnąć. Przez całe życie mówiono jej: „Jesteś niedobra!". Ale ponieważ miała tak wielką wolę przetrwania, odpowiadała: „Jeszcze mnie nie znacie!".

W okresie dorastania szorstkie obejście dziewczynki nieco złagodniało; wszystkie siły skupiła na tym, by przetrwać. Umiała szybko myśleć i nauczyła się radzić sobie z trudnymi sytuacjami w domu przez stosowanie kompromisów i rozwiązań zastępczych. Była także szybka w nogach – dosłownie! Ta dziewczyna potrafiła biegać, że ho, ho! Gdy odkryła w sobie tę cechę, wykorzystywała ją często, by sprawić przyjemność matce – zwyciężała w każdym wyścigu, w którym wzięła udział.

Taunya była jednym z tych dzieciaków, które głęboko wierzyły, że życie ma wiele do zaoferowania, a nieszczęścia, które przydarzyły się jej w dzieciństwie, były niczym innym jak tylko pechem. Ta sama zawziętość, dzięki której wygrywała zawody, pozwalała jej zwycięsko dobrnąć do mety każdego celu, który sobie wyznaczyła. Jakikolwiek najdrobniejszy szczegół swojego życie traktowała jak wyzwanie, wszystko jedno, czy był to wyścig, czy problem w domu. Za każdym razem, gdy wpadała na metę, gotowa była do przyjęcia porażki, ale uśmiechała się od ucha do ucha, pełna dumy, jaką dawała jej świadomość, że może osiągnąć wszystko, jeśli tylko poświęci temu całe swoje serce i myśli.

Obecnie Taunya ma dwadzieścia kilka lat, kończy college, ma wspaniałą pracę i planuje sobie życie. W ostatniej rozmowie telefonicznej powiedzieliśmy jej, jak bardzo imponuje nam to, że z równym powodzeniem potrafiła zwyciężyć w wyścigu kolarskim, jak rozwiązać swoje problemy domowe. Stwierdziliśmy, że jest silną, twardą, dzielną kobietą. Jej odpowiedź? „Możesz być!"

ROZDZIAŁ 2

Harmonia społeczna

(nazywana także umiejętnością współżycia z ludźmi)

Porozumiewanie się.
Umiejętność życia w społeczeństwie.
Praca i współpraca w zespole.

Z historii siedmioletniego Jaya i jego rodziny możemy wyciągnąć istotne wnioski na temat znaczenia porozumiewania się.

Denise pracowała kiedyś na letnim obozie dla dzieci głuchych, na którym przebywał Jay. Tylko raz w ciągu trwania całego obozu odbyły się odwiedziny rodziców. Wszystkie rodziny zebrały się wtedy przy stole. Niewiele mówiono, przede wszystkim dlatego, że większość rodziców nie znała języka migowego, którym porozumiewały się dzieci. Obozowicze uśmiechali się do rodziców, rodzice odwzajemniali się tym samym, ale w rzeczywistości nic sobie nie zakomunikowali. Z wyjątkiem jednej rodziny. Wepchnięci w kąt sali, siedzieli Jay, jego mama, tata i młodsza siostra. Ich ręce wprost fruwały w ożywionej rozmowie. Jay zauważył, że Denise badawczo im się przygląda i zaprosił ją do stolika. „Poznaj moją rodzinę" – pokazał z dumą. Opowiedział jej bardzo dużo o swojej rodzinie, ale dodał jeden istotny szczegół: wszyscy byli głusi.

Rodzice zostali ze swoimi dziećmi jedynie kilka godzin; niemożność porozumienia się sprawiła, że nie czuli potrzeby bycia razem dłużej. Z wyjątkiem jednej rodziny, która właśnie się powiększyła. Prawie trzy czwarte obozowiczów zebrało się wokół stolika Jaya. Pełna ciepła, przyjazna rodzina chłopca pozostała do późnego wieczora, długo po odjeździe większości rodziców. Zostali po to, by wysłuchać opowieści innych dzieci, które z niecierpliwością wyczekiwały okazji, żeby komuś opowiedzieć o swoich obozowych przeżyciach.

Denise przekonała się, że wielu rodziców i dzieci nie potrafiło podzielić się swoimi myślami, uczuciami, a nawet przeżyciami z ostatnich kilku tygodni, ponieważ zabrakło im możliwości porozumienia się w najbardziej podstawowy sposób (ten sam język!), podczas gdy ta garstka dorosłych, która znała język migowy, mogła wraz z dziećmi odczuwać wrażenia mijającego dnia, a także radość i entuzjazm, jakie dzieci wnoszą do życia.

Prawdziwie skuteczna sztuka komunikowania się ludzi należy do dziedzin, które w ostatnich czasach zostały zaniedbane. Dzisiaj nie trzeba nikogo przekonywać, że umiejętność dobrego nawiązywania kontaktu oraz pracy zespołowej jest kluczem do osiągnięcia sukcesu zawodowego. Dlatego w ciągu ostatnich lat tak widoczna stała się potrzeba stworzenia w drobnym przemyśle profesjonalnych nauczycieli komunikowania się, których docelowym zadaniem jest podniesienie wydajności pracy i pomoc handlowcom w pozyskiwaniu klientów. Ponieważ wiemy, że porozumiewanie się należy do umiejętności, których można się nauczyć, chcielibyśmy, żeby więcej szkół wprowadziło do swoich programów lekcje kształcące w tej sztuce, traktowane równie poważnie jak arytmetyka i geografia. Nie ma wątpliwości, że nasze dzieci będą łatwiej i chętniej wchodziły w relacje z innymi ludźmi, jeśli osiągną większą dojrzałość społeczną. Także rodzice, ćwicząc tę umiejętność ze swoimi dziećmi, mogą bardzo na tym skorzystać.

Tym, co służy osiągnięciu umiejętności życia w społeczeństwie, jest:

1. umiejętność wyrażania swoich myśli i uczuć,

2. umiejętność skutecznego słuchania i rozumienia innych ludzi,
3. umiejętność rozumienia i właściwej interpretacji ról społecznych,
4. umiejętność pracy w zespole.

Porozumiewanie się

Na obozie Denise język sam w sobie był przeszkodą w osiągnięciu porozumienia. Jednakże ten rodzaj komunikowania się, o który nam chodzi, to coś więcej niż język, to coś, co dzieje się w interakcji między ludźmi, w sposób pełen wielu innych znaczeń. Język to tylko jeden ze sposobów ekspresji. Poza nim posługujemy się gestami, ciałem, tonem głosu, wyrazem twarzy, kontaktem wzrokowym i działaniem. Wykorzystujemy je w celu przekazania informacji, myśli i uczuć. Dzięki tego typu wymianie mamy możność nawiązania prawdziwie głębokiej więzi z naszymi bliskimi, uczenia swoich dzieci, szukania pomocy i odpowiedzi na trudne pytania, a nawet porozumienia się z kompletnie obcymi ludźmi.

Aby proces komunikacji przebiegał prawidłowo, jego uczestnicy muszą otrzymywać tyleż sygnałów społecznego porozumiewania się (wysłuchania i zrozumienia), ile ich wysyłają (przez ekspresję i zademonstrowanie). Kiedy ktoś złapie się na tym, że myśli: „Nie mam pojęcia, dlaczego tak się czujesz", to znaczy, że słuchanie nie było skuteczne. Jeśli nawet opowiadający nie ujawni otwarcie swoich uczuć, może je wyrazić w jakiś inny sposób. Skuteczny słuchacz zaangażuje swoje oczy, uszy i serce, żeby zrozumieć, co inny człowiek ma mu do przekazania, będzie umiał spojrzeć ponad to, co zostało powiedziane słowami, aby pojąć myśli i uczucia swojego rozmówcy. Niektóre z najważniejszych informacji ukrywamy za zasłoną gniewu lub bólu i tak naprawdę nigdy nie zostaną one wysłuchane, ponieważ stawiają słuchacza w pozycji defensywnej. Aby skutecznie słuchać w takiej sytuacji, trzeba odłożyć na bok chęć odsunięcia czy pomniejszenia tego, o czym się mówi, zignorować lub popatrzeć przez palce na ostre słowa lub ton, a zamiast tego skupić się na rozumieniu uczuć, które kryją się za tym, co zostało powiedziane.

Umiejętność życia w społeczeństwie

Aby umieć stworzyć prawdziwie udane związki z ludźmi, dzieci muszą nauczyć się bardzo wielu zachowań społecznych. Ten proces nie przebiega samorzutnie. Jeśli pozostawimy tę kwestię przypadkowi, nasze pociechy nie zdobędą koniecznych w kontaktach międzyludzkich umiejętności rozumienia, negocjowania i znalezienia sobie miejsca w społeczeństwie. Umiejętność życia w społeczeństwie jest podstawowym składnikiem dojrzałości emocjonalnej oraz trwającego całe życie procesu osiągania nowych umiejętności, ćwiczenia i doskonalenia ich w praktyce. Każde dziecko ma potrzebę zrozumienia warunków społecznych, w jakich przyszło mu żyć, reguł, które wyznaczają, jak należy się zachować, oraz wyjątków od tych zasad. Powinno także potrafić współpracować, dzielić się, znajdować kompromisowe rozwiązania oraz opanować własne emocje i impulsywne zachowania. Umiejętność życia w społeczeństwie staje się jeszcze doskonalsza, jeśli dziecko potrafi kreatywnie negocjować swoje racje, rozwiązywać konflikty i zachowywać się empatycznie w stosunku do innych ludzi.

Ważne jest, byśmy pamiętali, że zachowanie dziecka w społeczeństwie zależy od jego temperamentu i sposobu bycia, które są automatycznie przenoszone z domu do środowiska zewnętrznego. Niektóre dzieci wybierają modele zachowań, wymagające bardzo dużego nakładu energii, zaangażowania w działanie w dużej grupie, podczas gdy inne wolą raczej spokojną zabawę. Istotną informacją, którą chcemy przekazać w tym rozdziale, jest to, że wykorzystując nabyte umiejętności, dziecko nie jest ograniczone przez swoje wrodzone predyspozycje i temperament. Jeśli jest nieśmiałe, może także uczestniczyć w grupowych zabawach i wiele osiągnąć, natomiast urodzony przywódca powinien nauczyć się czasem siedzieć cicho i oddać ster w inne ręce. Do rodziców natomiast należy raczej rozwijanie niż zmienianie naturalnych możliwości i temperamentów swoich dzieci.

Praca i współpraca w zespole

Praca i współpraca w zespole to umiejętności oparte na wzajemnej zależności, co oznacza, że wszyscy potrzebujemy siebie nawzajem, aby przeżyć. Praca zespołowa jest tym, co zmienia grupkę zdolnych sportowców w drużynę, która wygrywa zawody. W życiu rodziny oznacza natomiast, że indywidualne potrzeby poszczególnych jej członków muszą być zrównoważone z tym, co jest najlepsze dla całej grupy. Jednak, jakby nie patrzeć, dzieci z natury są egoistami. Zanim nauczą się współpracować z innymi, muszą uświadomić sobie, że inni ludzie też mają swoje potrzeby. Ważną rolę spełniają tu rodzice i opiekunowie, jeśli nieegoistycznie podporządkowują swoje potrzeby innym członkom rodziny. Maluch uczy się pracy i współpracy w zespole, gdy spełnia oczekiwania innych. Jeżeli na przykład dwuletnia dziewczynka pomaga mamie w składaniu prania, zaspokaja instynktowne pragnienie przynależności do rodziny i bycia potrzebną, chce zobaczyć, jaką rolę może pełnić w jej życiu.

Jak ocenić, czy dziecko ma trudności z komunikowaniem się i zachowaniami społecznymi

Przeczytajcie przewodnik „Poprzez lata", żeby upewnić się, czy wasze oczekiwania są zgodne z wiekiem i możliwościami rozwojowymi dziecka. Jako punkt odniesienia wykorzystajcie „Pytania, na które trzeba sobie odpowiedzieć" – niech posłużą wam do oszacowania jego mocnych i słabych stron. Jeśli na którekolwiek z pytań odpowiedzieliście twierdząco, dobrze byłoby dodatkowo pomóc dziecku w rozwinięciu tych umiejętności.

POPRZEZ LATA

Wskazówki pomagające w rozwijaniu charakteru dziecka

Uwaga: Ten przewodnik ma służyć jako zbiór pewnych ogólnych informacji, dających orientację, czego i kiedy możecie oczekiwać od dziecka. Nie ma żadnych ścisłych norm i granic określających, jak i kiedy powinny pojawiać się dane możliwości, charakterystyczne dla określonego przedziału wiekowego. Każde dziecko jest jedyne w swoim rodzaju, a my podajemy tutaj pewien przekrój etapów rozwojowych, które charakteryzują się ogólnie podobnymi i prawdopodobnymi wzorcami zachowań i predyspozycji. Pamiętajcie, że rozwój osobowości jest z natury rzeczy dynamiczny i powtarzalny, co oznacza, że bez przerwy się zmienia, a cechy i umiejętności mogą się pojawiać, znikać i znów pojawiać w trakcie jego rozwoju.

Harmonia społeczna – porozumiewanie się, umiejętność życia w społeczeństwie, praca i współpraca w zespole

Etap I – Niemowlęctwo: od urodzenia do 24 miesięcy
Okres życia od noworodka do dwulatka

Okres ten ma fundamentalne znaczenie dla kształtowania się wielu wzorców zachowań, postaw i ekspresji emocjonalnej. Wychowanie w ciągu pierwszych 12 miesięcy polega przede wszystkim na karmieniu i podstawowej opiece pielęgnacyjnej.

Oczekujcie od niemowlęcia: wyrażania pierwszych oznak umiejętności porozumiewania się i życia społecznego – w wieku 3 miesięcy przez odróżnianie ludzi od przedmiotów i płacz w celu przyciągnięcia uwagi (żeby wziąć je na ręce, zmienić pieluszkę, dać jeść); w wieku 6 miesięcy – przez odróżnianie „swoich" od „obcych" (do pierwszych będzie się uśmiechać, wobec następnych okazywać strach i rezerwę); w wieku 9 miesięcy – przez próby nawiązania kontaktu z ludźmi (wzrokowego, przez uśmiechy lub dotyk); w wieku 12–16 miesięcy – przez próby naśladowania mowy i gestów (gaworzenie, uśmiech, zdziwione spojrzenie); w wieku 18–24 miesięcy – przez uświadomienie sobie istoty języka (pokazuje znaczenie prostych słów wypowiadanych przez opiekunów oraz używa prostych słów i gestów do ekspresji).

Nie oczekujcie od dziecka: okazywania pierwszych oznak działania zespołowego, zanim nie skończy przynajmniej 20–24 miesięcy, kiedy to dzieci zaczynają naśladować zachowania rodziców i bawią się w „dorosłe" zajęcia (włączają odkurzacz zabawkę, kiedy mama odkurza mieszkanie).

Etap II – Wczesne dzieciństwo i wiek przedszkolny: od 2 do 6 lat
Okres życia od dwulatka do starszaka

Etap ten często bywa nazywany okresem zabawy, ponieważ wtedy właśnie przypada szczytowe zainteresowanie zabawkami i grami, wyrażające się dążnością do poszukiwań, twórczej zabawy z wykorzystaniem wyobraźni, myślenia abstrakcyjnego, niestrudzonej walki o niezależność i zwiększonych kontaktów społecznych. Jest to okres przygotowawczy do nauki podstaw zachowań społecznych, niezbędnych w nadchodzących latach pobytu w szkole.

Między 2 a 4 rokiem życia oczekujcie od dziecka: przejawów dynamicznego rozwoju umiejętności porozumiewania się; szybko powiększającego się zasobu słów i coraz wyraźniejszej wymowy; początków naśladownictwa dorosłych w gestach, pozach i wyrazie twarzy; lepszego rozumienia tego, co inni do niego mówią; okazywania wzrastającego zainteresowania rozmową i zabawą wśród innych dzieci przez podejmowanie podobnych zabaw – niezależnych, ale podobnych lub identycznych jak te, w które bawi się dziecko obok.

Nie oczekujcie od dziecka: chętnego dzielenia się zabawkami lub innymi rzeczami, które należą do niego; zrozumienia idei pracy zespołowej i podziału obowiązków.

Możecie spodziewać się, że dziecko w wieku 4–6 lat zacznie: angażować się we wspólne zabawy – takie, gdzie uczestnicy po kolei korzystają z jakiejś zabawki lub odgrywają role, wspólnie układają opowiadanie lub rozwijają jakiś temat albo bawią się zgodnie ze wspólnie ustaloną podstawową regułą; rozumieć podstawowe zasady gier zespołowych i pracy w grupie; zdawać sobie sprawę z opinii i uczuć innych ludzi, jak też warunków akceptacji w grupie rówieśniczej (mniej nieporozumień i bójek, większa współpraca, zastosowanie się do wymaganych zasad, skupienie się na sukcesie całej grupy).

Nie oczekujcie od dziecka: okazywania tych nowo zdobytych umiejętności stale i niezależnie od niesprzyjających okoliczności (może być zmęczone lub czuć się onieśmielone); że zawsze będzie grało uczciwie i zgodnie z regułami.

Etap III – Wiek wczesnoszkolny: od 6 do 11 lat
Ten etap życia zaczyna się podjęciem nauki, a kończy wejściem w okres dojrzewania

Okres ten objawia się głównie wielkim zainteresowaniem i koncentracją na nawiązywaniu kontaktów z rówieśnikami, uczestniczeniu w popularnych grach zespołowych oraz wzrastającą motywacją do nauki, przyswojenia wiedzy technicznej, dużej ilości informacji i osiągania sukcesów w szkole. Jest to niezwykle ważny czas dla ustabilizowania się postaw i nawyków w stosunku do nauki, pracy i wykorzystania osobistego potencjału.

Oczekujcie od dziecka: wzrastającej ilości czasu poświęconego zabawie z rówieśnikami, przeważnie tej samej płci, w zorganizowanych drużynach sportowych, nieformalnych grupach lub klubach oraz z najlepszymi przyjaciółmi; rozumienia i stosowania się do ustalonych norm społecznych w stosunkach z rówieśnikami; eksperymentowania z regułami życia społecznego, a nawet odrzucania nakazów i obowiązków wobec rodziców w imię akceptacji przez grupę rówieśniczą; powiększania się słownictwa o wyrazy slangowe oraz nieprzyzwoite, a także tajemnego języka znanego tylko najbliższemu przyjacielowi.

Nie oczekujcie od dziecka: uważnego słuchania innych, jeśli jemu samemu brakuje wysłuchania w domu albo zrozumienia zasad współżycia między ludźmi oraz jeżeli nie ma dobrego przykładu i możliwości przećwiczenia tego w praktyce na łonie rodziny.

Etap IV – Wczesnonastoletni: wiek od 11 do 15 lat

Ten etap życia zaczyna się w czasie, gdy dziecko kończy szkołę podstawową, trwa przez okres nauki w szkole średniej, a zamyka go wstąpienie do szkoły wyższej[*]

Ten okres charakteryzuje ogromny chaos. Wraz z gwałtownym wejściem w okres dojrzewania następuje nagła zmiana wyglądu, wzrasta zainteresowanie rówieśnikami płci przeciwnej i zaczyna się bezwzględna walka o własną osobowość i niezależność.

Oczekujcie od nastolatków: nieskrępowanego komunikowania swoich potrzeb, wyrażania opinii i przekonań, częstych konfliktów z członkami rodziny (nawet ukochanym bratem lub siostrą), zwracania szczególnej uwagi na spełnianie oczekiwań grupy rówieśniczej, z uwzględnieniem zachowań przypisanych każdej z płci (na przykład płacz jest dozwolony tylko dla dziewcząt, nie dla chłopców) i wyraźnych skłonności do nieustępliwości; rozwinięcia zainteresowania sportami, klubami i zajęciami, które dają możliwość spędzenia czasu w towarzystwie rówieśników oraz uzyskania społecznej akceptacji; postrzegania więzi rodzinnych jako mniej udanych niż z przyjaciółmi, czego rezultatem staje się zwiększona wrogość lub obojętność w stosunku do tego, co robi rodzina.

Nie oczekujcie od nastolatków: łatwego nabywania umiejętności współżycia z ludźmi, jeśli nie mieli okazji do praktykowania tej sztuki w wieku wczesnoszkolnym; takiego samego zaangażowania i wysiłku w osiągnięcie porozumienia lub w zespołowe działanie wewnątrz rodziny, jak w stosunku do grupy rówieśniczej; zastosowania nabytych umiejętności komunikowania się, jeśli są pod wzmożonym wpływem emocji.

---

[*] Według polskiego systemu edukacyjnego okres ten obejmuje czas nauki w wyższych klasach szkoły podstawowej, jej ukończenie i wstąpienie do szkoły średniej – przyp. tłum.

Pytania, na które trzeba sobie odpowiedzieć

Czy dziecko zachowuje się impulsywnie lub nie zdaje sobie sprawy z konsekwencji tego, co robi? (Możecie usłyszeć wtedy: „Nie chciałem tego zrobić" lub „Zapomniałem, co powiedziałaś", lub „Nie wiedziałem, że tak się stanie").

Czy dziecko sprawia wrażenie, że jest głuche i ślepe na to, że może przeszkadzać innym wokół siebie? (Podchodzi bardzo blisko lub dotyka ludzi, nie zastanawiając się, czy aprobują tak intymny rodzaj kontaktu; nie przestaje robić czegoś, co ewidentnie kogoś stresuje; bawi się głośno lub nieprzyjemnie, nie zastanawiając się, jak odbierają to inni, pyta na przykład: „Co ja takiego zrobiłem?").

Czy dziecko unika lub niechętnie bierze udział w różnych wydarzeniach towarzyskich, grach zespołowych, nawet w sytuacji, która, jak się spodziewacie, powinna je zainteresować, i nie daje żadnego przekonywającego wyjaśnienia? (Możecie usłyszeć wtedy: „Nie wiem dlaczego, po prostu nie chcę iść" lub „Nie lubię szkoły" albo „Wiem, że mówiłam, że chcę chodzić na gimnastykę, ale nie lubię instruktorki").

Czy dziecko łatwo wpada w złość, wdaje się w bójki lub obwinia innych, kiedy coś idzie nie po jego myśli? (Zawsze wtedy ma zwyczaj mówić: „To on zaczął", „Nic na to nie poradzę, doprowadza mnie do szału" lub „Naprawdę tego nie zrobiłem, oni kłamią, przysięgam").

Czy dziecko ma trudności z zadawaniem pytań, zgłaszaniem się do odpowiedzi albo włączeniem się do dyskusji w grupie? (Zapytane, odpowiada: „Nie wiem" albo po prostu wygląda na zmieszane i nie mówi nic).

Czy dziecko usilnie stara się zwrócić na siebie uwagę i w związku z tym zachowuje się głupio, niegrzecznie lub w sposób niebezpieczny dla innych? (Wydaje mu się, że zdobędzie przyjaciół lub mocniejszą pozycję w grupie, jeśli inni będą się z niego śmiali).

Czy dziecko szuka przyjaźni i akceptacji wśród dzieci zdecydowanie od siebie starszych lub młodszych? („Fajnie się z nimi bawię", „Dzieciaki w moim wieku są niedojrzałe", „Oni bardzo mnie lubią").

Czy dziecko uważa, że jego potrzeby i zachcianki są znacznie ważniejsze niż pragnienia innych członków rodziny? (W czasie zabawy z rówieśnikami dobrze czuje się jedynie wtedy, gdy wszystko idzie po jego myśli, w przeciwnym razie odchodzi, oświadczając: „Nie chcę się bawić" lub „Jesteście niesprawiedliwi").

Czy dziecko traktuje każdą sytuację, w której ma do czynienia z więcej niż jedną osobą, jako współzawodnictwo, jako okoliczność, w której można być tylko zwycięzcą lub zwyciężonym? (W sytuacjach wymagających działania zespołowego skupia się wyłącznie na swoim zadaniu i czerpie raczej niewielką satysfakcję z sukcesu całej grupy).

Jak rozwijać u dziecka umiejętność porozumiewania się i nawiązywania kontaktów społecznych

1. Zacznij myśleć o uczeniu dziecka tych umiejętności w momencie jego narodzin i już nigdy nie przestawaj się tym zajmować. W rzeczywistości, żeby umieć efektywnie się porozumiewać, słuchać i żyć w społeczeństwie, nasze dzieci muszą być stale i regularnie edukowane w tych dziedzinach.
2. Bądź wzorem skutecznego porozumiewania się i pozytywnych zachowań społecznych w kontaktach z dziećmi, współmałżonkiem, rodziną i przyjaciółmi. Na to, jak traktujesz ludzi oraz komunikujesz się z nimi, ma równie duży wpływ twoje

nastawienie, jak i sposób, w jaki to robisz. Prawdę mówiąc, dzieci często więcej się uczą, obserwując, co dzieje się wokół nich, niż wtedy, gdy mówimy im, jak mają postępować. Dzieci to czujni obserwatorzy, zawsze przyglądają się i uczą na podstawie tego, co widzą i słyszą (nawet jeśli to nie zostało powiedziane).

3. Między twoimi potrzebami a potrzebami twojej rodziny powinna istnieć równowaga. Dziecko widzi wtedy, że dobry członek zespołu nie traci z oczu dobra innych.

4. Pamiętaj, że w normalnym procesie dorastania każde dziecko będzie doświadczać odrzucenia, frustracji i rozczarowań. Pokaż mu, że błądzić jest rzeczą ludzką i że jesteś takim samym człowiekiem jak każdy. Wykorzystaj swoje własne pomyłki i błędy, by wyrobić w nim taką postawę. Jeśli przykry incydent wydarzył się niedawno lub nawet w dalszej przeszłości, namów dziecko, by porozmawiało o tym z tobą. Przekonasz się, że dzieci, nawet te powściągliwe w dzieleniu się swoimi myślami i uczuciami, bardziej niż chętnie będą rozmawiały o błędzie nauczyciela czy rodzica. Ty z kolei zdziwisz się, że taka dyskusja na temat pomyłek może być zaskakująco łatwa. Dzieci na ogół są mniej skłonne do osądów niż dorośli. Powiedz, jak czujesz się z tym, co zrobiłaś niewłaściwie i jak możesz naprawić swój błąd. Zapytaj dziecko, co o tym myśli i co według niego powinnaś zrobić. Potraktujesz je wtedy poważnie, a twoja pozycja stanie się o wiele mocniejsza, kiedy okaże się, że potrafisz powiedzieć, że jesteś omylna i gotowa przyznać się do błędu. Dodatkowo wypływa z tego nauka, że przy dobrym porozumieniu między ludźmi z rzeczy niezbyt dobrej może wyniknąć coś dobrego.

5. Konflikt jest naturalnym składnikiem każdego związku. Nie ukrywaj nieporozumień przed dziećmi, raczej wykorzystaj je jako okazję do pokazania, jak rozwiązywać taki problem. Jeśli zrobisz to w formie dyskusji, z humorem i miłością, wtedy uczysz dziecko najważniejszej rzeczy w pracy zespołowej; jeśli

ludzie dbają o to, by radzić sobie z konfliktami, wtedy osiągają pozytywną atmosferę w swojej grupie.

6. Nie szczędź czasu na wysłuchanie swojego dziecka. Może to zabrzmi jak slogan, ale czas jest artykułem pierwszej potrzeby i nie da się go niczym zastąpić. Rozpraszający uwagę telewizor, ciągłe telefony, pośpiech, inne sprawy niecierpiące zwłoki (gotowanie obiadu), wszystko to prowadzi do zredukowania czasu przeznaczonego na skuteczne wysłuchanie, niezbędne w życiu rodziny, w ciągu tych kilku godzin, które dzieci i rodzice spędzają razem.

7. Bądź zaangażowanym słuchaczem. Słuchaj oczami, uszami i sercem. Zwracaj uwagę, jaką dziecko przyjmuje pozę, co mówi wyraz jego twarzy, czy ma napięte mięśnie, czy jest zdenerwowane. Starajcie się siedzieć zwróceni do siebie twarzą i utrzymywać kontakt wzrokowy.

8. Niech twoje oczekiwania będą rozsądne i odpowiednie do wieku dziecka. Jego zdolność do efektywnego porozumiewania się i umiejętności zachowania w określonych sytuacjach będzie rosła tak samo jak jego ciało – stopniowo i cały czas. Skorzystaj z „Przewodnika przez lata" umieszczonego w tej książce oraz z innych informacji o rozwoju dzieci i dostosuj do nich swoje wymagania.

9. Staraj się patrzeć na sprawę w szerokim aspekcie. Weź pod uwagę dodatkowe okoliczności i pozornie mniej istotne wydarzenia, a także pamiętaj o rzeczach, które ostatnio miały miejsce. Na przykład zastanów się, jakim wymaganiom musiało sprostać dziecko w czasie poprzedzającym waszą rozmowę. Czy nie siedziało czasem przez cały dzień w szkole albo czy nie spędziło całego poranka w kościele? Może wdało się w kłótnię lub przytrafiło się mu coś niemiłego? Albo, gdy podobna sytuacja miała miejsce w przeszłości, czy bardzo się zdenerwowało lub przestraszyło?

10. Nauka powinna być przyjemna i wypełniona zabawami ruchowymi. Popatrz na dziecięcy sposób rozumienia świata w czasie wspólnej zabawy. Maskotki, lalki, pluszowe zwierzaki mogą

znakomicie przydać się do odgrywania różnych postaci w rozmaitych sytuacjach, prowadzenia niestresujących rozmów albo po prostu ujawnienia twojego punktu widzenia.

11. Bądź elastyczna, cierpliwa i otwarta na potrzeby swego dziecka, dobierz odpowiedni czas i otoczenie. Znajdź takie miejsce, gdzie nikt wam nie będzie przeszkadzał i gdzie będzie wam wygodnie, na przykład twoje kolana, łóżko, podłogę albo domek na drzewie. Pamiętaj, że na dziecięce poczucie komfortu wpływa bliskość, kontakt wzrokowy i dotyk. Zwróć na to uwagę, zanim zdecydujesz, jak blisko trzeba usiąść oraz kiedy i gdzie będziecie ze sobą rozmawiać. Próba dyskusji z jedenastolatkiem na jakiś trudny temat przy stole, gdzie je obiad także młodsze rodzeństwo, nie jest na ogół zbyt dobrym pomysłem. Jednakże spotkanie późnym wieczorem, przy tym samym stole, tylko z mamą lub tatą oraz ciasteczkami czekoladowymi może być wspaniałe.

12. Udzielaj właściwych odpowiedzi. Nie ulegaj pokusie czytania lub opowiadania historyjek, które mają dla dziecka niewielkie znaczenie. Bądź dla niego chodzącą informacją, osobą, co do której zawsze może mieć pewność, że udzieli mu uczciwej odpowiedzi. Nie dawaj rad, pokieruj dzieckiem tak, żeby potrafiło samodzielnie znaleźć rozwiązanie.

13. Nagradzaj nawiązanie pozytywnego kontaktu i właściwe zachowania społeczne. Możesz wręczyć upominek, pochwalić lub po prostu serdecznie się uśmiechnąć. O niezadowoleniu z niepożądanego zachowania informuj, wyraźnie nazywając swoje uczucia, spojrzeniem lub dotykiem, a także – w niektórych wypadkach – ignorując je. W przystępny i zwięzły sposób powiedz dziecku, co zrobiło i jak ty to odbierasz. Mów o sobie, używaj słowa „ja", wtedy taki komunikat przekażesz najskuteczniej.

14. Pomóż dziecku uświadomić sobie, jak jego zachowanie odbierają inni ludzie, odwracając pewne sytuacje. Na przykład, jeśli często mówi podniesionym głosem, sam głośno rozmawiaj w czasie jego ulubionego programu telewizyjnego. Nie

zapomnij robić tego z humorem i współczuciem. Postaraj się dyskretnie pokazać dziecku, w jaki sposób zastąpić przykre zachowania, tak aby mogło bez niepotrzebnego uczucia wstydu stać się miłe dla otoczenia.

15. Aby prawidłowo ukierunkować jego agresywne zachowanie i podatność na negatywne wzorce, wyraź jasno swoje uczucia na temat przemocy jako sposobu na rozwiązywanie problemów. Naucz dziecko radzić sobie z konfliktami bez uciekania się do użycia siły. Wykorzystaj do tego celu gry, historyjki, hipotetyczne sytuacje i przykłady zachowań znanych sportowców i innych osób publicznych. Zadbaj o to, by na dziecko oddziaływało więcej pro- niż antyspołecznych bodźców i rozwiązań. A to oznacza ograniczenie dostępu do brutalnych filmów, rysunków i gier komputerowych.

16. Aby poradzić sobie z nieśmiałością, wykorzystaj gry z wcielaniem się w role, w których przećwiczycie w praktyce podstawowe techniki komunikowania się, jak przedstawianie się, skuteczne słuchanie, okazywanie zainteresowania sprawami innych, wyrażanie własnych opinii lub wysuwanie propozycji. Porozmawiajcie o języku ciała i sposobie zachowania się innych dzieci. Pójdźcie do kawiarni lub do parku, usiądźcie obok siebie, patrzcie i uczcie się. Stawiaj pytania, które sprowokują dziecko do analizowania tego, co widzi. Stopniowo przedstawiaj mu „bezpieczne" sytuacje, w których będzie mogło przećwiczyć świeżo nabyte umiejętności (ze znajomym dzieckiem lub w obecności kogoś dorosłego). Przeznacz kilka minut na omówienie tego, co się wydarzyło. Młody człowiek opowie ci, co sprawiło mu przyjemność, a co wydało się trudne. Nie próbuj sama analizować tego zdarzenia, raczej tak pokieruj rozmową, aby maluch sam doszedł do wniosku, co się udało, a co nie.

17. Zrób domowy wykaz reguł rozmawiania, słuchania i społecznego zachowania się dla swojej rodziny i umieść go w centralnym miejscu. Zrób wszystko, co w twojej mocy, aby każdy się do niego stosował – włącznie z dorosłymi.

Zabawy kształtujące umiejętność lepszego porozumiewania się

Zamieszczone poniżej osiem zabaw jest podanym w pigułce przyspieszonym kursem dla rodziców, służącym zastosowaniu techniki gry do umiejętności zrozumienia i rozmawiania z dziećmi.

Porozumiewanie się poprzez zabawę figurkami
wiek: od 2 do 9 lat

Rozmowa poprzez zabawę z wykorzystaniem figurek, takich jak lalki, maskotki i pluszowe zwierzaki, jest ciągle najchętniej stosowaną techniką przez terapeutów, którzy pracują z małymi dziećmi. Sama technika jest prosta, ale wymaga czasu i pójścia na kompromis. Warta jest jednak każdej sekundy. Zabawa ma charakter zupełnie niestresujący, ponieważ toczy się na poziomie percepcji dziecka. Jeśli zachowacie się elastycznie i z zaangażowaniem, o wiele więcej nauczycie się na temat swojej pociechy w trakcie zabawy, niż prowadząc z nią rozmowy. Dziecięce gry w udawanie są ilustracją prawdziwego życia. Nawet jeżeli twój malec odtwarza wtedy film Disneya, sytuacja lub scena, którą wybiera, obrazuje jego własne uczucia. Na przykład chłopiec, z którym Denise pracowała przez wiele lat i który uczestniczył w bardzo poważnym wypadku samochodowym, uwielbiał bawić się w „czarodziejski dywan" z filmu

porozumiewanie się poprzez zabawę pluszakami

„Magiczna lampa Aladyna". Zabierał pluszowe zwierzaki w podróż życia – na przejażdżkę czarodziejskim dywanem, zawsze o włos omijając meble i ściany, ale nigdy nie rozbijając się. Panował nad sytuacją i nic złego nie mogło się wydarzyć.

Kiedy nabierzecie pewności, że wiecie, w co najbardziej lubi się bawić wasze dziecko, będzie to oznaczało, że nadeszła pora, byście się przyłączyli.

Bawić się, żeby zrozumieć
Poprzez zabawę poznajcie skryte myśli swojego dziecka.
wiek: od 2 do 9 lat

Włącz się do zabawy z dzieckiem, wykorzystując lalkę lub maskotkę. Używając jej (i zmieniając głos), zacznij udawać osobę, która tematycznie będzie pasowała do zabawy. Mów tylko jako odgrywana postać (sama pozostań osobą trzecią), a jeśli będziesz mieć wątpliwości co do zasad gry, pytaj o nie raczej inne zabawki niż dziecko.

Staraj się dobrze wczuć w rolę, ale pozwól maluchowi poprowadzić zabawę. Stwarza ci to szansę uszczęśliwienia go tym, że weszłaś do jego świata. Jeśli nigdy przedtem nie widziało, żebyś się bawiła, natychmiast da ci wszelkie możliwe wskazówki i dokładnie powie, co masz robić. Po chwili poczujesz, że zabawa rozkręciła się na dobre, i sama będziesz wiedziała, kiedy możesz zadać kilka kontrolnych pytań. Ale uważaj, żeby nie zrobić tego za wcześnie, aby dziecko nie miało wrażenia, że zastawiłaś na nie pułapkę.

Oto przykład:
Dramat z prawdziwego życia:
Maleńka siostrzyczka wtargnęła w życie czterolatka.

Dramat udawany:
„Właśnie chcę być królem"

Odgrywana scena:
Czarny i biały charakter walczą o to, kto ma być królem.

Obsada:
Rodzic: zły niedźwiedź
Czterolatek: dobry lew

Akt I
Po dziesięciu minutach kłótni na temat tego, kto ma być królem,
czarny charakter (rodzic) przemawia jak najlepiej udawanym
głosem negatywnej postaci.

Rodzic:
„Uważam, że ja powinienem zostać królem! Ty jesteś już tutaj
od dawna, a ja jestem nowy i potrafię ryczeć naprawdę głośno,
żeby przyciągnąć uwagę królowej! Ja będę królem!"

Dziecko:
„Ja byłem tutaj pierwszy i królowa mnie kocha bardziej niż ciebie".
(zapalczywie gryzie głowę niedźwiedzia)

Rodzic:
„Czy myślisz, że królowa może kochać nas obydwu? Ona jest
bardzo dobra, a szczególnie dobrze sobie radzi z kochaniem wielu
osób naraz".

Dziecko:
„Być może – ale nadal chcę zostać królem". (znowu gryzie głowę)

Rodzic:
„W porządku, możesz zostać królem. Ja tylko potrzebuję trochę
więcej uwagi królowej. Nie jestem tak silny jak ty i muszę
korzystać z jej pomocy".

Dziecko:
„W porządku, królowa może ciebie także kochać!"
(Jeszcze parę razy poszturchuje niedźwiadka, żeby mu pokazać,
kto tu rządzi...)

Czy zrozumieliście, o co tu naprawdę chodziło? Mała siostrzycz-ka była „czarnym charakterem", a dziecko grało samego siebie. Czuło się zdetronizowane i zabawa upewniła je na nowo, że jest królem. Ojciec może podsumować to, co wydarzyło się w czasie za-bawy, wychodząc na koniec z odgrywanej roli i mówiąc coś w stylu: „Uwielbiam się z tobą bawić, jesteś taki wesoły. Jesteś też naprawdę dobrym dzieckiem, tak samo jak lew. Synku, byłeś bardzo miły dla swojej siostrzyczki. Szalenie trudno jest się podzielić mamą. Ale wiesz co? Ciągle jesteś moim dużym chłopcem królem!".

Bawić się, żeby nauczyć

Przemycajcie w trakcie zabawy różne informacje.
wiek: od 2 do 9 lat

Aby nauczyć czegoś dziecko poprzez zabawę, musisz nieco bar-dziej włączyć się w zaaranżowanie scenki, wybranie występujących postaci i przygotowanie scenariusza. Na początku zastanów się, co masz na celu. Wytłumacz dziecku, w co i dlaczego będziecie się bawić. Na przykład powiedz mu, że chcesz je nauczyć, jak powin-no się zachować, jeśli się zgubi w miejscu publicznym. Przygotuj kukiełki i wyznacz sobie i dziecku odpowiednie role. („W porządku, ty będziesz mamą lalką, a ja będę zgubionym dzieckiem lalką"). A potem razem odegrajcie sytuację od zagubienia się, przez zdener-wowanie (ale z zachowaniem spokoju), do znalezienia przyjaznej osoby, która pomoże zagubionej laleczce. I chociaż przesłanie jest bardzo poważne, potraktuj je w sposób zabawowy. Jeśli zbyt serio podejdziesz do sprawy, dziecko może się poczuć zestresowane, a ty ryzykujesz, że się przestraszy lub straci zainteresowanie.

Porozumiewanie się poprzez zabawę w teatr i przebieranki
wiek: od 2 do 10 lat

Dzieciaki uwielbiają bawić się w przebieranie. Potrafią całymi go-dzinami wcielać się w coraz to nowe role. Ale przebieranie się to coś więcej niż tylko zabawa. Kiedy dziecko udaje, że jest zwierzątkiem,

wielkim bohaterem lub mamusią, próbuje wyrazić samo siebie. Tak
samo jak w zabawie figurkami, możesz wykorzystać przebieranki
do odkrycia jego myśli lub nauczenia go czegoś nowego.

Kufer przebierańców
Zabawa w przebieranie.
wiek: od 2 do 10 lat

Powinniście mieć w domu kufer z zabawnymi strojami, kapeluszami i różnymi akcesoriami. My, na przykład, przez te wszystkie
lata zebraliśmy całą kolekcję kostiumów z różnych dziecięcych
balów przebierańców. Kupujemy je zwykle kilka dni po wakacjach,
kiedy są przecenione. Staraj się nie sugerować płcią. Ważne jest,
żeby pozwolić dziecku odgrywać zarówno role męskie, jak i kobiece.
My mamy dwie córki, ale obie tak samo lubią swoje stroje wielkich
bohaterów i kowbojów, jak sukienki baletnic i księżniczek.

kufer przebierańców

**Zabawa w przebieranie się w celu nawiązania lepszego
porozumienia z dzieckiem**
Poznajcie różne problemy, przebierając się.
wiek: od 2 do 10 lat

Tak samo jak przy zabawie figurkami, powinnaś poobserwować swoje dziecko, gdy się bawi, zanim sama się dołączysz. Zapytaj je, jaką rolę dla ciebie przeznaczyło, i poproś, żeby pomogło ci się przebrać. Wejdź w rolę i zrób wszystko, co w twojej mocy, żeby dobrze odtworzyć postać, którą grasz. Słuchaj dziecka i postępuj według jego wskazówek. Jeśli poznasz, że zabawa jest odzwierciedleniem prawdziwego życia, możesz zadać kilka pytań (jako odgrywana postać). Odpowiedzi mogą posłużyć ci do takiego delikatnego pokierowania zabawą, żeby pomóc dziecku w rozwiązaniu problemu. Jeśli wykonasz niewłaściwy ruch lub będziesz zbyt mocno nalegać, poznasz to natychmiast, gdyż dziecko będzie chciało skończyć zabawę. Gdyby tak się zdarzyło, daj spokój swojej tajnej misji i pozwól mu z powrotem bawić się, w co samo chce.

Wykorzystanie zabawy w teatr do osiągnięcia porozumienia z dzieckiem

Uczcie przez zabawę w teatr.
wiek: bez ograniczeń

Zabawę w teatr należy przygotować o wiele bardziej starannie niż zabawę w przebieranie. Często dorosły proponuje jakąś scenkę, mając już na myśli konkretny cel. Możesz wykorzystać kukiełki i kostiumy, ale to nie jest konieczne. W tej zabawie zamieniasz się w określoną postać i grasz tak, jakbyś stosowała się do pewnego scenariusza. Na przykład jeśli łobuz z sąsiedztwa dokucza twojej córce, ty będziesz udawać, że jesteś nią, a ją poproś, żeby zagrała łobuza. W trakcie zabawy zaoferuj pomoc i zasugeruj, w jaki sposób można opanować sytuację. To pomoże dziewczynce zrozumieć dynamikę całego konfliktu i umożliwi jej przećwiczenie rozwiązania go w praktyce. Zabawa w teatr jest najbardziej skuteczna, jeśli wciąż zamieniacie się rolami.

Porozumiewanie się ze starszymi dziećmi poprzez humor i zabawę

Wymyślcie rodzinny rozwiązywacz problemów.
wiek: od 3 lat

co myśli o tym Zuzia

Ta zabawa znana jest pod tytułem „Co myśli o tym Thelma?".
Thelma to wymyślony członek rodziny, osoba, która zna problemy
wszystkich domowników. Kiedy tylko pojawi się konflikt, zapytajcie:
„Thelma, jak myślisz, w czym tkwi problem?". Namów dziecko, żeby
odpowiedziało w jej imieniu. Dzięki Thelmie zyskujecie w rodzinie
dodatkowy, obiektywny głos, który może pomóc wam i dzieciom
w znalezieniu alternatywnych dróg sprecyzowania problemów.

Zajęcia, które rozwijają umiejętność
mówienia i słuchania

Mąż zaufania rozstrzyga nasze spory
Wyznaczcie w rodzinie męża zaufania, który będzie zajmował się
rozwiązywaniem rodzinnych konfliktów.
wiek: od 3 lat

Mąż zaufania pomoże domownikom wyczulić się na różne subtelne przejawy wzajemnego przypisywania sobie winy. Stwierdzenia, które zaczynają się od słowa „ty", jak w zdaniu: „Ty zepsułeś moją zabawkę!", mają charakter oskarżycielski. Natomiast stwierdzenie rozpoczynające się od „ja", na przykład „Ja nie chciałbym, żebyś tak gwałtownie bawił się moimi zabawkami", jest dużo skuteczniejszym sposobem zakomunikowania tej samej myśli. Na kartonikach napiszcie z jednej strony „Zdania zaczynające się od »ja«". Na odwrocie – „Zdania zaczynające się od »ty«". W czasie rodzinnej dyskusji mąż zaufania zachowuje się jak neutralny słuchacz i, gdy wymaga tego sytuacja, pokazuje odpowiednią kartę. Jeśli mówiącemu zostanie pokazana karta „ty", wtedy powinien przemyśleć to, co przed chwilą powiedział, i w razie konieczności powtórzyć. Jeśli powtórzone stwierdzenie brzmi prawidłowo, mąż zaufania pokazuje „ja".

Zanim przystąpicie do prawdziwej rodzinnej dyskusji, wasz mąż zaufania powinien kilka razy przećwiczyć włączanie się do rozmowy za pomocą kart. Jeśli w rodzinie jest wystarczająco dużo osób, karty może trzymać drużyna. Może to być kształcące dla młodszych dzieci. Jeżeli ktoś nie zgadza się z mężem zaufania, porozmawiajcie o tym i całą rodziną zadecydujcie, jak zakwalifikować stwierdzenie.

Słuchaj i odnajduj
Rozwijaj umiejętność słuchania, wykorzystując zabawy w poszukiwanie.
wiek: od 3 do 9 lat

Wymień długą listę różnych przedmiotów znajdujących się w domu i poproś dziecko, aby je wszystkie odnalazło. W praktyce oznacza to, że maluch musi uważnie cię wysłuchać, żeby później wiedzieć, czego ma szukać. Jeśli potem nie będzie chciał cię słuchać, przypomnij mu, jak dobrze mu szło w tej grze.

Czapka, która słucha
Pomoc w skutecznym słuchaniu.
wiek: od 3 lat

Jest takie amerykańskie powiedzonko: *Put your listening cap on*
(„Załóż swoją czapkę, która słucha"). W tej zabawie spróbujemy
w sposób dosłowny wprowadzić
je w życie. Czapka może być po-
mocnym narzędziem, które ułatwi
dziecku zapamiętanie, jak być dobrym słuchaczem. Na sportowej
czapeczce namalujcie wielkie uszy
i naklejcie etykietkę „czapka, która

czapka, która słucha

słucha". Kiedy będziecie chcieli, żeby dziecko skoncentrowało się
na tym, co do niego mówicie, wręczcie mu to nakrycie głowy. Udawajcie, że w czapce kryją się niezwykłe moce, które ujawniają się
wtedy, gdy ten, kto ją ma na głowie, patrzy mówiącemu prosto
w oczy i skupia się na tym, co tamten ma do przekazania.

Skup się
Nagradzajcie dziecko za skupienie uwagi.
wiek: od 5 lat

Ta zabawa ma na celu skupienie uwagi waszego dziecka. Napiszcie słowo „Uwaga" na pustym szklanym słoiku, a do drugiego słoika
włóżcie dużo grosików. Na zapełnionym naczyniu naklejcie etykietkę
z imieniem dziecka. Za każdym razem, gdy was nie posłucha, niech
przełoży jedną monetę ze swojego słoika do drugiego, tego z napisem
„Uwaga". Pod koniec tygodnia pozwólcie mu zatrzymać wszystkie
pieniądze, które pozostały w jego słoiku.

Miejsce do słuchania
Specjalne miejsce do specjalnych rozmów.
wiek: od 3 lat

Ta zabawa przeznaczona jest dla całej rodziny. Wyznaczcie
w domu specjalne miejsce do rozmów na ważne tematy, zadawania

nurtujących pytań albo opowiadania wyjątkowych historii. Może ono znajdować się wszędzie – w kącie pokoju, wygodnym fotelu, na schodach, a nawet pod dużą kołdrą przy świetle latarki. Jeśli ktoś prowadzi was w stronę miejsca do słuchania, to znaczy, że chce się podzielić czymś naprawdę ważnym.

Spacer i rozmowa
Rozmowa na świeżym powietrzu oczyszcza atmosferę.
wiek: od 3 lat

Wiemy z własnego doświadczenia, a także z rozmów z innymi rodzinami, że najlepiej rozmawia się w trakcie spaceru. Przechadzka izoluje od hałaśliwych miejsc i stymuluje do rozmowy. Dodaje energii i chęci do życia. Konwersacja w czasie spaceru umożliwia ludziom fizyczną bliskość bez konieczności patrzenia sobie w oczy. Zróbcie z tego cotygodniowy rytuał. Jeśli to możliwe, wyślijcie dzieci na spacer z kimś starszym. Możecie także chodzić na spacer sami. Denise zawsze potrzebuje tego typu odświeżenia, kiedy atmosfera staje się zbyt napięta. Mamrocze wtedy sama do siebie i wraca zregenerowana i gotowa do działania.

rozmowa na świeżym powietrzu oczyszcza atmosferę

Pogawędka z czasopisma
Konwersacje z wyobraźni.
wiek: od 4 do 10 lat

Ze zbioru różnorakich czasopism wybierzcie razem z dzieckiem zdjęcia ludzi (lub zwierząt), którzy wspólnie coś robią. Zapytajcie dziecko o zwierzęta: co mówią i czują? czy są względem siebie uczciwe, czy też ukrywają swoje prawdziwe myśli? Poproście swoją latorośl, żeby zaproponowała, w jaki sposób postacie na zdjęciu mogłyby łatwiej się porozumiewać. Wybierzcie obrazki przedstawiające sytuacje wymagające różnych sposobów komunikowania się, na przykład dziecka z rodzicami (jak dziecko może powiedzieć mamie, czego chce?). Jeśli małej uda się wymyślić jakieś rozwiązanie, które pomogłoby postaciom z czasopisma lepiej się porozumieć, spiszcie je na kartce, a następnie naklejcie na osobny arkusz. To będzie wasza specjalna karta porozumienia. Kiedy komunikowanie się wewnątrz rodziny zacznie szwankować, będzie można skorzystać z gotowych wskazówek.

Oprócz tego spróbujcie wyłączyć głos w telewizorze i wyobrazić sobie, co mówią poszczególne postacie. Od czasu do czasu włączcie fonię i sprawdźcie, jak wam idzie. Wykorzystajcie tę zabawę, aby pokazać dziecku, jak wiele możemy zrozumieć z tego, o czym mówią ludzie, tylko na podstawie języka ciała.

Zabawa w dziwaczną rozmowę
Powiedzieć wiele bez słów.
wiek: od 4 lat

Gra ta jest nie tylko świetną zabawą, ale także pokazuje dzieciom, w jak dużym stopniu ludzie korzystają z języka ciała i modulacji głosu, aby uczynić swoje wypowiedzi bardziej zrozumiałymi.

Na początek każdy gracz wymyśla scenariusz rozmowy pomiędzy co najmniej dwoma osobami. (Na przykład ojciec i syn robią zakupy w sklepie spożywczym i jeden z nich nagle potrzebuje pójść do ubikacji albo trzeba zakomunikować mamie wiadomość, że stłukło się jej ulubiony wazon). Uczestnicy (w tajemnicy przed innymi) zapisują scenariusze na kartkach, które potem wkładamy do pudełka. Następnie każdy z nich wymyśla jakiś własny sygnał – słowo lub dźwięk, który będzie jedynym sposobem komunikacji werbalnej. Może to być jakikolwiek odgłos – „muuu", „łapu-capu" lub „hopsasa" – zawsze jednak pamiętajmy, że jest to wewnętrzny język. Wszyscy po kolei losują scenariusze z pudełka, a potem odgrywają poszczególne role w osobiście wymyślonym przez siebie „języku". Żeby inni zrozumieli, o co chodzi, trzeba oprzeć swoją scenkę na języku ciała i modulacji głosu. Jeśli liczba graczy na to pozwoli, można pracować w grupach. Pozostali odgadują, o czym się mówi.

Zabawa stanie się ciekawsza, jeśli dodamy „karteczki uczuć". Losując karteczkę ze scenką do odegrania, uczestnik wyciąga jednocześnie informację z towarzyszącym jej uczuciem, na przykład złości, frustracji, szczęścia lub zakłopotania.

Kiedy skończycie grać, porozmawiajcie na temat tego, jak wiele można powiedzieć bez słów. Pochwalcie dziecko za to, jak dobrze wykorzystało umiejętność pozawerbalnego porozumienia się i jak świetnie można je było zrozumieć. Ale przede wszystkim dobrze się bawcie!

Głuchy telefon
Pokażcie dziecku, jak bardzo mogą się pogmatwać informacje, które przekazuje nam zbyt wiele osób.
wiek: od 4 lat

Gracze siedzą w jednej linii. Osoba siedząca na jednym końcu szepcze sąsiadowi do ucha krótką informację, ten z kolei szepcze tę samą informację do ucha trzeciej osobie, ta czwartej itd. Ostatni uczestnik powtarza hasło na głos. Czy jest ono prawidłowe, czy też zostało zupełnie zmienione? Porozmawiajcie o rezultacie z dziećmi. Zwróćcie im uwagę, że istotne wiadomości należy przekazywać bezpośrednio lub na piśmie.

Podane poniżej zabawy pomagają rodzinom odnaleźć możliwość porozumienia się między sobą w nieustannym pośpiechu dnia powszedniego.

Korespondencja

Załóżcie wewnętrzną skrzynkę na listy, która będzie służyła komunikacji pomiędzy członkami rodziny.
wiek: od 6 lat

Niektórym ludziom łatwiej przychodzi wyrażanie swoich myśli na piśmie niż w bezpośredniej rozmowie. Forma listu daje piszącemu czas na dokładne zastanowienie się, co chce powiedzieć, oraz luksus poprawiania zdania, aż będzie zawierało to, o co chodzi. Kiedy piszesz do kogoś, nie musisz obawiać się, że coś ci przeszkodzi lub, co gorsza, przerwie zupełnie, nie dając możliwości dokończenia myśli. Dzieci w wieku szkolnym sprawiają wrażenie, że w sposób najzupełniej naturalny korespondują ze sobą (zwłaszcza na lekcjach). Skutecznym sposobem porozumiewania się w biurach jest pozostawianie współpracownikom informacji na piśmie. Zobaczcie, czy nie dałoby się zastosować tej metody w waszym domu.

Kupcie lub zróbcie sami skrzynkę na listy i zawieście ją w kuchni. Obok dołączcie papier i koperty. Namówcie domowników, żeby korzystali z waszej osobistej poczty tak samo, jak korzystają z usług prawdziwej poczty. Rodzice i dzieci mogą pisać do siebie nawzajem, listy wkładać do koperty i wrzucać do skrzynki. Pamiętajcie o poszanowaniu prywatności korespondencji. Nie otwierajcie listów, które nie są zaadresowane do was.

Rodzice mogą pisać listy, które będą uzupełniały regularne rodzinne rozmowy. Wewnętrzna skrzynka pocztowa może pomóc w poruszeniu różnych spraw i zasygnalizowaniu poważnych problemów, ale jest także sympatycznym sposobem pogratulowania sukcesów lub po prostu powiedzenia komuś, jak bardzo go kochamy.

Proszę o trzy minuty!
Niezawodny sposób przeprowadzenia rozmowy bez przerywania.
wiek: od 4 lat

Każdemu z mówiących dajemy trzy minuty na wypowiedzenie się. Dokładny czas mierzymy stoperem lub zegarkiem do gotowania jajek. W tym czasie wszyscy muszą uważnie słuchać. To znaczy, że nie wolno przerywać, robić głupich min ani myśleć o niebieskich migdałach. W zasadzie słuchacze mogą jedynie kiwać ze zrozumieniem głowami. Jeśli opowiadający skończy, zanim minie jego czas, nadal nikomu nie wolno odezwać się, aż upłyną całe trzy minuty. Potem zabiera głos następny dyskutant i tak dalej, aż do rozwiązania problemu. Ta technika szczególnie sprawdza się w rozmowach na poważne tematy.

> Będąc w siódmej klasie, Franklin McCabe zaczął prowadzić program „światło i dźwięk" pt. „Chaskae D.J.". Nazwa wzięła się od imienia indiańskiego chłopca, oznaczającego w języku Siuksów „Pierwszy Syn". Cel, który postawił sobie Franklin, był bardzo skromny – znaleźć sobie jakieś zajęcie na weekendy. Wkrótce jednak popularny program nabrał poważnego znaczenia, gdyż Franklin, pół Navajo, pół Siuks, mieszkający w rezerwacie Colorado River Indian Tribes Reservation, uświadomił sobie, że w ten sposób może pomóc swoim towarzyszom, rdzennym Amerykanom, odnaleźć ich dziedzictwo kulturowe. „Chaskae D.J." stał się zaczątkiem wielkich spotkań towarzyskich (na których nie spożywano alkoholu) dla rdzennych Amerykanów w Arizonie, Idaho, Wyoming, Colorado i Montanie.

Centrum informacyjne
Miejsce wyznaczone do zostawiania informacji.
wiek: od 3 lat

Tuż pod rodzinnym kalendarzem załóżcie centrum informacyjne (patrz s. 65). Wykorzystajcie do tego celu tablicę (szkolną tablicę – zabawkę, płytę korkową lub inną łatwo ścieralną do pisania flamastrami). Zawieście ją na tyle nisko, żeby nawet najmniejsi mogli do niej dosięgnąć. Życie rodzinne często toczy się w wielkim pośpiechu i zdarza się, że ważne informacje umykają w zamieszaniu. Na tablicy wywieszajcie daty umówionych spotkań, ważnych zebrań, listę rzeczy do załatwienia, specjalne liściki miłosne i życzenia powodzenia. W centrum informacyjnym możecie także umieścić sprawy do przedyskutowania na najbliższym spotkaniu rady rodzinnej (patrz „Rada Rodzinna", s. 108).

Zamieszczone poniżej techniki komunikowania się przeznaczone są przede wszystkim dla osób, które mają problemy z autoekspresją oraz skutecznym słuchaniem. Opierają się one na sporej liczbie wskazówek dotyczących postępowania, a mających rozwijać pozytywne i ograniczać negatywne relacje międzyludzkie. Traktujcie je jak pewien sposób postępowania terapeutyczego wobec niezdrowych wzorców porozumiewania się.

Plecami do siebie
„Proszę o trzy minuty!" bez kontaktu wzrokowego.
wiek: od 5 lat

Tą techniką posługujemy się, gdy emocje nabrały już takiego natężenia, że rozmowa o delikatnych kwestiach bez użycia nieprzychylnych gestów wydaje się niemożliwa.

Naprawdę trudno prowadzić poważną konwersację z kimś, kto uśmiecha się głupkowato lub wywraca oczami. W związku z tym, żeby ochronić nasze uczucia, musimy unikać w takich sytuacjach kontaktu wzrokowego. Ustawienie się do siebie plecami powinno być stosowane jako ostateczność, ponieważ najlepiej komunikujemy się z innymi, patrząc komuś w twarz oraz słuchając i mówiąc bez żadnych restrykcji.

Ty mówisz, ja mówię, my wszyscy mówimy
Docieramy do sedna sprawy.
wiek: od 5 lat

Technika ta pomaga w znalezieniu najistotniejszych punktów dyskusji, w podobny sposób, jak robi to dziennikarz przygotowujący materiał do artykułu w gazecie.

Podczas ważnej rozmowy, czy to w trakcie rodzinnego spotkania, czy też sam na sam z dzieckiem, róbcie notatki. Zwróćcie uwagę, żeby wynotować wszystkie istotne stwierdzenia i zaznaczyć najważniejsze uwagi. Wasze notatki mogą wyglądać na przykład tak:

„Jenny: Mama i Tata traktują mnie, jakbym była małym dzieckiem.

Mama: Jen zachowuje się nieodpowiedzialnie.

Tata: Być może nie nakładamy na nią wystarczająco wielu obowiązków, by mogła uczyć się samodzielności".

Kiedy już zbierzecie dość stwierdzeń, przeczytajcie je głośno i spróbujcie dojść do wspólnego wniosku. Każdy się zgodzi, że w przykładzie przytoczonym powyżej Jen chce i potrzebuje większej liczby obowiązków.

Techniki kształcące umiejętność porozumiewania się w grupie

Krąg pokoju
Ułatwia pokojowe porozumiewanie się.
wiek: od 4 lat

Zabawa w „Podaj piłkę" została zapożyczona od pewnych plemion rdzennej ludności Ameryki, które przekazywały sobie fajkę. Wszyscy siedzieli w kręgu i każdy, zanim przemówił, czekał na fajkę. Do tej pory Indianie Ameryki Północnej używają fajki w czasie wielkich ceremonii i obrzędów jako symbolu porozumienia i pokoju. Możecie ułatwić sobie pokojowe porozumiewanie się w waszej rodzinie, wprowadzając obrzęd palenia fajki pokoju. Jeśli fajka nie bardzo wam odpowiada, możecie zamiast niej użyć innego przedmiotu symbolizującego pokój. Jedna ze znanych nam rodzin przekazuje sobie glinianego gołąbka, który mówi „szalom", co znaczy po hebrajsku „dzień dobry", „do widzenia" oraz „pokój".

Kiedy już rodzina wybierze swój symbol pokoju, usiądźcie razem w kręgu i po kolei podawajcie go sobie. Mówić może tylko ten, kto go trzyma, i wyłącznie w celach pokojowych. W ten sposób osiągniecie główny cel kręgu pokoju, to znaczy, że osoba będąca przy głosie nie wykorzysta tego, by kogoś zranić lub obwiniać.

Porozumiewanie się w innych kulturach
Zapoznajcie dziecko z innymi kulturami.
wiek: od 4 lat

Dajcie dziecku szansę przyjrzenia się innym kulturom. Weźcie udział w etnicznych uroczystościach, zabierzcie je czasem do restauracji prowadzonych przez ludzi pochodzących z innych krajów. Odkryjcie razem, jak różne są sposoby porozumiewania się między ludźmi. Zwróćcie uwagę na język ciała i obyczaje. Czy inni ludzie na świecie ściskają sobie ręce w dowód uznania? Czy możemy przejąć styl porozumiewania się od innych kultur? Japończycy kłaniają się sobie, wyrażając w ten sposób gratulacje. Czy wasze dziecko ukłoniłoby się Japończykowi spotkanemu w swoim kraju? Czy zrobiłoby to w Japonii?

Wypożyczcie kilka kaset językowych i nauczcie się paru nowych słów i zdań w kilku różnych językach. Wskażcie dziecku słowa, które brzmią bardzo podobnie do słów z waszego ojczystego języka, i te, których wymowa jest zupełnie inna. Może odkryjecie obcy język, którym kiedyś mówiła wasza rodzina? Jeśli się wam poszczęści, może znajdziecie jakiegoś starszego krewnego, który jeszcze zna kilka słów w tym języku. Poproście go wtedy, by nauczył ich wasze dziecko. Najpełniej wykorzystacie tę zabawę, jeśli zaangażujecie całą rodzinę w uczenie się języka obcego. Znamy pewne małżeństwo z Vermont, które uczy hiszpańskiego na uniwersytecie i nauczyło nim mówić swoje dzieci, gdy chodziły jeszcze do przedszkola. Kiedy młodsze z nich skończyło siedem lat, całą rodziną pojechali na wakacje do Meksyku. W czasie roku szkolnego zaprosili do siebie uczniów z tego kraju w ramach wymiany między szkołami. Dzieciaki uhonorowały język gości, mówiły po hiszpańsku i świetnie się bawiły, mogąc porozumiewać się dwujęzycznie.

Kiedy delfiny są w niebezpieczeństwie, odpędzają prześladowców i nigdy nie opuszczają swoich rannych braci. Grupa dzieci z St. Luis zaczęła, wzorem delfinów, kierować się współczuciem i poczuciem odpowiedzialności we własnym świecie.

„Obrońcy delfinów" – czyli mnóstwo dzieciaków w wieku od dziewięciu do jedenastu lat, pochodzących z najbardziej kryminogennej dzielnicy w St. Luis – przedsięwzięli szlachetną misję sprzątnięcia swojej okolicy. Pieniądze uzyskane ze sprzedaży szkła, papieru i puszek przeznaczyli na stworzenie na opuszczonej parceli parku dla dzikich zwierząt. Wkrótce rozmaite ptaki, szopy, oposy i lisy wprowadziły się do nowego domu. Z innych dochodów grupa dotuje organizacje chroniące środowisko, takie jak Wilderness Society, National Wildlife Federation, Nature Conservancy oraz, oczywiście, Dolphin Alliance.

Pajęcza sieć
Jak w swobodny sposób pokierować rozmową.
wiek: od 4 lat

Wszyscy siedzą w kręgu. Osoba rozpoczynająca rozmowę trzyma w ręku kłębek wełny. Kiedy ktoś inny chce mówić, podaje mu kłębek, trzymając jednak koniec nici. W miarę, jak kolejni dyskutanci zabierają głos, z nici powstaje coś w rodzaju pajęczej sieci, która dokładnie wyznacza ślad przebiegu dyskusji w grupie.

Każdy musi zostać złapany w sieć, a to znaczy, że nawet najbardziej ociągający się rozmówcy muszą zabrać głos. Im więcej wszyscy mówią, tym bardziej emocjonująca staje się ta zabawa, gdyż sieć

zaczyna się potwornie plątać, a każdy usiłuje kurczowo utrzymać kilka wymykających się z rąk kawałków nici. Jeśli chcecie naprawdę zobaczyć, na co was stać, spróbujcie rozplątać sieć, wracając kłębkiem do początku rozmowy.

Zabawa ta wspaniale sprawdza się przy opowiadaniu twórczym. Zamiast podtrzymywać prostą konwersację, gdy przekazujecie sobie kłębek, opowiedzcie i „namotajcie" historyjkę. Każdy wymyśla fragment opowiadania i, cały czas trzymając za koniec nici, podaje kłębek drugiemu. Później opowiedzcie inną historyjkę, żeby rozplątać tę pierwszą.

Podaj piłkę
Mówić może tylko ten, kto trzyma piłkę.
wiek: od 3 lat

Denise nauczyła się tej techniki mówienia i słuchania, kiedy pracowała z dziećmi niesłyszącymi. Ludzie głusi, posługujący się językiem migowym, nie mogą porozumiewać się, jeśli ich rozmówcy na nich nie patrzą. Dlatego konwersacja, w której bierze udział więcej osób, nie uda się, jeśli wszyscy nie będą patrzyli na mówiącego. W dużych grupach używano więc piłki, która była przekazywana z rąk do rąk, i tylko ten, kto ją trzymał, mógł mówić. Ktokolwiek chciał coś powiedzieć, musiał poprosić o piłkę.

Spróbujcie tego sposobu w swoim domu, zwłaszcza w czasie zebrania rady rodziny (patrz s. 108).

Zajęcia, które pomagają kształtować pozytywne zachowania społeczne

Pierwszy start w życie społeczne
Nauka zachowań społecznych.
wiek: bez ograniczeń

Zwykle zaczynamy wpajać dzieciom zachowania społeczne, jeszcze zanim skończą rok. Tego typu umiejętności nie przychodzą w sposób naturalny, trzeba się ich nauczyć. Najlepszy moment, w którym powinniśmy zacząć uczyć dzieci zachowania w stosunku do innych, nadchodzi wtedy, gdy zaczynają one zdawać sobie sprawę z istnienia innych osób.

Jeśli waszym pociechom z trudem przychodzi zagajanie rozmowy, możemy ułożyć im zdanie wzór, które będą wykorzystywać, na przykład: „Cześć, mam na imię Emily. A ty?" albo „Bardzo lubię bawić się w piasku foremkami, może pobawimy się razem?". W okresie, kiedy zaczynają formułować zdania samodzielnie, wiedzą już, co mają robić. Do tej pory nasze dziewczynki są dość nieśmiałe w stosunku do nowo poznanych kolegów i koleżanek i raczej trzymają się na uboczu, kiedy spotykają kogoś po raz pierwszy. Ale wystarczy, że pomożemy im, podpowiadając parę słów typu: „Założę się, że ta dziewczynka zastanawia się, jak masz na imię" lub „Wzięłaś swoje kredki? Ciekawe, czy ten chłopiec lubi kolorować obrazki". Wtedy natychmiast nawiązują kontakty towarzyskie.

Zamiast wyręczać je w zrobieniu pierwszego kroku, delikatnie je inspirujemy, tak że w końcu chcą to zrobić same.

101 sposobów nawiązania rozmowy

Poćwiczcie różne sposoby prowadzenia rozmowy z różnymi ludźmi.
wiek: od 4 lat

Całą rodziną wymyślcie 101 (lub ile tylko się da) sposobów rozpoczęcia rozmowy. Wyobraźcie sobie różnych rozmówców, na przykład kogoś, kogo nie znacie, kogoś, kogo znacie od dawna, osobę, z którą bardzo pokłóciliście się poprzedniego dnia, człowieka głuchego, obcokrajowca. Zastanówcie się nad wszystkimi możliwymi sposobami nawiązania konwersacji.

Kiedy już zupełnie wyczerpiecie prawdopodobne warianty zainicjowania rozmowy, pomyślcie nad tym, jak ją zakończyć albo zmienić temat lub też nadać jej taki kierunek, żeby zamiast negatywnej miała wymowę pozytywną.

Wehikuł czasu

Przemieszczanie się w czasie w przeszłość lub przyszłość w celu przećwiczenia zachowań społecznych.
wiek: od 4 do 10 lat
materiały: duże pudło

Kto z nas nie miał ochoty cofnąć się w czasie, żeby odwrócić słowa, które rzucił w gniewie, albo dać właściwą odpowiedź, która przyszła mu do głowy godzinę za późno? A kto nie skorzystałby z szansy przedostania się do przyszłości, żeby przygotować się na nadchodzące wydarzenia?

Wymyślcie z dzieckiem wehikuł czasu. Zróbcie go z kartonowego pudła, wystarczająco dużego, żeby można w nim było usiąść. Zamontujcie różne przyciski, przyrządy i drążki sterownicze. Pamiętajcie o zainstalowaniu okna, żeby podróżnik mógł przez nie wyglądać.

Wehikuł czasu może służyć do przywołania sytuacji, w których dziecko zachowało się właściwie, lub wręcz przeciwnie – nie tak, jak trzeba. Przenoście się także w przyszłość, żeby można było przećwiczyć ślub kuzynki, który ma się odbyć w przyszłym tygodniu, albo jutrzejszą przerwę w zajęciach szkolnych. Potraktujcie zabawę z humorem. Jeśli macie dość odwagi, zabierzcie dziecko w podróż do swojego dzieciństwa, żeby zobaczyć te (bardzo nieliczne) sytuacje, kiedy byliście niegrzeczni. Zakończcie podróż w czasie, pokazując dziecku, jak poprawiliście swoje zachowanie.

Można także posłużyć się wehikułem czasu, kiedy chcemy pomóc dziecku w znalezieniu przyjaciół. Za jego pośrednictwem cofnijcie się do czasów historycznych i złóżcie wizytę osobistym bohaterom malucha lub postaciom historycznym, takim jak Krzysztof Kolumb (grany przez jedno z was). Dziecko niech wyjdzie z maszyny i wykorzysta swoje umiejętności towarzyskie do przedstawienia się i wzięcia udziału w miłej, towarzyskiej pogawędce. Jeśli poczujecie, że przydałaby mu się rada, delikatnie podsuńcie zręczniejszy sposób postępowania. Wehikuł czasu nie zna granic, więc bez żadnych ograniczeń możecie przybywać do przyszłości, żeby poznać nowych przyjaciół. Dodajcie dziecku otuchy i odwagi, niech wypróbuje umiejętności towarzyskie w kontakcie ze swoim przyszłym najlepszym przyjacielem.

Podajemy kilka kierunków, którymi często podąża wehikuł czasu: powrót do konfliktu towarzyskiego, który nie został przez dziecko rozwiązany prawidłowo; do innego kraju, na inną planetę lub do innego świata; na miejsce lub do sytuacji, które budzą lęk, żeby maluch mógł w pełni zrozumieć jego przyczynę; na nadchodzące spotkanie towarzyskie, gdzie wasza pociecha musi zachować się najlepiej, jak potrafi (na przykład ślub lub przyjęcie).

Przećwiczmy to
Ćwiczenie czyni mistrza (lub przynajmniej daje przygotowanie).
wiek: od 2 do 10 lat

Przećwiczcie z dzieckiem nadchodzące wydarzenie, jak przyjęcie urodzinowe lub wesele. Możecie się poprzebierać i posłużyć się lalkami, by odegrać zbliżającą się sytuację. Jeśli przygotowujecie się do ślubu, załóżcie stroje pary młodej i, zamieniając się rolami, po kolei wcielajcie się w osoby gości. Pokaż małej, jak powinna się zachować i co może zrobić, żeby dobrze się bawić. Z tej samej techniki można skorzystać przy różnych codziennych sprawach, jak odbieranie telefonu. Za pomocą telefonu zabawki zademonstrujcie, jak należy zadawać pytania osobie, która do nas dzwoni, oraz jak należy na nie odpowiadać.

Film wideo lub książka na temat, jak zdobyć i nie stracić przyjaciela
Projekt, który pokazuje, jak zdobyć i nie stracić przyjaciela.
wiek: od 4 do 12 lat

Namówcie dziecko, żeby napisało książkę lub nakręciło film wideo na temat, jak zdobyć i podtrzymać przyjaźń. Prześledźcie kolejne etapy tych przyjaźni, które dziecko już zawarło. Zacznijcie od przedstawienia się, a zakończcie zdobyciem nowego przyjaciela.

Popołudniowa herbatka
Twoje dziecko wydaje przyjęcie „na niby". Odwiedź je, udając strasznego prostaka.
wiek: od 3 do 8 lat

Kiedy twoje dziecko będzie bawiło się w przyjęcie w restauracji lub w przyjmowanie gości na popołudniowej herbatce, wpadnij do niego, zostawiając maniery za drzwiami. Do gospodarza należy pokazanie, jak należy się zachowywać. Poproś swoją latorośl, żeby zwracała ci uwagę, gdy zapomnisz powiedzieć „proszę" i „dziękuję", oraz poprawiała, jeśli nieprawidłowo trzymasz filiżankę lub inne części zastawy. Możesz nam wierzyć, twoje dziecko będzie przeszczęśliwe, mówiąc ci, jak masz się zachować.

Przyjaźń korespondencyjna
Poznawanie nowych przyjaciół z dalekich stron.
wiek: od 5 lat

Gdy dziecko ma przyjaciela, z którym koresponduje, daje mu to szansę wprawienia się w sztuce ujmowania myśli w słowa i tworzenia związków z ludźmi. W zależności od tego, jak daleko mieszka taki przyjaciel, może to być także świetny, uosobiony sposób zdobywania informacji na temat innych kultur. Skonsultuj się z biblioteką lub z nauczycielem dziecka – może uda ci się zdobyć adresy korespondencyjnych przyjaciół.

Akwarium z przyjaciółmi
Z pomocą zaaranżowanego akwarium ćwiczymy zachowania społeczne.
wiek: od 4 do 10 lat
materiały: rysunki z życia morskiego

Zamień pokój swojego dziecka w akwarium. Na ścianach naklej rysunki i zdjęcia ryb, wodorostów, wody i skał. Upewnij się, że masz przynajmniej dwanaście ryb, które mogą zmieniać miejsca. Każdą z nich nazwijcie.

Przemieszczajcie ryby dookoła pokoju tak, żeby mogły spotkać się z innymi. Możecie udawać, że są one nowymi osobnikami w mieście i uczą się, jak być przyjaciółmi. Za ich pomocą odegrajcie różne sytuacje towarzyskie. Zaproście na przykład nowego przyjaciela do wspólnej zabawy albo spróbujcie rozwiązać jakiś problem. Jeśli uważnie będziecie obserwować, jakimi uczuciami obdarza ryby wasze dziecko, możecie w trakcie zabawy dobrze poznać jego trudności w kontaktach z ludźmi.

Komitet powitalny
Powitajcie nowych sąsiadów.
wiek: od 3 lat

Pamiętacie powitalne orkiestry? Gdzieniegdzie nadal się zdarzają, są jednak bardzo rzadkie. Możecie przywrócić tę ładną tradycję, jeśli naprzeciw nowo przybyłym wyjdzie komitet powitalny, czyli w tym wypadku wasza rodzina. Razem z dzieckiem ustanówcie rytuał powitania nowych sąsiadów. Przedstawcie się, wręczając symboliczny upominek z ciasteczek lub innych pyszności (możecie nam wierzyć, że nie ma rodziny, która w samym środku przeprowadzki nie przyjęłaby podarunku w postaci jedzenia). Znamy pewną rodzinę w Massachusetts, która mieszka w stale powiększającym się osiedlu, gdzie bez przerwy wprowadzają się nowi ludzie. Wszystkim nowym sąsiadom rodzina ta wręcza pakunek, w którym znajduje się plan dzielnicy, lokalna książka telefoniczna, własnoręcznie zrobiona lista wszystkich sklepów, restauracji i parkingów, znajdujących się w pobliżu. Jeśli do takiej akcji włączymy dziecko, znajdziemy świetny sposób zdobywania nowych znajomości. Pokażemy, jak cenne jest wyrażenie troski o innych ludzi, którzy jeszcze nie poznali swojego nowego otoczenia.

Zabawy, które uczą pracy i współpracy w zespole

Wędrujące hula-hoop
Gra ucząca współpracy.
wiek: od 3 lat
materiały: hula-hoop

Domownicy stają w kręgu, trzymając się za ręce. Zabawę rozpoczynają dwaj uczestnicy, którzy przekładają ręce przez hula-hoop. Teraz należy tak podawać je od jednej osoby do drugiej, żeby nie rozerwać kręgu. Żeby to się udało, każdy musi przejść przez środek wędrującego hula-hoop. (Oczywiście wasz krąg szybko przestanie przypominać koło, kiedy będziecie po kolei przeciskać się przez obręcz, wykonując wspólne zadanie, ale to nie jest ważne). Wyznaczcie limit czasowy i później próbujcie pobić swój własny rekord. Hula-hoop powinno rozpocząć i zakończyć swoją wędrówkę na tych samych osobach.

Niech się toczy

Ćwiczenie pokazujące, co to jest drużyna.

wiek: od 3 lat

materiały: piłka do koszykówki

Usiądźcie w ciasnym kręgu, tak aby każdy dotykał swojego sąsiada. Będzie wam chyba łatwiej, jeśli nogi znajdą się w środku koła. Waszym zadaniem jest jak najszybsze podanie piłki od jednej osoby do drugiej bez użycia rąk. Liczcie czas i za każdym razem próbujcie poprawić najlepszy wynik. Po pewnym czasie dodajcie jakieś utrudnienia, na przykład okrzyk „Odwrót", który będzie oznaczał, że gdziekolwiek będzie znajdowała się piłka, natychmiast musi zostać podana w przeciwnym kierunku. Można także użyć kilku piłek różnych rozmiarów, jeśli chcecie. Ta zabawa nie tylko uczy współpracy, ale także daje wszystkim wiele okazji do śmiechu.

Gra w prześcieradło i piłeczki

Przez zabawę pokazujemy, jak ważna jest dobra współpraca w zespole.

wiek: od 3 lat

materiały: duże prześcieradło pościelowe i około tuzina piłeczek pingpongowych

Uczestnicy na wysokości ramion trzymają napięte prześcieradło, a na środku kładą piłeczki pingpongowe. Ich zadaniem jest poruszenie jak największej liczby piłeczek, ale tylko jednej osobie wolno pociągnąć za prześcieradło. Od wyznaczenia tej osoby rozpoczynamy grę. Ile piłeczek poruszyło się? Niezbyt wiele. Wybierzcie więc drugą osobę, potem trzecią i tak dalej, aż wszyscy będą współpracować. Teraz piłeczki naprawdę będą się poruszać.

Osiągnięcie sukcesu było niemożliwe, gdy tylko jeden uczestnik działał w tym kierunku. Ale kiedy spróbowali wszyscy, wtedy cały zespół mógł dojść do celu. Prawdę mówiąc, udało się to przypuszczalnie aż za dobrze. Jeśli każdy szarpał za prześcieradło, piłeczki prawdopodobnie całkiem z niego pospadały. Postawcie sobie teraz nowy cel – utrzymać piłeczki na prześcieradle. I razem, zespołowo, zastanówcie się, jak to zrobić.

Wspólne malowanie obrazu

Zespołowe malowanie obrazu.
wiek: od 3 lat

Wydaje nam się, że tę zabawę szczególnie upodobają sobie młodsze dzieci. Zadecydujcie wspólnie, jaką scenę chcecie namalować. Potem ustalcie, kto i za jaki fragment będzie odpowiadał. Na przykład, jeśli twoja córka bardzo ładnie rysuje słońce, niech je namaluje. Specjalnością taty mogą być chmurki. I tak dalej. Potem stwórzcie obrazek. W tym samym czasie rysuje tylko jedna osoba. Starszym dzieciom zabawa wyda się ciekawsza, jeśli malowanie będzie się odbywało po ciemku. Usiądźcie przy stole w kompletnie ciemnym pokoju i po kolei malujcie elementy scenki. Jednak żeby coś z tego wyszło, każdy artysta musi dokładnie opowiedzieć, co i gdzie narysował. Zapalcie światło. I jak? Próbujcie dalej, aż znajdziecie najlepszy sposób na stworzenie w ciemnościach obrazka, który będzie efektem waszej wspólnej pracy.

Drzwi naszej lodówki w całości pokrywają zespołowe rysunki i wszyscy jesteśmy bardzo dumni z końcowego efektu.

Poszukiwanie różnic i podobieństw

Pokazuje, że najlepsze drużyny tworzą ludzie o różnych uzdolnieniach.
wiek: od 4 lat

Członkowie drużyn sportowych dobrze wiedzą, że różne mocne strony poszczególnych zawodników mogą zrównoważyć ich indywidualne słabości. Proponowana zabawa pomoże wam zastosować tę prawidłowość w waszych rodzinnych lub zawodowych „drużynach". Rzecz polega na dobrym rozpoznaniu słabych i mocnych punktów każdego zawodnika.

Na początek każdy po kolei opowiada o swoich osobistych zdolnościach i umiejętnościach, co jest protokołowane przez wyznaczonego wcześniej sekretarza. Potem przyjrzyjcie się liście podobieństw i różnic między wami. Postawcie znak X tam, gdzie dwoje ludzi posiada tę samą cechę, oraz 0, jeśli jest to specjalność tylko jednej osoby z grupy. Teraz spróbujcie rozwiązać jakiś problem. Kiedy będziecie się nad nim zastanawiać, traktujcie grupę jak drużynę sportową. Do osiągnięcia sukcesu wykorzystajcie podobne uzdolnienia. Jeśli popełnicie jakiś błąd, zwróćcie się do odpowiedniego eksperta. Ćwiczenie to wspaniale przygotowuje różne indywidualności do działania zespołowego. Uświadamia im, że w ten sposób zdecydowanie zwiększa się produktywność, gdyż indywidualne siły i słabości są jasno określone, a jednocześnie pokazuje, co daje efektywna współpraca.

„Opowieść o świetle"
Opowieść o pracy zespołowej i rozwiązywaniu problemów.
wiek: od 3 do 10 lat

Ta opowieść, napisana i ilustrowana przez Susan L. Roth [tytuł oryginału „The Story of Light" – przyp. tłum.], oparta jest na micie plemienia Czirokezów, który mówi o grupie zwierząt wspólnie starających się przynieść światu światło. Stworzenia te w ciemnościach ciągle na siebie wpadały, aż w końcu opracowały plan, jak przechwycić dla siebie odrobinę słońca. Dzieciom najbardziej się podoba, że główną rolę w rozwiązaniu problemu odegrał najskromniejszy głosik pająka. Ta historyjka będzie przypominać wam i waszym pociechom, że aby poradzić sobie z kłopotami, trzeba dzielić się uzdolnieniami.

Jedną ręką
Uczy współpracy i działania zespołowego.
wiek: od 3 lat

Namów dzieci, żeby spróbowały stworzyć konstrukcję z klocków, ale przy użyciu tylko jednej ręki i we współpracy. Wcześniej powinny ustalić, co i w jaki sposób zamierzają zrobić.

Kiedy szkolni koledzy troszczyli się głównie o samochody i biegali na randki, pewna grupa pierwszo- i drugoklasistów z South San Antonio High School poświęciła swój wolny czas pracy na rzecz środowiska. Patricia Arambula, Jefferey Jimenez, Michael Reyes, Louis Rubio i Iris Ybarra skierowali działalność szkolnego koła naukowego w stronę szeroko rozumianego recyklingu. Procesowi temu poddawali wszystko, co się tylko dało – od książek telefonicznych, przez płaszcze, po blachę i aluminium. Oprócz tego zebrali dużą sumę pieniędzy i na terenie szkoły posadzili ponad setkę odpornych na suszę drzew i innych roślin. Zorganizowali także lokalną grupę „Trees for Life" („Drzewa dla życia"), zajmującą się uprawą drzew owocowych i orzechowych, których plony uzupełniają dietę ludzi biednych.

Akcje tej grupy młodzieży zainspirowały społeczeństwo w tym regionie do poszukania rozwiązań problemów związanych z ochroną środowiska.

Zajęcia, które wzmacniają współpracę między rodzeństwem

„Co mam zrobić, żeby moje dzieci żyły w zgodzie?" – to pytanie jest jednym z najczęstszych, jakie słyszeliśmy od rodziców. Istnieje bardzo wiele ćwiczeń, które ułatwiają dzieciom odczuwanie uznania i szacunku dla siebie nawzajem, ale największą wartość edukacyjną mają te z nich, które uczą, jak myśleć i działać zespołowo. Żyć w zgodzie oznacza stworzyć zespół. Nie musi być on duży, wystarczą już dwie osoby, aby powstała drużyna.

Podane niżej zabawy pokazują wyraźnie, że rodzeństwo działające jako jeden zespół może o wiele więcej zyskać dzięki współpracy niż przez zwalczanie siebie nawzajem. Ćwiczenia, które proponujemy w tej części, są naprawdę zabawne. Będą prowokowały do wspólnego śmiechu i w ten sposób pozwolą dzieciom dostrzec jaśniejszą stronę posiadania rodzeństwa.

Gra w czerwone i zielone koła

Gra trwa przez tydzień i uczy dzieci, jak skoncentrować się na pozytywnych aspektach posiadania rodzeństwa oraz jak skutecznie zażegnać wiszącą w powietrzu kłótnię.
wiek: od 4 do 10 lat
materiały: małe pudełko, koła z czerwonego i zielonego kartonu

Za każdym razem, kiedy widzicie, że wasze dzieci się kłócą, wkładajcie do pudełka czerwone koło. To samo zróbcie z zielonym, jeśli będą bawić się zgodnie. Z czasem okaże się, że samo sięgnięcie po czerwone koło wystarczy, żeby dzieciaki ogłosiły rozejm. W takiej sytuacji pamiętajcie, żeby wręczyć im koło zielone w nagrodę, że zdobyły się na przerwanie kłótni. Zachęćcie je, żeby same określiły, kiedy zachowują się „na zielono". Pod koniec tygodnia podliczamy kółka. Jeżeli zielonych jest więcej, cała rodzina zasłużyła na coś wyjątkowego. Najlepiej, żeby to była przyjemność, którą już wcześniej wybrały dzieci.

Dżem bananowy

Dwoje dzieci je banana jakby były jedną osobą.
wiek: od 4 lat

Jeśli nie macie kamery wideo, pożyczcie ją od kogoś, żeby nagrać tę zabawę. Waszą „sceną" będzie niski stolik-ława. Za stolikiem klęczy jedno dziecko, a drugie klęka za nim. Przełóż przez głowę pierwszego duży podkoszulek, tak żeby jego ręce pozostały wewnątrz koszulki. Wtedy drugie dziecko wkłada ręce w wolne rękawy. Podciągnij koszulkę i na ręce pierwszego malucha załóż szorty, skarpetki i buty. W całości będzie to wyglądało, jakby przy waszym stoliku siedziało dziecko o dziwacznych proporcjach ciała. Już sama ta postać jest wystarczająco śmieszna, ale zobaczcie, co się stanie, kiedy temu „poskładanemu dziecku" dasz do zjedzenia banana. Zanim owoc dotrze do buzi, będzie swobodnie latał dookoła jego twarzy, chyba że usta powiedzą rękom, jak mają się ruszać. W końcu dzieciaki nauczą się, że rozmawiając ze sobą i słuchając siebie nawzajem, mogą wspólnie osiągnąć cel.

Niech dzieci zamieniają się rolami – raz jedno będzie buzią, a drugie rękami, a potem odwrotnie. Jeśli masz odwagę, daj im trudniejszą rzecz do zjedzenia – na przykład spaghetti lub lody. Znamy jedną rodzinę, która na każde Święto Dziękczynienia daje pokaz jedzenia kawałków banana w wykonaniu rodzeństwa działającego w zespole. Stało się to już rodzinną tradycją, którą dzieci traktują z największą powagą, ćwicząc tygodniami przed nadejściem wielkiego dnia. Tak więc, gdy nadchodzą święta, mają tę sztukę opanowaną do perfekcji.

To dopiero jest drużyna!

Podwójny spacer
Uczy sztuki wspólnego chodzenia.
wiek: od 4 lat

Dwie osoby stają bardzo blisko jedna za drugą i zaczynają razem iść. Przy odrobinie wprawy i dobrym porozumieniu para będzie mogła żwawo kroczyć, skręcać w prawo lub w lewo, a także łatwo zatrzymywać się i zaczynać od nowa. Spróbujcie dodać więcej uczestników i pracować w trzy- lub czteroosobowych grupkach. To jest prawdziwy test komunikowania się i współpracy.

ROZDZIAŁ 3

Samoświadomość

Wejrzenie w głąb siebie.
Uporządkowanie własnych uczuć.
Intuicja.

Na piąte urodziny Arielle wydaliśmy przyjęcie w osiedlowym centrum kultury. Jednym z gości była dwuletnia Aviva, która stała sobie spokojnie z boku i tylko patrzyła, jak inne dziewczynki na miękkich, wyścielanych materacach turlały się i fikały koziołki. Po skończonym przyjęciu i powrocie do domu, w bezpiecznej, rodzinnej atmosferze, dziewczynka wdrapała się na łóżko rodziców i oznajmiła, że zamierza zrobić fikołka.

Po krótkiej lekcji prawie nauczyła się robić fikołki do przodu, potrzebowała jednak jeszcze pomocy mamy, żeby przekręcić się do tyłu. Z wielkim zapałem prezentowała swoją nową umiejętność, kiedy do domu wszedł ojciec.

Dumna z siebie Aviva wykonała przewrót w przód, co spotkało się z aplauzem widzów. Następnie ustawiła się w pozycji wyjściowej i z pomocą mamy zrobiła fikołka do tyłu. W tym momencie tacie zrzedła mina i szybciutko zakończył pokaz gimnastyczny, żeby ostrzec żonę, iż przy przewrocie w tył następuje zbyt wielkie – jak na dwulatka – obciążenie szyi. Tu zaczęła się dyskusja na temat prawdopodobnego niebezpieczeństwa, jakie niosą zbyt intensywne ćwiczenia, której dziewczynka przysłuchiwała się z boku. Ojciec opisywał przypadki uszkodzeń ciała, a matka głównie kręciła głową, ale w końcu zgodziła się wstrzymać z ćwiczeniem przewrotu w tył, dopóki córka nie będzie mogła zrobić go sama.

Wyglądało na to, że mała nie pamięta o całej sprawie. Okazało się jednak, że bardzo sobie wzięła do serca to, co zostało wtedy powiedziane, ponieważ wróciła do tematu trzy dni później.

Zaczęło się w wannie. Aviva nagle wstała i za nic nie chciała znowu usiąść.

„Denerwuję się" – powiedziała jej mama, wyjaśniając, że „denerwowanie się" oznacza lęk, że wydarzy się coś złego. Dziewczynka chwilę się zastanowiła, po czym usiadła.

Po kąpieli wdrapała się na łóżko i poprosiła o pomoc w robieniu fikołków.

„Do tyłu!" – krzyknęła i zrobiła przerwę. Wyraz twarzy, jaki przybrała w tej chwili, był dokładnym odzwierciedleniem miny, jaką zrobił jej skonsternowany i przestraszony tata trzy dni wcześniej. Zmarszczyła czoło i odezwała się poważnym głosem: „Nie, nie będziemy denerwować taty". Znowu przerwała na moment, po czym, nie wdając się w żadne dyskusje, pochyliła się i zgrabnie zrobiła kolejny przewrót w przód.

Jak większość dzieci, Aviva bardzo uważnie przygląda się swoim rodzicom i uczy się na podstawie tego, co robią i mówią. Po pierwsze, kiedy pojawiła się sprawa fikołka do tyłu, dostrzegła i zapamiętała spojrzenie swego ojca i jego wyraz twarzy, na której malowała się obawa, że dziecko zrobi sobie krzywdę, wykonując to ćwiczenie. Po drugie, była świadkiem nerwowej reakcji mamy, kiedy stanęła w wannie. Po trzecie, usłyszała, jak mama wyjaśnia znaczenie słowa, którym nazywa swoje uczucia. Po czwarte wreszcie, dziewczynka dostosowała nowo zdobyte wiadomości do zrozumienia własnych uczuć i w ten sposób potrafiła właściwie pokierować swoim zachowaniem. Teraz, gdy już pojęła, na czym polega to świeżo nazwane uczucie, może dołączyć tę informację do ciągle powiększającego się kompendium wiedzy i w razie potrzeby znowu ją wykorzystać.

Dziecko miało zaledwie dwa lata i już zaczęło rozwijać samoświadomość – intuicję i wiedzę na temat siebie i świata, który je otacza. Mało tego, już potrafiło wykorzystać te informacje do skorygowania swego zachowania. Historia Avivy obrazuje, że maluchy zdobywają wiedzę na temat samych siebie poprzez obserwację, ćwiczenie i doświadczenie oraz to, jak potrafią jej użyć, aby poprawić własne decyzje i działanie. W tym rozdziale rozmawiać będziemy na temat składników samoświadomości: wejrzenia w głąb siebie, uporządkowania własnych uczuć oraz intuicji.

Wejrzenie w głąb siebie

Kiedy Aviva zgłębiała tajniki świata, który ją otacza, jednocześnie zdobywała wiedzę na temat swego świata wewnętrznego. Wejrzenie w głąb siebie oznacza uświadomienie sobie swoich pragnień i oczekiwań, uczuć i kaprysów, myśli i wierzeń, a potem próbę zrozumienia słów, którymi je nazywamy. Bez inteligencji tego rodzaju cała wiedza świata staje się kompletnie bezużyteczna. Jeśli dziecko umie wejrzeć w głąb siebie, może zacząć wiązać ze sobą uczucia, myśli i działania, tak jak to było w przypadku Avivy. W miarę upływu czasu okaże się, że zachowaniem dziecka nie kierują wyłącznie uczucia lub pragnienia, które się nagle pojawiły, ale że potrafi ono wziąć pod uwagę prawdopodobne konsekwencje, alternatywne rozwiązania i hipotetyczne skutki.

Umiejętność zintegrowania tych trzech różnych sfer doświadczenia w rezultacie daje dziecku zdolność zmierzenia się z innymi ludźmi, ze swoimi własnymi wartościami oraz ze swoimi własnymi celami i w ten sposób pomaga osiągnąć realistyczne (a nie nazbyt krytyczne lub wyolbrzymione) poczucie własnej wartości.

Jak widzieliśmy na przykładzie Avivy, umiejętność wejrzenia w głąb siebie rozwija się, gdy dzieci przyjmują informacje o sobie, patrząc, słuchając, działając i poznając słowa nazywające to, czego doświadczają. Na podstawie tych pierwszych obserwacji zaczynają gromadzić informacje na temat siebie, do których dokładają każde nowe uczucie, które nazwały i zrozumiały. Zbiór ten rozrasta się z dnia na dzień. Jeśli zdobyte wiadomości w sposób rozsądny zostaną ze sobą powiązane, dziecko osiągnie punkt, w którym jego myśli, uczucia i działania będą harmonijnie ze sobą współpracowały, dając w sumie wnioski, które pomogą mu pokierować własnym zachowaniem.

Odpowiednie informacje z przeszłości pomogą dziecku w przyszłości reagować zgodnie z własnym przekonaniem. Na początku opiekunowie i wychowawcy ułatwiają to zadanie, przypominając mu o niektórych sprawach, na przykład: „Dlaczego nie sprawdzisz, czy nie musisz iść do łazienki? Wiem, że zdenerwowałeś się, kiedy zmoczyłeś łóżko, i czułbyś się lepiej, gdyby to się nie powtórzyło". W miarę dorastania dzieci, wyposażone w zdolność wejrzenia w głąb siebie, zaczną łączyć te fakty prawie automatycznie, nawet kiedy będą pod wpływem silnych emocji negatywnych. Jedenastoletni Brett, na przykład, trzasnął drzwiami swojego pokoju po kolejnej, doprowadzającej go do furii kłótni z młodszą siostrą i w tym momencie przypomniało mu się, jak ostatnim razem, kiedy był tak samo wściekły jak w tej chwili, stracił nad sobą panowanie i połamał jeden ze swoich ulubionych modeli samolotu. Bardzo tego później żałował i wolałby, żeby tak się nie stało. Dzięki tej przelotnej myśli potrafił powstrzymać się od zachowań autodestrukcyjnych i zamiast tego osunął się na łóżko, westchnął tak, żeby każdy mógł go usłyszeć, i powiedział głośno: „Doprowadzasz mnie do szału!".

Uporządkowanie własnych uczuć

Dzięki słowom możemy zwerbalizować swoje uczucia i tak je uporządkować, że są dostępne, gdy potrzebujemy ich do komunikowania się. Nie potrafiąc dobrać słów, dzieci instynktownie unikają okazji do autoekspresji i zachowują się jak niemowlęta, kiedy chcą dać znać rodzicom, że mają mokro lub są głodne. Nazywając odpowiednie uczucia właściwymi słowami, dajemy im gotowe narzędzie, którym mogą się posługiwać, gdy chcą złagodzić swój gniew, ukoić ból lub wyjaśnić przyczynę zakłopotania, niosące ze sobą zawsze potężne emocje. Takie działanie pozwala spokojnie rozważyć decyzje i przemyśleć konsekwencje, jakie każda z nich może za sobą pociągnąć.

Brett za drugim razem był tak samo zły, a jednak nie połamał modelu. Ponieważ zrozumiał swoje uczucie i umiał połączyć je z negatywnym rozwiązaniem, które wybrał poprzednio, teraz łatwiej było mu opanować swoją reakcję. A co najcenniejsze, potrafił użyć słów, aby wyrazić uczucie złości, zamiast zachowywać się w sposób niekontrolowany. Uporządkowanie własnych uczuć jest częścią naszej dojrzałości emocjonalnej, która pozwala dzieciom panować nad emocjami, zwłaszcza w stresujących okolicznościach.

Intuicja

Droga, którą musimy przejść, odkrywając samych siebie oraz rozwijając wiedzę na swój temat, prowadzi w rezultacie do umocnienia wiary w siebie i w swoje możliwości. Nawet jeśli zachowanie dziecka bywa błędne lub przynosi niepożądany efekt, gdy przyjrzymy się temu bez zamiaru osądzania i w ten sam sposób je ocenimy, młody człowiek uzyska informację, którą będzie mógł wykorzystać w przyszłości. Z biegiem czasu informacje te zaczną

napływać intuicyjnie i dziecko będzie wiedziało, co ma robić, bez konieczności stałego analizowania każdego kroku.

Pracowaliśmy z dziećmi, które były narażone na stałe, powtarzające się znieważanie przez innych i wykształciły w sobie szósty zmysł, który ostrzegał je przed zbliżającym się niebezpieczeństwem. Taka zdolność wydaje się nieco mistyczna, ale jeśli przyjrzymy się temu dokładniej, zobaczymy wyraźnie, że ten system ostrzegawczy nie był właściwie niczym innym, jak szczególnym wyczuleniem na różne drobiazgi, na które normalnie nie zwracamy uwagi. Umiejętność tę dzieci musiały w sobie wykształcić w obronie przed zniewagami i upokorzeniem. Intuicja, wykorzystana właściwie, z troską, jest cudownym składnikiem samoświadomości i może podpowiedzieć nam, kiedy natrafimy na swoją wielką szansę albo kiedy powinniśmy strzec się niebezpieczeństwa. Aby nauczyć się skutecznie korzystać z intuicji, dzieci powinny również umieć myśleć racjonalnie, żeby potem potrafiły dojrzeć ryzyko, które towarzyszy wielu sytuacjom, z pozoru wyglądającym bardzo niegroźnie. Intuicja odgrywa dużą rolę w rozwiązywaniu problemów i radzeniu sobie w momentach kryzysowych.

Jak ocenić, czy dziecko ma trudności z samoświadomością

Przeczytajcie przewodnik „Poprzez lata", żeby upewnić się, czy wasze oczekiwania są zgodne z wiekiem i możliwościami rozwojowymi dziecka. Jako punkt odniesienia wykorzystajcie „Pytania, na które trzeba sobie odpowiedzieć" – niech posłużą wam do oszacowania jego mocnych i słabych stron. Jeśli na którekolwiek z pytań odpowiedzieliście twierdząco, dobrze byłoby dodatkowo pomóc dziecku w rozwinięciu tych umiejętności.

POPRZEZ LATA

Wskazówki pomagające w rozwijaniu charakteru dziecka

Uwaga: Ten przewodnik ma służyć jako zbiór pewnych ogólnych informacji, dających orientację, czego i kiedy możecie oczekiwać od dziecka. Nie ma żadnych ścisłych norm i granic określających, jak i kiedy powinny pojawiać się dane właściwości, charakterystyczne dla określonego przedziału wiekowego. Każde dziecko jest jedyne w swoim rodzaju, a my podajemy tutaj tylko pewien przekrój etapów rozwojowych, które charakteryzują się ogólnie podobnymi i prawdopodobnymi wzorcami zachowań i predyspozycji. Pamiętajcie, że rozwój osobowości jest z natury rzeczy dynamiczny i powtarzalny, co oznacza, że bez przerwy się zmienia, a cechy i umiejętności mogą się pojawiać, znikać i znów pojawiać się w trakcie rozwoju.

**Samoświadomość – wejrzenie w głąb siebie,
uporządkowanie własnych uczuć i intuicja**

Etap I – Niemowlęctwo: od urodzenia do 24 miesięcy
Okres życia od noworodka do dwulatka

Okres ten ma fundamentalne znaczenie dla kształtowania się wielu wzorców zachowań, postaw i ekspresji emocjonalnej. Wychowanie w ciągu pierwszych 12 miesięcy polega przede wszystkim na karmieniu i podstawowej opiece pielęgnacyjnej.

Oczekujcie od dziecka w wieku 12–24 miesięcy: pierwszych zewnętrznych oznak samoświadomości, polegających na zmysłowym poznawaniu własnego ciała (branie wszystkiego do buzi, przeglądanie się w lustrze, gaworzenie i bawienie się mową po to, żeby usłyszeć swój głos, ssanie palca lub smoczka); pierwszych zewnętrznych oznak identyfikowania się ze sobą przez rozpoznawanie swojego imienia, ubranek, pokoju, zabawek oraz przywiązania do rodziny i opiekunów.

Nie oczekujcie od dziecka: okazywania umiejętności wejrzenia w siebie lub uporządkowania emocji aż do końca okresu wczesnodziecięcego.

Etap II – Wczesne dzieciństwo i wiek przedszkolny: od 2 do 6 lat
Okres życia od dwulatka do starszaka

Etap ten często bywa nazywany okresem zabawy, ponieważ wtedy właśnie przypada szczytowe zainteresowanie zabawkami i grami, wyrażające się dążnością do poszukiwań, twórczej zabawy, myślenia abstrakcyjnego, z wykorzystaniem wyobraźni, niestrudzonej walki o niezależność i zwiększonych kontaktów społecznych. Jest to okres przygotowawczy do nauki podstaw zachowań społecznych, niezbędnych w nadchodzących latach pobytu w szkole.

Między 2 a 4 rokiem życia oczekujcie od dziecka: doświadczania większości emocji znanych dorosłym; popadania w skrajności emocjonalne (miłość, gniew, strach, ekscytacja) oraz w zachowaniu (napady złego humoru, robienie głupstw, nadmierna pobudliwość, płacz); okazywania wyraźnego zainteresowania uczeniem się słów i sposobów komunikowania o uczuciach.

Nie oczekujcie od dziecka: zrozumienia przyczyn nagłego pojawiania się tych emocjonalnych wzlotów i upadków ani też umiejętności ich kontrolowania; nabywania wiedzy o sobie na podstawie tych uczuć.

Między 4 a 6 rokiem życia oczekujcie od dziecka: korzystania ze wzrastającej świadomości aprobaty i dezaprobaty środowiska i w zależności od tego korygowania własnego zachowania; pierwszych przejawów bardziej dojrzałych form wyrażania uczuć (dąsy, pojękiwania i stany zamyślenia); większej zdolności werbalizowania uczuć ("Jestem zły na moją siostrę, bo ona..."); prób zrozumienia własnych i cudzych zachowań ("Myślę, że ona odeszła dlatego, że nie znała odpowiedzi i było jej wstyd").

Nie oczekujcie od dziecka: uczestniczenia w długiej dyskusji na temat uczuć i myśli; okazywania tych świeżo nabytych umiejętności stale lub na żądanie; zupełnego zerwania z niedojrzałymi sposobami wyrażania własnych emocji.

232 • Nabyte cechy charakteru

Etap III – Wiek wczesnoszkolny: od 6 do 11 lat

Ten etap życia zaczyna się podjęciem nauki, a kończy wejściem w okres dojrzewania

Okres ten objawia się głównie wielkim zainteresowaniem i koncentracją na nawiązywaniu kontaktów z rówieśnikami, uczestniczeniu w popularnych grach zespołowych oraz wzrastającą motywacją do nauki, przyswojenia wiedzy technicznej, dużej ilości informacji i osiągania sukcesów w szkole. Jest to niezwykle ważny czas dla ustabilizowania się postaw i nawyków w stosunku do nauki, pracy i wykorzystania osobistego potencjału.

Oczekujcie od dziecka: rzadkich okresów zwiększonej pobudliwości (kapryśności), na ogół obcowanie z nim powinno być bardzo przyjemne; panowania nad zewnętrznymi przejawami własnych emocji, jeśli myśli, że są one społecznie nieakceptowane (na przykład płacz, napady złości, strach) i w rezultacie większego napięcia lub poirytowania; odkrycia sposobów wyładowania energii, jaką niosą ze sobą emocje, a co za tym idzie, lepszego samopoczucia, zgodnie z oczekiwaniami środowiska (na przykład pełne zaangażowanie w zabawę lub żarty, rozmowa z przyjacielem, płacz w samotności); włożenia większego wysiłku w zrozumienie i poradzenie sobie z uczuciami tak w domu, jak i poza nim.

Nie oczekujcie od dziecka: że dostosuje się do oczekiwań społecznych bez pewnej dozy niepokoju wewnętrznego; że samo z siebie zda sobie sprawę z tego, jak jego zmienne nastroje oddziaływają na innych członków rodziny.

Etap IV – Wczesnonastoletni: wiek od 11 do 15 lat

Ten etap życia zaczyna się w czasie, gdy dziecko kończy szkołę podstawową, trwa przez okres nauki w szkole średniej, a zamyka go wstąpienie do szkoły wyższej*

Okres ten charakteryzuje ogromny chaos. Wraz z gwałtownym wejściem w okres dojrzewania następuje nagła zmiana wyglądu,

---

* Według polskiego systemu edukacyjnego okres ten obejmuje czas nauki w wyższych klasach szkoły podstawowej, jej ukończenie i wstąpienie do szkoły średniej – przyp. tłum.

wzrasta zainteresowanie rówieśnikami płci przeciwnej i zaczyna się bezwzględna walka o własną osobowość i niezależność.

Oczekujcie od młodszych nastolatków: zdecydowanej nadpobudliwości, kapryśności, przesadnych reakcji, zażenowania tym, co czują, i ambiwalentnego odczuwania nowo nabytej niezależności; zwiększonej wrażliwości na traktowanie „jak dziecka"; wyrażania gniewu przez zamyślenie, niechęć do rozmowy, oddalenie się do sanktuarium swojego pokoju, żeby posłuchać muzyki, albo też głośne skrytykowanie; przewrażliwienia na temat wszelkich krytycznych ocen własnego wyglądu, sposobu ubierania się i postrzegania atrakcyjności; zdania sobie sprawy ze swoich wad i zalet oraz tego, jakie znaczenie mają te cechy w związkach międzyludzkich; skupienia się na sobie i zajęcia się sobą oraz zapomnienia o istnieniu innych; nabrania nierealistycznego przekonania, że ich możliwości nie mają żadnych granic.

Nie oczekujcie od młodszych nastolatków: że zaczną zachowywać się autodestrukcyjnie (przypadkowe związki seksualne, używanie narkotyków i alkoholu, wagary) po to tylko, żeby przekonać się, iż w ten sposób nie będzie im łatwiej dojść do celu lub żyć szczęśliwiej.

Pytania, na które trzeba sobie odpowiedzieć

Czy dziecko jest kapryśne? Czy łatwo wpada w złość i jest nadmiernie wrażliwe? (Nie potrafi kontrolować swoich emocji ani nie umie powiedzieć, dlaczego się irytuje lub co je martwi, ponieważ sprawia wrażenie, że samo także tego nie rozumie).

Czy dziecku trudno jest odpowiedzieć na pytania, jak się czuje, dlaczego coś zrobiło lub co myśli? (Odpowiada na takie pytania: „Nie wiem" lub zupełnie nic nie mówi).

Czy dziecko często ma napady złego humoru, wybucha gniewem lub nadmiernym entuzjazmem albo zachowuje się agresywnie?

(Dochodzi do sytuacji, w której zupełnie nie kontroluje swojego zachowania, nie chce słuchać żadnych rad i nawet rozmawiać z tobą. Nie ma zamiaru mówić o całej sprawie, zatyka uszy rękami i obiecuje być grzeczne następnym razem).

Czy dziecko powtarza te same zachowania, które wpędziły je wcześniej w tarapaty? (Takie dziecko nie wyciąga wniosków z tego, że zostało ukarane, straciło jakieś przywileje czy z innych negatywnych konsekwencji).

Jak rozwijać u dziecka samoświadomość

1. Jednym z najbardziej frustrujących problemów, o których opowiadają rodzice, wspominając własne dzieciństwo, jest fakt, że w ich domach nigdy nie mówiło się o uczuciach albo nie traktowało się ich poważnie. Sprawcie, żeby uczucia oraz słowa, które je nazywają, stały się nieodłączną częścią waszego słownictwa i sposobu bycia. Szanujcie i honorujcie emocje: swoje własne, waszych dzieci oraz innych osób, z którymi utrzymujecie kontakty.

2. Stale pracujcie nad uczeniem się „słownika uczuć", kiedy emocje w naturalny sposób pojawiają się w zwykłej, codziennej rozmowie (albo też w sposób zaplanowany – na przykład dziennie jedno słowo, zaczynające się tą samą literą, co dzień tygodnia). Pamiętajcie o dopasowaniu słów do wieku dziecka, ale nie unikajcie zupełnie takich, które są zbyt trudne do wymówienia lub ciężko je wytłumaczyć. Gdy kiedyś pojawią się znowu, dziecko będzie wiedziało, że już kiedyś je usłyszało.

3. Dzielcie się swoimi uczuciami, myślami i doświadczeniami zarówno pozytywnymi, jak i negatywnymi. Stworzycie w ten sposób atmosferę szczerości i otwartości. Dzieci muszą wiedzieć i widzieć, że i wy doświadczacie wszystkich rodzajów uczuć, tak samo jak one, że bywacie podekscytowani, zawstydzeni, zrzędliwi, nierozsądni, źli, zmartwieni i tak dalej. Jeśli

będą obserwować, jak radzicie sobie z tymi emocjami, same chętniej zrobią to samo, włącznie z uczuciami, których nie chcą zaakceptować. W ten sposób nabiorą także przekonania, że rodzice lub nauczyciele są tylko ludźmi i mogą się mylić – są więc kimś realnym, do kogo można się porównywać i komu można chcieć dorównać.

4. Może będziecie się wstydzili dzielić swoimi emocjami, zwłaszcza jeśli wasi rodzice nigdy nie podejmowali podobnych tematów. Niech to was nie zniechęca. Lepiej spróbować i nawet popełnić parę błędów, niż zrezygnować z tego sposobu porozumiewania się i wychowania. Dzieci są publicznością, która wiele wybacza, i znacznie bardziej zależy im na dzieleniu się z wami różnymi problemami niż na perfekcyjnym wykonaniu tego zadania. Zanim coś opowiecie, zastanówcie się, jak młody człowiek może to zinterpretować oraz jak będziecie się czuli (wy lub inni dorośli), kiedy ujawnicie tę informację. Wykorzystajcie swoje prawa wydawnicze (dostaliście je w beciku wraz z aktem urodzenia i pieluchami, kiedy dziecko pojawiło się na świecie) i zmieniajcie, wycinajcie oraz ubarwiajcie wasze historyjki tak, żeby były ciekawe, dopasowane do sytuacji i nie sprawiały nikomu przykrości.

5. Nie mylcie troskliwego, uważnego rodzicielstwa z nadmierną pobłażliwością. Jeśli dostrzeżecie i zrozumiecie myśli i uczucia swojej pociechy, wasze działanie nabierze dla niej większego sensu. Wtedy wyznaczenie przez was pewnych ograniczeń będzie jednocześnie przekazaniem jasnych i niedwuznacznych informacji, da lepszy efekt dydaktyczny oraz wytworzy swoisty rodzaj szacunku i porozumienia między wami a dzieckiem, który w przyszłości będzie procentował.

6. Dzieci uczące się sztuki mówienia o uczuciach, a więc języka samoświadomości, mogą być bardzo wrażliwe. Normalne i nie do uniknięcia jest, że będą także wyrażać uczucia, które dorosłym wydadzą się nieprzyjemne, na przykład: „Nienawidzę swojej siostry". Uważajcie, żeby nie wyśmiewać, nie krytykować ani nie poprawiać zbyt pochopnie takich stwierdzeń.

Dzieci odniosą znacznie większą korzyść, jeśli same dojdą do wniosku, jakie znaczenie mają takie słowa. Kiedy maluch dzieli się z wami myślami, możecie odczuwać nieprzepartą ochotę popędzania go, żeby szybciej kończył zdanie, dawać gotowe odpowiedzi lub rady. Powstrzymajcie się. Zamiast tego pomyślcie, co powinniście powiedzieć, żeby naprowadzić go na właściwy tor zrozumienia swoich uczuć i samodzielnego rozwiązania problemu.

7. Jeśli dziecko przyłapie was na tym, że sami nie zastanawiacie się głęboko nad sobą i swoim zachowaniem, postarajcie się nie działać defensywnie. Weźcie głęboki oddech i pamiętajcie, że ono wcale nie próbuje pozbawić was autorytetu, tylko robi dokładnie to, czego je nauczyliście. To jest widomy znak, że jego samoświadomość oraz umiejętność wejrzenia w siebie rozwija się, skoro to, czego nauczyło się o sobie, stosuje teraz także w odniesieniu do innych.

Zabawy, które rozwijają umiejętność wejrzenia w głąb siebie, intuicję i pomagają uporządkować własne uczucia

Karty uczuć
Dzięki tej zabawie dziecko rozwija słownictwo nazywające uczucia.
wiek: od 3 do 10 lat
materiały: kartoniki o wymiarach trzy na pięć centymetrów

Każde z uczuć umieszczonych na przedstawionej poniżej liście zapiszcie na osobnym kartoniku. Na odwrocie narysujcie obrazek ilustrujący je albo naklejcie odpowiednie do nazywanego uczucia zdjęcie dziecka. W ten sposób małemu będzie łatwiej skojarzyć daną emocję ze słowem, które ją nazywa. Teraz macie komplet „kart uczuć" – możecie je wykorzystać do gier lub innych celów.

Oto część z najbardziej powszechnych stanów emocjonalnych (młodsze dzieci będą potrzebowały tylko niektórych z nich): wściekłość, smutek, zadowolenie, szczęście, złość, frustracja, sympatia, duma, spokój, nieśmiałość, zdenerwowanie, lęk, radość, pokora, bezpieczeństwo, zagniewanie, uraza, beztroska, entuzjazm, optymizm, zdolność tworzenia, upór, miłość, zadziwienie, radość, oziębłość, piękno, odwaga, niepokój, ekscytacja, zawstydzenie, zagrożenie, dziwaczność, głupota, zmartwienie, niepewność, zwątpienie, egoizm, irytacja, przygnębienie, wyczerpanie, choroba, zażenowanie, szaleństwo, zakłopotanie, ciekawość, spryt, pozbawienie miłości, poczucie bycia wolnym, wrażliwość, niesmak, satysfakcja, rozczarowanie, sympatia, dobroć, siła, odrzucenie, energia, nienawiść, brak poczucia ważności, bycie ważnym, cierpienie, przykrość, wykluczenie, skrępowanie, przytłoczenie, podziw, życzliwość, śmiałość, grubiaństwo, niedowartościowanie, dowartościowanie, depresja, udręczenie, beznadziejność, świadomość własnych umiejętności, świadomość własnych możliwości, ufność, roztrzęsienie, akceptacja przez innych, zazdrość, osądzanie przez innych, posiadanie tajemnicy, fascynacja.

A oto kilka gier, w których można wykorzystać „karty uczuć":

- *Szarada uczuć.* Członkowie rodziny po kolei odgrywają uczucie, które jest zapisane na kartoniku. Pozostali próbują odgadnąć, co to jest.
- *Obrazkowe „karty uczuć".* Pokaż dziecku obrazek i poproś je, żeby odgadło, jakie przedstawia uczucie, albo pokaż mu słowo i poproś o przedstawienie go językiem ciała.
- *Skojarz i dopasuj odpowiednie uczucia do siebie.* Wykonajcie drugi komplet kart do gry w *Skojarz i dopasuj uczucia do siebie.* Oba komplety rozłóżcie na podłodze – jeden do góry stroną z rysunkami, drugi – stroną ze słowami. Połączcie wyrazy z ich ilustracjami.
- *Dobrze i źle.* Wybieramy losowo kartę i prosimy uczestników o pokazanie, jak można dobrze i źle wyrazić dane uczucie.

W czasie zabawy ciągle podkreślajcie, w jaki sposób można odczuwać dane uczucie, co ono ze sobą niesie oraz jak w odpowiedni sposób można je wyrazić. Korzystajcie z kart uczuć na co dzień.

Kiedy dziecko zacznie kaprysić, namówcie je, żeby z kompletu wyciągnęło te karty, które obrazują jego obecny stan emocjonalny. Niech także wzoruje się na was – kiedy czujecie się jakoś nieswojo, sami wybierzcie właściwą kartę.

Mina na wyrażenie humorów
Wyrażanie uczuć bez słów.
wiek: od 3 do 10 lat

Zamieńcie się w mimów. Możecie do tego celu pomalować sobie twarze. Stańcie razem z dzieckiem przed lustrem i poćwiczcie wyrażanie różnych emocji. Zwróćcie uwagę na to, jak różny przybieracie wyraz twarzy w zależności od tego, czy wyraża ona złość, czy szczęście. Ucharakteryzowani, spróbujcie samą twarzą odegrać pantomimę na temat emocji. Zainscenizujcie „Operę za trzy grosze", a w trakcie śpiewania piosenek udawajcie smutnych, szczęśliwych, szalonych i sfrustrowanych, w zależności od tego, o czym mówi tekst. Spróbujcie wyśpiewać alfabet żałobnym lub rozradowanym głosem. Bardzo dobre ćwiczenie, uczy określania uczuć.

Miarka wzrostu
Konkretny sposób zmierzenia dojrzewania emocjonalnego.
wiek: od 4 do 12 lat

Małym dzieciom jest bardzo trudno kontrolować gniew i kaprysy. Łatwiejsze staje się to wyłącznie dzięki upływowi czasu i idącej za tym większej dojrzałości. Pomóżcie dziecku zmierzyć rozwój emocjonalny – wyraźnie nazywajcie etapy prowadzące do prawidłowego wyrażania uczuć. Powinny one zawierać: zidentyfikowanie uczucia, zdecydowanie, jak powinno być wyrażone, i wyrażenie go w odpowiedni sposób. Notujcie to na standardowej miarce wzrostu – za każdym razem, gdy dziecko wybierze właściwą drogę wyrażenia emocji, zaznaczcie kolejny centymetr. Kiedy maluch osiągnie pożądaną wysokość, nagródźcie go za osiągnięcie dojrzałości emocjonalnej. Starajcie się dopasować nagrodę do stopnia dojrzałości.

Tablica uczuć

Pomóżcie dziecku zidentyfikować jego własne uczucia.
wiek: od 3 do 10 lat
materiały: duży kawałek białego filcu, kolorowe filcowe kółka, rzepy

Wykonajcie „tablicę uczuć". W tym celu na górze kawałka białego filcu napiszcie „Dzisiaj czuję...". Materiał zawieście na ścianie lub drzwiach w pokoju dziecka. Na kolorowych filcowych kółkach narysujcie twarze, które będą wyrażały różne emocje. Z tyłu każdego rysunku przyczepcie rzepy. Kiedy nadejdzie właściwy moment, poproście dziecko, żeby wybrało tę namalowaną buzię, która przedstawia jego aktualne uczucia, i przyczepiło ją na tablicy.

Wolne obroty
Pomaga dziecku wyrazić uczucia wtedy, gdy jest podekscytowane.
wiek: od 3 lat

Kiedy dziecko jest nadmiernie podekscytowane i nie może w odpowiedni sposób wyrazić swoich emocji, zaproponuj mu, żeby postarało się mówić w zwolnionym tempie. Pokaż, jak można zmniejszyć tempo mówienia i w ten sposób się uspokoić. Na przykład: „Jestem... bardzo, bardzo... zła..., że jeszcze... nie posprzątałeś... swoich... zabawek". Jest to także bardzo dobre przypomnienie innym osobom w rodzinie, że należy kontrolować swoje uczucia, żeby potem móc o nich mówić.

Dziennik uczuć

Wyrażanie uczuć przez zapisanie ich w dzienniku.
wiek: od 5 lat

Wbrew ogólnemu mniemaniu pamiętniki nie są wyłączną domeną młodych panienek, używających bardzo ozdobnego charakteru pisma i upiększających swoje wynurzenia słodkimi serduszkami. Niektórzy z najbardziej wpływowych przywódców i największych artystów zapisywali swoje myśli w dziennikach.

Zachęćcie dziecko do tego zwyczaju. Kupcie specjalny zeszyt do zapisywania myśli i omawiania codziennych zajęć. Dla pamiętnikarza czysty zeszyt jest przyjacielem, terapeutą i, co najważniejsze, oknem do swoich własnych myśli. Dacie dobry przykład, gdy sami zaczniecie pisać pamiętnik – jeżeli już tego nie robicie. I pamiętajcie, że to święty dokument. Nigdy nie zawiedźcie zaufania dziecka. Nie wolno wam czytać jego zwierzeń. Jeśli zapoznacie dziecko z radością codziennego pisania, zapoznacie je także z przyjacielem na całe życie.

Pudełko uczuć

Duży kontener wypełniony drobiazgami, które pomagają ludziom w wyrażaniu uczuć.
wiek: od 3 do 9 lat
materiały: pudło kartonowe, wycięte z czasopism zdjęcia ludzi, wyrażające emocje

Pudełko uczuć wprowadza pewien planowy sposób radzenia sobie z uczuciami. Członkowie rodziny mogą zaglądać do niego za każdym razem, kiedy usiłują zakomunikować innym o swoich emocjach. Napiszcie na pudle „Pudełko uczuć" i udekorujcie je zdjęciami ludzi, którzy są źli, szczęśliwi, smutni itd. Do środka włóżcie:
• *karty uczuć*: cały komplet kart opisanych na stronie 236,
• *poduszkę złości*: żeby wykonać poduszkę złości, należy namalować obrazki oraz wypisać nazwy uczuć złości na starej poduszce (sfrustrowany, wściekły, zagniewany, czuję się, jakby uszło

ze mnie powietrze itd.); do poszewki włóżcie coś miękkiego, w co można by walić,
- *czarodziejską różdżkę*: laska pokryta błyszczącą farbą,
- *kapelusz „Zwróćcie na mnie uwagę"*: kapelusz z wiadomością; do starego kapelusza doczepcie etykietkę „Zwróćcie na mnie uwagę",
- *maski uczuć*: na papierowych talerzach narysujcie twarze przedstawiające różne emocje, wytnijcie dziury na oczy i doklejcie ręce z patyczków do lodów; wykonajcie tyle masek, żeby wystarczyło na całą gamę uczuć,
- *lusterko, chusteczkę higieniczną, kilka lalek, „karty zdolności"* (patrz s. 149).

Oto przykłady wykorzystania każdego rekwizytu:
- *Poduszka złości.* Jeśli dziecko potrzebuje fizycznie wyładować gniew, powiedz mu, żeby wyciągnęło z pudła poduszkę złości i zbiło ją porządnie lub użyło do wojny na poduszki z dowolnym członkiem rodziny. Kiedy już wyładuje swoją agresję, poproś je, żeby odnalazło na poszewce nazwę uczucia, które nim owładnęło. Teraz porozmawiajcie o gniewie i prawidłowych sposobach wyrażania go.
- *Magiczna różdżka.* Z jej pomocą możesz pomóc dziecku poradzić sobie z rozczarowaniem. Powiedz mu, żeby machnęło magiczną różdżką i wypowiedziało życzenie, tzn. jak wolałoby, żeby się stało.
- *Kapelusz „Zwróćcie na mnie uwagę".* Zawsze, kiedy dziecko próbuje zwrócić na siebie uwagę, marudząc, płacząc lub pokazując złe humory, powiedz mu, żeby włożyło kapelusz „Zwróćcie na mnie uwagę". Poinformuj je, że jeśli ktokolwiek zakłada go na głowę, jest to dla ciebie sygnał, że jesteś mu potrzebna. Gdy założy kapelusz, nagródź je i zwróć na niego uwagę. Zajmij się nim od razu lub bezzwłocznie umów się na konkretną godzinę, kiedy będziecie mogli poświęcić swój czas wyłącznie dziecku.
- *Lalki i maski uczuć.* Wykorzystaj lalki i maski uczuć do odegrania sytuacji z prawdziwego życia. Zabawki mogą pomóc dziecku w wyćwiczeniu panowania nad emocjami i przygotować

242 • Nabyte cechy charakteru

na potencjalnie stresujące sytuacje, na przykład wyprawę do sklepu z zabawkami po prezent urodzinowy dla innego dziecka.
- *Karty uczuć.* Pomogą dziecku w sprecyzowaniu uczuć.
- *Lusterko.* Niech dziecko popatrzy w lusterko i opowie, co widzi (zagniewaną twarz, smutną twarz, szczęśliwą twarz).
- *Karty zdolności.* Jeśli dziecko w nieodpowiedni sposób da wyraz swoim uczuciom, powiedzcie mu, żeby zajrzało do swoich kart zdolności i spróbowało wpaść na pomysł, jak to zrobić lepiej następnym razem.
- *Chusteczka higieniczna.* Chusteczka jest tutaj na wypadek płaczu – jak najbardziej dozwolonego sposobu wyrażania uczuć.

Za każdym razem, kiedy dziecko zaczyna tracić nad sobą panowanie, powiedzcie mu, że może albo skorzystać z „pudełka uczuć", albo musi liczyć się z konsekwencjami takiego zachowania. Jeśli tylko możecie, razem z nim zaglądajcie do pudełka uczuć, zachęcajcie do właściwego stosowania rekwizytów i kształtujcie prawidłowy sposób wyrażania uczuć. Jeśli nie uda się wam osiągnąć innych rezultatów, dzięki „pudełku uczuć" wasze dziecko przynajmniej przekona się, że traktujecie jego uczucia poważnie.

Safari uczuć
Wasze dziecko szuka sposobów okazywania uczuć w książkach i czasopismach.
wiek: od 3 do 10 lat

Jeśli udacie się na safari uczuć, zacznie się dla was i dziecka wielka przygoda. Wasz cel: znaleźć całą gamę ludzkich uczuć. Do tego, by zacząć, musicie zaopatrzyć się w solidny stos czasopism, gazet, książek i zdjęć (dobre są albumy ze zdjęciami). Dorosły wypowiada nazwę uczucia, a zadaniem dziecka jest zapolowanie na zdjęcie osoby, która je okazuje, w przygotowanych materiałach. Jeśli chcecie grać w więcej osób, użyjcie „kart uczuć" (patrz s. 236). Rundę wygrywa ten, kto pierwszy odnajdzie poszukiwane uczucie w książce lub piśmie. Zwycięzca zatrzymuje kartę uczuć. Całą grę wygrywa osoba, która zbierze najwięcej kart.

Uczucie + pozytywne działanie = pozytywny rezultat

Równanie na uporządkowanie uczuć.
wiek: od 6 lat
materiały: karton z bloku

Czy byłaś kiedykolwiek tak zła, że wydawało ci się, że zaraz wybuchniesz? Jak się wtedy zachowałaś? Wybuchnęłaś i to tylko pogorszyło sprawę? Czy może udało ci się w jakiś inny sposób rozładować napięcie?

Dzięki emocjom stajemy się naprawdę ludzcy w najlepszym, ale także w najgorszym znaczeniu tego słowa. Intensywnie przeżywane uczucia mogą sprawić – mocniej niż samo życie – że będziemy czuli skrzydła u ramion. Ale potrafią także bardzo nas przybić – i wtedy wszystkiego mamy powyżej uszu. Potrafią w nas wywołać to, co najlepsze, oraz to, co najgorsze.

Przez całe życie musimy zmagać się ze swoimi emocjami. I jeśli sądzicie, że ciężko jest wam poradzić sobie z gniewem, frustracją czy zazdrością, pomyślcie, jak bardzo trudne jest to zadanie dla dziecka, które ma przecież o wiele mniej doświadczenia. Ta zabawa pomoże waszym pociechom przyjrzeć się własnym emocjom chłodnym okiem.

Porozmawiajcie ze swoją latoroślą o pozytywnych i negatywnych sposobach wyładowywania emocji przez innych ludzi. Na przykład właściwą reakcją na gniew będzie długi, uspokajający spacer, który pomaga ochłonąć, albo spokojna rozmowa na temat tego uczucia. Niestosownym rozwiązaniem byłby wrzask lub pobicie osoby, która nas rozgniewała.

Każdemu graczowi wręczamy duży arkusz kartonu z bloku. Na jednej stronie piszemy wcześniej „Uczucie + pozytywne działanie = ... (wolne miejsce)", a na drugiej „Uczucie + negatywne działanie = ... (wolne miejsce)".

Teraz na każdej stronie arkusza pod słowem „uczucie" wypisujemy listę różnych emocji. Prosimy uczestników, żeby porozmawiali o typowych sposobach wyrażania każdej z nich. Możecie sobie pomóc, wspominając niedawne zdarzenia, które wywołały burzę uczuć. Następnie każdy z grających próbuje wymyśleć pozytywne i negatywne metody ich okazywania. Zapisujemy je pod „pozytywną" i „negatywną" częścią równania. Na arkuszu mamy może się znaleźć na przykład obok hasła „smutek" jej reakcja na wiadomość o rozwodzie przyjaciółki. Po stronie pozytywnej może być napisane: „Mama porozmawiała o swoim smutku z przyjaciółką", „Mama płakała razem z przyjaciółką" lub „Mama przeczytała książkę o rozwodach, żeby łatwiej było jej zrozumieć własne uczucia". Negatywne zachowania mogą zawierać następujące stwierdzenia: „Mama zamieniła swój smutek w gniew i zezłościła się na przyjaciółkę, że ta dopuściła do rozpadu swojego małżeństwa" albo „Mama długo płakała w samotności i nikomu nie powiedziała, że bardzo martwi ją sprawa rozwodu przyjaciółki".

Zdarzają się oczywiście i takie sytuacje, w których trudno jednoznacznie powiedzieć, czy reakcja była właściwa, czy nie. Tutaj może pomóc prawa strona równania (za znakiem =). Kiedy do tego, co czuła dana osoba, dodamy towarzyszącą temu reakcję, otrzymamy rozwiązanie.

Posłużmy się przykładem smutnej mamy. Jeśli nie jesteśmy pewni, czy rozzłoszczenie się na przyjaciółkę było dobrą, czy złą reakcją, przyjrzyjmy się równaniu: „Smutek + Gniew na przyjaciółkę = Przyjaciółka przestała rozmawiać z mamą, ponieważ poczuła się obwiniona za swój rozwód". Jeszcze raz sprawdźmy równanie, czy rzeczywiście nie ma nic, co mogłoby złagodzić przerodzenie się smutku mamy w gniew. Najprawdopodobniej nie. W związku z tym możemy całość zakwalifikować jako zachowanie negatywne.

Kiedy już do każdego uczucia dopiszemy towarzyszące mu zachowanie, dodajemy równania i zapisujemy wszystkie wyniki. Na przykład: „Rozgniewanie + Pójście na spacer = Uspokojenie i możliwość rozmawiania o tym, co nie odpowiada".

Teraz dzieci mają przewodnik po swoich emocjach. Kiedy dają się ponieść jakimś emocjom, poproście je, żeby spojrzały na spis równań. Zobaczą wtedy czarno na białym zapisane prawdopodobne konsekwencje prawidłowych i nieprawidłowych reakcji, co pomoże im albo podjąć decyzję, albo zrozumieć, dlaczego dokonały złego wyboru.

Taka lista prawdopodobnie nigdy nie będzie kompletna. Możecie dopisywać kolejne sytuacje, w miarę jak dziecko dorasta. Jednakże, jeśli zaczniecie już teraz, pomożecie mu w wykształceniu skutecznego mechanizmu, dzięki któremu potrafi wycofać się we właściwym momencie i nie da się owładnąć bardzo silnym emocjom. Kiedy dorośnie, wskazówki te będzie już miało we krwi i zawsze będzie mogło z nich skorzystać, przemierzając istne pole minowe, jakim są emocje w naszym życiu.

Kanesha Sonee Johnson's, kiedy przeszła do piątej klasy w Hawthorne w Kalifornii, zetknęła się z problemem dyskryminacji rasowej. Dzięki odwadze cywilnej oraz umiejętności wejrzenia w głąb siebie potrafiła dostrzec, a potem rozwiązać ten problem. Dziewczynka, Afroamerykanka, z przerażeniem stwierdziła, że czarnoskóre dzieci nie chcą bawić się ze swoimi kolegami pochodzącymi z Wietnamu.

Zaczęła zaprzyjaźniać się z małymi Wietnamczykami, którzy nie znali angielskiego, pomagała im w odrabianiu lekcji, uczyła je obowiązujących zwyczajów oraz chroniła przed docinkami innych dzieci.

„Zdecydowałam się na to po prostu dlatego, że dobrze wiem, jak to jest, gdy się z ciebie śmieją" – wyjaśniła Kanesha. „Jest taki stary wiersz »Stick and stones may break my bones but names can never hurt me« (Kłody i kamienie mogą połamać moje kości, ale przezwiska nigdy mnie nie zranią). Niektóre słowa potrafią jednak bardzo zranić".

Kanesha musiała wielokrotnie stawić czoło kolegom, którzy dokuczali jej z powodu Wietnamczyków, ale twardo obstawała przy swoim, aż w końcu położyła kres segregacji rasowej na placu zabaw.

Ekspresja poprzez sztukę
Dziecko przez sztukę poznaje uczucia.
wiek: od 3 lat

Mówiąc wprost, sztuka jest autoekspresją. Kiedy dzieci formują grudkę gliny lub gdy dorośli nakładają farby na płótno, pozwalają światu wejrzeć do swojego wnętrza. Jeśli wprowadzicie dziecko w świat sztuki, pokażecie mu nowy sposób komunikowania się.

Sztuką jest wszystko, co dziecko stworzy. Zastanówcie się nad możliwościami: malarstwo, rysunek, ceramika, dziewiarstwo, tkactwo, hafciarstwo, fotografia, taniec, teatr, pisarstwo, śpiew, muzyka itd. Zbierzcie wiadomości na temat dziedziny, którą wybierze malec, i upewnijcie się, że on wie, że i wy interesujecie się jakąś formą pracy artystycznej. Być może okaże się, że macie podobne zainteresowania i będziecie mogli wymieniać doświadczenia.

Uczuciowy kolaż

Wykonajcie kolaż ze zdjęć ludzi okazujących emocje.
wiek: od 4 lat
materiały: karton, czasopisma

Dajcie dziecku stertę starych czasopism i poproście je, żeby wycięło z nich zdjęcia ludzi wyrażających różne emocje. Złóżcie z nich na kartonie obrazek metodą kolażu. Podpiszcie każde uczucie.

Powieście „uczuciowy kolaż" w miejscu, w którym dziecko będzie mogło stale go oglądać. Kiedy zdarzy się, że będzie intensywnie coś odczuwało, ale nie będzie pewne, co to takiego, podejdźcie razem do obrazka i zobaczcie, czy uda mu się wybrać zdjęcie, które najlepiej oddaje jego emocje.

Gra w dziesięć sposobów okazywania uczuć

Ta gra pomaga dzieciom poznać różne sposoby wyrażania tego samego uczucia.
wiek: od 4 do 10 lat

Skorzystajcie z „kart uczuć" albo zróbcie listę różnych emocji. Każdy z uczestników wybiera jedną z nich i pokazuje – językiem ciała, słowami i działaniem – wszystkie możliwe sposoby jej wyrażenia. Gniew, na przykład, można okazywać krzykiem i wymyślaniem, ale także zaciśnięciem pięści i gwałtownym zaczerwienieniem się na twarzy, mamrotaniem pod nosem albo zaciętym milczeniem.

Oddać przysługę uczuciom
Pomaga panować nad emocjami.
wiek: od 4 do 12 lat

Dzięki bardzo precyzyjnemu wejrzeniu w głąb siebie człowiek może posiąść zdolność rozpoznania swoich uczuć oraz zrozumienia, jak sobie z nimi poradzić. „Oddanie uczuciom przysługi" to tak, jakby zapytać samego siebie „Jak mogę ci pomóc?". Dla dorosłych ta zabawa jest bardzo prosta. Zapisujemy przynajmniej dwadzieścia różnych odczuć, których doświadczaliśmy przez ostatni tydzień. Obok każdego uczucia notujemy, co zrobiliśmy lub powinniśmy byli zrobić, żeby stało się ono dla naszego codziennego życia jak najbardziej produktywne i jak najmniej destruktywne. Przypuśćmy, że irytuje cię fakt, że twój syn przez trzy dni z rzędu rano zaspał. W pierwszym odruchu będziesz dążyć do poprawy jego zachowania: zlikwidowania spóźnień. I słusznie, powinnaś rozwiązać ten problem (tu może ci pomóc nasza pierwsza książka „Playful Parenting" albo rozdział z tej książki pt. „Twórcze myślenie"). Ale to wcale nie zlikwiduje twojej irytacji. Co możesz zrobić, żeby się uspokoić? Być może skuteczna będzie długa, gorąca kąpiel pod prysznicem albo wysłuchanie kasety z ulubioną muzyką w drodze do pracy. Chcemy przez to powiedzieć, że musisz zatroszczyć się o siebie, bo inaczej negatywne uczucie zrujnuje ci resztę dnia (i w efekcie sprawy między tobą i synem ułożą się jeszcze gorzej).

Jeśli chcemy zastosować tę metodę w stosunku do dzieci, musimy pomóc im w odnalezieniu najlepszych sposobów złagodzenia emocji. Można im opowiedzieć, jak sami „oddawaliśmy przysługi" naszym uczuciom. Albo zasugerować, żeby przejrzały czasopisma i książki i w ten sposób przekonały się, jak inni radzą sobie z tym problemem.

Mark zna pewną rodzinę, która potraktowała „przysługi dla uczuć" dosłownie. Każdemu dziecku wręczono pół tuzina upominków, jakie zwykle rozdaje się na kinderbalach (baloniki, trąbki, lizaki). Do każdego z nich dołączono karteczkę, na której dzieci pisały, jak można dojść do ładu z silną emocją. Za każdym razem, kiedy naprawdę musiały to zrobić, przeglądały swoje prezenciki i wybierały ten, który ich zdaniem był najlepszy w danej sytuacji. Jedna dziewczynka postanowiła, że do wyrażania szczęśliwych uczuć będzie używała piszczącego balonika i tak długo w niego dmuchała, aż rozbolały ją policzki!

Termometr uczuć
Pomaga ocenić intensywność uczuć innych osób.
wiek: od 3 do 8 lat
materiały: karton z bloku

Na kartonie namalujcie duży termometr. Zaznaczcie na nim skalę od 1 do 10. Przy dziesiątce napiszcie „bardzo, bardzo, bardzo". Przy jedynce – „tylko odrobinkę". Piątkę oznaczcie wskaźnikiem „średnio". Teraz każdy niech sobie przypomni jakieś szczególne wydarzenie i na termometrze wskaże poziom swoich emocji w tym czasie.

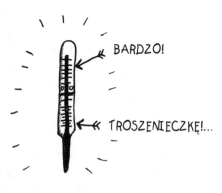

BARDZO!

TROSZENIECZKĘ!...

kocha ???

Przechadzka z zastosowaniem metody dramy
Pokazuje dzieciom, jak ciało może znakomicie wyrażać uczucia.
wiek: od 4 do 10 lat

Siadamy lub stajemy w kręgu i wybieramy jakąś emocję, na przykład gniew, radość, smutek, szczęście, rozczarowanie lub podekscytowanie. Jedna osoba przechadza się w środku koła i odgrywa wybrane uczucie. Nie wolno używać słów, można posługiwać się jedynie językiem ciała. Naraz może także grać kilka osób lub nawet wszyscy uczestnicy zabawy. Później rozmawiamy o tym, co zaobserwowaliśmy.

Zabawy, które uczą panowania nad gniewem

Gniew jest jednym z uczuć najtrudniejszych do opanowania. Poniższe zabawy mogą pomóc i wam, i dziecku poradzić sobie z tą bardzo potężną emocją.

TAP (*Think and Prevent*) [Myśl i ochraniaj]
Metoda opanowania furii.
wiek: od 4 lat

TAP opiera się na technice nazywanej *self-talk* (rozmowa z samym sobą), czyli na rozmowie z wewnętrznym głosem, który codziennie komentuje nasze poczynania. Rodzice mogą skorzystać z TAP, żeby powstrzymać wzmaganie się negatywnych uczuć i znaleźć produktywny sposób wyładowania gniewu. Według tej metody należy w momencie, gdy czujemy, że wzbiera w nas gniew, klepnąć się w ramię lub nogę. [*tap* – po angielsku „klepnięcie" – przyp. tłum.]. Dzięki temu możemy zacząć myśleć rzeczowo, a w efekcie powstrzymać się przed wypowiedzeniem niechcianych słów i przed gniewnymi reakcjami. W kontrolowaniu złości bardzo pomaga, jeśli pomyślimy

o tym, by ją dosłownie wyłączyć. Lekkie klepnięcie w nogę będzie wyłącznikiem. Takie postępowanie daje szansę zastanowienia się nad alternatywnymi sposobami wyrażenia emocji. Ułatwia także przerwanie błędnego koła zdarzeń, które zazwyczaj pojawiają się jedno po drugim, kiedy tracimy nad sobą panowanie i napadamy na tych, którzy akurat się nawiną. TAP sprawdza się najlepiej, kiedy przypomnimy sobie poprzednie wybuchy złości. Ułóżcie własny słownik określeń nazywających uczucia gniewu i pomóżcie dziecku zrobić to samo. Będziecie mogli na nim polegać, gdy zechcecie zastąpić słowami irracjonalny wybuch.

Oto trzy proste kroki zastosowania TAP:

1) kiedy poczujesz pierwsze oznaki zbliżającego się ataku, klepnij się w ramię lub nogę, żeby nabrać dystansu do sytuacji,

2) kiedy już to się uda, zastosuj metodę rozmowy z samym sobą i spróbuj kontrolować gniew, mówiąc do siebie „Potrafię zachować spokój" albo „Jeśli się rozzłoszczę, będzie to wyłącznie strata energii!",

3) powróć do sytuacji, tym razem z odnowionym poczuciem samokontroli, i spokojnie okaż swoje uczucia.

Kącik złych humorów
Takie miejsce w domu, gdzie bezpiecznie można wpadać w złość.
wiek: od 2 do 8 lat

Pozwólcie dziecku na napady złości, ale niech je okazuje tylko w specjalnie do tego przeznaczonym miejscu. Pokażcie mu „kącik złych humorów", a może nawet postawcie w nim znak „Wstęp tylko dla złych humorów!". Zaprowadźcie je tam (lub nawet zanieście, jeśli będzie taka potrzeba) za każdym razem, kiedy zacznie się wściekać. Wtedy zupełnie je ignorujcie. (Może będziecie musieli użyć techniki TAP, żeby powstrzymać się przed jakimś działaniem). Mały może opuścić swój kącik, kiedy zły humor już mu przejdzie. Wtedy zapytajcie go, co się stało, jak mógłby zapanować nad tym uczuciem oraz w jaki inny sposób mógłby je wyrazić. Dajcie mu parę

propozycji, na przykład technika STAR (*Stop, Think, Act Right*),
[Zatrzymaj się, pomyśl, działaj prawidłowo].
Połączcie tę metodę z innymi, które pomogą dziecku w znalezieniu alternatywnych sposobów wyrażania złości. Zawsze nagradzajcie
i chwalcie, kiedy awanturnik sam pójdzie do „kącika złych humorów" lub też w inny sposób rozwiąże problem. Spróbujcie odwrócić
jego uwagę – nic lepiej nie powstrzymuje napadów wściekłości niż
przekonanie, że są ciekawsze rzeczy do zrobienia. Bądźcie dla niego
przykładem. Także korzystajcie „z kącika złych humorów", kiedy
tracicie nad sobą panowanie. Gdy wybieracie się w podróż, zabierajcie ze sobą znak informacyjny, wskazujący to miejsce. Starajcie się
zaplanować, przygotować i zapobiegać wszystkim sytuacjom, które
dla dziecka mogą być trudne do opanowania. (Na przykład bardzo
zmęczone i nadmiernie pobudzone dzieci nie czują się dobrze na zakupach w supermarkecie).

Przekładnia zmiany uczuć
Konkretny sposób ukierunkowania negatywnego zachowania i zastąpienia go pozytywnym.
wiek: od 4 lat
materiały: papier i flamastry

To zadziwiające, jak futboliści [chodzi o futbol amerykański
– przyp. tłum.] potrafią w jednej chwili zgromadzić w sobie agresję,
żeby przygnieść przeciwnika, a zaraz w następnej spokojnie odejść.
Kiedy oglądamy mecze futbolowe, Mark zwraca uwagę na wspaniałą
grę, Denise natomiast na graczy, którzy wgniatają przeciwników
w ziemię, a za moment pomagają im wstać. Dzięki intensywnym
treningom potrafią oni przestawić się z gwałtownej agresji na zupełny spokój. A jeśli potrafią dokonać tego futboliści, to my, czyli
reszta świata, także możemy to zrobić.

Tym razem pokazujemu dziecku, jak powstrzymać się przed niewłaściwym zachowaniem i zamiast tego wyrażać uczucia w sposób
produktywny. Na papierze malujemy dwa koła – jedno czerwone,
drugie zielone. Na pierwszym piszemy „stop", na drugim – „start".

Na kartonie rysujemy i następnie wycinamy drążek zmiany biegów (taki sam jak w samochodzie) i naklejamy go pośrodku kartki. Wyobraźmy sobie, że wszyscy ludzie mają w głowach wmontowane przyciski „stop" i „start", których używają do kontroli zachowań spowodowanych emocjami, oraz drążek do zmiany uczuć. Razem z dzieckiem przypominamy sobie sytuacje, w których zachowało się prawidłowo. Próbujemy zastosować metaforę włączników i przekładni. Oto przykład: „Wiem, że kiedy ostatnim razem siostra cię przeżywała, byłeś bardzo zły, ale chyba przycisnąłeś guzik »stop«, bo ani nie odwzajemniłeś się jej tym samym, ani jej nie uderzyłeś. Zamiast tego zmieniłeś bieg i odszedłeś". Dajemy dziecku tyle przykładów, ile się tylko da. Potem pokazujemy takie sytuacje, kiedy nacisnęło niewłaściwy guzik i negatywnie zareagowało na emocje. Kiedy nasza pociecha zrozumie, jak działają przyciski i przekładnie, wtedy za pomocą „stopu" i „startu" ćwiczymy zachowanie się w trudnych sytuacjach, które mogą zdarzyć się w przyszłości. Na przykład wtedy, gdy dziecko jest przezywane przez kolegę z sąsiedztwa albo nie może dostać tego, co zobaczyło w sklepie, lub też zgubiło coś i całymi godzinami bezskutecznie próbuje to odnaleźć. Od czasu do czasu powtarzamy tę zabawę. W końcu młody człowiek zda sobie sprawę z istnienia przekładni uczuć w swojej głowie i automatycznie będzie włączał właściwe przyciski, kiedy stanie w obliczu konkretnej sytuacji.

„Krzesło do myślenia"
Czas na myślenie.
wiek: od 2 do 10 lat
materiały: krzesło

„Krzesło do myślenia" to inna nazwa dobrze znanej techniki behawioralnej nazywanej *time out*. I faktycznie, „krzesło do myślenia" ma przypominać dziecku o przemyśleniu swojego zachowania.

Kiedy młody człowiek straci nad sobą panowanie, zaprowadź go do krzesła. Ma to podwójną korzyść – daje wam obydwojgu konkretną procedurę, według której będziecie postępować, oraz

miejsce, w którym można ochłonąć.
Metoda ta jest najbardziej efektywna w korygowaniu powtarzają-
cych się zachowań, nacechowanych
impulsywnością, wrogością, agresją
lub nadpobudliwością. Są to emocje,
które dziecku najtrudniej kontrolować
i które prawdopodobnie najbardziej
denerwują rodziców. „Krzesło do myślenia" jest w takich razach nieoce-
nionym sposobem ułatwiającym zaże-
gnanie wojny i utrzymanie na wodzy
wymykających się spod kontroli emocji. Oto kilka sugestii, jak zastosować
tę technikę:

z dala od telewizora

1. Krzesło ustawiamy w spokojnym miejscu, z dala od zabawek
   i telewizora.
2. Kiedy wyjaśniamy dziecku, do czego ono służy, bardzo wyraźnie mówimy, jakie zachowanie może spowodować wizytę
   w tym miejscu.
3. Gdy nadejdzie pora na wykorzystanie naszego krzesła, wyjaśniamy dziecku pokrótce, dlaczego tam idzie oraz o czym
   ma myśleć, siedząc na nim. Pamiętajmy, żeby nie wdawać się
   w szczegóły. Zbytnie rozwodzenie się nad sprawą da tylko
   winowajcy pretekst do wykręcenia się sianem.
4. Zawsze określamy, jak długo dziecko ma siedzieć na krześle.
   Bardzo dobrze sprawdza się zasada „jedna minuta na każdy
   rok życia" (cztery lata równa się cztery minuty).
5. Używamy zegarka z budzikiem. W ten sposób dziecko nie będzie miało powodu, żeby co chwila pytać, czy już minęło dość
   czasu. Możemy pozwolić mu na kontrolowanie w pewnym
   sensie sytuacji – niech pilnuje, ile minut jeszcze zostało.
6. Kiedy zadzwoni budzik, pytamy dziecko o jego przemyślenia. Jeśli właściwie i w stopniu adekwatnym do wieku potrafi
   skomentować swoje złe zachowanie, może zejść z „krzesła

do myślenia"; jeśli nie – prawdopodobnie potrzebna jest mu jeszcze jedna sesja.

7. Nie mówimy do dziecka, kiedy siedzi ono na krześle. Ten czas przeznaczony jest dla niego po to, żeby mogło pomyśleć o sobie.

Na krótką metę celem tej techniki jest przerwanie i natychmiastowe zakończenie szczególnie niewłaściwych zachowań. W dalszej perspektywie prowadzi ona do wykształcenia w dziecku umiejętności zastanowienia się nad sobą i zachęca do samokontroli.

Zaczarowana śmietanka

Magiczny sposób na pozbycie się napadów złości.
wiek: od 2 do 8 lat
materiały: brokat i mleczko kosmetyczne, nieszkodliwe dla dzieci

Czy nie byłoby wspaniale, gdyby istniała magiczna mikstura, dzięki której moglibyśmy zmienić niegrzecznego dzieciaka w prawdziwego aniołka? Proszę bardzo, zaczarowana śmietanka jest jak najbardziej osiągalna. My mamy jej pod dostatkiem! Nasza trzyletnia córeczka jest niechlubnym przykładem osóbki wpadającej w okropne, czarne humory. Jej dobry nastrój w czasie obiadu potrafi być tak ulotny, że wystarczy, iż nalejemy jej mleko nie do tego kubeczka, i już mamy awanturę. Kiedy tylko dostrzeżemy, że odrzuca do tyłu głowę i zaczyna wykrzywiać buzię, co zaraz może skończyć się wielkim krzykiem, jedno z nas chwyta zaczarowaną śmietankę (zwykły lotion

zaczarowana śmietanka

do rąk zmieszany z odrobiną brokatu) i mówi: „Oho, wygląda na to, że potrzebna ci jest odrobina zaczarowanej śmietanki. Wtedy kaprysy pójdą sobie precz". Możemy być prawie pewni, że rozmyśli się i nie wpadnie w złość, przystając na pomoc magicznej mikstury. Zazwyczaj odzyskuje zimną krew w ciągu paru sekund, najwyżej minut i możemy spokojnie jeść dalej obiad. I zamiast spędzania całego posiłku na batalii z własnym dzieckiem, wszyscy rozmawiamy o tym, „jak zła była Emily, kiedy dostała kubeczek z Kubusiem Puchatkiem zamiast z dalmatyńczykami" oraz „jak bardzo jest teraz dumna z siebie, sama odpędziła złość".

Magiczna śmietanka jest uniwersalna. Już odrobina wystarczy, żeby wasze przedszkolaki nie biły się, wstały rano z łóżka i zastąpiły uciążliwe „jojczenie" głosem o wiele bardziej przyjemnym dla uszu.

Pomysł Scotta
Pozawerbalne wyrażanie uczuć.
wiek: od 5 lat

Rzućcie okiem na opowiadanie napisane przez jedenastoletniego Scotta Nadela, zamieszczone na stronie 331, w którym wyjaśnia on, jak rozwiązał problem wyrażania uczuć w sposób kontrolowany i w jaki sposób wprowadził w życie ten wspaniały pomysł. Powiedzcie dziecku, żeby, kiedy jest złe, spisało swoje uczucia. Zamiast wrzeszczeć na tego, kto je rozzłościł, może mu pokazać, co napisało. Ta metoda ułatwia oddzielenie emocji od informacji i zapanowanie nad temperamentem.

Uspokajający guzik
Uporządkowanie uczuć.
wiek: od 2 do 8 lat

Wyobraźcie sobie, że wasze dziecko ma zainstalowany na szyi przełącznik, który pozwala ci na ściszenie zbytnio podniesionego głosu, wzmocnienie głosiku zbyt nieśmiałego lub wyłączenie "jojczenia". To taki dyskretny sposób przypomnienia małemu, żeby kontrolował ton, jakim mówi.

Irytujesz mnie
Łagodny sposób zwrócenia komuś uwagi, że jego zachowanie jest irytujące.
wiek: od 3 do 12 lat
materiały: włóczka i mały pojemnik

Z włóczki robimy tuzin małych robaczków, około 3 cm długości każdy. W tym celu tniemy ją na małe kawałeczki, które pośrodku długości mocno ze sobą wiążemy. Trzeba powiązać ich tyle, żeby potem udało się ukształtować z nich kuleczki. Gotowe kulki wkładamy do miseczki, którą trzymamy w pogotowiu na wypadek, gdyby jeden z członków rodziny zaczął irytować drugiego. Wtedy tej osobie wręczamy "robaka" i mówimy "irytujesz mnie!". Namówcie dziecko, żeby stłumiło rodzącą się w nim agresję w stosunku do kogoś, kto je denerwuje, i zamiast tego dało mu włóczkową kuleczkę.

Podepcz to!
Podeptać gniew.
wiek: od 3 lat
materiały: plastikowa osłona z bąbelkami powietrza (używana przy pakowaniu delikatnych urządzeń, na przykład elektronicznych)

Bąbelkowa osłona jest idealnym zabezpieczeniem łatwo tłukących się rzeczy przed rozłoszczonymi dziećmi. Wiecie, o co chodzi. To taki miękki kawałek tworzywa z bąbelkami powietrza, którego używa się do pakowania delikatnych przedmiotów.

Miejcie to zawsze pod ręką, kiedy dziecko musi dać upust energii zrodzonej przez agresję. Dajcie mu wtedy kilka takich osłonek i niech tak długo po nich depcze, aż zadepcze swoją złość. Wasze bezcenne kryształy będą wam wdzięczne.

ROZDZIAŁ 4

Szczęście

Radość.
Humor.
Talent do zabawy.
Zapanowanie nad stresem.

Alex jest bystrym i dowcipnym pięciolatkiem, który chodzi do szkoły razem z naszymi córkami. Ostatnio zdarzyło się, że jego mama Mary i moja żona Denise zaczęły, jak to często matki, opowiadać sobie historyjki typu „wyobraź sobie, co powiedziało moje dziecko". Oto opowieść Mary: „Alex znalazł się na przyjęciu w grupce dzieci, które zebrały się wokół kogoś, kto coś im opowiadał. Osoba ta zadawała dzieciom pytania według starego schematu:»Kim chciałbyś zostać, kiedy dorośniesz?«. Maluchy po kolei odpowiadały. Jedno chciało zostać strażakiem, inne lotnikiem, kolejne nauczycielką itd. Alex odpowiadał jako ostatni.»Ja chciałbym być zabawny!«– oznajmił z przekonaniem. Wszyscy wybuchnęli śmiechem – z wyjątkiem samego chłopca, który uważał, że odpowiedź była jak najbardziej sensowna, dowodziła bowiem jego poczucia humoru i beztroskiego spojrzenia na życie".

Wygląda na to, że chłopiec sporo czasu poświęca „byciu zabawnym". Znany jest jako klasowy żartowniś, a na prezenty urodzinowe prosi o książki z dowcipami.

Być może któregoś dnia będziemy mogli powiedzieć: „Znaliśmy Aleksa, kiedy był rezolutnym, zabawnym dzieckiem; teraz jest słynnym komikiem, bierze udział w najpopularniejszych programach rozrywkowych, napisał trzy bestsellery". Nie powinniśmy pomniejszać wagi i znaczenia, jakie chłopiec przywiązuje do rozśmieszania ludzi, co kocha prawie równie mocno, jak śmiać się samemu. Ludzie spędzają całe życie, angażując się w poważne zajęcia: szkołę, pracę, obowiązki rodzinne. Na dodatek codziennie są zalewani tragicznymi wiadomościami przez media. Prezent w postaci odrobiny humoru, który może dać Alex, jest bardzo cenny dla tych, którzy wiedzą, że to pomaga się uśmiechnąć, a tego z kolei nigdy nie mamy dość. Rodzice chłopca mogą nie tylko być dumni, że ich syn ma poczucie humoru; mogą także spokojnie stwierdzić, że dziecko jest na najlepszej drodze do osiągnięcia umiejętności bycia szczęśliwym. Na pierwszy rzut oka może się wam wydawać, że nie istnieje nic takiego jak „umiejętność bycia szczęśliwym". Większość z nas wie, co oznacza szczęście: radość, rozkosz, przyjemność, zadowolenie, zachwyt, optymizm... długo można by wymieniać. Ale czy wiecie, jak się go nauczyć lub gdzie je znaleźć, kiedy akurat jest potrzebne? Rzeczywiście, szczęście jest dość nieuchwytną i skomplikowaną zdolnością charakteru. Jest czymś, co wyczuwamy instynktownie już bardzo wcześnie i co chcemy zatrzymać, żeby towarzyszyło nam codziennie w naszym życiu.

Szczęścia można doświadczać tylko wtedy, gdy mamy solidne, z dnia na dzień budowane podstawy, czyli gdy system odpowiadający za radość i opanowanie stresu pracuje pełną parą. Taki „system" łagodzi i kontroluje napięcia i presje, jakie niesie życie. Wykorzystuje do tego celu humor, zabawę, ćwiczenia ciała i umysłu, techniki relaksacyjne, a także czas, kiedy uciekamy od tego wszystkiego. Zapanowanie nad stresem opiera się na kompilacji metod, umiejętności i „ćwiczeń", które pomagają nam poradzić sobie z rzeczywistymi naciskami wpływającymi na nasze życie. Skuteczne radzenie sobie ze stresem oznacza, że pomimo wszelkich szkodliwych wpływów jesteśmy zdolni zatroszczyć się o swoje ciało i umysł oraz zredukować negatywne fizjologiczne skutki jego oddziaływania (choroby serca, spadek odporności, rozstrojenie emocjonalne, niepokój i depresje).

Zapanowanie nad stresem jest tak bardzo ważne w naszym życiu i tak trudne do nauczenia się (a potem podtrzymania tej umiejętności), że powstał cały przemysł związany z tym zagadnieniem, który wychodzi naprzeciw potrzebom poszczególnych osób, korporacji, par małżeńskich, a nawet rodzin. Na całym świecie ludzie starają się poradzić sobie ze stresującym sposobem życia, odwiedzają ośrodki sportowe, uzdrowiska, kliniki, sanatoria i instytucje edukacyjne.

Ten wyspecjalizowany przemysł to już wielki krok naprzód w pożądanym kierunku, ale nadal nie dość uwagi poświęca się „umiejętności" odczuwania radości i szczęścia. Dobrą wiadomością jest, że nauczyć się ich można łatwo i przyjemnie. Ale zanim zaczniemy pod tym kątem pracować nad naszymi dziećmi, musimy się przyznać, że sami potrzebujemy opanować tę zdolność. Jeśli chcemy, żeby nasze dzieci cieszyły się życiem, sami powinniśmy rozwijać poczucie humoru, czerpać radość i szczęście z czego się tylko da, i przekazywać te uczucia innym ludziom. Jako rodzice, wychowawcy i opiekunowie musimy przyjąć taki właśnie styl życia.

Ciągle widzimy ludzi, którzy zapominają, że poczucie szczęścia mogą dawać sprawy najbardziej oczywiste – że żyją, że świeci słońce albo że wspaniałą rzeczą jest coś tak prostego i zwyczajnego jak śpiew ptaka. Jeśli będziemy otwarci na takie przyjemności, nasze codzienne życie stanie się znacznie bogatsze. Humor i talent do zabawy pomoże nam odnaleźć radość nawet w bardzo trudnych momentach życia.

Radość

Wiedzieć, co to radość, znaczy być szczęśliwym. U dziecka wzrastającego w rodzinie, gdzie królują śmiech, żarty i uśmiechy, rozwija się dogłębne rozumienie i świadomość radosnego życia. Ono wie, jak się śmiać, żartować i uśmiechać, i chociaż może zabrzmi to dziwacznie, wielu ludzi powinno się tego nauczyć.

Humor

Umiejętność wykorzystania poczucia humoru w różnych sytuacjach pomaga zachować realistyczną perspektywę w stosunku do wydarzeń i działa jak stabilizator, pozwala bowiem ludziom uniknąć niezdrowych wzlotów i bolesnych upadków. Życie nie jest wyłącznie szczęściem i radością, smutek i rozczarowanie to także jego nieodłączne części. Jeśli w złych chwilach wykorzystamy rezerwy radości i miłości życia, pomoże nam to wiele zdarzeń przetrwać. Gdy dziecko, które jednego dnia wygrywa konkurs ortograficzny, a następnego dostaje najniższą w klasie ocenę z dyktanda, wykorzysta swoje poczucie humoru, będzie umiało zachować równowagę pomiędzy tymi dwoma przeciwstawnymi sytuacjami.

Ta cudowna cecha pozwala rozluźnić napięcie, które stale towarzyszy życiu i dorastaniu. Dzieci często zbytnio biorą sobie do serca pomyłki, porażki i błędy. Żeby stać się dobrze dostosowanymi do życia i szczęśliwymi ludźmi, muszą dojrzeć do zaakceptowania faktu, że człowiek nie jest istotą doskonałą – co dotyczy także ich samych.

Talent do zabawy

Umiejętność dobrej zabawy oraz osiągnięcia stanu beztroski i radości są potężnymi siłami, mogącymi uleczyć wiele naszych bolączek. Nie tylko wzbogacają nasze codzienne życie, podtrzymują nas także na duchu i przynoszą prawdziwą ulgę przy napięciach i stresach. Wiadomo, że te negatywne czynniki powodują nadciśnienie, choroby układu krążenia i inne fizyczne dolegliwości. I na odwrót – śmiech i humor sprawiają, że mamy większą chęć do życia i do walki z zagrażającymi chorobami. Zabawa i radość dają nam możność uwolnienia się chociaż na chwilę od rygorów, żądań i – od czasu do czasu – monotonii życia.

Zapanowanie nad stresem

Stres przybiera różne formy, ale w relacjach rodziców i dzieci pojawia się bez wątpienia dużo częściej niż gdzie indziej. W życie maluchów wkracza już od ich najmłodszych lat. Badania naukowe dowodzą, że współcześnie młode pokolenie dojrzewa szybciej i uczestniczy w sprawach dorosłych już od wczesnego dzieciństwa. Dzieci poddawane są nadmiernemu obciążeniu, mają przeładowany program zajęć, muszą sprostać różnym naciskom i żądaniom. W związku z tym o wiele więcej muszą się też nauczyć, żeby później stawić czoło wymaganiom tak bardzo skomplikowanego świata. W konsekwencji rodzice, odpowiedzialni za ich wychowanie, są znacznie bardziej zestresowani.

Jak ocenić, czy twoje dziecko umie mocno odczuwać radość, ma duże poczucie humoru, umie naprawdę dobrze się bawić, potrafi skutecznie zapanować nad stresem

Przeczytajcie przewodnik „Poprzez lata", żeby upewnić się, czy wasze oczekiwania są zgodne z wiekiem i możliwościami rozwojowymi dziecka. Jako punkt odniesienia wykorzystajcie „Pytania, na które trzeba sobie odpowiedzieć" – niech posłużą wam do oszacowania jego mocnych i słabych stron. Jeśli na którekolwiek z pytań odpowiedzieliście twierdząco, dobrze byłoby dodatkowo pomóc dziecku w rozwinięciu tych umiejętności.

POPRZEZ LATA
Wskazówki pomagające w rozwijaniu charakteru dziecka

Uwaga: Ten przewodnik ma służyć jako zbiór pewnych ogólnych informacji, dających orientację, czego i kiedy możecie oczekiwać od dziecka. Nie ma żadnych ścisłych norm i granic określających, jak i kiedy powinny pojawiać się dane właściwości, charakterystyczne dla określonego przedziału wiekowego. Każde dziecko jest jedyne w swoim rodzaju, a my podajemy tutaj tylko pewien przekrój etapów rozwojowych, które charakteryzują się ogólnie podobnymi i prawdopodobnymi wzorcami zachowań i predyspozycji. Pamiętajcie, że rozwój osobowości jest z natury rzeczy dynamiczny i powtarzalny, co oznacza, że bez przerwy się zmienia, a cechy i umiejętności mogą się pojawiać, znikać i znów pojawiać się w trakcie rozwoju.

Szczęście – radość, humor, talent
do zabawy i zapanowanie nad stresem

Etap I – Niemowlęctwo: od urodzenia do 24 miesięcy
Okres życia od noworodka do dwulatka

Okres ten ma fundamentalne znaczenie dla kształtowania się wielu wzorców zachowań, postaw i ekspresji emocjonalnej. Wychowanie w ciągu pierwszych 12 miesięcy polega przede wszystkim na karmieniu i podstawowej opiece pielęgnacyjnej.

Od momentu narodzin do ukończenia 12 miesięcy oczekujcie od dziecka: okresów pełnego radości zadowolenia (sucha pieluszka, butelka, noszenie na rękach) na zmianę z momentami rozpaczy (kłopoty trawienne, głód, ząbkowanie), które pozostają w bezpośrednim związku z kondycją fizyczną niemowlęcia i zaspokajaniem jego podstawowych potrzeb. **Pomiędzy 6 a 9 miesiącem możecie się spodziewać**: okazywania radości w odpowiedzi na fizyczne i wizualne bodźce (uśmiechy, gaworzenie, gruchanie). Pomiędzy **12 a 18 miesiącem możecie się spodziewać**: okazywania niezadowolenia i frustracji, kiedy usłyszy „nie" lub nie może dostać tego, co by chciało (daremnie próbuje dosięgnąć przedmiot, zostało pozostawione w kojcu). Pomiędzy **20 a 24 miesiącem możecie się spodziewać**: pierwszych oznak rozwijającego się poczucia humoru, uświadomienia sobie, że potrafi swoim zachowaniem wywołać śmiech lub uśmiech innych.

Nie oczekujcie od dziecka: że zrozumie przyczyny swoich frustracji albo że w jakikolwiek sposób będzie próbowało z nimi walczyć (poza płaczem, złością, biciem i gryzieniem), dopóki nie skończy trzech lat.

Etap II – Wczesne dzieciństwo i wiek przedszkolny: od 2 do 6 lat
Okres życia od dwulatka do starszaka

Etap ten często bywa nazywany okresem zabawy, ponieważ wtedy właśnie przypada szczytowe zainteresowanie zabawkami i grami, wyrażające się dążnością do poszukiwań, twórczej zabawy, myślenia abstrakcyjnego, z wykorzystaniem wyobraźni, niestrudzonej walki o niezależność i zwiększonych kontaktów społecznych. Jest to okres przygotowawczy do nauki podstaw zachowań społecznych, niezbędnych w nadchodzących latach pobytu w szkole.

Pomiędzy 2 a 4 rokiem życia dziecka możecie się spodziewać: wyrażania radości przez wygłupianie się, głośne chichotanie; zachwycania się własnoręcznie zrobionym bałaganem; powtarzania do znudzenia ulubionych czynności; reagowania na stres i duży ładunek emocji złym zachowaniem (żądania, sprzeciwy, złość); kaprysów, które pojawiają się ni stąd, ni zowąd, niechęci do wspólnego działania i sprzeciwiania się wszystkiemu, jeśli będzie niewyspane, zmęczone lub głodne.

Nie oczekujcie od dziecka: że zrozumie, co daje mu radość i szczęście, lub będzie wiedziało, co należy zrobić, żeby zwalczyć negatywne uczucia i inne stresy.

Pomiędzy 4 a 6 rokiem życia możecie się spodziewać: że dziecko zacznie zdawać sobie sprawę, iż potrafi rozśmieszyć innych, będzie naśladowało zachowania, które wywołują aprobatę lub śmiech rówieśników (wygłupy, błaznowanie, ciągle od nowa opowiadanie tej samej historyjki, która wydaje się mu zabawna); wyjątkowy zachwyt będą w nim budzić dźwięki i słowa, które nazywają części ciała, jego funkcje i odgłosy (pupa, kupa, siku, puszczanie bąka, odbijanie); zacznie rozumieć niektóre przyczyny swoich stresów; będzie szczęśliwsze i bardziej beztroskie, zachwycone samym sobą, światem, który je otacza, i zdolnością rozumienia, co to jest humor.

Nie oczekujcie od dziecka: że będzie wiedziało, kiedy należy przestać (na przykład opowiadać dowcip lub robić głupie miny, co mogło być śmieszne raz, ale powtarzane w kółko tylko irytuje innych); że przestanie reagować na stres nazbyt emocjonalnie lub niepoprawnym zachowaniem.

Etap III – Wiek wczesnoszkolny: od 6 do 11 lat

Ten etap życia zaczyna się podjęciem nauki, a kończy wejściem w okres dojrzewania

Okres ten objawia się głównie wielkim zainteresowaniem i koncentracją na nawiązaniu kontaktów z rówieśnikami, uczestniczeniu w popularnych grach zespołowych oraz wzrastającą motywacją do nauki, przyswojenia wiedzy technicznej, dużej ilości informacji i osiągania sukcesów w szkole. Jest to niezwykle ważny czas dla ustabilizowania się postaw i nawyków w stosunku do nauki, pracy i wykorzystania osobistego potencjału.

Oczekujcie od dziecka: że będzie stosunkowo szczęśliwe, w dobrym humorze i wolne od stresów; szczęście i humor będzie jednak wyrażać w sposób niedojrzały jak na kryteria dorosłych (na przykład hałaśliwym śmiechem, chichotaniem, dowcipami, mówieniem o seksie i organach płciowych, turlaniem się po podłodze, utrzymywaniem sekretów z najbliższym przyjacielem); że na jego rozwój zaczną wpływać rozmowy z kolegami, uprawianie sportów, fantazjowanie; będzie się czuło szczęśliwsze, kiedy szkoła okaże się pozytywnym przeżyciem; z radością włączy się w bardzo ożywioną działalność grup sportowych, ale będzie nieszczęśliwe i zestresowane, jeśli jego program zajęć będzie przeładowany rozwijaniem zainteresowań pozaszkolnych, uprawianiem sportów, odrabianiem lekcji i pomocą w domu.

Nie oczekujcie od dziecka: że poprawi mu się humor, jeśli będziecie je łaskotali lub pobudzali w inny, podobnie prosty sposób; że zrozumie, dlaczego dorośli nie lubią głupkowatego lub grubiańskiego zachowania; że będzie czuło się szczęśliwe lub umiało zapanować nad stresem, jeśli domowej atmosferze towarzyszyć będą niesnaski, gwałtowne przemiany lub inne problemy.

Etap IV – Wczesnonastoletni: wiek od 11 do 15 lat
Ten etap życia zaczyna się w czasie, gdy dziecko kończy szkołę podstawową, trwa przez okres nauki w szkole średniej, a zamyka go wstąpienie do szkoły wyższej*

Okres ten charakteryzuje ogromny chaos. Wraz z gwałtownym wejściem w okres dojrzewania następuje nagła zmiana wyglądu, wzrasta zainteresowanie rówieśnikami płci przeciwnej i zaczyna się bezwzględna walka o własną osobowość i niezależność.

Od młodszych nastolatków możecie oczekiwać: niezrównoważenia emocjonalnego i frustracji, wynikających z różnych socjologicznych, fizjologicznych i psychologicznych zmian charakterystycznych dla okresu dojrzewania; wielkiego poczucia krzywdy, gdy czują się źle przygotowani, niedojrzali, odrzuceni przez grupę albo gdy niewiele zmienili się od okresu dzieciństwa; znajdowania szczęścia w umiejętności rozwiązywania problemów, w osiągnięciu sukcesu, w utrzymywaniu pozytywnych kontaktów z rodzicami i bliskimi przyjaciółmi, na których mogą liczyć; szukania zadowolenia w żartach i przyjemnym spędzaniu czasu z przyjaciółmi (na wspólnych zajęciach sportowych, zakupach, jedzeniu, słuchaniu muzyki).

Nie oczekujcie od młodszych nastolatków: komunikowania o smutku lub proszenia o pomoc w tak otwarty sposób jak dawniej, gdy byli młodsi; odczuwania szczęścia, jeśli nie dacie im niezbędnych przy dorastaniu okazji wykazania się niezależnością oraz podejmowania prób samodzielnego przystosowania się do nowych sytuacji.

---

* Według polskiego systemu edukacyjnego okres ten obejmuje czas nauki w wyższych klasach szkoły podstawowej, jej ukończenie i wstąpienie do szkoły średniej – przyp. tłum.

Pytania, na które trzeba sobie odpowiedzieć

Czy dziecko często z trudem wyraża radość, zachwyt, satysfakcję? (Rzadko śmieje się aż do bólu brzucha i nie piszczy z zachwytu. Prawie nie zdarza się, żeby czerpało satysfakcję z każdego dnia i każdej chwili, i sprawia wrażenie, jakby ciągle chciało czegoś więcej, nie próbuje natomiast zdobyć się na wysiłek, żeby być szczęśliwym).

Czy radość z zabawy trwa u dziecka krótko, maluch stale się kontroluje i pilnie uważa na to, co robi? (Wydaje się, że zatraca ducha zabawy albo źle mu jest z radosnym uczuciem, które dzięki niej osiąga, lub też z wrażeniem, jakie wywiera na innych).

Czy dziecko nie jest w stanie docenić drobnych przyjemności w życiu, jak na przykład przeobrażenie się gąsienicy w motyla lub odgłos własnych kroków w ukochanych butach?

Czy dziecku przychodzi z trudem otwarty, głośny śmiech? Czy jego oczy rzadko błyszczą z zachwytu?

Czy dziecko rozwodzi się nad tym, co się nie zdarzyło, czego nie posiada lub czego nie udało mu się osiągnąć? (Rzeczy, które posiada lub których dokonało, są w jego oczach minimalizowane lub niezauważane).

Czy dziecku z trudem przychodzi zachowanie poczucia humoru i wygłupianie się? (Wygłupy są firmowym znakiem beztroskiego dziecka, które ma głęboko zakodowane, że życie jest czymś wspaniałym).

Czy dziecko sprawia wrażenie, jakby w każdej sytuacji próbowało dostrzec coś negatywnego, i wzbrania się przed dostrzeżeniem dobra w tym, że istnieje świat, w codziennym życiu, w sobie samym? (Dziecko, które męczyło się nad ułożeniem puzzli, sklejeniem modelu lub stworzeniem budowli z klocków, szybko niszczy swoje dzieło, uznając, że nie jest ono wystarczająco dobre. Zupełnie inaczej rzecz się ma z takim, które czerpie jednakową radość ze zbudowania zamku z piasku, jak z wdeptania go w ziemię – oba zachowania są przejawem radości tworzenia).

Czy dziecko pogardza tymi, którzy próbują dobrze się bawić i być szczęśliwymi? Czy sabotuje propozycje innych ludzi, ponieważ nie toleruje ich szczęścia? (Nie potrafi cieszyć się czyimś sukcesem, nie czuje się jego częścią).

Czy dziecko w zabawie widzi jedynie współzawodnictwo? Czy jego szczęście zależy od uznania przez innych, od zwycięstwa, od osiągnięć?

Czy sprawia dziecku trudność śmianie się z siebie samego? Czy czuje się wtedy pognębione? (Kiedy ostrożnie ślizga się i upadnie, nie potrafi śmiać się z tego, jak głupio wygląda, towarzyszy mu poczucie wstydu i bolesnego zakłopotania).

Czy dziecko rzadko cieszy się z własnych osiągnięć i poddaje urokowi sukcesu, nie chce być nagradzane, nie lubi, gdy składa mu się wyrazy uznania i gratulacje?

Jak kształtować u waszego dziecka radość, humor, talent do zabawy i umiejętność zapanowania nad stresem

1. Jeśli jako rodzice, nauczyciele lub opiekunowie nie dorastaliście w szczęśliwym środowisku, jeśli raniono was grubiańskimi albo złośliwymi dowcipami, jeśli tłumiono w was chęć do życia lub też po prostu nigdy nie mieliście godnych naśladowania wzorców szczęśliwego życia, wtedy może się okazać, że wskazanie dziecku drogi do szczęścia jest naprawdę bardzo trudne. Jednakże to uczucie beztroski, którego nigdy nie było dane

nam zaznać, możemy odnaleźć w naszych dzieciach, uczniach lub nawet wnukach. Prosimy, pozwólcie sobie na czerpanie przyjemności z dziecięcego pragnienia szczęścia. Wspierajcie je i pozwalajcie mu się rozwijać. Pamiętajcie, że jest to jeden z najcenniejszych podarków, jakie możemy ofiarować naszym pociechom. I jeśli dajemy go jako rodzice, wychowawcy i opiekunowie, wszyscy odnoszą korzyść – zyskuje na tym całe społeczeństwo.

2. Jeśli poczujecie, że znaleźliście się pod presją, i będziecie mieli wrażenie, że powinniście pozbawić dziecko tego daru, powstrzymajcie się i zastanówcie, czym się kierujecie. Uważnie wsłuchajcie się w siebie i pomyślcie, czy rzeczywiście o to wam chodzi. Do kogo należy głos, który słyszycie – czy aby na pewno do was?

3. Loretta LaRoche, właścicielka przedsiębiorstwa o wdzięcznej nazwie The Humor Potential, a także nasza droga przyjaciółka, często przemawia do szerokiej publiczności i ma do tego prawdziwy talent. Swoje wystąpienia zawsze kończy pełnym mocy przesłaniem, które mówi wszystko na temat tego rozdziału: „Życie nie jest próbą generalną, jest samym życiem". Loretta z niezmiernym ciepłem i humorem opowiada o tej nieszczęśliwej sytuacji, że ludzie są, co prawda, bardzo sobą zajęci, ale nie skupiają się na tym, co pozytywne. W niepodważalny sposób dowodzi, że musimy dokładać wszelkich starań, by mieć więcej radości oraz żeby dodać nieco humoru do naszego życia. Jak dotąd czas, który wszyscy mamy na cieszenie się swoim pobytem na ziemi, jest ograniczony, powinniśmy więc zrobić wszystko, co w naszej mocy, żeby czerpać z niego pełną garścią, odnaleźć powody do radości nawet w najciemniejszych zakamarkach, smakować szczęście i kurczowo trzymać je przy sobie.

4. Dziecko, które jest pewne pełnej akceptacji i naszej bezwarunkowej miłości, łatwiej może pokochać samo siebie i poczuć dla siebie szacunek. Jeśli na jego błędy i drobne życiowe niepowodzenia popatrzymy przez palce (ale nie będziemy ich

trywializować ani wyśmiewać), łatwiej będzie mu z wyrozumiałością traktować własną, omylną, ludzką naturę. Umiejętność śmiania się z siebie samego, bez wpędzania się w kompleksy, często zachowuje nas przy zdrowych zmysłach. W sposób naturalny dziecko powinno zdać sobie sprawę, że z powodu jednego błędu świat się nie zawali i nie powinno go traktować jak potężnej, złej siły. Kiedy to zrozumie, łatwiej będzie mu pogodzić się z porażką, podnieść się, otrzepać i zacząć od początku. Nie będzie niepotrzebnie poddawało się przygnębiającym myślom i nie popadnie w nadmierny samokrytycyzm.

5. Jeśli brak wam wewnętrznego przekonania co do słuszności takiego sposobu postępowania, popatrzcie na to od innej strony. Szczęśliwe i radosne dziecko będzie się lepiej zachowywało, miało większą motywację do nauki, przyjemniej będzie z nim spędzać czas. I to jest prawdopodobnie najlepszy powód, dla którego warto odrzucić własne uprzedzenia, które przeszkadzają nam w podarowaniu dziecku szczęścia.

Zabawy, które uczą radości i humoru

Taniec radości
Spontaniczna eksplozja radości.
wiek: bez ograniczeń

Wiecie bardzo dobrze, co to jest taniec radości. To te komiczne podskoki, które wykonuje wasze dziecko zawsze wtedy, gdy usłyszy wspaniałą nowinę lub jest świadkiem czegoś bardzo wesołego. Dorośli też to robią, jednak najczęściej w samotności, ewentualnie w obecności najbliższych przyjaciół lub krewnych. I żeby wywołać ten wybuch, potrzeba czegoś o naprawdę wielkim znaczeniu – na przykład awansu w pracy lub wygranej na loterii.

Zanik zdolności do tańca radości jest jedną z najbardziej przykrych konsekwencji dorastania. Przypomnijcie sobie, jak to było, kiedy jako małe dzieci potrafiliście wyrażać czystą radość, nieskażoną jeszcze dorosłością. Prawdopodobnie, szalejąc z zachwytu, skakaliście po szkolnych ławkach, klaskaliście w ręce, tańczyliście dookoła, podskakiwaliście, kręciliście się w kółko i wymachiwaliście ramionami. Nie mielibyście ochoty zrobić tak znowu? A czy nie byłoby wam przykro patrzeć, jak wasze dziecko rośnie, nie umiejąc tak spontanicznie wyrażać radości i szczęścia?

Tańce radości są dziecku niezbędne, jeśli ma w pełni cieszyć się dobrym samopoczuciem. Wzrasta wtedy poziom adrenaliny, ciało nabiera energii, poprawia się nastrój, a do głowy napływa potok pozytywnych myśli.

W tej zabawie wróćcie do swoich tańców radości i pomóżcie dzieciom też je wykonywać. Na początek każdy powinien powiedzieć, na czym polega jego taniec radości. Co robi, kiedy jest chociaż troszeczkę szczęśliwy? Jak wygląda wtedy jego twarz, co mówi? Bez pośpiechu zanotujcie i opiszcie wzajemnie swoje zachowania. Przećwiczcie je między sobą. W końcu zaprezentujcie swój osobisty taniec radości w pełnej krasie. Ułóżcie odpowiednią choreografię do tańca rodzinnego – jeśli choć jedno z was będzie się czuło szczęśliwe, każdy spontanicznie wykona własny popis. Gwarantujemy, że to poprawi wam nastrój znacznie bardziej, niż mogłoby się wam wydawać.

Mnóstwo powodów do szczęścia
Spiszcie wszystko, co sprawia, że czujecie się szczęśliwi.
wiek: od 3 lat

Nie szczędźmy czasu na cieszenie się życiem. Zaraz przybędzie wkoło nas szczęśliwych ludzi, jeśli tylko pozwolimy sobie na prywatne świętowanie radości dnia powszedniego. Usiądźcie razem z dzieckiem i spróbujcie stworzyć listę rzeczy, które sprawiają, że wy lub wasza rodzina czujecie się szczęśliwi. Weźcie pod uwagę zarówno wielkie sprawy, jak i zupełne błahostki i upewnijcie się, że umożliwiacie im dodanie waszemu życiu nieco radości.

„Błazeńskie okularki"
Pomagają zmienić negatywne spojrzenie na życie.
wiek: od 3 lat

Mamy w domu kilka par okularów. Pomagają nam one zobaczyć jaśniejsze aspekty życia. Są wśród nich komiczne maski – takie z przyczepionym nosem, cienkie wycieraczki samochodowe zamontowane na soczewkach albo zmyłkowe oczy dyndające na sprężynkach. Podnoszą nas one na duchu, kiedy czujemy się zbyt przygnębieni.

Kiedy waszemu dziecku jest źle, namówcie je, żeby założyło „błazeńskie okularki" i przejrzało się w lustrze. Nie róbcie sobie żartów, ale bawcie się. Kiedy czujecie się nieco pod psem, załóżcie te szczególne „ozdoby" i wezwijcie na pomoc błazeńską część samych siebie. Często okazuje się, że to wasza najlepsza strona.

Błazeńskie przebieranki i pudełko niepotrzebnych rzeczy
Prosty, ale bardzo skuteczny sposób na dodanie rodzinnemu życiu trochę radości.
wiek: bez ograniczeń
materiały: pudło ze strojami przebierańców, dziwacznymi kapeluszami i szalonymi kostiumami, którymi dzielą się wszyscy domownicy

Okazuje się, że w naszym domu bardzo często sięgamy do pudła niepotrzebnych rzeczy, żeby odświeżyć atmosferę w domu. Mamy cały asortyment kapeluszy, kostiumów króla i królowej, koron, czapeczek, diabelskich rogów, aureoli, magicznych instrumentów, masek i najcudaczniejszy na świecie zbiór okularów przeciwsłonecznych. Wpadliśmy na ten pomysł dzięki dzieciom, które swoje stroje przebierańców trzymają w specjalnej skrzynce. Ciągle łapaliśmy się na tym, że raz po raz, dla zabawy, pożyczamy stamtąd różne rzeczy. Bardzo nas to śmieszyło. Po pewnym czasie zaczęliśmy dokładać tam rzeczy, które pasowałyby na nasze dorosłe postury, a także różne własne zabawne drobiazgi. Na przykład trzymamy w pudle ekwipunek detektywistyczny, którego używamy wtedy, gdy przyłapiemy dzieci na ewidentnym kłamstwie i potrzebne jest „wnikliwe śledztwo". Kiedy któraś z naszych córek ma zły dzień, przebieramy się za czarodziejów. (Mark wygląda szczególnie uroczo w puszystym, różowym kostiumie). Czasem używamy tego pudła po prostu po to, by poprawić sobie humor. I, oczywiście, dzieci wykorzystują je do zabawy.

Stworzenie własnej kolekcji rekwizytów do wygłupów wymaga nieco czasu. Poszczególne elementy powinny odzwierciedlać specyficzne poczucie humoru waszej rodziny. Zdziwicie się, jak często będziecie do niego sięgać, choćby tylko po to, żeby poprawić sobie humor. Nie tak dawno nasza Arielle chorowała na ciężko przebiegającą ospę wietrzną. Wszystko ją swędziało i była bardzo nieszczęśliwa. Wtedy Mark przebrał się za szalonego artystę, założył beret i przykleił sobie długie, bujne wąsy. Wziął pędzel i „paletę" z pudrodermem i bezpośrednio na córeczce namalował dzieło sztuki. Koszmarny akcent, z jakim przemawiał, wystarczył, żeby rozśmieszyć dziecko.

przebieramy się za czarodziejów

Błazeńskie sztuczki
Pozabawiajcie siebie nawzajem.
wiek: od 3 lat

Ta zabawa jest jednym z naszych ulubionych rodzinnych zajęć. Każdy z nas ma jakiś szczególny talent. Najlepsze z nich robią ogromne wrażenie, ale są nieprawdopodobnie głupie. Denise potrafi grać twarzą (nosem, ustami i policzkami) w rytm hymnu narodowego. Mark umie poruszać jedną brwią w takt dowolnej melodii. Arielle może dotknąć językiem czubka nosa, a potem opuścić głowę i sięgnąć nim do klatki piersiowej. Emily potrafi zrobić taki szpagat, że wszystkim wydaje się, że zaraz pęknie na pół. Jakie sztuczki wy potraficie? A pozostali członkowie waszej rodziny? Regularnie je trenujcie, żebyście mogli w każdej chwili dać popis. W ten sposób możecie zadziwić przyjaciół i krewnych improwizowanym pokazem talentów.

Piosenki, z którymi łatwiej ruszyć do działania
Piosenka dodająca werwy.
wiek: od 3 lat

Muzyka może wspaniale motywować – do sprzątnięcia mieszkania, przekopania ogródka, przebiegnięcia mili, a nawet do porannego wstania z łóżka. Większość z nas ma swoją specjalną piosenkę, dzięki której podnosi się poziom adrenaliny. Poproście domowników, żeby zdradzili, jakie melodyjki pomagają im się rozkręcić, a następnie zadbajcie o to, by w domu były kasety z tymi nagraniami. W ten sposób w każdej chwili możecie je włączyć, jeśli komuś trzeba będzie dodać nieco energii. Spróbujcie się przekonać, czy wasze piosenki dodadzą wam wigoru w czasie porządków w sobotnie przedpołudnie, zaplanowanych na weekend prac w ogrodzie albo po prostu pomogą komuś pozbyć się ponurego nastroju.

Nagroda dla Najlepszego Wygłupiacza
Nagradzamy najśmieszniejszego członka rodziny.
wiek: bez ograniczeń

Najprawdopodobniej w każdej rodzinie, klasie, miejscu pracy jest ktoś, kogo można nazwać klaunem. Są tacy ludzie, którzy nie boją się wygłupiać, ponieważ uwielbiają rozśmieszać ludzi. Każdy chciałby to robić, ale większość z nas powstrzymuje te niemądre skłonności, bo nie chce, żeby wzięto nas za głupców.

Pozwólcie sobie na odrobinę luzu i zachęćcie dzieci do tego samego. Żeby domownicy nie czuli się nieswojo, ustanówcie Nagrodę dla Najlepszego Wygłupiacza. Wystarczy zwykła niebieska wstążeczka. Osoba, której w ciągu tygodnia uda się najbardziej rozśmieszyć innych, dostaje nagrodę. Do współzawodnictwa powinni włączyć się wszyscy członkowie rodziny. Pod koniec tygodnia przypomnijcie sobie wszystkie śmieszne rzeczy, które każdy z was powiedział lub zrobił, a potem urządźcie głosowanie na najzabawniejszą z nich. Zapisujcie w specjalnym zeszycie imiona cotygodniowych zwycięzców, z informacją, za co dostali prestiżową Nagrodę Najlepszego Wygłupiacza. Takie zapisy będą wspaniałą rodzinną pamiątką.

Nagroda dla Najlepszego Wygłupiacza

Święto bez Okazji
Świętowanie bez powodu.
wiek: bez ograniczeń

Kto powiedział, że potrzeba nam więcej powodów do świętowania? Tak naprawdę to kto musi mieć do tego specjalną okazję? Postarajcie się obchodzić Święto bez Okazji przynajmniej cztery razy w roku. Dużo wcześniej wybierzcie konkretne dni i upewnijcie się, że nie są one związane z żadnymi urodzinami, rocznicami, świętami ani innymi okazjami, które tradycyjnie zwykło się celebrować. Chcemy przez to powiedzieć, że samo życie jest wystarczającą okazją.

Wspólnie zaplanujcie dzień. Może urządzicie przyjęcie z prezentami, ugotujecie specjalny obiad albo spędzicie dzień w parku na pikniku. Mark zaznacza te dni w kalendarzu i zawsze pilnuje, żeby były one dla nas prawdziwym świętem.

Zabawa we dnie i wieczorem
Bawcie się razem.
wiek: bez ograniczeń

Każda rodzina potrzebuje dnia, wieczoru lub w najgorszym razie przynajmniej jednej godziny specjalnie przeznaczonej na to, by po prostu wspólnie się bawić. Może to być gra o określonych regułach, jak karty, jakiś sport lub gra planszowa, ale równie dobrze możecie bawić się w cokolwiek, co w danej chwili wymyślicie (my najbardziej lubimy ustawiać namioty z koców, wyczyniać dzikie harce na podłodze i prowadzić stare, dobrze znane wojny na poduszki). Sam wybór zabawy nie jest istotny, przede wszystkim chodzi o to, byście usiedli na podłodze i bawili się ze swoimi dziećmi.

Słój przyjemnych rzeczy
Wylosuj coś przyjemnego.
wiek: bez ograniczeń
materiały: pojemnik i papier

Niech wszyscy domownicy pomyślą o przynajmniej 25 miejscach, rzeczach lub zajęciach, które każdemu sprawiają dużą przyjemność, na przykład wyjście do parku, pizza pepperoni, wzięcie dnia wolnego w pracy i szkole, żeby po prostu pobyć ze sobą. Spiszcie je na osobnych karteczkach, które włożycie do słoja. I kiedy ktokolwiek z was będzie miał chęć na trochę przyjemności, wyciągnijcie jeden papierek i zróbcie to, co wam radzi. Z tej zabawy odniesiecie dwie korzyści: nauczycie się, jak zmienić zły dzień na dobry, i wasze życie stanie się troszeczkę bardziej spontaniczne.

Zwariowane wiadomości
Stwórzcie swoją własną gazetę.
wiek: od 5 lat
materiały: gazeta i taśma

Pewna znajoma matka przeglądała kiedyś gazetę, w której zauważyła artykuł o bardzo ciężko rannym dziecku. Historia była tak tragiczna, że kobieta zalała się łzami. Potem przeczytała następny tekst o pijanym kierowcy, który uciekł z miejsca wypadku, i wpadła w furię. Całe zdarzenie obserwowała córka, która w końcu ją zapytała, dlaczego czyta gazetę, skoro tak bardzo się przy tym denerwuje. Matka próbowała znaleźć jakąś sensowną odpowiedź, ale w rezultacie zmuszona była przyznać, że przeglądanie dzienników to dosyć przygnębiające zajęcie. Znalazła rozwiązanie: stworzyć własną gazetę, której celem będzie podnoszenie czytelnika na duchu.

Cała rodzina zaczęła bawić się w klecenie „zwariowanych wiadomości" z artykułów i informacji w prawdziwych gazetach, które były wycinane, a następnie łączone w nonsensowne zdania i opowiadania. Wycinki są robione z rubryk poświęconych kronice towarzyskiej, przepisom kulinarnym, horoskopom i sportowi, żeby wszystko utrzymywać w lekkim stylu. W efekcie powstaje zwariowana wersja tradycyjnej gazety – wiadomości, z których teraz przynajmniej można się śmiać.

Niespodzianka w pudełku na drugie śniadanie

Zapakuj dziecku do szkoły lub przedszkola sympatyczne drugie śniadanie.
wiek: od 2 do 12 lat

Przygotowując specjalne drugie śniadanie, dodacie dziecku otuchy w samym środku dnia. Udekorujcie jego pudełko na jedzenie tak, aby nawiązywało do jakiegoś święta. My na przykład na Halloween zamieniliśmy pudełka naszych dziewczynek w cmentarzyska pełne zjaw, ze sztucznymi pajęczynami i plastikowymi pająkami. Kanapki ułożyliśmy tak, że udawały płyty grobowców i napisaliśmy na nich „Tu leży Foney Baloney". Na urodziny obie córeczki znajdowały w swoich śniadaniach serpentyny i konfetti. Ale żeby zrobić coś takiego, wcale nie musicie czekać na szczególną okazję. Przygotujcie specjalne drugie śniadanie zawsze wtedy, kiedy waszemu dziecku przyda się, by je odrobinę podtrzymać na duchu. Jest to świetny sposób na doładowanie energią w środku dnia.

Zwariowane rodzinne zdjęcie

Wizualny zapis waszej rodziny od tej głupiej strony.
wiek: bez ograniczeń

Co roku na pewno robicie sobie rodzinne zdjęcie. Miłym uzupełnieniem może być zwariowana fotografia. Kiedy Denise dorastała, jej rodzina zawsze tak robiła. Jednego roku wszyscy pozowali do oficjalnego rodzinnego zdjęcia w okularkach Groucho Marksa. Innym razem trzymali na nosach łyżeczki do herbaty. Jeszcze kiedy indziej cała grupa ubrała się w szalenie eleganckie stroje, z wyjątkiem ojca Denise, który założył kostium klauna z grupy Shrinersów [tajna organizacja skupiająca wysokiej rangi masonów, znana w Ameryce przede wszystkim z działalności charytatywnej na rzecz dzieci oraz wędrownego cyrku – przyp. tłum.].

Tego typu sesje zdjęciowe utwierdzą waszą rodzinę (a także przyjaciół i znajomych) w przekonaniu, że potraficie brać życie z przymrużeniem oka.

Wesoła szkoła charakterów
Kształtowanie charakteru poprzez odgrywanie zabawnych postaci.
wiek: bez ograniczeń

Załóżcie w domu szkołę klaunów. Połączcie swoje zdolności, a więc chichotanie, robienie magicznych sztuczek, wywracanie koziołków, robienie balonowych zwierzaków i nauczcie ich siebie nawzajem. Wymyślcie i zróbcie własne maski i kostiumy klaunów, a potem wystawcie komedię. Znakomita zabawa na rodzinne zgromadzenia.

Zabawy, które uczą zapanowania nad stresem

Szuflada pod hasłem „Daj sobie z tym spokój"
Odsuńcie obawy waszego dziecka.
wiek: od 2 do 12 lat

Jeśli lęki waszego dziecka nie pozwalają mu zasnąć, namówcie je, żeby o tym napisało lub to narysowało. Potem włóżcie kartkę do szuflady, gdzie pozostanie całą noc. Wytłumaczcie maluchowi, że zasłużył sobie na dobry i spokojny sen i że następnego dnia zajmiecie się jego strachami.

Nie przeszkadzaj
Przyzwyczajcie dziecko do pozostawania sam na sam z myślami.
wiek: od 3 lat

Wszystkim nam pod koniec dnia potrzebny jest czas na wyciszenie. Czasami pomaga, jeśli po prostu posiedzimy sobie spokojnie bez telewizji, muzyki czy komputera. Nauczenie dziecka, że można siedzieć spokojnie tylko ze swoimi myślami, wymaga cierpliwości. Dzieci są tak przyzwyczajone do stymulacji z zewnątrz, że bez niej czują się pusto. Wyznaczcie dla siebie i latorośli po piętnaście

minut dziennie czasu pod hasłem „Nie przeszkadzaj". Przyzwycza-
jenie dziecka do zmiany może okazać się trudne, więc na początku
pozwólcie mu czytać lub słuchać kojącej muzyki. Jednak poza tym
tego czasu nic nie powinno zakłócać, aby maluch mógł doświadczyć
korzyści pozostawania sam na sam ze swoimi myślami.

Zabawa poduszkami oddalająca stresy
Fizyczne ujście dla stresów.
wiek: od 1 roku

Wszyscy wiemy, jak bardzo dokuczają nam stresy, ale dzieciaki
także potrzebują znaleźć ujście dla swoich napięć. Powinny w tym
pomóc techniki relaksacyjne, które opisujemy w tym rozdziale,
czasem jednak nie potrzeba nic więcej, jak tylko wyładowania nadmiaru energii.

Ustalcie, co najlepiej działa na waszą pociechę. Może powinna
tak długo rzucać piłką lub strzelać kosze, aż dostanie zawrotu
głowy. Naszym córkom najlepiej robi wszechogarniająca wojna
na poduszki. Takie walki są zabawne, dają ujście powstrzymywanej
energii i pobudzają wszystkich do śmiechu. My lubimy wtedy pójść
do parku i biegać dookoła jak szaleni. Czasami bierzemy piłkę,
niekiedy psa, ale zawsze, gdy wracamy do domu, stresy mamy
poza sobą.

Kącik spokoju
Spokojne miejsce.
wiek: bez ograniczeń

Wyznaczcie w pokoju taki kącik, w którym nic nie będzie zakłócać
dziecku spokoju ani nadmiernie go pobudzać. Postarajcie się, żeby
to naprawdę był kąt, tak aby młody człowiek miał ograniczone pole
widzenia. Ustawcie tam mały stolik i krzesło zwrócone w stronę
ściany, magnetofon do słuchania spokojnej muzyki oraz komplet
książek, gier i przyrządów do majsterkowania lub innych zajęć,
które wymagają ciszy i koncentracji.

Wywoływacze marzeń

Prosta opowieść, dzięki której dziecko udaje się w cudowną podróż ścieżkami wyobraźni.
wiek: od 2 lat
materiały: czasopisma, papier, włóczka

Poszukajcie z dzieckiem w czasopismach i książkach zdjęć tych miejsc, które chciałoby odwiedzić. Do każdego z nich wymyślcie przygodę, w której będzie brało udział. Niech maluch popatrzy na zdjęcie, zamknie oczy i wyobrazi sobie, że jest w miejscu widocznym na fotografii. Spokojnym, kojącym głosem, z dala od wszystkich zakłócających czynników, jak na przykład telewizor, opowiedz mu historię z wyobraźni. Kiedy zrobicie to już kilka razy, dziecko będzie potrafiło użyć „wywoływaczy marzeń", żeby rozpocząć własną, prywatną podróż do świata fantazji, jeśli tylko zechce się oderwać od stresów. Ponieważ jest to jedno z tych przeżyć, w którym bardzo miło uczestniczy się wraz z dzieckiem, powinniście od czasu do czasu zabierać je w podróż ze sobą. Nawet wtedy, gdy młody człowiek nauczy się robić to samodzielnie.

Można czasem zrobić sobie miłą odmianę i poprosić dziecko, żeby zabrało was w podróż do marzeń, które wy wybierzecie.

Techniki oddechowe

Zróbcie zabawę z głębokiego oddychania.
wiek: od 3 lat

Głębokie oddychanie ma podstawowe znaczenie dla relaksu, ale nie ma w nim nic specjalnie zabawnego. Przedstawiamy kilka pomysłów, które wprowadzą pewne urozmaicenie.
1. Bańki mydlane. Niech dziecko weźmie głęboki wdech i powoli wydmuchuje powietrze przez rurkę. Zachęćcie je, żeby zrobiło największą na świecie bańkę mydlaną.
2. Na mostek dziecięcych okularów przeciwsłonecznych naklejcie pasek z bibułki. Powinien mieć dziesięć centymetrów długości i zwisać tuż przed nosem dziecka aż do brody. Zadanie

polega na tym, żeby jak naj-
dłużej utrzymać papierek
z dala od twarzy i wprawiać
go w ruch, delikatnie nań
dmuchając.

3. Niech dziecko wybierze sobie
jakąś krótką piosenkę, którą
spróbuje zaśpiewać lub zanu-
cić na jednym wydechu. Żeby
to się udało, trzeba najpierw
wziąć bardzo głęboki wdech.
Namawiajcie dziecko, żeby
ćwiczyło tak długo, aż nauczy się tej sztuki.

4. Niech dziecko na wasz sygnał
wpuszcza i wypuszcza powietrze do ustnej harmonijki. Zobaczycie, jak długo uda się mu
wydawać z niej dźwięki, nie
robiąc przerwy.

zadanie polega na tym, żeby coraz dłużej utrzymywać papierek z dala od twarzy

Kiedy już szkrab znakomicie opanuje gry oddechowe, przypomnijcie mu, że może tę nową umiejętność wykorzystać do złagodzenia
stresów.

Centrum muzyki relaksacyjnej
Urządźcie dziecku centrum muzyki relaksacyjnej
wiek: od 2 lat
materiały: miękki materac, na którym można się położyć, sprzęt
grający ze słuchawkami, kojąca muzyka

Centrum muzyki relaksacyjnej powinno nauczyć dziecko, jak
można się uspokoić poprzez wyobraźnię i fantazjowanie. Aby pobudzić wyobraźnię, wykorzystajcie zdjęcia z czasopism, na których przedstawione są spokojne krajobrazy. Wymyślcie historyjkę,
w której wasze dziecko będzie znajdowało się właśnie w tym miłym

otoczeniu, i włączcie muzykę. Jeśli na przykład wykorzystujecie zdjęcie oceanu, puśćcie pieśni wielorybów i namówcie dziecko, żeby wyobraziło sobie, że jest wdzięcznym wielorybem, igrającym pod wodą. Podpowiedzcie mu, żeby z zamkniętymi oczami stworzyło w głowie odpowiednie obrazy, kiedy słucha muzyki w centrum relaksacyjnym.

„Relaks na max" – wyposażenie do kąpieli

Weźcie kojącą kąpiel.
wiek: od 5 lat
materiały: pianka do kąpieli dla dzieci, nocna lampka, magnetofon na baterie

Dorośli często biorą gorącą kąpiel w pianie przy nastrojowym oświetleniu, żeby uspokoić rozdrażnione nerwy i zrelaksować poddawane nadmiernemu stresowi ciało. Dzieci mogą czerpać podobną przyjemność z kojącej kąpieli. Sprawicie, że będzie ona wyjątkowa, jeśli zaopatrzycie się w pełne wyposażenie do „relaksu na max", a więc piankę, spokojną muzykę (z magnetofonu na baterie) i nocną lampkę. Pokażcie dziecku, jak leżeć bez ruchu w wodzie przy delikatnych dźwiękach muzyki i dyskretnym świetle lampki. Jeśli macie zamiar siedzieć z dzieckiem podczas jego relaksu, a młoda osoba jest wstydliwa, pozwólcie jej założyć kostium kąpielowy; mimo wszystko, w „relaksie na max" czystość jest sprawą wtórną.

Ciastolinowe napięcie

Zmniejszenie napięcia emocjonalnego.
wiek: bez ograniczeń

Komu potrzebne są specjalne techniki relaksujące, jeśli mamy ciastolinę Play-Doh? Jeżeli wy albo wasze dziecko odczuwacie silny niepokój, idźcie bez wahania po tę wspaniałą masę w żółtym pudełku i gniećcie ją, depczcie, bijcie i okładajcie pięściami. Tylko pamiętajcie: nie rzucajcie nią, nie jedzcie jej.

Kaseta relaksacyjna

Nagrajcie dziecku jego własną kasetę relaksacyjną.
wiek: od 5 lat
materiały: magnetofon i kaseta

Posłuchajcie kilku nagrań relaksacyjnych, dostępnych w księgarniach. W ten sposób nabierzecie pojęcia, jak się je robi. Wykorzystajcie opisane w nich pomysły i techniki i sami wymyślcie metodę relaksu dla swojego dziecka. Nagrywając kasetę, używajcie jego imienia. Na przykład: „Samantha czuje się odprężona i lekka jak piórko". Może zechcecie nagrać w tle jakąś spokojną muzykę. Dajcie malcowi kasetę, kiedy będzie potrzebował się rozluźnić – być może gdy pójdzie do centrum muzyki relaksacyjnej lub gdy będzie brał miłą, długą kąpiel w wannie.

Myjnia samochodowa

Relaksujący masaż ramienia.
wiek: od 3 do 10 lat

Wszyscy wiemy, jak przyjemne może być pełne miłości dotknięcie. Podajemy tutaj pomysł, który łączy to miłe doznanie z grą wyobraźni. Dziecko niech położy się na plecach z zamkniętymi oczami, a ty trzymaj je za rękę i udawaj, że jest ona samochodem przechodzącym przez myjnię. Na początek „płukanie" – przebiegnij lekko palcami od ramienia do czubków jego palców. Potem „mycie szczotkami" – delikatnie pomasuj całą rękę. Następnie „mycie tekstylne" – połechtaj ją miękką szmatką. A teraz „drugie płukanie" – znowu przebiegnij palcami w górę i w dół. I na koniec „suszenie" – leciutko podmuchaj.

Jest to wspaniałe i bardzo relaksujące uczucie. Pobyt w myjni może trwać zaledwie minutę, ale także pół godziny, zależnie od wieku dziecka, jego możliwości skupienia uwagi i stopnia zainteresowania. Techniki tej nie stosuje się w każdej chwili i przy każdym dziecku, pamiętajmy więc, że maluch ma prawo nie chcieć, by go dotykano, i że powinniśmy to uszanować.

Kompletne rozprężenie
Pozwolenie na dzikie harce.
wiek: bez ograniczeń

Zaplanujcie w ciągu tygodnia (lub dnia) taki czas, kiedy pozwolicie dziecku na kompletne rozprężenie. To oznacza, że dacie mu *carte blanche* na bieganie, skakanie, krzyki, wrzaski, a nawet jodłowanie, jeśli przyjdzie mu na to chętka. Żeby to było wykonalne, prawdopodobnie potrzebna będzie większa otwarta przestrzeń, park lub sala gimnastyczna. Przypominajcie dziecku w restauracjach, szkole i innych sytuacjach, gdzie obowiązują pewne normy społeczne, żeby zaczekało z dzikimi harcami na porę „kompletnego rozprężenia". I nie stójcie biernie z boku. Pokażcie dziecku, jak to się robi, kiedy zechcecie sobie pofolgować. Sami pójdźcie do parku, żeby dać ujście stresom.

Zabawne sposoby utrzymania dyscypliny

Uwaga: złe humory w natarciu
Delikatny sposób poradzenia sobie ze złymi humorami w miejscach publicznych.
wiek: od 2 do 5 lat

To był nasz ulubiony sposób, kiedy złość córeczek miała wybuchnąć niczym Wezuwiusz. Zrobiliśmy niewielką tabliczkę z napisem „Uwaga: złe humory w natarciu". Zabieraliśmy ją zawsze ze sobą, więc kiedy tylko dzieciaki zaczynały się złościć w sklepie, centrum handlowym lub innym miejscu publicznym,

stawialiśmy tabliczkę w pobliżu nich, a sami usuwaliśmy się na bok. Budziło to zdumienie przechodzących obok ludzi, a nie takiej dokładnie reakcji spodziewały się dziewczynki. Byliśmy zmuszeni do wyciągnięcia tego znaku zaledwie parę razy, ale córki wiedziały, że mamy go przy sobie, i to wystarczyło, żeby trzymały na wodzy swoje temperamenty.

Magiczne zapamiętywajki i subtelne napomnienia
Łagodny sposób wyegzekwowania wymagań.
wiek: od 4 lat
materiały: małe naklejki i notes z samoprzylepnymi karteczkami

Postarajcie się do minimum ograniczyć gderanie. Zamiast zrzędzić, przekazujcie to, co macie do powiedzenia, na piśmie, w formie notatki. Na samoprzylepnych karteczkach zapiszcie rzeczy, o których mieliście przypomnieć dzieciom, i przymocujcie je w różnych nieoczekiwanych miejscach, na przykład na ich poduszkach lub wewnątrz buta. Poza tym miejcie zawsze pod ręką zapas naklejek do przekazywania „delikatnych" wieści. Kiedy spostrzeżecie, że złość bierze nad wami górę, naklejcie sobie taką nalepkę na czoło i zapowiedzcie dziatwie, co trzeba zrobić, żeby zapobiec wybuchowi.

Eric Love często popadał w konflikty. Jako przewodniczący studenckiej organizacji Boise State University zawsze stał na niezachwianym stanowisku w obronie praw człowieka. Afroamerykanin, organizował protesty przeciwko skinheadom w Idaho, miejscu narodzin ruchu Aryan Nation. On także nalegał na ustanowienie przez studentów Dnia Martina Lutera Kinga oraz przyczynił się do uznania tego dnia świętem państwowym. Nie był jednak przygotowany na wrogość, z jaką przyjęto jego przemówienie w imieniu środowisk gejów i lesbijek. Poparcie dla homoseksualistów kosztowało go zmniejszenie popularności wśród czarnej młodzieży studenckiej, jednak chłopak nie załamał się. Jako jedyny z mówców podczas uroczystości rozdania dyplomów odmówił złożenia tradycyjnych gratulacji. Zamiast tego, wzbudzając jeszcze więcej kontrowersji, wezwał absolwentów do sprzeciwu wobec niesprawiedliwości zamiast akceptowania swojego status quo.

Wielkie uszy

W ten śmieszny sposób możecie zwrócić dziecku uwagę, że was nie słucha.
wiek: od 4 lat
materiały: karton z bloku

Zróbcie z kartonu parę dużych uszu. Kiedy dziecko nie będzie zwracało uwagi na to, co do niego mówicie, przyczepcie mu te uszy na głowie. Pozwólcie też, aby mogło je przyczepiać wam w podobnej sytuacji. Wszystkim domownikom pomoże to w uświadomieniu sobie, jak często zdarza się, że nie słuchacie jedno drugiego.

ROZDZIAŁ 5

Wrażliwość

Świadomość moralna.
Niezależne myślenie.
Odpowiedzialność i samodyscyplina.

Nasi przyjaciele, państwo Knottowie, mają czwórkę dzieci, wszystkie poniżej szóstego roku życia. Najstarszy syn, Jake, gdy miał pięć lat, odebrał znamienną lekcję na temat moralności i tolerancji. Niżej podajemy, jak opowiada o tym ojciec Jacke'a, Timothy. „Pewnego dnia na początku września Jake wrócił z przedszkola bliski łez. Kolega z grupy, chłopiec o imieniu Andrew, popchnął go tak, że mały upadł na ziemię. Po raz pierwszy razem z moją żoną Bethleną chcieliśmy jako rodzice zareagować na takie zachowanie. Mieliśmy trzy możliwości do wyboru: mogliśmy nauczyć syna, jak się bić, jak się bronić, lub po prostu nic nie zrobić. Zdecydowaliśmy się na ostatnią opcję w nadziei, że był to jednostkowy incydent.

Następnego dnia Andrew znów popchnął Jake'a na ziemię, wykonując przy tym wulgarne gesty. Dowiedzieliśmy się o tym podczas wspólnego obiadu, kiedy nasz chłopiec podniósł do góry środkowy palec i zapytał:»Co to znaczy?«. Omal nie udławiłem się ziemniakiem. Nie dość, że ten cały Andrew znęca się nad moim synem, to jeszcze uczy go wulgarności! Powiedzieliśmy Jake'owi, że podniesienie środkowego palca oznacza brzydkie słowo, i poprosiliśmy go, żeby więcej tego gestu nie robił. Wtedy zaczęliśmy opracowywać strategię opanowania sytuacji, tak aby pomóc dziecku w rozwiązaniu problemu oraz żeby była to lekcja moralności i tolerancji.

Razem z żoną jesteśmy przekonani, że u podłoża niemoralnego zachowania leży często nietolerancja. Dlatego namówiliśmy Jake'a, żeby zachowywał się ze wszech miar moralnie i był wyrozumiały dla Andrew. Wytłumaczyliśmy synkowi, że jego kolega jest naj-prawdopodobniej małym, przestraszonym chłopcem, który musi straszyć innych, żeby poczuć swoją siłę. Zasugerowaliśmy mu, żeby ignorował agresywne zachowanie Andrew i w ten sposób pozbawił go tej siły. Na niby zaopatrzyliśmy Jake'a w jego własną magiczną moc – moc niereagowania na zaczepki kolegi.

Następnego dnia mały po prostu odszedł, gdy zobaczył, że przez boisko zbliża się Andrew. Nieco później tego samego dnia, kiedy poczuł na sobie jego spojrzenie, odwrócił wzrok w przeciwną stronę. Andrew przestał niepokoić naszego syna.

Pod koniec tygodnia Jake poprosił swojego niedawnego wroga, by został jego przyjacielem. Parę tygodni później, podczas spotkania rodziców przekonaliśmy się, iż było to szczęśliwe posunięcie. Matka Andrew poprosiła nas na stronę, żeby powiedzieć nam, jak wiele jej syn opowiada w domu o swoim nowym przyjacielu Jake'u.

Tamtego września obydwaj chłopcy – i Jake, i Andrew, dostali od życia cenną lekcję. Jeśli zachowujemy się z większą moralną odpowiedzialnością, mniej agresywnie i bardziej tolerancyjnie, otwieramy się na nowe doświadczenia i możemy odnaleźć nowe szczęście".

Historia Betheleny i Timothy'ego dobrze precyzuje, co powinni zrobić rodzice, żeby wyposażyć dziecko w narzędzia ułatwiające podjęcie decyzji brzemiennych w pozytywne skutki. Rodzice Jake'a mogli swojemu dziecku doradzić wiele rzeczy: żeby się nie poddawał, żeby oddał, dopadł chuligana, zanim tamten dopadnie jego, przestał skarżyć, powiedział nauczycielowi, groźnie popatrzył na kolegę. Te i podobne stwierdzenia mogliście sami słyszeć, kiedy byliście dziećmi. Ale żadne z nich nie miało sensu dla Betheleny i Timothy'ego, nie odzwierciedlało ich zasad moralnych ani ich pragnienia przekazania tych zasad dzieciom.

Zatytułowaliśmy ten rozdział „Wrażliwość", ponieważ decyzje, które podejmują dzieci, muszą wiązać się z ich własną wrażliwością. Nie chodzi tu o wrażliwość w powszechnym znaczeniu tego słowa, tylko o wrażliwość moralną, której dziecko nabiera dzięki wartościom i przekonaniom, jakich uczy się w najbliższym otoczeniu, a więc tym, jakie wyznają jego rodzice, bliższa i dalsza rodzina, opiekunowie, organizacje religijne i nauczyciele. Rodzice Jake'a potraktowali całą sprawę jako okazję do nauczenia syna czegoś i zdecydowali się na rozwiązanie jej drogą rozumową. Pomogli dziecku pojąć, na czym polega problem chuligańskiego zachowania się kolegi, zasugerowali, co można zrobić z tym fantem (a miało to uzasadnienie w zasadach moralnych rodziny), i dali mu odrobinę magicznej mocy. Pokazali drogę postępowania, która była zgodna z wyznawanymi przez nich wartościami; że należy być silnym, uczciwym, tolerancyjnym człowiekiem oraz samodzielnie radzić sobie z problemami. Ten rozdział dotyczy trzech wartości, które pomagają dzieciom zrozumieć świat, w jakim żyją, oraz warunkują decyzje, które muszą podejmować: świadomości moralnej, niezależnego myślenia oraz samodyscypliny.

Świadomość moralna

Wszyscy ludzie chcieliby myśleć o sobie dobrze. Żeby mieć takie samopoczucie, potrzebna jest im pewność, że postępują słusznie, że zachowują się we właściwy i prawidłowy sposób, dzięki czemu zyskują szacunek i uznanie. Świadomość moralna to wiedza, uczucia i osądy, które pomagają dziecku tego dokonać. Te wszystkie elementy łączą się ze sobą i pozwalają mu dostrzec dylemat moralny, kiedy taki się pojawi, umożliwiają jego właściwą interpretację oraz osądzenie kwestii zgodnie z systemem wartości i zasad postępowania, których się nauczyło. Wyobraźmy sobie na przykład dwoje dzieci wracających ze szkoły. Jedno mówi do drugiego: „Przebiegnijmy przez ten trawnik, tak jest o wiele szybciej i wszyscy to robią". U tego, któremu dano propozycję, włącza się system wczesnego ostrzegania. Jeśli jest to system prawidłowo rozwinięty, powinien wysyłać komunikat „coś tu nie gra". Na to umysł zareaguje sformułowaniem pytania: „Czy możemy to zrobić? Czy jest coś, co przeczy mojemu pojęciu o tym, co jest dobre, a co złe? Czy złamię zasady, przebiegając przez ten trawnik? Czy to, że wszyscy tak robią, oznacza, że tak należy postępować?". W ciągu kilku sekund dziecko będzie umiało skorzystać z wiadomości, jakie posiada na temat moralnego zachowania, sformułować pytania i podjąć decyzję, jak należy postąpić i co odpowiedzieć.

Dzieci mogą na wiele różnych sposobów przyswajać sobie wiedzę na temat moralności, która umożliwia przebieg opisanego powyżej procesu. Dane, które tworzą ten szczególny bank informacji, pochodzą z różnych źródeł i przybierają różne formy. Mogą być to lekcje prawdziwego życia (jak w przypadku Jake'a), zasady wpojone przez rodziców, prawa społeczne, duchowe przewodnictwo mistrza, nauczyciela, osoby duchowej. Proces nauczania odbywa się w domu, szkole, kościele, przed telewizorem, a nawet na placu zabaw. Wiedząc o tych potencjalnych źródłach informacji, rodzice powinni jednakowo bacznie uważać na przekazy, jakie płyną z ekranu telewizora, gier komputerowych i placu zabaw, jak i na wiadomości, które sami przekazują dzieciom w domu.

Wiedza na temat zasad moralnych, którą usiłujemy wtłoczyć dziecku, uciekając się do przemocy lub przekupstwa, nie ma dla niego specjalnej wartości. Żeby nauczyło się postępować moralnie, powinno rozwinąć coś w rodzaju moralnej inteligencji. Aby to się udało, nauka powinna być ściśle związana z jego własnymi doświadczeniami i uczuciami. Młody człowiek musi sam przeżyć i rozpoznać wartości związane z sytuacjami i zdarzeniami, w których uczestniczy; wartości takie jak dobro, uczciwość, prawość, odpowiedzialność i duma. To zobowiązuje i sprawia, że dziecko myśli o sobie dobrze i nadal pragnie zachowywać się w podobny sposób. Doświadczanie uczuć tego typu nadaje także sens zasadom i wartościom moralnym. Na przykład maluchy uczą się od rodziców, nauczycieli, z religijnych książek, że nie wolno kłamać, ale to nic dla nich nie znaczy, dopóki nie zostaną na kłamstwie przyłapane i nie odczują na własnej skórze strachu i niepokoju, tych negatywnych emocji, które zawsze temu towarzyszą. Dopiero wtedy lekcja prawdomówności nabiera znaczenia.

Dorośli próbujący nauczyć młode pokolenie świadomości moralnej powinni jak najczęściej wykorzystywać sytuacje z prawdziwego życia. Są to najlepsze okazje do nauki. Dzieci, zwłaszcza w okresie przedszkolnym oraz wczesnoszkolnym, będą szukać rady u ludzi, których darzą zaufaniem. Jednakże już jako nastolatkowie będą raczej wolały rozwiązywać problemy samodzielnie, niezależnie od wpływu rodziców. Zwłaszcza wtedy, gdy sprawa wymagać będzie wiedzy na temat moralnego zachowania oraz umiejętności podjęcia decyzji.

Niezależne myślenie

Dzięki uzyskaniu świadomości moralnej dzieci są wyposażone w umiejętność podejmowania słusznych decyzji i wyrażania opinii niezależnie od negatywnych wpływów i presji otoczenia. Ten sposób myślenia może pojawić się wtedy, gdy połączy się świadomość moralną z możliwością wyboru, przed którym stajemy, oraz przewidywalnymi konsekwencjami związanymi z podjęciem takiej, a nie innej decyzji. W związku z tym, aby wyrazić niezależną opinię lub podjąć takąż decyzję, należy rozważyć każdą z możliwości i zastanowić się nad wszelkimi prawdopodobnymi skutkami. Dziecko, które tego dokona, będzie miało zaufanie do samego siebie i będzie potrafiło trwać przy swojej decyzji, nawet jeśli spotka się z przeciwnościami.

Zdolność niezależnego myślenia jest krytycznym punktem rozwoju każdego młodego człowieka, który ma prawidłowo ukształtowany charakter i pewną inteligencję emocjonalną. Jest także decydującym czynnikiem, który pomaga w rozwijaniu poczucia własnej wartości, nauce rozwiązywania problemów i pokonania niebezpieczeństw okresu dojrzewania. Warunkuje bowiem przyjęcie odpowiedzialności za swój los, a więc przezwyciężenie negatywnych wpływów, powstrzymanie się przed przedwczesnym podjęciem współżycia seksualnego, a także odmową brania narkotyków i picia alkoholu.

Dzieci muszą wiedzieć, że moralne i zgodne z sumieniem postępowanie opłaca się zarówno w niewymiernym (pozytywne uczucia, pochwały, szacunek dla samego siebie), jak i wymiernym sensie (wynagrodzenie za pracę, dobra opinia, uścisk dłoni lub nagroda). Odpowiedzialność w naturalny sposób przenosi się z rodziców na dzieci w miarę ich dorastania. Wobec tego, żeby umiały podołać coraz większej odpowiedzialności, muszą z jednej strony stosować się do stawianych im przez rodziców ograniczeń, a z drugiej wykorzystywać okazje do samodzielnego podejmowania decyzji. Im wyraźniej młody człowiek uświadomi sobie, że poczucie odpowiedzialności przyniesie mu nagrodę w postaci możliwości wyboru i ostatecznie osiągnięcia tego, czego chce, tym chętniej będzie je nabywał.

Odpowiedzialność i samodyscyplina

Ta zdolność jest rodzajem wewnętrznej siły, która popycha dzieci w stronę celów, jakie sobie wyznaczyły, i prowadzi w kierunku różnych obiecujących wydarzeń. Motorem takiego zachowania natomiast jest nie strach przed karą lub gniewem rodziców, ale dokonujący się w nich proces dojrzewania emocjonalnego, który mówi im, że po prostu muszą. Jest to możliwość działania na własny rachunek, dla własnej korzyści, własnych celów i spełnienia własnych obietnic, składanych osobom, wobec których dziecko poczuwa się do odpowiedzialności, a więc: rodziców („Posprzątam mój pokój"), środowiska („Nie będę śmiecić"), nauczyciela („Dokończę pracę domową") oraz rodzeństwa i przyjaciół („Będę myśleć o twoich uczuciach").

Dyscyplina wewnętrzna jest nabytkiem, który spłaca się z nawiązką – raz osiągnięta, pozostaje niezmienna przez całe życie. To sprawia, że wszystko idzie łatwiej, a takie rzeczy jak dokończenie pracy domowej, wypełnienie obowiązków, punktualność, dbanie o własne ciało i zdrowie nie stanowi większego problemu. Jeśli dana osoba jest zdyscyplinowana, wtedy prawdopodobieństwo osiągnięcia jakiegokolwiek wyznaczonego celu jest dużo większe. Samodyscyplina jest dowodem na to, że u dziecka w zgodzie pracują wszystkie trzy sfery: jego myśli, uczucia i działanie.

Jak ocenić, czy dziecko ma trudności ze świadomością moralną, niezależnym myśleniem, odpowiedzialnością i dyscypliną wewnętrzną

Przeczytajcie przewodnik „Poprzez lata", żeby upewnić się, czy wasze oczekiwania są zgodne z wiekiem i możliwościami rozwojowymi dziecka. Jako punkt odniesienia wykorzystajcie „Pytania, na które trzeba sobie odpowiedzieć" – niech posłużą wam do oszacowania jego mocnych i słabych stron. Jeśli na którekolwiek z pytań odpowiedzieliście twierdząco, dobrze byłoby dodatkowo pomóc dziecku w rozwinięciu tych umiejętności.

POPRZEZ LATA

Wskazówki pomagające w rozwijaniu charakteru dziecka

Uwaga: Ten przewodnik ma służyć jako zbiór pewnych ogólnych informacji, dających orientację, czego i kiedy możecie oczekiwać od dziecka. Nie ma żadnych ścisłych norm i granic określających, jak i kiedy powinny pojawiać się dane właściwości, charakterystyczne dla określonego przedziału wiekowego. Każde dziecko jest jedyne w swoim rodzaju, a my podajemy tutaj tylko pewien przekrój etapów rozwojowych, które charakteryzują się ogólnie podobnymi i prawdopodobnymi wzorcami zachowań i predyspozycji. Pamiętajcie, że rozwój osobowości jest z natury rzeczy dynamiczny i powtarzalny, co oznacza, że bez przerwy się zmienia, a cechy i umiejętności mogą pojawiać się, znikać i znów pojawiać się w trakcie rozwoju.

Wrażliwość – świadomość moralna, niezależne myślenie, odpowiedzialność i dyscyplina wewnętrzna

Etap I – Niemowlęctwo: od urodzenia do 24 miesięcy
Okres życia od noworodka do dwulatka

Ten okres ma fundamentalne znaczenie dla kształtowania się wielu wzorców zachowań, postaw i ekspresji emocjonalnej. Wychowanie w ciągu pierwszych 12 miesięcy polega przede wszystkim na karmieniu i podstawowej opiece pielęgnacyjnej.

Oczekujcie od dziecka, że: żadne oznaki nabycia tych umiejętności nie pojawią się przed 12 miesiącem życia. **Pomiędzy 12 a 18 miesiącem możecie oczekiwać od dziecka, że**: nie będzie ani moralne, ani niemoralne, ponieważ nie przyswoiło sobie jeszcze żadnego systemu wartości, nie ma świadomości istnienia sumienia i zachowuje się zgodnie ze swoimi instynktownymi potrzebami. **Pomiędzy 18 a 24 miesiącem możecie oczekiwać od dziecka, że**: zacznie podejmować niezależne decyzje i będzie bardziej kontrolowało swoje zachowanie, spodziewając się w zamian nagrody lub kary (może poczęstować się cukierkiem, ma pójść do swojego pokoju, dostanie klapsa).

Nie oczekujcie od dziecka: oznak osiągnięcia dyscypliny wewnętrznej ani odpowiedzialności do końca okresu żłobkowego.

Etap II – Wczesne dzieciństwo i wiek przedszkolny: od 2 do 6 lat
Okres życia od dwulatka do starszaka

Etap ten często bywa nazywany okresem zabawy, ponieważ wtedy właśnie przypada szczytowe zainteresowanie zabawkami i grami, wyrażające się dążnością do poszukiwań, twórczej zabawy, myślenia abstrakcyjnego, z wykorzystaniem wyobraźni, niestrudzonej walki o niezależność i zwiększonych kontaktów społecznych. Jest to okres przygotowawczy do nauki podstaw zachowań społecznych, niezbędnych w nadchodzących latach pobytu w szkole.

Pomiędzy 2 a 4 rokiem życia możecie oczekiwać od dziecka, że: nauczy się, jaka jest różnica pomiędzy właściwym i niewłaściwym zachowaniem, dostosuje się do zasad, żeby uzyskać aprobatę innych; będzie umiało odróżnić dobre i złe zachowanie raczej w kategoriach wynikających z tego konsekwencji niż motywów, jakie się za nimi kryją; ciągle będzie zapominało, co do niego mówicie, i powtarzało ten sam błąd.

Nie oczekujcie od dziecka, że: będzie potrafiło dokonać analizy własnego zachowania albo uogólnić wnioski, jakie wyciągnęło z jednej konkretnej sytuacji, tak aby można było je wykorzystać w przyszłości; zrozumie lub będzie potrafiło wyjaśnić własne zachowanie w abstrakcyjnych kategoriach dobra i zła.

Pomiędzy 4 a 6 rokiem życia możecie oczekiwać od dzieci, że będą: starały stosować się do norm i oczekiwań społecznych w nadziei uzyskania nagrody (na przykład będą czekać na swoją kolejkę, sprzątać po sobie, mówić prawdę); potrzebowały częstego przypominania i podpowiadania, żeby dokończyć swoją pracę i wypełnić obowiązki, ale podejmą je z dumą, silną wolą i świadomością przynależności; zachłannie będą próbowały zastosować się do abstrakcyjnych pojęć dobra i zła.

Nie oczekujcie od dzieci: ignorowania lub unikania pokusy przywłaszczenia sobie czegoś, co do nich nie należy, oraz stałego i trwałego stosowania się do nowo przyswojonych pryncypiów bez podpowiadania i przypominania ze strony opiekunów lub wychowawców.

Etap III – Wiek wczesnoszkolny: od 6 do 11 lat

Ten etap życia zaczyna się podjęciem nauki, a kończy wejściem w okres dojrzewania

Okres ten objawia się głównie wielkim zainteresowaniem i koncentracją na nawiązywaniu kontaktów z rówieśnikami, uczestniczeniu w popularnych grach zespołowych oraz wzrastającą motywacją do nauki, przyswojenia wiedzy technicznej, dużej ilości informacji i osiągania sukcesów w szkole. Jest to niezwykle ważny czas dla ustabilizowania się postaw i nawyków w stosunku do nauki, pracy i wykorzystania osobistego potencjału.

Możecie oczekiwać od dziecka, że: dostosuje się do sztywnych zasad moralnych, według których kierowaliście jego zachowaniem we wczesnym dzieciństwie; zacznie zdawać sobie sprawę, że oszacowanie, co jest dobre, a co złe, zależy od okoliczności towarzyszących naruszeniu normy moralnej (na przykład oszukanie kolegi, które służy ochronieniu go przed pobiciem przez chuligana, to co innego niż oszukanie nauczyciela, że odrobiło się lekcje); zmodyfikuje swój kodeks moralny, uwzględniając standardy grupy rówieśniczej; niechętnie będzie podejmowało samodzielne decyzje, które w znacznym stopniu odbiegają od tego, do czego się przyzwyczaiło.

Nie oczekujcie od dziecka, że: do nowo przyswojonych reguł będzie się stosowało stale lub mimo presji rówieśników; będzie rozwijało poczucie niezależności, jeśli nie uzyska rozsądnego wsparcia i wskazówek od opiekunów.

Etap IV – Wczesnonastoletni: wiek od 11 do 15 lat

Ten etap życia zaczyna się w czasie, gdy dziecko kończy szkołę podstawową, trwa przez okres nauki w szkole średniej, a zamyka go jej zakończenie i wstąpienie do szkoły wyższej*

Ten okres charakteryzuje ogromny chaos. Wraz z gwałtownym wejściem w okres dojrzewania następuje nagła zmiana wyglądu,

---

* Według polskiego systemu edukacyjnego okres ten obejmuje czas nauki w wyższych klasach szkoły podstawowej, jej ukończenie i wstąpienie do szkoły średniej – przyp. tłum.

wzrasta zainteresowanie rówieśnikami płci przeciwnej i zaczyna się bezwzględna walka o własną osobowość i niezależność.

Od młodszych nastolatków możecie oczekiwać, że: nie będą dłużej chcieli w niekwestionowany sposób zaakceptować moralnego kodeksu, wpajanego im przez rodziców, nauczycieli, a nawet rówieśników; z zajadłością będą wygłaszać własne opinie i przekonania, najczęściej przeciwne do tych, którym hołdują rodzice (na przykład na temat religii, polityki, seksu, problemów świata); ich własne wartości moralne wpłyną na decyzje, jak należy postępować, wybierać przyjaciół, spędzać wolny czas; zaczną bardziej niezależnie podejmować zobowiązania i robić plany; zaczną okazywać pierwsze przejawy osiągnięcia wyższego stopnia odpowiedzialności za własne obowiązki, rodzinę i sprawy szkolne.

Nie oczekujcie od młodszych nastolatków, że: automatycznie włączą to nowe spojrzenie do swojego zachowania (mogą zachowywać się pogardliwie i podle w stosunku do młodszego rodzeństwa, a prowokująco i bez szacunku odnosić się do rodziców i wychowawców).

Pytania, na które trzeba sobie odpowiedzieć

Czy dziecko skupia się przede wszystkim na tym, by nie dać się złapać, gdy źle się zachowuje, a konsekwencje takiego postępowania wydają się dla niego głównym czynnikiem w podejmowaniu decyzji i to one głównie go powstrzymują? (Nie wydaje się, by miało wyrzuty sumienia albo potężną wewnętrzną siłę, która nagrodzi go za dobre zachowania, a także spowoduje brak komfortu, gdy postąpi niewłaściwie).

Czy dziecko często ucieka się do nieuczciwości, podstępnego zachowania, oszustwa lub intryg, żeby osiągnąć to, czego chce? (Sprawia wrażenie, że interesuje je wyłącznie uzyskanie natychmiastowego efektu, i nie zdaje sobie sprawy z tego, że na niektóre rezultaty trzeba długo czekać).

Czy dziecko nie potrafi podejmować samodzielnych decyzji, wyrażać swoich opinii, sympatii i antypatii? (Sprawia wrażenie, że zawsze naśladuje osoby, na których aprobacie mu zależy, przyswaja sobie ich sposób bycia, ubierania się, mówienia lub poruszania się).

Czy trzeba dziecku ciągle przypominać o zrobieniu najprostszych rzeczy, takich jak zachowanie higieny osobistej? (Nie myje zębów, nie sprząta swego pokoju, nie robi tego, co zostało zaplanowane, chyba że przypomina mu się o tym trzy lub cztery razy albo zagrozi karą).

Czy wygląda na to, że dziecko częściej wpada w kłopoty, niż je omija, oraz nie rozumie, dlaczego tak się dzieje? (Sprawia wrażenie, że nie rozumie, dlaczego przez swój sposób myślenia i własne decyzje często znajduje się w kłopotliwych sytuacjach).

Czy trudno dziecku odróżnić dobro od zła? (Sprawia wrażenie, że chce być dobre i bardzo się stara, niemniej ciągle ma kłopoty).

Czy świadomość moralna dziecka i jego zdolność myślenia zdają się jakby uśpione i nie nadążają za jego fizycznym i intelektualnym rozwojem? (Wydaje się, że nie umie myśleć na tyle dojrzale, na ile jest to powszechne u dzieci w jego wieku).

Czy dziecko manipuluje sytuacją, mówiąc zdania właściwe z moralnego punktu widzenia, ale tak naprawdę nie odczuwając ich prawdziwego znaczenia? (Szybko mówi: „Przepraszam" lub „Dziękuję", ale nie sprawia wrażenia, żeby rzeczywiście przepraszało lub dziękowało).

Jak kształtować wrażliwość dziecka

1. Żeby stać się jak najlepszymi nauczycielami tych umiejętności, zacznijcie od przestudiowania własnych wartości, przekonań i ich zastosowań w praktyce. Czy tego właśnie chcielibyście

nauczyć swoje dziecko? Rodzicielstwo i konieczność rozwijania morale dziecka są doskonałą okazją do ocenienia swoich własnych zwyczajów i umiejętności. W ten sposób możemy stać się lepszymi wzorami dla dzieci.

2. Pamiętajcie, że rozwój moralności jest procesem, który przebiega stopniowo, i muszą minąć lata, zanim się zakończy. Dużo lepiej będzie, jeśli nabierzecie do sprawy dystansu i będziecie analizować wzory zachowań, niż jeżeli skupicie się na rozpatrywaniu każdej poszczególnej sprawy i incydentu. Bądźcie cierpliwi, uczciwi i patrzcie realistycznie na dziecko oraz siebie samych.

3. Jeśli wydaje się wam, że rozwój niezależnego myślenia w pewnych dziedzinach jest u dziecka nieco opóźniony, prawdopodobnie oznacza to, że czuje się ono tak samo zaniepokojone, a przez to sfrustrowane, jak i wy. Pamiętajcie, że dla niego wcale nie jest zabawne, że nie umie się kontrolować albo że nie potrafi przewidzieć różnych rzeczy. Uprośćcie sprawę, określając niektóre możliwe do osiągnięcia cele i skupcie się na wąskich dziedzinach, w których maluch ma już pewne osiągnięcia.

4. Najlepszą drogą do rozpoczęcia rozwijania tych umiejętności jest ćwiczenie dokonywania wyborów. Zamiast wydawać bezpośrednie polecenia, zaprezentujcie dziecku kilka możliwości, z których będzie mogło wybierać. Pamiętajcie, by były proste

i żebyście wy byli przygotowani na wprowadzenie w życie tego, na co młody człowiek się zdecyduje. (Nie dawajcie mu jako jednej z możliwości wyjścia z restauracji w trakcie obiadu, jeśli nie jesteście gotowi rzeczywiście tego zrobić). Przedszkolakom wystarczą dwa rozwiązania. I nie zapominajcie, że dając dziecku okazję do podjęcia decyzji, nie poddajecie w wątpliwość swoich praw jako rodzice, ale raczej je precyzujecie.

5. Rodzice, nawet tacy, którzy obawiają się, że stracą panowanie nad sytuacją, najczęściej są bardzo zdziwieni, jak często nadarzają się niewielkie, ale bardzo znamienne okazje, kiedy dziecko może podjąć swoją własną decyzję. Daje mu to duże możliwości rozwoju, nie wiąże się z żadnym ryzykiem i nie zależy od wieku ani poziomu rozwojowego, na którym znajduje się dziecko.

6. Oczywiście, że danie dziecku możliwości wykształcenia niezależności wystawi na próbę waszą cierpliwość. Efekt nie będzie tak szybki i widoczny, jak byśmy mogli sobie wymarzyć, ale to tylko nieznaczna niedogodność w porównaniu z korzyściami, jakie płyną z wychowania naprawdę samodzielnego dziecka.

7. Przez cały czas nie szczędźcie dziecku słów zachęty – to bardzo pomoże mu w osiągnięciu celu. Kiedy spostrzeżecie, że wasza pociecha staje się dojrzalsza, powiedzcie jej o tym. W ten sposób utwierdzicie ją w przekonaniu, że oddzielenie dobra od zła ma dla was duże znaczenie, i chcecie, żeby ona tak samo to odczuwała. Pokażecie jej także, że warto się starać (pamiętajmy, że często dużo trudniej jest postępować właściwie).

Zabawy, które uczą świadomości moralnej

Moralna prawda tygodnia
Pomaga dzieciom uzyskać szerokie wyobrażenie na temat pojęcia moralności w codziennym życiu.
wiek: od 2 lat

Przyjrzyjcie się swoim przekonaniom moralnym i wybierzcie jedno z nich, które stanie się „moralną prawdą tygodnia". Na przykład: „Nasza rodzina wierzy, że trzeba dzielić się z innymi". Przyczepcie to hasło na lodówce i poproście domowników, żeby napisali, co taka sentencja znaczy dla każdego z nich. Przypomnijcie sobie sytuacje, w których postąpiliście według tej myśli. Zastanówcie się, w jaki sposób można konkretnie zastosować ją w praktyce. Następnie zróbcie to w ciągu tygodnia.

Naklejka z prawdą moralną
Zróbcie sami naklejkę, na której zapiszecie swoje moralne przekonanie.
wiek: od 5 lat
materiały: plansza z naklejkami

Pewne dziecko, które przebywało przez trzy lata w rodzinie zastępczej, zanim zostało zaadoptowane, często mówiło: „Rodzina jest dobra, bądź więc dobry dla swojej rodziny". Opiekunowie byli tak wzruszeni tymi słowami, że zapisali je na naklejce z rodzaju tych, które przyczepiamy na tylną szybę samochodu.

To samo możecie zrobić wy i wasze dzieci. Jedno ze szczególnie ważnych dla was przykazań życiowych zapiszcie wodoodpornym flamastrem na samoprzylepnych karteczkach i umieśćcie je na widocznych miejscach.

Pokój otoczony życiowymi drogowskazami
Ściany pokoju udekorowane prawdami moralnymi.
wiek: od 4 lat
materiały: jednokolorowa tapeta ścienna

Porozmawiajcie z dzieckiem na temat swoich przekonań moralnych, a następnie zapiszcie je na rolce tapety. Zwróćcie uwagę, by była ona wystarczająco długa, żeby można było okleić nią ściany dookoła pokoju. Maluch niech do każdej myśli zrobi rysunek, a całość zatytułujcie „Życiowe drogowskazy". Wieczorem, zanim położycie go spać, przeczytajcie razem te sentencje i obiecajcie sobie nawzajem, że będziecie ze wszystkich sił starali się kierować w życiu tymi „drogowskazami".

Piosenka słusznych przekonań

Skomponujcie i zaśpiewajcie piosenkę, która będzie wyrażała wasze przekonania.
wiek: od 3 do 13 lat

Ludzie od dawien dawna wyrażali swoje myśli i uczucia śpiewem. Wasze dziecko może zrobić to samo. Zacznijcie od spisania własnych zasad moralnych, wyznawanych wartości i praw. Wszystkie wyżej opisane zabawy powinny wam pomóc w stworzeniu takiej listy. Z tego ułóżcie rymującą się piosenkę. Rymy łatwiej wchodzą nam do głowy, więc przy okazji ułatwimy dziecku zapamiętanie kilku rzeczy. Dopasujcie piosenkę do już istniejącej melodii albo wymyślcie ją sami. Może być śpiewana w stylu rap, pop, blues, a nawet na modłę przedszkolnych pioseneczek. Pamiętajcie, że to nie nominacja do nagrody Grammy [nagroda amerykańskiej National Academy of Recording Arts and Science przyznawana za szczególne osiągnięcia w przemyśle muzycznym – przyp. tłum.]. Podajemy niżej rymowankę autorstwa sześciolatka, zatytułowaną „Właściwa droga" (na melodię „Wyszły w pole kurki trzy")

> *Annie dzisiaj mówi wam:*
> *dziel się, kochaj, o innych dbaj.*
> *Porzuć kłótnie, bądź uczciwy,*
> *wtedy będziesz żyć szczęśliwie.*
> *Annie właśnie tak żyć chce,*
> *tak prowadzi kroki swe.*

Prawa moralne

Dziecko zapoznaje się z własnym Dziesięciorgiem Przykazań.
wiek: od 4 lat

Niech dziecko zapozna się z dziesięcioma prawami moralnymi, którymi powinno kierować się w życiu i które odzwierciedlają zarówno jego własne przekonania, jak i przekonania jego rodziny. Powinny być na tyle zwięzłe, żeby zmieściły się na jednej stronie. Wywieście je w pokoju dziecinnym albo dajcie do wygrawerowania na tabliczce.

Walka dobra ze złem – teatrzyk kukiełkowy

Postać diabła i anioła pomoże dziecku zrozumieć, co jest dobre, a co złe.

wiek: od 4 lat
materiały: zmywające się flamastry, szczoteczka do czyszczenia fajki

Wyobraźmy sobie, jak by to było dobrze, gdyby za każdym razem, kiedy stajemy wobec moralnego dylematu, z kąta wyskakiwał mały aniołek i mały diabełek i toczyli za nas bitwę o tę sprawę. Nie żyjemy co prawda w świecie filmów animowanych, ale to wcale nie znaczy, że nie możemy go odwiedzić za każdym razem, kiedy potrzebujemy nieco moralnego wsparcia. My korzystamy z czarnych i białych charakterów za każdym razem, kiedy nasze dziewczynki mają trudności z wyborem pomiędzy dobrem a złem. Palec wskazujący jednej ręki malujemy wtedy na biało i dorysowujemy na nim miłą, uśmiechniętą buzię (pozytywna postać), a ten sam palec drugiej – na czarno, ze zmarszczoną, wykrzywioną twarzą (negatywna postać). Czasem, dla uzupełnienia obrazu, doprawiamy jednemu aureolę, a drugiemu rogi ze szczoteczki do czyszczenia fajek.

Stajemy za plecami dziecka i zza jednego ramienia wystawiamy aniołka, a zza drugiego diabełka. Nasze figurki biorą się do działania. Proponujemy jakiś problem, na przykład: „Koleżanka namawia cię, żebyś wzięła sobie w sklepie batonik i nie płaciła za niego. Co powinnaś zrobić?". Pozwalamy córkom odpowiedzieć. Zazwyczaj słyszymy to, co byśmy chcieli, ale wtedy włączają się figurki. Czarny charakter mówi grobowym głosem: „Ona jest twoją najlepszą przyjaciółką i może przestanie cię lubić, jeśli tego nie zrobisz". Na to odzywa się

Szybko! Mów prawdę!

słodki głosik aniołka: „To jest kradzież i ty dobrze wiesz, że tak nie wolno robić!". Ale diabełek ciągnie dalej: „Nie słuchaj go, w sklepie jest bardzo dużo batoników, nikt nawet nie zauważy, że jakiegoś brakuje". I tak dalej.

Nasze pociechy śmieją się, ale uważnie słuchają tego „konfliktu wewnętrznego". Niewiele trzeba, żebyście przekonali się, jak wielką siłę oddziaływania mają na nasze dzieci wpływy z zewnątrz. Ta technika jest także bardzo przydatna w nagłych sytuacjach. Arielle i Emily są już tak przyzwyczajone do teatrzyków walki dobra ze złem, że nie musimy zawsze malować sobie palców. Już sam dialog wystarczy, żeby zaczęły słuchać swojego własnego, wewnętrznego głosu.

Technikę tę zastosowaliśmy niedawno, kiedy zauważyliśmy, że porcelanowa laleczka, której nie wolno nawet tknąć, zniknęła w tajemniczy sposób ze swojego zwykłego miejsca. Dwa palce wyłoniły się zza pleców jednej naszej córki i krzyczały: „Hej! Twoja mama znalazła tę szczególną »nietykalną« laleczkę w innym miejscu" – to były słowa czarnego charakteru. „Powiedz jej, że nie masz pojęcia, skąd się tam wzięła, i zawsze kłam, kiedy masz kłopoty".

Zanim mama zaczęła przemawiać głosem aniołka, druga córka położyła palec na plecach siostry i powiedziała miłym głosikiem: „Szybko, mów prawdę, zanim zły znowu coś powie!".

Dobra i zła droga

Skuteczny sposób nauczenia grupy dzieci podejmowania właściwych decyzji mimo presji czynników negatywnych.
wiek: od 5 do 12 lat
materiały: kawałek papieru o wymiarach mniej więcej dziesięć na dziesięć centymetrów albo kilka kawałków sklejonych razem

Na papierze namalujcie dwie trasy. Na początku pierwszej napiszcie „Dobra droga", a na końcu drugiej „Zła droga". Wzdłuż dobrej drogi przyczepcie stwierdzenia określające wartości moralne, na przykład „uczciwość", „troska o innych", „słuchanie i uczenie się", „zawsze staraj się jak najbardziej". Analogicznie przy drugim rysunku znajdą się kartki z napisami: „kłamstwo", „myśl tylko o sobie", „nie dziel się z innymi".

Przyczepcie obie drogi do ściany i posługujcie się nimi zawsze wtedy, gdy dziecko musi dokonać moralnego wyboru.

Dwie strony medalu

Uczy dzieci, że każdy kij ma dwa końce.
wiek: od 4 do 12 lat
materiały: kartoniki, moneta

Kiedy uczymy dzieci moralności, zazwyczaj skupiamy się na prawidłowym zachowaniu i zaniedbujemy wspominanie o postępowaniu niewłaściwym. Jeśli jednak zależy nam, by naprawdę zrozumiały wszystkie ukryte znaczenia moralnego dylematu, koniecznie musimy pokazać im obie strony medalu.

Zapiszcie różne problemy moralne na osobnych kartonikach. Wykorzystajcie w tym celu sytuacje, w których uczestniczyło samo dziecko, zdarzenia ze swojego dzieciństwa i różne prawdopodobne wyzwania moralne, przed którymi możecie stanąć w przyszłości.

Postarajcie się zebrać przynajmniej dwadzieścia różnych możliwości. Rozpoczynający zabawę wyciąga jedną kartę i rzuca monetą. Jeśli wyjdzie orzeł, gracz podaje rozwiązanie problemu drogą moralnie słuszną. Jeżeli to będzie reszka, rozwiązanie powinno być podłe, niemoralne albo po prostu tak złe, jak tylko może sobie wyobrazić. Prawdopodobnie zdziwicie się, jak bardzo dobre – i złe – są odpowiedzi waszych dzieci.

Ashley Black lubiła bawić się grami komputerowymi tak samo jak inne dzieci, ale przeraziła się, gdy w 1991 roku dowiedziała się, że pewne europejskie firmy wypuściły na rynek gry propagujące koncepcje nazistowskie. Zakłady przemysłowe w Austrii i Niemczech wyprodukowały gry o nazwach takich, jak „Test aryjski", gdzie gracz zdobywa punkty za powieszenie lub zagazowanie więźniów obozowych. Więźniowie byli często nazywani Żydami lub Polaczkami. W grafice dominowały swastyki i podobizny Hitlera.

Ashley zareagowała szybko. Rozpoczęła kampanię przeciwko rozpowszechnianiu tej gry w New Jersey, gdzie mieszka. W ciągu dwóch miesięcy zebrała ponad dwa tysiące podpisów na petycji do władz. Zwerbowała do walki inne dzieci, zmobilizowała społeczność, w której żyje, lokalne media i władze ustawodawcze New Jersey.

Projekt przeszedł, a wysiłek dziewczynki zaowocował jeszcze większym zwycięstwem: rozgłos, jaki nadała sprawie, zakończył się międzynarodową umową zakazującą Austrii i Niemcom eksportu tych gier do Stanów Zjednoczonych.

Wyciągnij i zastanów się

Ta zabawa pozwoli wam nie tylko ożywić rozmowę przy stole, ale przede wszystkim będzie stymulowała rozwój moralny dziecka.
wiek: od 4 lat
materiały: kartoniki

Podajcie dziecku kilka ciekawych, moralnie niejednoznacznych sytuacji, zmuszających do zastanowienia się i dokonania wyboru.

Żeby łatwiej było wam zacząć, podajemy niżej spis kilku z nich. Zapiszcie je na osobnych kartonikach. Komplet kart trzymajcie na stole, przy którym zwykle jadacie kolację. Każdego wieczoru wyciągnijcie jedną i przedyskutujcie zapisany tam problem. Jeśli dziecko jest wystarczająco duże, poproście je, żeby dodało wymyślone przez siebie scenki i zdarzenia. To da wam pewien wgląd w rozwój jego świadomości moralnej, a jemu możliwość przyjrzenia się, jak wy rozwiązalibyście jego moralne wątpliwości. Zastanówcie się nad następującymi pytaniami:

- Całe lato oszczędzałeś na nową parę łyżworolek. Wakacje prawie się kończą, a tobie nadal brakuje trzydziestu złotych. Na spacerze znajdujesz portfel z dokładnie taką sumą w środku. Zatrzymasz pieniądze, czy spróbujesz odnaleźć właściciela?
- Kupujesz jedną papierową teczkę w sklepie z materiałami piśmienniczymi. Ani ty, ani sprzedawca nie zauważacie, że przykleiła się do niej druga. Odkrywasz to dopiero po powrocie do domu. Zwrócisz teczkę do sklepu, czy zatrzymasz ją, bo przyda ci się do następnego referatu w szkole?
- Rozwiązujesz test z matematyki, aż tu nagle siedzący obok twój najlepszy przyjaciel prosi cię szeptem o odpowiedź na pytanie numer 5. Jeśli mu nie powiesz, będzie na ciebie zły. Co powinieneś zrobić?
- Twoi sąsiedzi wybierają się do parku zabaw i zapraszają cię, żebyś się do nich przyłączył. Ale na jeden dzień przed zaplanowanym wyjściem okazuje się, że zachorowała babcia. Reszta rodziny zamierza dodać jej otuchy i złożyć wizytę właśnie tego dnia, kiedy się umówiłeś. Pójdziesz z nimi, czy zgodnie z wcześniejszym zamiarem udasz się do parku zabaw?
- W klasie pojawiła się nowa uczennica. Na nogach ma założone klamry, bez których nie może chodzić. Jest bardzo nieśmiała. W czasie przerwy ślizgasz się na boisku, kiedy nagle spostrzegasz ją, jak siedzi sama na ławce. Ślizgasz się dalej, czy próbujesz wymyślić coś, w co mogłybyście bawić się razem?

Myślenie na głos

Pozwólcie dzieciom przysłuchiwać się, jak sami podejmujecie decyzje.

wiek: bez ograniczeń

Kiedy musicie podjąć decyzję lub rozwiązać jakiś problem, myślcie na głos. Pozwólcie dziecku przysłuchiwać się tej wewnętrznej debacie. To pomoże mu zrozumieć, jak rozpatrywać sprawę z różnych stron i jak rozważyć różne aspekty.

Barometr spokoju

Uczy dziecko właściwych reakcji na dokonane wybory moralne.

wiek: od 3 lat

Wyobraźmy sobie, że wewnątrz ciała mamy wmontowany „barometr spokoju", który pokazuje poziom komfortu wewnętrznego, jaki odczuwamy po podjęciu pewnych osobistych decyzji. Jeśli dokonujemy właściwego moralnie wyboru, nasz barometr wskazuje wysoki poziom komfortu. Jeżeli natomiast zrobimy coś nie tak i wiemy o tym, wskaźnik opada i sumienie dręczy nas przez wiele dni. I nawet kiedy już się zdaje, że całe zdarzenie dawno mamy za sobą, pamięć znów je przywołuje i z powrotem jesteśmy zdenerwowani i źli.

Ta zabawa uczy dziecko, jak korzystać z owego „wewnętrznego barometru", żeby łatwiej było sterować wyborami moralnymi. Zaczynamy od wyobrażenia sobie, jak takie urządzenie mogłoby wyglądać, następnie wykonujemy odpowiedni rysunek. Porozmawiajcie ze swoją pociechą na temat moralnych i niemoralnych reakcji na różne sytuacje i wspólnie zadecydujcie, w którym miejscu każdą z nich zaznaczyłby „barometr spokoju". Kiedy już przyrząd jest wyskalowany, możecie użyć go do zmierzenia dylematów, które mogą pojawić się w przyszłości.

Kiedy podejmujecie decyzję wymagającą w pewnym stopniu myślenia moralnego, opowiedzcie dziecku, jak ten wasz wybór należałoby zaznaczyć na barometrze. Zależnie od tego, w jakim stopniu poziom rozwojowy dziecka pozwoli mu na zrozumienie, że wy także macie prawo do popełniania błędów, zwróćcie uwagę na swoje pomyłki z przeszłości oraz ich miejsce na barometrze.

> Linjalynn Grier przez cztery sezony wakacyjne pracowała jako ratowniczka w City of Atlanta Parks Departament, aż zdała sobie sprawę z tego, że jego działalność nie obejmuje dużej grupy ubogich dzieci – mieszkańców miasta. Wobec tego, poza godzinami pracy, zaczęła werbować dzieciaki do swojej własnej, bezpłatnej szkółki bezpieczeństwa w wodzie. Nie uzyskała dostępu do żadnego z basenów publicznych, zaprowadziła więc swoich podopiecznych na prywatny basen własnej ciotki.
>
> Linjalynn stała się sławną liderką uczniów i członkiem Exodus Players, grupy, która dawała przedstawienia i prowadziła warsztaty oparte na problemach ilustrujących życie młodych mieszkańców miasta. Jej przesłanie do dzieci brzmi: „Nigdy się nie poddawaj. Nieważne, ile trudu cię to kosztuje, nigdy się nie poddawaj".

Zabawy, które uczą uczciwości

Wykrywacz kłamstw
W humorystyczny sposób wytyka kłamstwa.
wiek: od 3 do 12 lat
materiały: małe pudełko, druciki, guziki, flamastry, rolka papierowej taśmy kasowej

Wytłumaczcie dziecku, jak działa wykrywacz kłamstw, i zróbcie wspólnie podobne urządzenie. Jeśli będzie wyglądało na to, że ktoś w rodzinie mija się z prawdą, podłączcie go do wykrywacza kłamstw. Żeby pokazać, że kłamie, naśladujcie w zabawny sposób dźwięk „piip, piip". Zadbajcie o to, byście podłączali sami siebie, ilekroć czujecie, że nie jesteście zbytnio prawdomówni w stosunku do własnej rodziny.

Powiedz prawdę, całą prawdę
Prosta, ale trafiająca do serca metoda zrozumienia, czym jest prawda.
wiek: od 3 lat

Poproś dziecko, by podniosło lewą dłoń, a prawą położyło na sercu i powtarzało za tobą: „Powiedz prawdę, całą prawdę i tylko prawdę". Bardzo często nasze dzieci mówią prawdę albo odwołują swoje kłamstwa, ponieważ wewnątrz, w głębi serca, które jest ich najuczciwszym sędzią, źle się czują, gdy dopuściły się oszustwa.

Książka bajek
Łagodny sposób na wytknięcie dziecku tych wszystkich niestworzonych historii i horrendalnych kłamstw, które zdarza mu się od czasu do czasu opowiadać.
wiek: od 2 do 8 lat
materiały: papier i flamastry

Kiedy następnym razem przyłapiecie dziecko na wymyślaniu dziwacznych historyjek, zapiszcie je w notesie, jakby były prawdziwymi bajeczkami, i poproście malucha, żeby zrobił do nich ilustracje.

Potem, ilekroć będzie uciekał się do kłamstwa, wyciągnijcie notes i zapowiedzcie: „O, to dobre, napiszmy o tym w książce bajek".

Zabawy, które uczą odpowiedzialności

Parę słów na temat nagradzania... Jak każda teoria na temat wychowywania dzieci, nagradzanie za pożądane zachowania ma swoich zwolenników i przeciwników, a każdy obóz bardzo kategorycznie traktuje swoje przekonania. Entuzjaści będą recytować jednym tchem korzyści wynikające z nagradzania, gdyż uważają je za bardzo skuteczne narzędzie motywacji. Ich zdaniem dziecko nabiera przekonania o własnej wartości, gdy widzi natychmiastowy efekt swoich starań. Przeciwnicy zaś z równie silnym przekonaniem będą utrzymywać, że nagradzanie narusza u dziecka świeżo osiągnięty system wartości, gdyż pozbawia je satysfakcji z porządnie wykonanego zadania. Dalej będą upierać się, że nagradzanie za dobre zachowanie jest sztucznym wymysłem, i prorokować, iż w przyszłości zrujnuje dziecku życie, gdyż zamieni je w nałogowego, wiecznie głodnego łowcę nagród, szukającego ciągle czegoś, co podniesie jego ego.

Zamiast wdawać się w te kontrowersje, chcielibyśmy raczej zaproponować kompromis: ludźmi kieruje mieszanina zewnętrznych i wewnętrznych motywacji. Pracujemy po to, by zarobić pieniądze (zewnętrzna motywacja), ale także, by czuć się bardziej wartościowymi i osiągnąć sukces (wewnętrzna motywacja). Podobnie ma się rzecz z ćwiczeniami fizycznymi. Robimy to, by czuć się lepiej (wewnętrzna motywacja) oraz by wyglądać szczuplej i bardziej atrakcyjnie (zewnętrzna motywacja). Niestety, człowiek nie rodzi się z aktywnymi gruczołami, które spontanicznie wytwarzają wewnętrzną motywację do robienia tego, co należy. Czasami potrzebujemy lekkiej zachęty – nagrody, jeśli wolicie to słowo – która jest po prostu korzyścią płynącą z wykonania zadania. Nasza motywacja do zrobienia czegoś, co w istocie nie jest zbyt porywające, często wynika z korzyści zewnętrznych. Obowiązki, na przykład, ogólnie rzecz biorąc, nie są zabawne. Ale przy odrobinie zachęty stają się całkiem znośne. Później może zaczną wręcz sprawiać nam przyjemność, jeśli uda się nam wykształcić w sobie wewnętrzny system nagradzania, w którym profitem będzie samo dobre wykonanie pracy. Przemawia za tym fakt, że satysfakcja, jaką odczuwa dziecko po skończeniu zadania, będzie je motywowała w dalszym ciągu, długo po tym, kiedy dawno zapomni o zewnętrznych nagrodach.

Wasze, czyli rodziców, zadanie polega na tym, by sprawić, że dziecko najpierw będzie cieszyło się z nagrody, ale później zacznie czerpać przyjemność z samego osiągnięcia celu. W rezultacie przejdzie ono z zewnętrznej motywacji (nagroda) do wewnętrznej (duma, podniesione poczucie własnej wartości i zaufanie do samego siebie). Programy nagradzania i motywowania powinny służyć uczeniu, komunikowaniu i modelowaniu zachowania (lub zachowań), których oczekujecie od swoich dzieci.

Pożytek płynący z zastosowania programu nagradzania może mieć bardziej instrumentalne znaczenie w osiągnięciu końcowego sukcesu niż nagroda sama w sobie – ustala bowiem system funkcjonowania rodziców i dziecka. Taki system pozwala rodzicom określić plan i skupić się na celu. Oczywiście najlepszymi nagrodami są takie, które naprawdę cieszą wasze dzieci. Upewnijcie się zatem, czy dziecko bierze udział w wytyczeniu celów i nagród za ich osiągnięcie.

Kontrakty

Oficjalna obustronna umowa pomiędzy wami a dzieckiem, uwzględniająca szczególne zachowania.
wiek: od 5 lat

Umówcie się z dzieckiem, jakich zachowań od niego oczekujecie (i – być może – od siebie). Spiszcie je, używając języka urzędowego. Na przykład: „Ja, Justin B. Black, zobowiązuję się kłaść się spać codziennie o 20.30, a ja, Tata, zobowiązuję się, że co wieczór o 20.35, kiedy Justin położy się spać, będę czytać mu książkę. Podpisano, ...". Miejcie kontrakt w pogotowiu na wypadek, gdybyście zapomnieli ustalone warunki.

Może będzie was kusiło, żeby za dotrzymanie warunków dać dziecku nagrodę, ale kontraktów należy bezwzględnie przestrzegać dlatego tylko, że są kontraktami. Ta prawda obowiązuje w prawdziwym świecie i honorując oficjalne zobowiązania w domu, uczycie dziecko odpowiedzialności etycznej za coś, co już własnoręcznie podpisało.

> Był początek sezonu futbolowego [chodzi o futbol amerykański – przyp. tłum.] w Marsing High School, gdy Ernesto „Neto" Villareal uznał, że ma dosyć. Fani zaczęli rzucać obelżywe, rasistowskie uwagi w stronę hiszpańskich graczy z drużyny, więc mistrzowie obrony i ataku postanowili zbojkotować mecze. Neto i dziesięciu innych Hiszpanów z drużyny porozmawiali ze swoim trenerem i jeszcze tego samego wieczoru przynieśli na szkolne boisko listę skarg.
> Na dużej tablicy zamieszczono rezolucję zakazującą komukolwiek wznoszenia rasistowskich uwag w czasie rozgrywania meczu. Następnego dnia rada uczniowska jednogłośnie zatwierdziła pismo, które odczytano głośno przed następną rozgrywką i które informowało fanów o nowym regulaminie. Zachęceni poparciem szkoły futboliści zakończyli bojkot. Od tego czasu nie było już żadnych rasistowskich wyskoków.

Program przywilejów i licencja odpowiedzialności
Program dający dziecku szansę uzyskiwania coraz więcej przywilejów w miarę wypełniania przez nie wyznaczonych obowiązków.
wiek: od 6 do 12 lat

Ta metoda wymaga od dziecka zdobycia licencji odpowiedzialności (tak samo jak nastolatek, który chce prowadzić samochód, musi zdobyć prawo jazdy). Przyjrzyjcie się rozkładom programów przywilejów (nr 1 i nr 2), zamieszczonym poniżej. Według tego schematu dziecko musi zdobyć pewną liczbę punktów, aby przejść z jednego poziomu na następny. Program prowadzi od podstawowych obowiązków i adekwatnych do tego przywilejów, zamieszczonych na poziomie pierwszym, do o wiele bardziej skomplikowanych na poziomie czwartym.

Rozkład nr 1 Program osiągania kolejnych poziomów			
Nazwisko: odpowiedzialność za:	przywilej		
poziom 4 wymagane .... pkt	Pomoc Mamie przy gotowaniu Mycie samochodu Taty Wyprowadzanie psa Wypełnianie obowiązków Chodzenie spać o ustalonej porze	Czas spędzany z Mamą Czas spędzany z Tatą 1 dolar Sam decydujesz kiedy Sam decydujesz kiedy	Minimum .... pkt zapewnia utrzymanie się na poziomie 4. Ogólna liczba punktów ....
poziom 3 wymagane .... pkt	Mycie samochodu Taty Wypełnianie obowiązków Chodzenie spać o ustalonej porze	Specjalny czas z Tatą Przed pójściem spać o 21.30	Tygodniowa liczba punktów ....
poziom 2 wymagane .... pkt	Wyprowadzanie psa Wypełnianie obowiązków Chodzenie spać o ustalonej porze	50 centów zarobku Wykonane do godz. 18 o 20.45	Tygodniowa liczba punktów ....
poziom 1 wymagane .... pkt	Wypełnianie obowiązków Chodzenie spać o ustalonej porze	Wykonane do godz. 16 o 20.30	Tygodniowa liczba punktów ....

Pamiętajcie, żeby koniecznie wspólnie z dzieckiem ustalić, jakie obowiązki i przywileje będą obowiązywały na każdym poziomie (nie zapominajmy, że sukces zapewni nam zaangażowanie się w cały program dziecka). Zadbajcie o to, by liczba wymaganych punktów była dla niego osiągalna. Działanie na każdym etapie zaczynamy od zera punktów. Ustalcie minimalny wynik, jaki trzeba utrzymać, żeby nie zostać zdegradowanym do niższego poziomu. Kiedy młody człowiek osiągnie czwarty stopień, będzie mógł zdobyć „licencję odpowiedzialności". Może ją zatrzymać i korzystać ze wszystkich przywilejów, jakie się z tym wiążą dopóty, dopóki czuje się odpowiedzialny za powierzone mu zadania.

Rozkład nr 2 Podsumowanie programu osiągania kolejnych poziomów Punkty zdobyte w ciągu jednego tygodnia							
	Niedziela	Poniedziałek	Wtorek	Środa	Czwartek	Piątek	Sobota
Dobre zachowanie (i możliwe do osiągnięcia punkty)							
Wypełnianie obowiązków							
Chodzenie spać o ustalonej porze							
Wyprowadzanie psa							

Odpowiedzialność typu czerwonego, żółtego i zielonego
Podzielcie na kategorie obowiązki dziecka.
wiek: od 4 do 12 lat
materiały: czerwone, żółte i zielone nalepki w kształcie kółek

Ta zabawa może być przydatna dla dziecka, które stara się osiągnąć jak największą niezależność, ale szczerze mówiąc, polecamy ją przede wszystkim wam, dorosłym. Rodzice często nie mają pewności, jak dużą odpowiedzialnością mogą obarczyć swoje dzieci. Wobec tego trudno im zachować konsekwencję w postępowaniu: jednego dnia pozwalają na coś swoim pociechom, a drugiego tego samego im zabraniają. Odpowiedzialności powinni uczyć stopniowo i w ścisłym związku z rozwijającym się poczuciem niezależności dziecka.

Wszystkie rzeczy, za które odpowiada dziecko, podzielcie na kilka kategorii: te, które może robić samo (mycie zębów, wstawanie na czas do szkoły), takie, do których potrzebuje waszego pozwolenia (wyjście do koleżanki, oglądanie programu telewizyjnego przeznaczonego dla rodziców i dozwolonego dla dzieci tylko w towarzystwie dorosłych), oraz te, na które nie pozwalacie (otwieranie barku z alkoholem, zaglądanie do waszych szuflad). Zajrzyjcie do przewodnika „Poprzez lata", na stronach 294–297, żeby przybliżyć sobie podstawowe zagadnienia dotyczące rozwoju niezależności i poczucia odpowiedzialności. Zastanówcie się, jak to się ma do waszych dzieci i całej rodziny. W różnych miejscach w domu ponalepiajcie odpowiednie kółka: zielone (zielone światło!) – na przedmiotach, do których dziecko ma dostęp; żółte (zwiększenie ostrożności przed przejściem) – na tych rzeczach, do wzięcia których potrzebne jest wasze pozwolenie; czerwone (stop!) – na tych, które są kategorycznie zakazane. Siedmiolatek na przykład może mieć zielone światło na wybór tego, w co chce się ubrać, jedzenie wszelkich warzyw z lodówki oraz zabawę pewnymi zabawkami. Zielona naklejka powinna więc znaleźć się na jego szafie, pojemniku na warzywa oraz na pudełku z zabawkami. Z drugiej strony będzie musiał zapytać, czy może włączyć telewizor, zjeść herbatnika, pojeździć na rowerze czy skorzystać z telefonu. Te rzeczy należy oznaczyć żółtym kółkiem. Czerwonymi zaś oznakujemy piecyk, środki czystości i narzędzia elektryczne. Niech dziecko pomoże wam w tym podziale. Raz na jakiś czas zrewidujcie swoje decyzje i zastanówcie się, jakich zmian należy dokonać. Jeśli na przykład naprawdę respektowało żółte oznaczenia i pamiętało, żeby za każdym razem prosić was o pozwolenie, zechcecie być może w nagrodę przemienić jedno lub więcej z nich na zielone. Jeśli natomiast nie pytało o zgodę, zamieńcie je na czerwone. Jest to jedna z najbardziej przejrzystych form logicznych konsekwencji własnego działania, jakie możecie pokazać dziecku. Kiedy żółte kółko staje się czerwonym, malec ma dosadny przykład, jak własne zachowanie pozbawia go niezależności.

Norvell Smith mieszkała w tak niebezpiecznej okolicy South Side Chicago, że co roku jakiś dzieciak, którego znała, padał ofiarą porachunków między gangami. Kiedy była w ósmej klasie, jej najlepsza przyjaciółka zginęła od odbitej rykoszetem kuli.

Gdy skończyła dwanaście lat, uczennice ze średniej szkoły usiłowały ją zmusić, żeby przyłączyła się do ich gangu. Norvell odmówiła, mimo że groziły jej oraz próbowały skusić obietnicą ochrony oraz pieniędzmi pochodzącymi ze sprzedaży narkotyków.

Niedługo potem dziewczynka wygrała w swojej szkole konkurs na najlepsze przemówienie. Tematem jej mowy były gangi. Wyszła na scenę i wystąpiła przed blisko tysiącem uczniów, z których bardzo wielu ubranych było w stroje charakterystyczne dla poszczególnych band. Zebrawszy całą odwagę, na jaką było ją stać, patrzyła im prosto w oczy i mówiła o swoim gniewie i smutku.

Mimo pogróżek, na jakie ciągle narażona jest i Norvell, i jej rodzina, dziewczynka nadal mówi publicznie o gangach nie tylko we własnej szkole, ale także w innych placówkach oświatowych w mieście. Ma nadzieję, że jej słowa powstrzymają kogoś przed przyłączeniem się do takiej grupy albo przekonają tego, kto już do niej należy, żeby ją opuścił.

Leniwe jaszczurki i dinozaury „zrób to"

Ta zabawa daje dziecku konkretne wyobrażenie zarówno opieszałości, jak i bezzwłocznego działania, a także przyjemność współzawodnictwa.

wiek: od 4 do 7 lat
materiały: karton na plakat oraz rysunki jaszczurki i dinozaura

Narysujcie lub znajdźcie obrazki jaszczurki i dinozaura. Naklejcie je na sztywny karton, a następnie każdy z nich potnijcie na tę samą liczbę (pięć do dziesięciu) kawałków, na wzór puzzla. Zawsze, kiedy dziecko będzie zachowywało się leniwie lub opieszale, dołóżcie jeden kawałek do leniwej jaszczurki. Jeśli natomiast szybko zrobi to, o co je poproszono, lub będzie się zachowywać odpowiedzialnie, dodajcie jeden element do dinozaura „zrób to". Jeżeli wizerunek dinozaura ułożycie przed jaszczurką, maluch dostaje nagrodę.

Punkty w katalogu
Zarabianie punktów, za które można wykupić różne rzeczy z katalogu.
wiek: od 4 do 10 lat
materiały: papier z bloku lub notes, zdjęcia z pism

Wykonajcie z dzieckiem specjalny katalog. Możecie ładnie zszyć i oprawić kartki z bloku lub udekorować okładkę notesu. W środku zróbcie rysunki lub naklejcie zdjęcia z pism czy sklepowych katalogów z takimi rzeczami, które maluch może zdobyć. Dodatkowo możecie wpisać tam różne przywileje. Ustalcie wartość każdej rzeczy z katalogu, dając jej odpowiednią liczbę punktów, i zapiszcie ją obok właściwego zdjęcia lub rysunku.

Jeśli dziecko ma trudności z utrzymaniem porządku w swoim pokoju, wyznaczcie, ile punktów dostanie za każdy dzień, kiedy pokój będzie sprzątnięty. Pod koniec tygodnia zsumujcie punkty, a młoda osoba niech wybierze sobie nagrodę z katalogu. Gdy raz wyda swoje punkty, musi zarabiać je od nowa, żeby dostać następną nagrodę.

Tworząc katalog, postarajcie się, żeby znalazły się tam rzeczy łatwe do kupienia (porcja lodów warta dziesięć punktów), ale także droższe nagrody wymagające więcej czasu i zaangażowania (nowe adidasy za dwieście punktów). Na końcu księgi prowadźcie „bilans przychodów i rozchodów", żebyście stale wiedzieli, ile punktów zostało zdobytych, a ile wykorzystanych.

Rodzinny katalog nagród. Wykonajcie katalog dla najbliższej rodziny. W środku zamieśćcie nagrody, z których cieszyć się będą wszyscy domownicy.

Katalog nagród dla rodziców. Przecież desery nie są przeznaczone wyłącznie dla dzieci! Prowadzenie interesu, polegającego na wychowywaniu dzieci, jest bardzo ciężką pracą i wam także coś się za to należy. Zróbcie sobie własny katalog nagród, w którym umieścicie przyjemności, jakie sami wybierzecie, na przykład przedpołudnie tylko dla siebie lub wieczorne wyjście we dwoje. Za osiągnięcie kolejnych celów przyznajcie sobie odpowiednią liczbę punktów. Dzieci niech będą świadkami tego, jak nagradzacie siebie za dokonanie pozytywnych zmian.

Program ochrony zwierząt domowych
Uczy odpowiedzialności i troski o zwierzęta.
wiek: od 5 lat

Dzieci, które nie mają dość motywacji, by zatroszczyć się o siebie, zazwyczaj cudownie opiekują się zwierzętami. Karmienie, tresowanie i oporządzanie zwierzaka lub czyszczenie jego klatki uczy młodego człowieka wykonywania pracy do końca i osiągania rezultatów. Pozwólcie maluchowi wybrać takiego przyjaciela, ale upewnijcie się, że naprawdę będzie mógł się nim zająć. Pięciolatek może zechcieć kucyka, ale złota rybka z całą pewnością będzie lepsza na tym etapie rozwoju poczucia odpowiedzialności.

Zanim przyniesiecie stworzenie do domu, powinniście wiele przeczytać na temat opieki nad nim. Porozmawiajcie o jego potrzebach i o tym, co będzie przy nim musiało robić dziecko. Kiedy zobaczycie, że mały jest gotowy, znaczyć to będzie, że nadszedł czas wprowadzenia do domu nowego lokatora. Pamiętajcie, że opieka nad zwierzątkiem jest procesem składającym się z prób i błędów, które podkreślają znaczenie następstw właściwego wypełniania obowiązków. (Sprzątanie po tym, co „przydarzyło się" pieskowi, uczy dzieci, czym kończy się niewyprowadzenie czworonoga na spacer we właściwym czasie – szorowaniem dywanu w salonie). Im lepiej wasza pociecha będzie sobie radziła z opieką nad zwierzakiem, tym bardziej będzie się stawała samodzielna. Pamiętajcie, by zwrócić jej na to uwagę.

Przy tym zajęciu jest pewne ostrzeżenie: dziecko może sobie nie poradzić z opieką nad nowym przyjacielem. Miejcie to na względzie przy wyborze ulubieńca, ponieważ może skończyć się na tym, że to wam przybędzie jeszcze jeden obowiązek.

Zróbmy interes
Dajcie dziecku pracę.
wiek: od 5 do 12 lat
materiały: dział ogłoszeń z gazety

Nie podoba nam się pomysł z płaceniem dzieciom za wykonywanie obowiązków, ale wiemy równie dobrze, że pieniądze skutecznie przemawiają do ludzi. Ta zabawa może w użyteczny sposób pokazać młodemu człowiekowi realia wypełniania obowiązków. Pokażcie mu w dziale ogłoszeń w gazecie, jak ludzie szukają pracy, i powiedzcie, że sam już ma pracę: przydzielić obowiązki sobie i pozostałym domownikom.

Następnie zapiszcie je w formie ogłoszeń prasowych, gdzie wyjaśnicie, na czym polega dana praca oraz jaka jest przewidziana pensja za poszczególne zadania. Taki wykaz wywieście w rodzinnym biuletynie na lodówce. Do konkretnej pracy wynajmijcie dziecko i pod koniec tygodnia (zakładając, że praca została wykonana należycie) wręczcie mu czek.

Specjalne przywileje z okazji urodzin
Nagradzajcie dziecko z okazji każdych urodzin.
wiek: bez ograniczeń

Dziecko niekoniecznie musi być nagradzane wyłącznie za pożądane zachowanie. Czasami maluch zasługuje na coś specjalnego po prostu dlatego, że jest. Wydaje nam się, że jedną z najbardziej oczywistych okazji do przyznania nagrody są urodziny naszych dzieci. Traktujemy to jako pewien rodzaj kosztów utrzymania.

Zaczęliśmy to praktykować, kiedy dziewczynki skończyły trzy lata. Wyjaśniliśmy im, że z roku na rok są coraz starsze, mądrzejsze i więcej potrafią i dlatego zasłużyły na większe przywileje. Narysowaliśmy specjalny wykres dorastania, który pokazywał, jakie nowe uprawnienia mogą otrzymać w tym roku, włącznie z porą chodzenia spać oraz wybieraniem niektórych rzeczy, jakie chciałyby mieć. Nasze dzieci wiedziały, że dostaną więcej swobody niezależnie od tego, jak przebiegł mijający rok. To może brzmi sprzecznie z naszym poglądem, że przywileje zależą od odpowiedzialności. Miejmy jednak na uwadze, że nieodpowiedzialne zachowanie jest częścią procesu uczenia się. Wszyscy popełniamy błędy i jeśli potrafimy się na nich uczyć, stajemy się mądrzejsi.

Każde urodziny potraktujmy jako okazję do zastanowienia się nad osiągnięciami i porażkami minionego roku, ponieważ od nich zależy dorastanie. Nagradzając swoje dzieci z okazji urodzin nowymi uprawnieniami, nagradzamy je za przejście przez kolejny rok.

Dzięki temu corocznemu zwyczajowi doszliśmy do pewnego zaskakującego wniosku. Nasze dziewczynki wiedzą z góry, kiedy nadchodzi czas ich urodzinowych przywilejów, więc w głębi duszy czują, że powinny żyć tak, żeby na nie zasłużyć – prawie tak, jakby przywilejem było samo otrzymanie przywileju. Swoje urodzinowe nagrody traktują jak coś, co należy darzyć szacunkiem i o co trzeba dbać.

Na szczęście dla tysięcy ludzi potrzebujących babcia Elany Michelle Erdstein jest kolekcjonerką. Kiedy dziewczynka miała dwanaście lat, zauważyła kosz z mydłami, mleczkami kosmetycznymi i szamponami, które starsza pani przynosiła z hoteli do domu. Elana zdała sobie sprawę, że najprawdopodobniej babcia nie jest jedyną osobą, która to robi. Uświadomiła sobie, że po różnych domach kryją się setki małych buteleczek i pakuneczków zdobytych tą samą drogą. Może ludzie naprawdę niekiedy z nich korzystali, ale wiadomo było, że zwykle odkładane są do szafy.

W ciągu niecałych dwóch lat dziewczynka zdołała zebrać ponad pięćdziesiąt tysięcy próbek kosmetyków, które porozdawała ludziom przebywającym w schroniskach dla bezdomnych, maltretowanym kobietom, nastolatkom, mającym duże kłopoty i ludziom starszym. Elana przemawiała do niezliczonej liczby słuchaczy, apelując o dary. Napisała setki listów w poszukiwaniu miejsc, gdzie mogłyby się znajdować, punktów dystrybucji i potencjalnych ofiarodawców. Stworzyła stale odnawiającą się kolekcję pudełek, które dostarcza ludziom potrzebującym, i napisała, jak można ją skompletować. Dzięki temu również inni ludzie mogli powielać system, który wymyśliła.

Zabawy, które uczą niezależnego myślenia

Dzień Niezależności
Celebrujcie niezależność swojego dziecka.
wiek: od 6 lat

Które dziecko nie lubi święta z okazji Czwartego Lipca [Dzień Niepodległości w USA – przyp. tłum.], parad i sztucznych ogni zawsze mu towarzyszących! Upewnijcie się, czy maluch rozumie, że świętujemy ten dzień, aby uczcić moment, w którym nasz kraj [Stany Zjednoczone – przyp. tłum.] ogłosił niezależność od swego państwa macierzystego, czyli Wielkiej Brytanii. Wytłumaczcie mu, że dzieci także stają się niezależne, i zachęćcie go, by podjął się większej liczby obowiązków. Być może myślicie, że nadszedł już czas, żeby sam ścielił swoje łóżko albo sprzątał po swojej kolacji. Zróbcie listę swoich oczekiwań i jeśli dziecko pokaże, że umie im sprostać, zorganizujcie na jego cześć przyjęcie z okazji Dnia Niezależności. Celebrujcie nowo zdobytą niezależność urządzając barbecue i pokaz sztucznych ogni. I przypominajcie dziecku, że utrzymanie niezależności wymaga ciężkiej pracy – tak jak to było z naszym państwem ponad dwieście lat temu.

Dymki
Pomagają dziecku w przemyśleniu decyzji dzięki przysłuchaniu się wypowiadanym na głos myślom.
wiek: od 4 do 12 lat
materiały: czasopisma, książka z obrazkami albo zdjęcia rodzinne

Pomysł na nazwę tej zabawy zaczerpnęliśmy z tych dymków, które unoszą się nad głowami postaci z komiksów. Wytnijcie z papieru mnóstwo kółek, które będą naszymi dymkami. Przejrzyjcie z dzieckiem obrazki lub fotografie, zatrzymując się przy tych, które sugerują, że zachodzi tam jakiś proces myślowy. Poszukajcie takich, które mogłyby odpowiadać sytuacjom z życia malucha. Jeśli na przykład próbuje on zebrać oszczędności na nowy komplet farb olejnych, ale przepuszcza pieniądze co tydzień na cukierki, znajdźcie zdjęcie, przedstawiające dziecko w sklepie lub trzymające w ręku skarbonkę. Poproście swoją pociechę, żeby wyobraziła sobie, co dzieje się w głowie tego dziecka. Odpowiedź zapiszcie w dymku, który przyczepicie nad głową postaci ze zdjęcia. Teraz na podstawie tych myśli ustalcie, jaką decyzję należałoby podjąć.

A oto, jak to działa. Zdjęcie: dziecko z mamą na zakupach w sklepie spożywczym. Dymek nad jego głową mówi: „Te cukierki wyglądają na bardzo dobre. Mam w kieszeni całego dolara, więc kupię sobie trochę. Ale jeśli tak zrobię, to nigdy nie uzbieram dość pieniędzy na nową rękawicę baseballową. Cukierki mogą być pyszne, ale rękawica starczy na dłużej. Wydaje mi się, że jednak zatrzymam tego dolara". „Myśli w dymkach" można wykorzystywać nie tylko przy fotografiach. Stosujcie je wszędzie, jeśli możecie w ten sposób pomóc dziecku „podsłuchać" proces podejmowania decyzji. Kiedy coś ciekawego dzieje się w telewizyjnym serialu komediowym albo w głowie człowieka wpatrującego się w czekoladowe eklerki w piekarni, wykorzystajcie technikę „myśli w dymkach" do przedyskutowania (oczywiście w miejscu publicznym po cichu), o czym może sobie myśleć taki człowiek.

Moja torba niezależności
Torba rzeczy, którymi dziecko może się bawić samo.
wiek: od 3 do 7 lat

Włóżcie do torby gry, książki i zabawki, którymi dziecko może się bawić bez waszego udziału. Kiedy zostawiacie je na jakiś czas samo, zasugerujcie mu, żeby zajrzało do „torby niezależności", i przypomnijcie, jak znakomicie daje sobie radę béz was. Rzeczy, które znajdują się w torbie, z całą pewnością pomogą mu przetrwać rozłąkę.

STAR (*Stop, Think, and Act Right*) [Zatrzymaj się, pomyśl, działaj prawidłowo]
Technika rozmowy z samym sobą, która uczy dzieci samooceny i samokontroli.
wiek: od 3 do 10 lat

Dzieci nie przychodzą na świat wyposażone w automatycznie włączający się program, który przerywa ich niestosowne zachowanie. Żeby mogły kontrolować swoje emocjonalne wybuchy i bezmyślne działania, muszą nastawić się na odbiór własnego wewnętrznego głosu i słuchać, co mówi on do nich w najbardziej kluczowych momentach działania.

Nauczcie dziecko metody STAR, pokazując mu, jak można: 1. Zatrzymać się (STOP). To znaczy wyłączyć z działania ręce i nogi, za to włączyć rozum. 2. Myśleć (THINK) o tym, co się robi. Niech się zastanowi, jakie określone zachowania prowadzą do osiągnięcia tego, co by chciało, rozważy możliwości wyboru i zdecyduje, jak przystąpić do działania. 3. Zachowywać się prawidłowo (ACT RIGHT). Niech prześledzi swoje decyzje i ustali na własny użytek, kiedy pomagają mu w osiągnięciu celu. Na przykład wasze dziecko ma trudności z kontrolowaniem swojego gniewu i czasami bije innych. Nauczcie go tej techniki i kiedy następnym razem zacznie tracić nad sobą panowanie, przypomnijcie mu o STAR. Niech się zatrzyma i pomyśli, zanim kogoś uderzy. W końcu dojdzie do tego, że samo słowo będzie mu przypominało, jak powinno się zachować. Możecie wykorzystać technikę STAR w zabawie, przypinając mu do ubrania wyciętą z papieru gwiazdkę [*star* – po angielsku „gwiazda" – przyp. tłum.] za każdym razem, kiedy zdoła przekształcić negatywne zachowanie w działanie pozytywne. Pod koniec dnia całe ubranie może być pokryte gwiazdkami – świadectwami dobrej roboty.

Możecie także zmienić tę technikę i namówić dziecko do wyciągnięcia korzyści z sytuacji, w których podjęło niewłaściwą decyzję. STAR czytane wspak brzmi RATS: Review Actions and Try Solving (prześledź swoje działanie i spróbuj znaleźć rozwiązanie). To atrakcyjne i wesołe określenie [*rats* – po angielsku „szczury" – przyp. tłum.] da i wam, i dziecku prosty wzorzec, jak trzeba rozwiązywać problemy behawioralne. Kiedy powiecie dziecku „RATS!", przerwiecie napięcie panujące w danej chwili i jednocześnie dacie mu sygnał do prześledzenia własnego zachowania i znalezienia alternatywnych rozwiązań.

Pełna świadomość
Delikatny sposób zapytania dziecka o gotowość do podjęcia zobowiązań.
wiek: od 3 lat

Zanim dziecko podejmie się nowych zadań lub obowiązków, zapytajcie je: „Masz pełną świadomość?". To da maluchowi możliwość dopytania się o wszelkie wyjaśnienia w miejscach, gdzie nie czuje się zbyt pewnie. Weźmy na przykład sytuację, kiedy młody

człowiek wychodzi do kolegi i ma być z powrotem w domu o piątej. Gdy zapytacie: „Masz pełną świadomość?", dla niego będzie
to znaczyło: „Czy wiesz, o której masz być w domu? Czy wiesz,
kiedy masz wyjść od kolegi, żeby być w domu na czas? Czy wiesz,
jak dostać się do domu?".

Co robić, kiedy podjęto niewłaściwe decyzje?

Lista wymówek
*Zróbcie wykaz wymówek, jakimi każdy z was próbuje usprawie-
dliwić niewłaściwe zachowanie.*
wiek: od 3 lat

Każdy, kto kiedyś wymyślił kiepskie wytłumaczenie swojego niewłaściwego zachowania, powinien skorzystać z tego ćwiczenia (innymi słowy, wasze dzieci nie są prawdopodobnie jedynymi naszymi
adresatami przy tej zabawie). Wszyscy mamy swoje własne listy
wymówek, których używamy do usprawiedliwienia pomyłek i błędów.
Niech każdy domownik zapisze swoje ulubione i najczęściej używane
wyjaśnienia. Pomóżcie sobie nawzajem, ale nikogo nie wolno karać
za ich wymyślanie. Spróbujcie raczej lekko i z humorem potraktować wyświechtane i banalne starania oczyszczenia się z zarzutów.
Kiedy listy będą kompletne, połóżcie je w dostępnym miejscu. Jeśli
ktoś będzie usiłował wykręcić się od odpowiedzialności, wymyślając
usprawiedliwienie, sprawdźcie jego spis. Są duże szanse, że je tam
znajdziecie. Jeśli tak, możecie wyraźnie mu pokazać, że to jest „stara
wymówka". W przypadku, gdyby jej tam nie było, szybko ją dopiszcie.
Wkrótce okaże się, że nie zostały wam żadne nowe wymówki.

Natychmiastowa powtórka
*Dajcie dziecku wzór, jak należy przepraszać, kiedy straciło się pa-
nowanie nad sobą.*
wiek: od 3 lat

Wszyscy wściekamy się czasem na swoje dzieci i to jest naprawdę okropne uczucie. Maluchy (możecie w to wierzyć albo nie) także żałują, gdy stracą nad sobą panowanie, i dobry wzór może im pokazać, co trzeba zrobić, kiedy chciałoby się inaczej pokierować swoim zachowaniem, niż to się stało. Niestety, nie możemy cofnąć słów, które zostały już wypowiedziane, możemy jednak powiedzieć coś jeszcze raz. Jesteśmy w stanie przeprosić za swoje zachowanie i wyrazić żal z powodu tego, co mówiliśmy. Możecie nawet dodać trochę humoru do swojej „natychmiastowej powtórki" – zastygnąć z gniewem na ustach, a następnie cofnąć się do chwili sprzed wybuchu złości. Kiedy Denise traci swój spokój

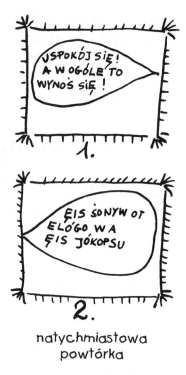

natychmiastowa powtórka

i krzyczy na dzieci, zmusza się do przerwania ataku złości, włącza „guzik przewijania" i wykrzykuje to, co powiedziała przed chwilą, aż cofnie się do momentu, kiedy jeszcze panowała nad sobą. To z całą pewnością łagodzi chwile napięcia, daje wszystkim jaśniejsze spojrzenie na sprawę i pomaga od nowa zacząć rozmowę.

Chorągiewki

Szybki i wesoły sposób zwrócenia dziecku uwagi, gdy nie zachowuje się fair.
wiek: od 4 lat

Trzymajcie pod ręką kilka chusteczek, tak żebyście mogli we właściwym momencie chwycić jedną z nich i zamachać nią dziecku przed nosem, tak jak sędzia sportowy używa chorągiewek do zasygnalizowania, kto popełnił faul. Winowajca niech zgadnie, na czym polega jego błąd. Jeśli odmawia (ponieważ w 99 procentach przypadków doskonale wie, co zrobił źle, tylko nie chce się do tego przyznać), powiedzcie mu sami. Łatwiej będzie mu to zaakceptować, gdy ogłosicie faul i zawołacie głosem naśladującym arbitra: „Niedopuszczalne wrzaski i lekceważące zachowanie! Dwa metry poza pokojem, dopóki nie nastąpi widoczna poprawa!". Wasze dziecko także ma prawo wyjąć chorągiewkę, kiedy przyłapie was na faulowaniu.

Rodzicielskie prawo weta
Pomaga w uzmysłowieniu sobie, że chociaż dziecko ma prawo do wyrażania swojej niezależnej woli, to jednak ostatnie słowo ciągle należy do rodziców.
wiek: od 6 lat

Dziecko czuje się bezpieczniej, kiedy wie, że jego światem rządzą rodzice. To oznacza, że zawsze będzie ktoś, kto się o nie troszczy. Jako rodzice posiadający prawo weta, możecie podejmować najważniejsze decyzje i, jeśli to konieczne, cofnąć je. Oto przykład: razem z dzieckiem dochodzicie do wniosku, że jest ono wystarczająco duże, żeby kłaść się spać o ustalonej przez siebie porze. Jednakże ostatnio szło do łóżka tak późno, że przez cały następny dzień było zmęczone i rozkapryszone. Możecie cofnąć poprzednią decyzję i odgórnie wyznaczyć nową porę kładzenia się spać.

Odszkodowanie i naprawa
Uczy, jakimi konsekwencjami grozi złe zachowanie.
wiek: od 3 lat

Kiedy dziecko zrobi coś złego, pierwszym odruchem rodziców jest wygłoszenie mu wykładu. Oczywiście nie ma nic złego w dobrym, przekonującym wykładzie co jakiś czas, ale dużo skuteczniej pomożecie swojemu potomkowi zrozumieć, na czym polega błąd, jeśli dacie mu możliwość poprawy. „Odszkodowanie" uczy go konsekwencji złego zachowania, a żeby łatwiej było mu przełknąć ten pomysł, do poniższych przykładów ćwiczeń dodaliśmy nieco ducha zabawy.

Zbieranie funduszy (za zniszczoną własność). Wytłumaczcie dziecku, że jeśli zniszczyło rzecz, należącą do kogoś innego, musi zrekompensować jej wartość właścicielowi. Dowiedzcie się, ile będzie kosztowała naprawa lub odkupienie zepsutej własności, i zasugerujcie młodemu człowiekowi, żeby sam zgromadził pieniądze na zwrot kosztów. Może myć samochody, zbierać puszki i butelki, a potem oddawać je do punktu skupu surowców wtórnych albo urządzić pokaz talentów i pobierać niewielką opłatę za oglądanie przedstawienia. Dopuszczalne są wszelkie formy uczciwego zbierania pieniędzy. Zawsze jednak upewnijcie się, żeby rzeczywiście wszystko odbywało się zgodnie z zamiarem: zbieranie funduszy na odkupienie zniszczonej własności.

Kiedy dziecko dzięki swojej ciężkiej pracy zbierze już dość pieniędzy, niech ze wszelkimi honorami wręczy je poszkodowanemu. Zadbajcie o to, by pomóc mu w wyrażeniu tego, co czuło, gdy zachowywało się destruktywnie, i co czuje teraz, gdy działa konstruktywnie.

Nie kradnij. Ubijmy interes. Jeśli zdarzy się, że dziecko ukradnie coś ze sklepu, namówcie je, żeby przeprosiło sprzedawcę i zwróciło mu skradzioną rzecz. Powinno także zrobić coś, żeby wynagrodzić szkodę właścicielowi sklepu. Może popracować tam jako wolontariusz albo ofiarować własnoręcznie wykonany plakat, zachęcający inne dzieci, żeby nie kradły. Koniecznie zapytajcie dziecko, jak się czuje, dając coś od siebie.

Oficjalne przeprosiny. Jeśli dziecko kogoś skrzywdziło, niech napisze kartkę lub list z przeprosinami i wyśle je temu, kogo zraniło. Jeżeli możecie, poproście rodziców skrzywdzonego dziecka o sugestie, w jaki sposób wasz maluch może naprawić swoją winę. Starszym dzieciakom prawdopodobnie spodoba się zamieszczenie w lokalnej gazecie drobnego ogłoszenia z przeprosinami. Jeden ze znanych nam uczniów w ramach oficjalnych przeprosin pięknie udekorował szkolną szafkę kolegi, któremu wcześniej dokuczał.

Co jest naturalne? Co jest logiczne?

To ćwiczenie wykorzystuje istnienie naturalnych i logicznych konsekwencji różnych zachowań do nauki dyscypliny wewnętrznej.
wiek: bez ograniczeń

Jeśli zostawisz rower na podjeździe, chociaż wcześniej proszono cię, byś odsunął go na bok, to naturalną konsekwencją będzie, że cofający samochód najedzie na niego i go połamie. Dla mamy i taty logiczną konsekwencją pozostawienia roweru w zabronionym miejscu będzie zarekwirowanie go na jakiś czas. Jeżeli w ten sposób zilustrujecie dziecku dwa typy konsekwencji, wyłożycie mu związek przyczynowo-skutkowy pomiędzy niewłaściwym zachowaniem i waszą na nie reakcją. Wartością, płynącą zarówno z naturalnych, jak i logicznych skutków różnych działań, jest to, że wasze dziecko uczy się dyscypliny wewnętrznej poprzez indywidualne doświadczenie.

Stosując tę technikę, należy posługiwać się podstawową zasadą: kiedy dziecko zachowuje się źle, pozwólcie, aby naturalne i logiczne konsekwencje jego czynu były karą. Na przykład, jeśli maluch nie odrobił lekcji na czas, naturalną konsekwencją będzie słabsza ocena, natomiast logicznym skutkiem – reorganizacja planu dnia i więcej czasu poświęconego na naukę, a tym samym mniej na zabawę. Takie podejście podtrzymuje go w przekonaniu, że jest odpowiedzialny za swoje słabe stopnie, zmusza do podejmowania samodzielnych decyzji oraz daje okazję uczenia się na podstawie wielu zdarzeń zamiast stosowania się do autorytatywnych żądań innych ludzi.

Jeżeli chcecie, by dzięki tej technice wasze dziecko nauczyło się kierowania własnym postępowaniem, musicie być konsekwentni i zdecydowanie przestrzegać skutków, które przewidzieliście. Łatwiej będzie wam wprowadzić w życie logiczne i naturalne konsekwencje niewłaściwego zachowania, jeśli zastosujecie się do takich czterech wskazówek: 1) kiedy dziecko zachowa się źle, powiedzcie mu o konsekwencjach, 2) zróbcie co w waszej mocy, żeby wprowadzać je w życie bez okazywania złości i złośliwej satysfakcji, 3) kiedy już dziecko doświadczy negatywnych skutków swojego zachowania, zapewnijcie je, że będzie miało szansę spróbować ponownie rozwiązać problem, 4) jeśli zachowanie powtarza się, możecie stosować te same konsekwencje lub próbować innych.

Postarajcie się nie wdawać w walkę ze skutkami samymi w sobie. Unikajcie ulegania mniej lub bardziej świadomej chęci kontrolowania swojego dziecka. W obu przypadkach możecie stracić z oczu główny cel – pozwolenie dziecku na zmaganie się z jego własnymi problemami.

Bądźcie cierpliwi! Potrzeba czasu, by młody człowiek zrozumiał i odczuł efekty działania zarówno logicznych, jak i naturalnych konsekwencji. Jeśli jednym z waszych – rodziców – celów jest nauczyć dzieci, jak stać się odpowiedzialnym za własne zachowanie, wtedy sensownie jest utrzymywać je w przekonaniu, że działają na własny rachunek. Kiedy na niewłaściwe zachowanie odpowiadacie naturalnymi i logicznymi konsekwencjami, wasze pociechy nauczą się, że to ich własne decyzje i wybory będą kształtować w przyszłości ich życie.

ROZDZIAŁ 6

Twórcze myślenie i umiejętność podejmowania decyzji

Rozwiązywanie problemów.
Rozwiązywanie konfliktów.
Kreatywność.
Instynkt samozachowawczy
i sztuka radzenia sobie w sytuacjach krytycznych.

Cześć. Nazywam się Scott Daniel Nadel. Skończyłem jedenaście lat i chodzę do piątej klasy. Ostatnio wydarzyło się coś, co nauczyło mnie wiele na temat rozwiązywania problemów i umiejętności współżycia z ludźmi. Jestem jedynakiem i mieszkam z mamą. Rodzice rozwiedli się, gdy miałem osiem lat, ale i tak dosyć mi się poszczęściło, bo często widuję się z ojcem. Mam także przyrodniego brata – jest naprawdę bardzo fajny i miło spędza się z nim czas. Mieszka na Florydzie.

Moja mama to wspaniała kobieta. Ciągle mi pomaga, jest miła dla moich kolegów i pozwala mi trzymać w domu wiele zwierząt. Mam trzy fretki europejskie, legwana zielonego, dwie białe żabki drzewne (jedna pochodzi z Australii, druga z Indonezji) i pytona królewskiego.

Jeszcze kiedy byłem całkiem mały, często kłóciłem się z mamą, jeśli nie mogłem robić tego, na co akurat miałem ochotę. Nawet gdy miałem tylko dwa latka, nigdy nie chciałem nikogo słuchać. To zawsze bardzo denerwowało ludzi, zwłaszcza moich rodziców. Takie zachowanie z pewnością po części wynika z ADD (attention deficit disorder – upośledzona zdolność koncentracji uwagi), a z drugiej strony także stąd, że jestem bardzo inteligentny i uwielbiam współzawodnictwo. Nigdy nie lubiłem, żeby ktokolwiek mówił mi, co mam robić, i dobrze wiem, że to również jest istotnym elementem całego problemu.

Niedawno, pewnego wieczoru zaczęliśmy z mamą naszą zwykłą sprzeczkę, ponieważ znów byłem strasznie uparty i nie chciałem jej słuchać. Mama bardzo się zdenerwowała, więc powiedziałem, że jest głupia, co wprawiło ją w jeszcze większą złość. Zazwyczaj jest całkiem miła i zupełnie nieźle potrafimy poradzić sobie ze swoimi problemami, ale tego dnia obydwoje byliśmy bardzo zmęczeni i zaczęliśmy wpadać w szał. Mama była tak zagniewana, że krzyczała na mnie, co mnie jeszcze bardziej rozwścieczało i prowokowało do przekrzykiwania jej.

Kiedy pobyłem trochę sam na sam ze sobą i zdołałem ochłonąć, zacząłem myśleć nad tym, co by tu zrobić, żebyśmy przestali się kłócić. Wiedziałem, że musimy jakoś inaczej się do tego zabrać, jeśli nie chcemy reszty życia spędzić na ustawicznych sporach. Poszedłem do mamy i powiedziałem: „Znalazłem rozwiązanie. Kiedy tylko zaczniemy wściekać się na siebie, zamiast wykrzykiwać różne okropności, zapiszemy na kartce, co czujemy w związku z problemem, który się pojawił, i pokażemy to drugiej osobie pod koniec dnia. Każdy dzień zaczniemy z nową kartką". Mamie bardzo się spodobał ten pomysł i podziękowała mi, że o tym pomyślałem.

Nie minęło zbyt dużo czasu i znów pogniewaliśmy się na siebie. Już następnego dnia, kiedy spieszyłem się, żeby zdążyć do szkoły, mama powiedziała coś takiego, co mnie rozzłościło. Byłem rozdrażniony, więc powiedziałem jej, żeby się zamknęła. To, co nastąpiło później, zadziwiło mnie. Zachowałem się wulgarnie i podle, a ona wcale mnie nie skrzyczała. Usiadła natomiast przy stole i zaczęła pisać. Nie mogłem czekać do końca dnia, żeby dowiedzieć się, co tam napisała, podniosłem więc kartkę i przeczytałem ją. Oto co tam było: „Czuję się zraniona, kiedy mówisz mi, żebym się zamknęła. Jest mi tak smutno". Dopiero teraz naprawdę zdałem sobie sprawę, co ja takiego zrobiłem. Powiedziałem, że bardzo mi przykro, i pocałowałem ją.

Od tego dnia zaczęliśmy rzeczywiście spisywać myśli i uczucia, które nas ogarniają, gdy się gniewamy. Potem pokazujemy je sobie. Przestaliśmy na siebie krzyczeć i nie złościmy się już tak jak dawniej. Moje rozwiązanie naprawdę działa! Dużo lepiej nam teraz ze sobą.

Szczera opowieść Scotta jest doskonałym przykładem tego, że dzieci mają potrzebę opanowania sztuki rozwiązywania problemów i konfliktów. Sytuacja, która pojawiła się między chłopcem i jego mamą, jest nader powszechna i bardzo mało chwalebna. Jednakże zamiast dalej ciągnąć pasmo niekończących się kłótni, wyzwisk i wzajemnych oskarżeń, Scott zdecydował, że musi coś z tym zrobić. Wykorzystał swoją inteligencję i zdolności do poszukania lepszego rozwiązania sytuacji. Było to możliwe dzięki kilku cechom jego charakteru i umiejętnościom, które mógł wcześniej opanować, a teraz chciał wykorzystać. Chodzi tu głównie o zdolność wejrzenia w głąb siebie, poczucie odpowiedzialności i wynikające z tego zaakceptowanie swojej roli w rozwiązaniu konfliktu. Chłopiec cenił matkę oraz relacje z nią na tyle, że chciał się uporać z powstałym problemem. Miał możliwość praktycznego ćwiczenia twórczego rozwiązywania problemów i konfliktów na tyle często, że w znacznym stopniu opanował tę sztukę. Wiedział, kiedy oddalić się od ogniska zapalnego w czasie sprzeczki, żeby nie było za późno. Wreszcie dowiódł, że potrafi rozmawiać ze swoją matką zarówno jako ten, który mówi, jak i ten, który słucha.

To, że odegrał decydującą rolę w rozwiązaniu problemu, dało mu poczucie wielkiej dumy. Teraz mógł z optymizmem myśleć o swojej własnej przyszłości i o dalszym życiu z mamą. Połączył cechy i umiejętności, o których pisaliśmy w poprzednich rozdziałach, z tymi, o których chcemy powiedzieć teraz. W tym rozdziale pragniemy pokazać, jak pomóc dzieciom w osiągnięciu umiejętności i cech niezbędnych do poradzenia sobie w sytuacjach krytycznych, rozwiązywania konfliktów i wykształcenia skutecznych mechanizmów samoobrony – umiejętności, których nabycie zaczyna się i ściśle zależy od kreatywnego rozwiązywania problemów.

Rozwiązywanie problemów i konfliktów

W przeciwieństwie do procesu podejmowania decyzji, który ściśle podlega regułom życia w społeczeństwie i ograniczeniom ustanowionym przez rodziców i inne autorytety, proces rozwiązywania problemów czasami wymaga zachowania się wbrew tym regułom po to, by stworzyć nowe wzorce i paradygmaty działania. Wiele problemów, z którymi spotykają się dzieci, wywołuje konflikty między ludźmi; powodem może być czyjaś uwaga, zabawka, przyjaciel, status w grupie, dobry stopień i wiele innych rzeczy. Żeby umiały poradzić sobie z tymi sprawami, muszą w efektywny sposób zapanować nad takimi sytuacjami i znaleźć z nich właściwe wyjście.

Aby rozwiązać konflikt, trzeba podjąć pewne kroki w określonym, logicznym porządku: po pierwsze – powstrzymać jego eskalację, potem osiągnąć chwilową równowagę, następnie nabrać właściwego dystansu, aby ochłonąć z emocji, i wreszcie rzeczowo ocenić sytuację. Kiedy już się to stanie, można zacząć szukać sposobów rozwiązania problemu. Jeśli dziecko ma umieć to zrobić, wcześniej musi nauczyć się zorganizowanego, kreatywnego myślenia, analitycznego traktowania zagadnienia i skoncentrowania się na nim.

Na temat rozwiązywania problemów możemy wiele się nauczyć na podstawie niewinnego zachowania noworodków i niemowląt, u których umiejętność ta jest absolutnie instynktowna – jest tym, z czym dziecko przychodzi na świat i czego używa zupełnie nieświadomie. Weźmy na przykład półrocznego brzdąca, który próbuje wygrzebać z pudełka grzechotkę – wykorzysta wszystkie możliwości, żeby tylko osiągnąć cel. Będzie pełzać lub w inny sposób gramolić się, żeby dostać się do zabawki, podniesie ją, żeby nią potrząsnąć, weźmie do buzi, żeby sprawdzić, jaka jest duża i jak smakuje, będzie krzyczeć lub kwilić, aby oznajmić innym, jaki jest sfrustrowany i jak bardzo potrzebuje towarzystwa. Po każdej z prób zacznie szukać nowych pomysłów, dopóki nie osiągnie celu albo nie wyładuje energii. Ten sześciomiesięczny szkrab postępuje zgodnie z podstawowymi mechanizmami, jakie kierują człowiekiem, gdy chce rozwikłać problem i poczuć własną siłę.

Prosta strategia rozwiązywania problemów, jaką posługuje się półroczne niemowlę, niewiele różni się od tej, którą stosuje dziesięcio- czy trzydziestolatek. Każdy z nich kieruje się tą samą podstawową regułą. Oto ona:

• zidentyfikować problem i cel,
• zobaczyć, co jest już wiadome o danej sytuacji lub jej podobnych,
• określić, jakie umiejętności i pomysły mogą pomóc w tej sprawie i osiągnięciu celu,
• zdecydować się na określone działanie i rozpocząć je,
• ocenić swoje starania/rozwiązanie.

Tak samo jak z innymi umiejętnościami opisanymi w tej książce, także w tym przypadku widać, że można nauczyć się ich bez trudu, intuicyjnie, a zależy to od temperamentu i osobowości każdego człowieka. U niektórych dzieci zdolność rozwiązywania problemów i konfliktów przychodzi z magiczną wręcz łatwością, podczas gdy inne muszą uczyć się tego krok po kroku, metodą prób i błędów, licząc się zarówno z powodzeniem, jak i porażką. Opiekunowie stwarzają okazje do nabycia tych umiejętności, jeśli pozwalają swoim podopiecznym samodzielnie zmierzyć się z problemami, w obliczu których stanęli, zadecydować, co chcieliby osiągnąć, i wypróbować wszelkie możliwe rozwiązania, jakie przyjdą im do głowy (z zachowaniem zasad bezpieczeństwa).

Kreatywność

Jeśli popatrzymy na życie oraz na wyzwania, jakie stawia ono przed nami, biorąc pod uwagę konieczność rozwiązywania problemów, otworzą nam się oczy na możliwości, których inni mogą nie dostrzegać. Dziecko, które zdobędzie głęboką wiarę w swoje zdolności w tym zakresie, będzie czuło się tak silne, że nie cofnie się przed prawie żadnym nowym zadaniem. Moc, którą posiada taki malec, jest właśnie kreatywnością – a więc umiejętnością wyobrażenia sobie, wymyślenia i wprowadzenia w życie nowych pomysłów. Niestety, kreatywność do niedawna nie była przedmiotem troski i uwagi ludzi, którzy układali programy nauczania w naszych szkołach. Być może dlatego, że trudno jest ją zmieścić w ramach szkolnego systemu oceniania, a także dlatego że jest raczej sposobem myślenia niż tym, co należy myśleć. Jakiekolwiek byłyby tego przyczyny, temat kreatywności jest dla wielu niewygodny i wyraźnie nieobecny w ich życiu.

Bez kreatywnego myślenia i pomysłowości, bez wysiłku wkładanego w rozwiązywanie problemów i konfliktów życie staje się nudne i frustrujące.

Instynkt samozachowawczy i sztuka radzenia sobie w sytuacjach krytycznych

Połączyliśmy ze sobą te dwa zagadnienia, ponieważ oba mają zasadnicze znaczenie dla naszych dzieci, które muszą nauczyć się, jak radzić sobie w różnych niebezpiecznych sytuacjach, jakie spotkają na drodze do dorosłości. Problemy te zostały włączone do tego rozdziału dlatego, że ogniskują się one wokół umiejętności rozwiązywania problemów i myślenia kreatywnego (w każdym jego wydaniu). Poza tym ściśle wiążą się także z osobistym potencjałem, szacunkiem dla samego siebie, moralnością, umiejętnością podejmowania decyzji i intuicją.

Porwania nieletnich, molestowanie seksualne dzieci, zagubienie, wypadki, gangi, przemoc, narkomania i alkoholizm oraz klęski żywiołowe to bardzo realne niebezpieczeństwa, które zagrażają naszym dzieciom i burzą nasz wewnętrzny spokój. W związku z tym logiczne i konieczne jest, żebyśmy odpowiednio przygotowali swoje pociechy i nauczyli je, jak mają się bronić przed nałogami i uprowadzeniem, jak znaleźć pomoc, kiedy się zgubią lub ulegną wypadkowi, jak zrozumieć problem narkomanii i alkoholizmu oraz jak zachować się w czasie klęski żywiołowej czy pożaru.

Mimo wszystko jednak posiadamy bardzo silny naturalny instynkt, który każe nam chronić dzieci przed takimi informacjami. Wielu rodziców i wychowawców niechętnie mówi swoim podopiecznym o niektórych z tych nader drażliwych kwestii, obawiając się, że zbytnio ich to zdenerwuje, zwiększy poczucie zagrożenia albo sprawi, że się przestraszą i stracą nadzieję, iż może być lepiej. Sami dorośli obawiają się coraz bardziej powszechnej w naszym społeczeństwie przemocy i wolą jej nie dostrzegać, a w rezultacie dzieci – nieprzygotowane do zmierzenia się z tymi problemami, wychowywane poza nimi – mogą pewnego razu źle ocenić krytyczną sytuację, a w momencie niebezpieczeństwa pozwolić, by sparaliżował je strach i uniemożliwił działanie. Przekazywać należy więc niekoniecznie wiadomości na temat samego zagadnienia, ale umiejętności, które pomogą dzieciom poradzić sobie w wypadku pojawienia się któregoś z przedstawionych wyżej problemów.

Bardzo często rodzice żyją w złudnym przekonaniu, że ich dzieci są bezpiecznie chronione przed tymi trudnymi sprawami, dopóki nie odkryją, że już się o wszystkim dowiedziały z różnych źródeł. A tych wszędzie pełno: telewizja (wiadomości, sztuki teatralne, programy dla dzieci), rozmowy z przyjaciółmi, krewnymi, z innymi opiekunami (nauczycielem w przedszkolu, dziadkiem, nianią), sami rodzice (podsłuchane rozmowy, obserwowanie ich reakcji na różne zdarzenia, odbieranie ich emocji i niepokoju związanego z jakąś sprawą). Rzecz w tym, że naprawdę bardzo trudno jest ustrzec malucha przed tymi informacjami, a nasze pociechy uzyskują ich o wiele więcej, niż to się nam, rodzicom, zdaje, a w niektórych przypadkach – niż sami wiemy.

Ponieważ zdolność dziecka do zrozumienia tych skomplikowanych kwestii zmienia się wraz z wiekiem, wpływem środowiska, temperamentem i sposobem ich wyjaśniania przez opiekunów, musimy bardzo troszczyć się o to, by we właściwy sposób je zaprezentować.

Mało tego, dezinformacja, a nawet właściwa i prawidłowa informacja może wywołać obawy, lęki i niepokój. Strach pozostawiony samemu sobie często przybiera gigantyczne proporcje, przeradza się w trwogę, która wymyka się spod kontroli i paraliżuje, uniemożliwiając zachowanie się w sposób służący ochronie własnej osoby. Bardzo silne lęki mogą spowodować problemy ujawniające się we wszystkich sferach życia dziecka – od szkolnych kłopotów z nauką, koncentracją i stosunkami towarzyskimi do objawów chorobowych – migren, bólów brzucha i zawrotów głowy.

Mimo wszystko strach jest raczej naszym sprzymierzeńcem niż wrogiem. To nieporozumienie, że utożsamiamy go wyłącznie z emocjami negatywnymi, w rzeczywistości bowiem może być bardzo przydatny, a nawet uratować życie. Uczucie niepewności, lęku, wzmożonej ostrożności to instynktowne oraz wyuczone składniki strachu, które dziecko może wykorzystać, żeby ostrzec samego siebie przed zbliżającym się niebezpieczeństwem. Poza tym, kiedy dziecko czuje strach, jego organizm zaczyna wydzielać większe ilości adrenaliny, uruchamia chemiczny system ostrzegawczy i wyzwala spotęgowaną siłę fizyczną – co z kolei sprawia, że młody człowiek ma większą jasność umysłu, szybciej biegnie albo głośniej krzyczy. Strach może być narzędziem, wewnętrznym systemem ostrzegawczym, który wskazuje najlepszy sposób postępowania.

Im więcej dajemy maluchowi okazji do użycia tego narzędzia, tym skuteczniejsze i bardziej automatyczne stają się jego zdolności samozachowawcze i mechanizmy obronne. Każda sytuacja, która wyzwala lęk przed doznaniem krzywdy, wymaga zastosowania tej samej strategii rozwiązywania problemów (analizy i kreatywności), o której mówiliśmy w poprzednim podrozdziale; dziecko musi właściwie ocenić okoliczności i poszczególne elementy niebezpieczeństwa, zrozumieć przyczynę swego strachu, zdecydować, co trzeba zrobić i jakie są jego możliwości w tym zakresie, oraz ustalić plan działania. Wszystkie te składniki są niezbędne, aby skupić się bezpośrednio na celu („Muszę uciekać przed tym człowiekiem i poszukać pomocy", „Muszę postępować zgodnie z planem bezpieczeństwa, który ćwiczyliśmy", „Muszę znaleźć pomoc dla mamy – bardzo poważnie się skaleczyła").

Wiedza i nabyte umiejętności pomogą naszym pociechom zachować się aktywnie i samodzielnie zadbać o to, by nie zginąć. Podane niżej trzy punkty podpowiedzą, na co szczególnie musimy zwrócić uwagę, rozwijając system samozachowawczy i umiejętność radzenia sobie w sytuacjach krytycznych u swoich dzieci:

1. Poczucie bezpieczeństwa nie oznacza odizolowania od zagrożenia, oznacza umiejętność szybkiego myślenia i reakcji w niebezpiecznych sytuacjach.
2. Powinniśmy nauczyć dzieci, jak być ostrożnym zamiast strachliwym.
3. Powinniśmy nauczyć dzieci najpierw, jak żyć i zachowywać się, aby uniknąć krytycznych sytuacji, a w dalszej kolejności jak z nich wybrnąć.

Jak poznać, czy dziecko potrzebuje udoskonalenia umiejętności rozwiązywania problemów i konfliktów, wykształcenia instynktu samozachowawczego i umiejętności radzenia sobie w sytuacjach krytycznych

Przeczytajcie przewodnik „Poprzez lata", żeby upewnić się, czy wasze oczekiwania są zgodne z wiekiem i możliwościami rozwojowymi dziecka. Jako punkt odniesienia wykorzystajcie „Pytania, na które trzeba sobie odpowiedzieć" – niech posłużą wam do oszacowania jego mocnych i słabych stron. Jeśli na którekolwiek z pytań odpowiedzieliście twierdząco, dobrze byłoby dodatkowo pomóc dziecku w rozwinięciu potrzebnych umiejętności.

POPRZEZ LATA

Wskazówki pomagające w rozwijaniu charakteru dziecka

Uwaga: Ten przewodnik ma służyć jako zbiór pewnych ogólnych informacji dających orientację, czego i kiedy możecie oczekiwać od dziecka. Nie ma żadnych ścisłych norm i granic wyznaczających, jak i kiedy powinny pojawiać się dane właściwości, charakterystyczne dla określonego przedziału wiekowego. Każde dziecko jest jedyne w swoim rodzaju, a my podajemy tutaj pewien przekrój etapów rozwojowych, które charakteryzują się ogólnie podobnymi i prawdopodobnymi wzorcami zachowań i predyspozycji. Pamiętajcie, że rozwój osobowości jest z natury rzeczy dynamiczny i powtarzalny, co oznacza, że bez przerwy się zmienia, a cechy i umiejętności mogą się pojawiać, znikać i znów pojawiać w trakcie rozwoju.

Twórcze myślenie i umiejętność podejmowania decyzji – rozwiązywanie problemów i konfliktów, instynkt samozachowawczy i umiejętność radzenia sobie w sytuacjach krytycznych

Etap I – Niemowlęctwo: od urodzenia do 24 miesięcy
Okres życia od noworodka do dwulatka

Okres ten ma fundamentalne znaczenie dla kształtowania się wielu wzorców zachowań, postaw i ekspresji emocjonalnej. Wychowanie w ciągu pierwszych 12 miesięcy polega przede wszystkim na karmieniu i podstawowej opiece pielęgnacyjnej.

Od dziecka w wieku od 6 do 24 miesięcy oczekujcie: przejawiania aktywności w rozwiązywaniu najprostszych problemów, na przykład dochodzenia, jak działają różne rzeczy (naciskanie guzików pilota telewizyjnego), czy pasują do siebie (układanie według kształtów, wkładanie różnych przedmiotów do kieszeni magnetowidu) oraz jak się je wyjmuje (opróżnianie maminej portmonetki); okazywania instynktownych działań samozachowawczych w formie płaczu, gdy jest głodne, odróżniania swoich od obcych i okazywania lęku przed nieznajomymi; reagowania na konflikty, krytyczne i groźne sytuacje zgodnie z wrodzonym temperamentem (dziecko aktywne zareaguje większym pobudzeniem emocjonalnym i utratą panowania nad sobą, pasywne zaś rezygnacją i wycofaniem się).

Nie oczekujcie od dziecka: wykształcenia praktycznej umiejętności rozwiązywania konfliktów, radzenia sobie w sytuacjach krytycznych albo działań samozachowawczych do końca wieku przedszkolnego.

Etap II – Wczesne dzieciństwo i wiek przedszkolny: od 2 do 6 lat
Okres życia od dwulatka do starszaka

Etap ten często bywa nazywany okresem zabawy, ponieważ wtedy właśnie przypada szczytowe zainteresowanie zabawkami i grami, wyrażające się dążnością do poszukiwań, twórczej zabawy, myślenia abstrakcyjnego, z wykorzystaniem wyobraźni, niestrudzonej walki o niezależność i zwiększonych kontaktów społecznych. Jest to okres przygotowawczy do nauki podstaw zachowań społecznych, niezbędnych w nadchodzących latach pobytu w szkole.

Od dziecka w wieku od 2 do 4 lat oczekujcie: znajdowania przyjemności w powtarzaniu czynności, żądzy poznawania niepowstrzymywanej strachem lub obawą przed bólem, psocenia, bałaganienia i nieposłuszeństwa (na przykład zabierania różnych rzeczy, ucieczek, zapominania o zasadach bezpieczeństwa, eksperymentowania z przygotowywaniem jedzenia, zabaw z płcią przeciwną w pokazywanie intymnych części ciała).

Nie oczekujmy od dzieci: włączania się w rozwiązywanie jakichkolwiek znaczących problemów, czerpania wiedzy z przekazów werbalnych, nauczenia się czegoś więcej na temat ochrony samego siebie poza podstawowymi zasadami bezpieczeństwa.

Od dziecka w wieku od 4 do 6 lat oczekujcie: pierwszych przejawów rozumienia bardziej złożonych kwestii związanych z wymienionymi umiejętnościami (kto jest obcy, różnica między dobrym i złym dotykaniem, pewność siebie kontra agresja, kompromis kontra kapitulacja, posłuszeństwo kontra instynkt samozachowawczy);

umiejętności prowadzenia krótkich rozmów dotyczących problemu, przedstawianych hipotetycznych sytuacji (co byś zrobił, gdyby?...), dokonywania wyboru (wydaje mi się, że mógłbym poprosić o pomoc lub...), większego poczucia komfortu psychicznego i większej wiedzy zdobytych dzięki praktycznym zajęciom i ćwiczeniom.

Nie oczekujcie od dzieci: niezawodnego stosowania tych nowo zdobytych umiejętności w praktyce; dochodzenia do najlepszych i najbezpieczniejszych rozwiązań lub stworzenia właściwych planów działania bez ukierunkowania ze strony dorosłych opiekunów; zdolności do ochronienia siebie bez nadzoru osób dorosłych.

Etap III – Wiek wczesnoszkolny: od 6 do 11 lat
Ten etap życia zaczyna się podjęciem nauki, a kończy wejściem w okres dojrzewania

Okres ten objawia się głównie wielkim zainteresowaniem i koncentracją na nawiązywaniu kontaktów z rówieśnikami, uczestniczeniu w popularnych grach zespołowych oraz wzrastającą motywacją do nauki, przyswojenia wiedzy technicznej, dużej ilości informacji i osiągania sukcesów w szkole. Jest to niezwykle ważny czas dla ustabilizowania się postaw i nawyków w stosunku do nauki, pracy i wykorzystania osobistego potencjału.

Oczekujcie od dzieci: podtrzymywania wzrastającej zdolności rozumowania dedukcyjnego i czerpania przyjemności z zabaw, układanek i gier opartych na wytworzeniu sytuacji problemowej; lepszego pojmowania i oceny zdarzeń i sytuacji; otwartości na pomoc od rodziców lub innych osób, które obdarzają zaufaniem; zaabsorbowania problemami dotyczącymi relacji z ludźmi, interpersonalnymi konfliktami z kolegami i szkołą; odczuwania presji ze strony rówieśników do konformizmu zamiast twórczego myślenia; osiągania znaczącego statusu w grupie dzięki umiejętności kreatywnego przewodnictwa; przeskoczenia od zdolności rozumienia do reakcji na niebezpieczne sytuacje (na przykład nałogi, przemoc, używanie narkotyków).

Nie oczekujcie od dzieci: otwartego proszenia opiekunów o pomoc, nawet w przypadku poważnych problemów, zamiast tego należy spodziewać się bezwzględnej wiary we własne możliwości i niepodlegającego dyskusji zdecydowania; kreatywnego myślenia lub działania zawsze we własnym interesie, kiedy znajdą się pod presją, aby ulec.

Etap IV – Wczesnonastoletni: wiek od 11 do 15 lat

Ten etap życia zaczyna się w czasie, gdy dziecko kończy szkołę podstawową, ciągnie się przez okres nauki w szkole średniej, a zamyka go jej zakończenie i wstąpienie do szkoły wyższej*

Ten okres charakteryzuje ogromny chaos. Wraz z gwałtownym wejściem w okres dojrzewania następuje nagła zmiana wyglądu, wzrasta zainteresowanie rówieśnikami płci przeciwnej i zaczyna się bezwzględna walka o własną osobowość i niezależność.

Od nastolatków oczekujcie: poznania bardziej skutecznych i dojrzalszych metod rozwiązywania konfliktów i problemów, przed którymi stają, ale także cofania się do mniej dojrzałych sposobów zapanowania nad daną sytuacją w okresie pobudzenia emocjonalnego; wzrastającego poczucia zdolności do podejmowania się odpowiedzialnych zadań, jak opieka nad dzieckiem, gotowanie, zostawanie samemu w domu; odważnego eksperymentowania z nowymi dziedzinami, zazwyczaj muzyką, sposobem ubierania się i uczesaniem, ale także w sztuce i literaturze; żądania prawa do samodzielnego zmierzenia się z własnymi problemami, odtrącania przy tym rodziców i nauczycieli, kiedy chcą im pomóc, a zamiast tego szukania wsparcia wśród rówieśników.

Nie oczekujcie od nastolatków: sprawnego rozwiązywania bardzo skomplikowanych problemów (na przykład związanych z aktywnością seksualną, narkomanią, okrucieństwem rówieśników) bez wcześniejszego przygotowania i praktyki.

---

* Według polskiego systemu edukacyjnego okres ten obejmuje czas nauki w wyższych klasach szkoły podstawowej, jej ukończenie i wstąpienie do szkoły średniej – przyp. tłum.

Pytania, na które trzeba sobie odpowiedzieć

Czy wydaje wam się, że dziecko częściej, niż można się spodziewać, ma problemy z rówieśnikami, że ciągle powtarzają się te same problemy i wygląda na to, że nie potrafi niczego nauczyć się na podstawie tego, co już się zdarzyło? (Typową odpowiedzią jest: „Przepraszam, więcej nie będę").

Czy dziecko ma trudności ze zdefiniowaniem istoty problemu (chodzi o umiejętność rozróżnienia tego, co go wywołało, od tego, że zostało przyłapane i ukarane) oraz wyjaśnieniem i opisaniem go własnymi słowami i z własnego punktu widzenia? (Kiedy prosicie dziecko, żeby porozmawiało z wami na ten temat, nie potrafi powiedzieć, w jaki sposób postara się uniknąć takich kłopotów w przyszłości).

Czy samodzielna zabawa, bez udziału dorosłych lub bardzo wymyślnych zabawek, sprawia dziecku trudność? (Typowe komentarze: „źle to robisz, nie chce mi się, za dużo [za mało] osób do zabawy, zróbmy lepiej co innego").

Czy dziecko obawia się podjęcia trudniejszych zadań lub kiepsko i z trudem radzi sobie z odpowiedzią na otwarte pytania, z nieszablonowymi zadaniami lub lekcjami w szkole, z samodzielną nauką czy ryzykownymi działaniami, kiedy cel nie jest jasno sprecyzowany albo wyznaczniki dobra i zła, sukcesu i porażki nie są jednoznaczne? (Takie dziecko szuka u dorosłych określenia, dokąd zmierza [cel] oraz jakie kroki musi w związku z tym poczynić [proces]).

Czy dziecko przejawia skłonność do postrzegania spraw w kategoriach czarno-białych, dobra i zła? (Nie zauważa wielu możliwości, znajdujących się poza tymi ekstremami, niechętnie zadaje pytania, nie wie, jak to zrobić i co potem nastąpi, szuka odpowiedzi w niezwykłych źródłach albo eksperymentuje na własną rękę).

Czy dziecko jest uczniem tego typu, który szybko ulega frustracji i pesymizmowi, jeśli coś nie idzie gładko, albo z łatwością poddaje się, gdy napotyka pierwsze trudności? (Typowe komentarze: „Nic na to nie poradzę, jestem wściekły. Ona tak mnie denerwuje, że nie mogę myśleć o niczym innym").

Czy dziecko jest bardzo otwarte, przyjazne i spontaniczne (bez żadnych zahamowań i ostrożności) w stosunku do obcych? (Wasze dziecko może pójść za kimś obcym, jeśli ten coś mu obieca – na przykład zabawę lalką, cukierka).

Czy dziecko czuje się odpowiedzialne za to, by zadowolić innych ludzi, albo przejawia silne pragnienie akceptacji? (Z chęcią pomoże obcej osobie wzywającej pomocy, nie zastanawiając się nad zasadami bezpieczeństwa i prawdopodobnymi konsekwencjami?)

Czy dziecko nie zwraca uwagi (lub robi to w stopniu niezadowalającym) na obecność wokół niego dorosłych albo innych dzieci czy ich brak? (Rozum i intuicja niewiele mówią mu o otoczeniu. Nie wie, jak rozpoznać to uczucie i jego znaczenie, jak słuchać i reagować na wewnętrzny system alarmowy [intuicję], ma skłonność do ignorowania lub niedoceniania go, wierzy, że to tylko wyobraźnia, która płata figle).

Czy dziecko zapomina o stosowaniu się do podstawowych zasad bezpieczeństwa i planów, które ułożyło samodzielnie lub razem z wami, albo też ignoruje je? Czy łatwo rozprasza je to, co dzieje się wokół lub co robią inni, i wtedy zbacza z wyznaczonej drogi? (Gdy odbiera telefon, zapomina, że nie powinno ujawniać zbyt wielu informacji).

Czy dziecko ulega opiniom i zachowaniom rówieśników i poddaje się ich presji? (W takiej sytuacji nie wywiązuje się z zobowiązań w stosunku do innych, rezygnuje także z własnych wartości).

Czy sądy, jakie wydaje dziecko, są wątpliwe i niestałe? (Rutynowo akceptuje wyzwania wymagające śmiałości, a potem czuje się zmuszane do tego, że nigdy nie wolno mu się wycofać).

Czy dziecko ma wiele sekretów i tajemnic przed rodzicami? (Z trudnością mówi o tym, co je gnębi, niechętnie dzieli się swoimi uczuciami. Może czuć się nadmiernie wrażliwe na krytykę).

Czy dziecko ma trudności z podejmowaniem rozmów na temat hipotetycznych problemów społecznych? (Typowy komentarz: „Nic nie będę wiedzieć, dopóki to się nie zdarzy").

Czy dziecko wycofuje się, gdy się czegoś obawia, ma opory przed obstawaniem przy swoich przekonaniach, myślach lub uczuciach, spokojnie rezygnuje z tego, czego chciało, jeśli cokolwiek stoi na przeszkodzie?

Czy dziecko czuje się bezradne, gdy pojawi się jakiś problem, jest sfrustrowane, jeśli nie towarzyszy mu wtedy osoba dorosła, do której ma zaufanie?

Czy macie wątpliwości, że wasze dziecko potrafi zapamiętać, gdzie przede wszystkim może szukać pomocy, na przykład wezwanie policji, poproszenie o pomoc sprzedawcy w sklepie, gdy się zgubi, zapamiętanie zasad bezpieczeństwa przeciwpożarowego, adresu domowego oraz numeru telefonu, imion i nazwiska rodziców?

Czy dziecko przejawia nadmierną łatwowierność i naiwność, naturalną albo wynikającą z kłopotów w nauce? Czy często przyjmuje za dobrą monetę wszystko, co mu się powie, nie poddając tego własnej, samodzielnej analizie? (Posiada większy niż przeciętny stopień zaufania w stosunku do tego, co mówią inni, zwłaszcza dorośli, i może nie poznać się na sztuczkach, jakimi posługują się zboczeńcy i porywacze w celu wzbudzenia zaufania lub zawstydzenia i skłonienia do uległości).

Czy dziecko w niedojrzały sposób rozumie prawo prywatności własnego ciała? (Nie potrafi prawidłowo odróżnić, jaki rodzaj kontaktu fizycznego jest pozytywny, a jaki niedopuszczalny, nie zna nazw organów płciowych i ich funkcji. Nie rozumie własnych uczuć związanych ze sprawami ciała i seksu).

Jak kształtować twórcze myślenie i umiejętność podejmowania decyzji

1. Dla wielu rodziców nauka niezależnego myślenia, szukanie nowych dróg rozwiązywania konfliktów i troszczenie się o własne sprawy jest czymś zupełnie sprzecznym z tym, czego ich samych uczono w dzieciństwie. Dobrze wiecie, czego nie lubiliście w okresie dorastania, co chcielibyście zrobić inaczej, ale nie bardzo potraficie to przeprowadzić. Potraktujcie ten proces jako kształcące doświadczenie dla was samych, nie tylko dla dzieci. Jeśli będziecie stosować się do wskazówek, których uczycie, dacie sobie szansę dalszego rozwoju i nauczenia się nowych rzeczy.

2. Jeśli wydaje wam się, że nie jesteście ludźmi kreatywnymi, nie wyciągajcie z tego wniosku, że wasze dzieci także nie mogą nimi być. Każde dziecko, a w tym przypadku również każdy dorosły, może nauczyć się ekspansywnego myślenia i rozwijać swoje twórcze „ja".

3. Nauczcie dziecko, by potrafiło czuć się dumne z podejmowania wysiłku, a nie tylko z końcowego efektu. Przypominajcie mu o wszystkich krokach, jakie przedsięwzięło, aby uporać się z zadaniem, o przeszkodach, które zdołało pokonać, o pomysłowości i kreatywności, którą się wykazało. Często nauczyciele i rodzice tak bardzo koncentrują się na współzawodnictwie i osiągnięciu celu, że znacznie je przeceniają, zapominają natomiast o środkach prowadzących do tego celu. Radości podejmowania ryzyka, zaciekawienia uczeniem się

i kreatywnym myśleniem po prostu nie można nauczyć w ten sposób.

4. Kiedy prosimy dziecko, by było kreatywne lub ekspansywne, musimy odłożyć na bok własny krytycyzm, nieustępliwość i ocenę, a zamiast tego pozwolić, żeby opowiedziało nam, co wymyśliło. Takie postępowanie często oznacza, że trzeba przystać na „niewłaściwe", „niepełne" lub „chaotyczne" działania.

5. Skończcie z niepokojem na temat bycia normalnym, przeciętnym lub innym. Dajcie i sobie, i dziecku pozwolenie na łamanie zasad. Przeczytajcie jakąś książkę od końca do początku, pomalujcie farbami swoje ciała albo kawałek drewna zamiast kartki. Jeśli nasze pociechy mają myśleć kreatywnie i odważnie kierować się własnym instynktem, muszą mieć wolność tworzenia, bez obciążeń związanych z koniecznością osiągnięcia sukcesu lub wynikiem porównań z innymi.

6. Aby prawidłowo rozwinąć kreatywne myślenie, trzeba dać dzieciom szansę doświadczania otaczającego je świata przy użyciu wyobraźni i własnych odkryć. A to dzieje się nie tylko w czasie zaplanowanych zajęć (kółka artystycznego, odwiedzin w muzeum), ale przede wszystkim dzięki niezaplanowanym, spontanicznym chwilom samotności lub zabaw w grupie (zreperowanie połamanego latawca z użyciem części zastępczych, zbudowanie zamku ze zwykłego pudełka).

7. Uczcie rozwiązywania problemów i konfliktów oraz radzenia sobie w sytuacjach krytycznych przez zadawanie pytań oraz kwestionowanie uznanych powszechnie stwierdzeń, a nie przez podawanie gotowych odpowiedzi na temat tego, jak lub co należy zrobić. Dzieci będą czerpać wielką przyjemność z poszukiwania odpowiedzi i skrzętnie przechowają tę nowo zdobytą wiedzę na przyszłość. Z pewnością uświadomią sobie, że to właśnie wasze pytania pomogły im znaleźć właściwe odpowiedzi i osiągnąć cel.

8. Pozwólcie sobie na pomyłki. Dbajcie o to, by w domu panowała atmosfera, która umożliwi prawidłowy przebieg procesu

rozwiązywania problemów i nauki poprzez działanie (metodą prób i błędów). Wsparcie i zachęta mogą zainspirować dziecko do kontynuowania poszukiwań i ciągłego doskonalenia zdobytych umiejętności, podczas gdy przykre i nadmiernie krytyczne uwagi prawdopodobnie sprawią, że z obawą będzie podejmowało nowe próby zaspokojenia własnej ciekawości lub odkrywania innych światów.

9. Dzieci muszą oczywiście bardzo dużo wiedzieć na temat realnych niebezpieczeństw, które grożą im we współczesnym świecie, ale równie dobrze powinny znać same siebie, swoje mocne i słabe strony, ograniczenia i zdolności oraz zalety. Prawidłowa ocena własnej osoby sprawi, że we właściwym momencie nie stracą głowy, oraz zapobiegnie podejmowaniu niebezpiecznych wyzwań po to tylko, by uzyskać status towarzyski i akceptację grupy.

10. Zamiast podejmować próby ochronienia dziecka przed wszelkim ryzykiem i związanymi z tym komplikacjami, postarajcie się znaleźć złoty środek, dostarczając mu odpowiedniej, lecz niezbyt dużej liczby informacji. Zaplanujcie i przeprowadźcie niegroźne, zorientowane na praktyczne działanie ćwiczenia, które pomogą mu rozwinąć wrodzoną zdolność zaufania samemu sobie i skutecznej reakcji na niebezpieczne sytuacje.

11. Uczcie radzenia sobie z emocjami. W tym celu pomagajcie dziecku poznać szeroką gamę jego własnych uczuć. Wykorzystajcie metody werbalnego ich określania i nazywania. Nauczcie swoją pociechę zaufania do własnych emocji. Stanie się tak, jeśli będzie umiała kontrolować siebie i swoje emocjonalne reakcje na sytuacje, które w życiu ciągle się zdarzają. Ale przede wszystkim uczcie intuicji – wrodzonego systemu wczesnego ostrzegania, który mieści się w mózgu i alarmuje dziecko przed niebezpieczeństwem, dając takie objawy jak dreszcze, dziwne uczucie w żołądku, sygnały wizualne, które przyciągają uwagę, przeczucie, że wydarzy się coś złego.

12. Zachęcajcie dziecko do bycia niezależnym i samowystarczalnym. Da mu to poczucie, że nie jest kompletnie bezradne.

Samowystarczalność jest niezbędna, sprawia bowiem, że czujemy się godni zaufania, odpowiedzialni i zdolni do zapanowania zarówno nad małymi, jak i wielkimi kryzysami.

13. Kiedy pracujecie nad udoskonalaniem poszczególnych umiejętności związanych z szeroko pojętym bezpieczeństwem, zaczynajcie od tych, w których dziecko czuje się niepewne i zagubione. Każdą z nich systematycznie sprawdzajcie.

14. Każde dziecko zdobywa umiejętności zachowania osobistego bezpieczeństwa w inny sposób. Będziecie musieli pewnym zagadnieniom poświęcić więcej czasu, na inne przeznaczyć go mniej – w zależności od mocnych i słabych stron waszego malucha.

15. Uczcie, że umiejętność rozwiązywania problemów i podejmowanie ryzyka w starannie wyważony sposób pomaga w osiągnięciu osobistych celów (związanych z rodziną, karierą zawodową, przyjaźnią). Opowiedzcie dziecku, gdy będzie już w wieku szkolnym, jakie ważne i ryzykowne decyzje sami podejmowaliście w życiu i w jaki sposób to robiliście. Może to być na przykład zrezygnowanie z dającej poczucie bezpieczeństwa, ale niesatysfakcjonującej pracy po to, by zrealizować marzenia i założyć własną firmę.

Zabawy, które uczą rozwiązywania problemów

W naszej pierwszej książce pt. „Playful Parenting" omówiliśmy proces rozwiązywania problemów, gdyż chcieliśmy pomóc rodzicom i dzieciom, pokazując metodyczne i klarowne podejście do budzącego wiele wątpliwości tematu spraw rodzinnych. Dzieci mogą osiągnąć dużą wprawę w rozwiązywaniu problemów, jeśli zastosują tę metodę i będą ją ćwiczyć w praktyce zarówno w przypadku małych, jak i wielkich spraw. Nazwaliśmy ten proces SHAPE, co wywodzi się od pierwszych liter każdego etapu działania: 1) *State and define the problem* (Przedstaw i nazwij problem), 2) *How do you solve it?* (Jak go rozwiążesz?), 3) *Agree for a goal* (Wyznacz cel),

4) *Practice new skills* (Wykorzystaj nowe umiejętności), 5) *Evaluate and recognize efforts* (Oceń i doceń swój wysiłek).
Krok pierwszy: Przedstaw i nazwij problem. W etapie pierwszym każdy członek rodziny przedstawia problem ze swojego punktu widzenia. Wszyscy pozostali słuchają go spokojnie i uważnie, przez co okazują mówiącemu, że cenią jego lub jej zdanie. Kiedy już każdy się wypowie, połączcie poszczególne opinie we wspólny dla całej rodziny sposób rozumienia problemu. Powinien być on jasno nazwany i nikogo nie wolno obwiniać za to, że się pojawił.
Krok drugi: Jak go rozwiążesz? Rzecz polega na tym, by dziecko zastosowało metodę wykorzystania własnych zdolności i umiejętności do rozwiązania problemu. Jest to proces trzystopniowy, w trakcie którego młody człowiek powinien: 1) przypomnieć sobie o już dokonanych osiągnięciach, 2) rozpoznać, jakie osobiste umiejętności i zdolności pomogły mu w odniesieniu sukcesu, 3) wywnioskować, jak może wykorzystać te same cechy, by rozwiązać nowy problem. Jeśli na krótką metę waszym celem jest rozwiązanie konkretnego problemu, ten system ułatwi dziecku udoskonalenie umiejętności i zachowań, dzięki którym będzie mogło pokonywać różne życiowe przeszkody.
Krok trzeci: Wyznacz cel. Etap trzeci pomoże rodzinie znaleźć formalne rozwiązanie. To rozwiązanie jest wzajemnym porozumieniem; decydujemy się postępować w sposób, który łączy krok pierwszy (wspólne nazwanie problemu) z drugim (umiejętności).
Załóżmy, że wasz syn Jake ma trudności z kładzeniem się do łóżka. Podejmując pierwszy krok, razem z Jakiem definiujecie problem: „Bardzo długo trwa, zanim Jake położy się spać, gdy się go o to poprosi, i w rezultacie kończy się to zawsze krzykiem i płaczem". Wprowadzając w życie krok drugi, wymieniacie umiejętności, które Jake już posiadł i które mogą pomóc w rozwiązaniu tego problemu. Połączcie oba etapy i wyznaczcie cel: „Jake zgadza się, że trudno mu położyć się do łóżka, gdy go o to prosimy. Ale potrafi szybko się poruszać, słucha swojego trenera baseballu i zna się na zegarku. Jego celem jest wykorzystanie prędkości, posłuszeństwa i umiejętności określenia godziny do kładzenia się spać o właściwej porze".

Może w waszej rodzinie przydatne okaże się zapisanie celów w formie kontraktu. Wypełnienie formularza postępowania przy rozwiązywaniu problemów, zamieszczonego w suplemencie, pomoże wam poczuć, że w istocie podpisujecie umowę o wspólnym rozwiązaniu tego problemu. Da wam to także pewność, że każdy członek rodziny rozumie ten proces od początku do końca.

Krok czwarty: Wykorzystaj nowe umiejętności. Etap czwarty jest działaniem praktycznym i obejmuje cały proces rozwiązywania problemów. Umożliwia dziecku eksperymentowanie z nowymi sposobami zachowania i wykorzystanie różnych zabawnych działań do przezwyciężenia trudności. Może zechcecie wybrać jakąś zabawę, która pomoże mu osiągnąć cel.

Krok piąty: Oceń i doceń swój wysiłek. O piątym etapie najczęściej się zapomina w trakcie rozwiązywania problemów. Przeprowadzenie go wymaga od rodziny zebrania wszystkich sukcesów w pracy nad osiągnięciem celu i oszacowania, jakie postępy zrobiliście w tym okresie. W życiu rodzinnym potrzebna jest ocena wspólnych dokonań oraz docenienie odniesionego sukcesu i trzeba znaleźć na to czas. Gdy to będziecie robić, zwróćcie uwagę na wszystko, co udało się osiągnąć: na poprawę, intencje i cały podjęty wysiłek każdego z domowników. Pamiętajcie, że to nie jest odpowiednia pora na krytykowanie dziecka. Trzeba nabrać praktyki, żeby nauczyć się wykorzystywać nową wiedzę do rozwiązywania starych problemów. Piąty krok pozwala także całej rodzinie zauważyć, że nie zawsze dochodziła do celu za pierwszym razem. Ważne jest, żeby nie ustawać w wysiłkach. Kiedy potem będziecie je analizować, zastanówcie się, co było skuteczne, a co nie. Generalnie rzecz biorąc, kiedy nie uda się rozwiązać problemu, nie znaczy to, że dana osoba poniosła porażkę, tylko że coś było nie tak w całym procesie.

Jeśli dziecko nie było w stanie rozwiązać całego problemu, pokażcie mu nawet najmniejszy sukces, jaki osiągnęło. Jeszcze raz przeanalizujcie problem, umiejętności użyte do jego rozwiązania i cel, który miał być osiągnięty. Niech spróbuje ocenić, czy to cel był zbyt trudny, czy należało weń włożyć więcej wysiłku. W tym momencie może zechcecie na podstawie wyciągniętych wniosków spróbować od nowa.

W idealnej sytuacji technika rozwiązywania problemów sprawdza się od pierwszego podejścia. Jeśli tak się stało, nie poprzestawajcie na tym. Porozmawiajcie z dzieckiem na temat jego sukcesu. Przyjrzyjcie się, w jaki sposób poradziło sobie ze sprawą i jak przyczynili się do tego pozostali członkowie rodziny. Ale przede wszystkim szczodrze je wynagrodźcie i wzmocnijcie jego pewność siebie, uświadamiając mu, że takie zachowanie dowodzi, iż jest w stanie rozwiązywać także inne problemy.

Być może zechcecie wybrać taką z podanych niżej zabaw, która pasuje do waszej sytuacji i pomoże waszemu dziecku dojść do celu.

W nowych ramach

Uczy dziecko spojrzenia na sprawę z nowej perspektywy.
wiek: od 4 lat
materiały: ramka do obrazków, karteczki samoprzylepne

Jedną z najbardziej powszechnych przeszkód, na jakie natrafiamy w trakcie rozwiązywania problemów, są bardzo wąskie ramy, w jakich nauczono nas postępować. Kiedy pojawi się problem, trudno nam popatrzeć na niego z boku i ocenić go pod innym kątem.

Znajdźcie taki problem, który dziecko nie bardzo potrafi rozwiązać. Porozmawiajcie o tym, co trzeba umieć, żeby można było spróbować wszelkich możliwych sposobów rozwikłania go. Chodzi tu także o zdolność do zauważenia każdego najdrobniejszego postępu, optymistyczny sposób patrzenia na sprawę i umiejętność użycia wyobraźni do znalezienia rozwiązania. Weźcie pod uwagę także te możliwości, o których dziecko wie, ale z których być może nie skorzystało, na przykład poproszenie kogoś o pomoc. Każdą z nich zapiszcie na osobnej karteczce i przyklejcie je na ramce. Następnie poproście dziecko, by narysowało obrazek ilustrujący problem (wierne odtworzenie albo rysunek abstrakcyjny pokazujący uczucia dziecka). Upewnijcie się, czy pasuje do ramki, i oprawcie go. To, co powstało, to nowe ramy postępowania, według których wasza pociecha patrzy na problem. Stosujcie tę technikę, kiedy ktokolwiek z was sprawia wrażenie, że znalazł się w sytuacji – wydawałoby się – beznadziejnej.

Najlepsze rozwiązanie w tygodniu
Pomaga docenić ciężką pracę, jaka została włożona w rozwiązanie problemu.
wiek: od 4 lat
materiały: papier albo gotowe dyplomy, kupione w sklepie z artykułami biurowymi

Przygotujcie dyplom uznania dla tego z członków rodziny, który znajdzie najlepsze rozwiązanie jakiegoś problemu lub który poradził sobie ze szczególnie trudną sprawą. Dokonujcie wręczenia takiej nagrody przynajmniej raz w tygodniu i mówcie o tym, czego dokonał laureat, by ją otrzymać. Rodzinom na ogół bardziej potrzeba docenienia znalezionego rozwiązania niż koncentrowania się na samym problemie.

Kartoteka gotowych rozwiązań
Zbiór kart z gotowymi rozwiązaniami problemów.
wiek: od 4 lat
materiały: kartoniki o wymiarach dziesięć na piętnaście centymetrów, segregator

Kucharze korzystają z gotowych przepisów do przyrządzania swoich ulubionych dań. Zastosujcie ten pomysł do waszych ulubionych rozwiązań różnych problemów. Kiedy komuś uda się wymyślić coś naprawdę wspaniałego, zanotujcie to na kartoniku i włóżcie do segregatora. W waszym przepisie powinien znaleźć się zarówno sam problem, jak i dokładny opis, w jaki sposób udało się wam go rozwiązać. Zapisujcie bardzo poważne i wielkie sprawy (właściwa reakcja

na niebezpieczeństwo), ale także te nieduże (zaniechanie kłótni z bratem, siostrą lub kolegą).

Zbierajcie przepisy przez te wszystkie lata, kiedy wasze dziecko dorasta. Zadbajcie o to, by znalazły się tam także wasze – rodziców – rozwiązania różnych spraw. Za każdym razem, kiedy ktoś stanie w obliczu problemu, z którym ktoś inny kiedyś już sobie poradził, wyciągnijcie odpowiedni kartonik. Młodsze dzieci mogą sobie pożyczać recepty wymyślone przez starsze rodzeństwo, a rodzice przekazywać swoje propozycje, kiedy podobna trudność pojawi się w życiu dziecka. Jeśli przedstawicie na piśmie rozwiązania różnych problemów, zyskacie świadomość, że zawsze jesteście „na miejscu", gotowi do służenia pomocą nawet wtedy, gdy w rzeczywistości znajdujecie się gdzie indziej.

„Drogi Panie Prezydencie! Czy mógłby Pan zrobić coś, żeby powstrzymać zanieczyszczenie środowiska? Bardzo chciałabym dożyć stu lat". Melissa Poe miała zaledwie dziewięć lat, kiedy w 1989 r. napisała ten list adresowany do George'a Busha. Spodziewała się, że dostanie odpowiedź, ale jedyne, co otrzymała, to list ostrzegający ją, by nie używała narkotyków. W tym momencie młodzieńczy optymizm dziewczynki został znacznie przytłumiony, lecz to, co mogło pozostać jedynie pierwszą lekcją na temat bezmyślności biurokracji, Melissa przekształciła w kampanię, mającą przyciągnąć uwagę prezydenta. Kiedy zorganizowała wyprzedaż garażową, aby zebrać pieniądze, list był już wydrukowany na wielkich tablicach reklamowych w jej rodzinnym mieście, Nashville. Gdy i to nie zwróciło uwagi prezydenta, wypożyczyła plansze reklamowe, które zostały umieszczone w całym kraju, od wschodniego do zachodniego wybrzeża (w tym także jeden na Pennsylvania Avenue w Waszyngtonie, D.C.).

Wykorzystała także „Today Show" i wtedy prezydent nareszcie odpisał. Ale Melissa na tym nie poprzestała. Założyła fundację Kids for a Clean Environment (Kids FACE) [Dzieci Czystemu Środowisku], która rozrosła się do dwustu tysięcy członków i ma trzysta sześćdziesiąt tysięcy dolarów rocznego budżetu.

Wysiłki, które dziewczynka musiała podjąć, aby przyciągnąć uwagę prezydenta, zaowocowały przedsięwzięciem podejmującym dużo ważniejszy problem – zdrowie ziemskiego środowiska.

Zobrazuj to
Uczy dzieci empatii i rozwiązywania problemów.
wiek: od 2 lat
materiały: magazyny ilustrowane i zdjęcia waszego dziecka oraz innych maluchów z rodziny

Aby przeprowadzić tę zabawę, musicie w czasopismach i książkach poszukać wielu zdjęć. Rozglądajcie się za fotografiami, które przedstawiają ludzi w różnych sytuacjach angażujących emocjonalnie: kiedy są rozbawieni, czegoś się boją, są zmuszani do zrobienia czegoś niewłaściwego. Zdjęcie swojego dziecka (i własne, a także innych osób, które chcielibyście włączyć do tej zabawy) starannie wytnijcie, tak żebyście mogli je umieścić, niczym papierową laleczkę, w scenach z pism i książek. Teraz, kiedy wasza pociecha znalazła się w trudnej sytuacji, poproście ją, żeby opowiedziała o tym, co czuje i co w związku z tym powinna zrobić. Przypuśćmy, że dołączyliście jej podobiznę do scenki, w której widać nastolatków pijących piwo. Jej zadaniem jest teraz opisać własne uczucia (osoby namawianej do zrobienia czegoś złego) i znaleźć wyjście z sytuacji. Możecie także przyczepić zdjęcie dziecka dokładnie nad fotografią osoby, która jest pod działaniem silnych emocji, na przykład smutku lub strachu, i zapytać je, co czuje, utożsamiając się z tym człowiekiem. Swoje zdjęcie również dołączcie do jakiejś scenki i teraz niech dziecko zapyta was, jak się czujecie.

Wypuszczona para
Rozjaśnia umysł i zmniejsza napięcie nerwowe.
wiek: od 3 lat
materiały: piórko

Kiedy wasze dzieci zaczynają się kłócić, zapowiedzcie im, że muszą wypuścić nieco pary. Następnie dajcie im piórko, które powinny jak najdłużej utrzymywać w powietrzu, wyłącznie na nie dmuchając. Głębokie oddychanie, jakiego wymaga ta gra, uspokoi dzieci, a zabawa polegająca na niedopuszczeniu do zetknięcia się piórka z podłogą poprawi im humory.

Gotowi – do biegu – start!

Uczy dzieci, jak wykorzystywać własne możliwości, umiejętności, talenty, atrybuty i szczególne zdolności do rozwiązywania problemów i podejmowania różnych wyzwań.

wiek: od 5 lat
materiały: „karty zdolności", czyste kartoniki

Każdy z graczy otrzymuje komplet „kart zdolności" (patrz zabawa na s. 149). Na czystych kartonikach dopisuje inne umiejętności, z których korzysta, rozwiązując problemy. Na przykład dziecko uprawiające sport może posłużyć się umiejętnością uważnego słuchania trenera do wybrnięcia z sytuacji, która wymaga skupienia uwagi. Kiedy wszyscy zbiorą już komplet swoich „kart zdolności", zróbcie nowy zestaw – „karty problemowe". Na kartonikach zapiszcie wszelkie możliwe zagrożenia, wyzwania, trudności i sytuacje krytyczne, które już wystąpiły w waszej rodzinie lub z dużym prawdopodobieństwem mogą się pojawić. Ten spis powinien zawierać zarówno proste sprawy, jak na przykład „przegranie meczu" lub „nie wiesz, gdzie położyłeś ulubione buty", jak i bardziej złożone: „w przerwie między lekcjami jakiś chuligan bardzo cię przestraszył" i „zgubiłeś się w sklepie". Przygotujcie przynajmniej trzydzieści takich kart. W czasie gry wszyscy trzymają swoje „karty zdolności", a pośrodku układamy stosik „kart problemowych" (opisem problemu do dołu). Po kolei bierzemy jedną kartę ze środka, czytamy problem i szukamy w kartach umiejętności ewentualnego rozwiązania. Gra może stać się ciekawsza, jeśli każdy z uczestników będzie musiał znaleźć więcej niż jedno rozwiązanie, wykorzystując wiele „kart zdolności". Stale dokładajcie nowe karty, gdy pojawią się nowe problemy. Znamy taką rodzinę, która zebrała ich do tej gry ponad dwieście.

Kiedy Russell Essary miał siedem lat, dowiedział się, że chloroflu-
orowęgiel, taki jak ten, który znajduje się w każdym samochodowym
klimatyzatorze, niszczy ozonową powłokę Ziemi. Tej nocy nie mógł
spać. Następnego dnia zebrał dwudziestu trzech kolegów z klasy
i wspólnie postanowili rozpocząć kampanię pisania petycji i listów,
w celu wprowadzenia zakazu produkcji CFC. Dzięki tej działalności
dotarli do telewizji, gdzie poproszono ich o przedstawienie sprawy
radzie miejskiej Nowego Jorku. Składali także oświadczenie w ONZ
na Youth Conference on the Environment [Konferencja Młodzieży na
Temat Ochrony Środowiska] i w zasadniczy sposób wpłynęli na to, że
prezydent George Bush poparł ich przedsięwzięcie.

Z pomocą rodziców Russell i jego młodsza siostra Melanie zorganizowali KiDS STOP, grupę dziecięcych aktywistów, która obecnie ma
ponad czterysta oddziałów i dwanaście tysięcy członków.

Melanie z grupą KiDS STOP rozpoczęła kampanię pisania listów,
wzywających Południową Koreę do podpisania porozumienia zakazu-
jącego nielegalnego importu kości słoniowej z Afryki. Przedsięwzięcie
było tak skuteczne, że prezydent państwa, zalany powodzią listów od
dzieci z całych Stanów Zjednoczonych, zobowiązał się do poparcia
zakazu.

Uporajcie się z tym!
Pozwólcie dzieciom rozwiązać drobne spory.
wiek: od 4 lat

To ulubiona zabawa naszej rodziny. Zamiast pakować się w sam
środek drobnych kłótni naszych dzieci, wypowiadamy proste zdanie:
„Uporajcie się z tym!". Dla dziewczynek jest to wyraźny sygnał,
że nie będziemy uczestniczyć w przepychankach typu: „to ona zaczęła; powiedziała, że jestem straszydłem; rzuciła we mnie piaskiem...".

Nauczyliśmy już nasze córki, jak załatwia się nieporozumienia,
i przybliżyliśmy im negatywne konsekwencje kłótni. Jeśli w ciągu
pięciu minut nie potrafią znaleźć wspólnego rozwiązania, muszą
przerwać to, czym w danej chwili się zajmują, i zacząć robić coś

innego. Ten pięciominutowy limit czasowy dużo bardziej przyczynił się do wykształcenia w nich umiejętności rozwiązywania problemów niż jakiekolwiek inne techniki. Zdumiewające, jak szybko i spokojnie potrafią uporać się ze swoimi problemami. Dla nas to także jest wygodne – nie musimy odgrywać roli sędziów. Na samym początku potrzeba było przynajmniej minuty lub mniej więcej tyle, żeby przekonać dzieci, że skoro powiedzieliśmy, iż nie zamierzamy się wtrącać, naprawdę to właśnie mieliśmy na myśli. I oczywiście musieliśmy dać im kilka jasnych wskazówek na temat tego, co powinny zrobić, żeby załatwić sprawę we własnym zakresie. Ale teraz dziewczynki są tak przyzwyczajone do „Uporajcie się z tym!", że nawet nie musimy wypowiadać tych słów. Wystarczy, że na nie popatrzymy. Znają to spojrzenie i wiedzą, co mają robić.

Uczciwa kłótnia
Określone reguły rodzinnych sporów.
wiek: bez ograniczeń

Jeśli macie się kłócić, róbcie to uczciwie. Całą rodziną ustalcie pięć reguł uczciwej kłótni, na przykład: „Nie bij i nie przezywaj złośliwie innych. Słuchaj innych. Reaguj spokojnie. Wyrażaj własne uczucia, ale nie kosztem uczuć innych osób".

Rozjemca
Niech wasze dziecko stanie się domowym rozjemcą, osobą, która szuka rozwiązania rodzinnych problemów.
wiek: od 3 lat

Zadaniem rozjemcy jest zrobienie wszystkiego, co w jego mocy, żeby pomóc w wyjaśnieniu nieporozumień, nawet jeśli nie dotyczą go osobiście. Do rozwiązania problemu może wykorzystać technikę SHAPE (patrz str. 350) albo wymyślić własny plan przywrócenia pokoju. Inni członkowie rodziny powinni zasięgać jego rady, kiedy zdarzy im się nieporozumienie.

Pełniący tę funkcję powinni się zmieniać, tak aby każdy mógł spróbować swoich sił jako mediator. Jeśli rozjemca nie potrafi rozwikłać sprawy, może poprosić kogoś o pomoc. Po tym właśnie można poznać najlepszych w tej roli. Kiedy zachodzi potrzeba, umieją przyznać, że problem ich przerasta.

W Białym Domu
Wybierzcie małego prezydenta.
wiek: od 7 lat

„Kiedy dorosnę, chcę zostać prezydentem Stanów Zjednoczonych". Czy to nie brzmi znajomo? Proszę bardzo, oto szansa dla waszego dziecka. Pomoże mu w zrozumieniu problemów społecznych i politycznych oraz zadań, jakie stają przed prezydentem. Da mu także okazję do sformułowania własnego zdania na temat kierunku przemian, jakie dokonują się w kraju.

Zaprojektujcie Owalny Gabinet w swoim domu. Ustawcie tam biurko, krzesło, flagę państwową i udekorujcie go, jak na prezydencką siedzibę przystało. Kiedy dziecko obejmie gabinet, zorganizujcie mu konferencję prasową i zasypcie pytaniami od dziennikarzy (czyli rodziców i rodzeństwa). Poruszajcie autentyczne problemy państwowe, z których dziecko zdaje sobie sprawę. Możecie przygotować listę pytań i z wyprzedzeniem zapoznać z nią młodego prezydenta. Niechaj dotyczą one takich zagadnień, jak ochrona środowiska, uprzedzenia rasowe i opieka zdrowotna. Zadawajcie także niepoważne pytania, na przykład: „Zmęczyliśmy się już szukaniem naszych sportowych skarpetek, co zamierza Pan zrobić w tej sprawie?" Wybierzcie parę najlepszych odpowiedzi i wyślijcie je do prezydenta. W końcu liczy się każda rada.

Jeśli tylko... Historia lubi się powtarzać
Dojdziecie do sedna aktualnych problemów, jeśli popatrzycie na przeszłość.
wiek: od 5 lat

To jest bardzo ciekawe doświadczenie, zwłaszcza jeśli szukacie dobrego sposobu nawiązania rozmowy. Historia świata składa się z wielu problemów, które nie zostały prawidłowo rozwiązane. Oczywiście, nie możemy naprawić błędów przeszłości, ale patrząc na nie krytycznym okiem, uczymy się, jak radzić sobie z rozmaitymi aktualnymi sprawami.

Razem z dzieckiem poszukajcie błędów, jakie popełniono na przestrzeni dziejów: niewolnictwo Murzynów, zanieczyszczenie środowiska, ignorowanie w wielu krajach zbrodni przeciwko ludzkości. Spróbujcie wyobrazić sobie, jak wyglądałby świat, gdyby inaczej pokierowano sprawami, które doprowadziły do tych niefortunnych zjawisk.

Zachęćcie dziecko, żeby naprawdę dobrze to sobie przemyślało. Na zanieczyszczenie środowiska nie wystarczy na przykład odpowiedzieć: „Nie zanieczyszczać". Można było tego uniknąć przewidującym, uważnym działaniem, które pozwoliłoby na rozwój przemysłu bez szkodzenia Ziemi. Jakie powinno być to działanie? Co możemy z tym zrobić dzisiaj? To są bardzo istotne pytania, które zawsze można postawić, żeby skupić uwagę dziecka na ważnej sprawie.

Najlepszym sposobem, żeby zrozumieć problemy państwa lub świata, jest prześledzenie jego dziejów. Nie sugerujemy tutaj, że powinniście rozwodzić się nad przeszłością. Chcielibyśmy raczej, żeby dzieci nauczyły się szanować lekcje, jakich udziela nam historia, i zastanowiły się nad tym, jak problemy, które pozostawiono nierozwiązane, mogą wpływać na przyszłość. Zrozumienie, na czym polegały błędy przeszłości, pomoże im podjąć właściwe działanie w teraźniejszości.

Erica Hansen sama była dzieckiem, kiedy zobaczyła hasło reklamowe „Ratujmy dzieci" i postanowiła, że właśnie to zrobi. Mając dziewięć lat, dziewczynka sprzedawała przekąski, wyprowadzała psy i zbierała surowce wtórne w sąsiedztwie. Chciała każdego miesiąca zarobić dwadzieścia dolarów, aby potem móc zaadoptować młodego Palestyńczyka, uciekiniera z Ammanu w Jordanii.

Zajęcia, które rozwijają kreatywność

Więcej niż ci się zdaje!
Gra wymagająca coraz bardziej twórczego myślenia.
wiek: od 3 lat

Możecie powiedzieć, że nasze córki miały sporo szczęścia, ponieważ tak się złożyło, że ich rodzice zajmują się zawodowo zabawami. W związku z naszą profesją musieliśmy przetestować wiele zabawek i zastanowić się, które z nich można polecić dzieciom i rodzicom. Dziewczynki świetnie się przy tym bawią, ale to może także niekorzystnie wpływać na ich kształtującą się kreatywność. Nigdy nie było aż tylu produktów, które tak bardzo oddziaływałyby na umysły i ciała dzieci. Mimo wszystko mamy pewne zastrzeżenia co do tych wysoko wyspecjalizowanych technologicznie gier. Niektóre z supernowoczesnych zabawek i programów komputerowych robią za nasze dzieci za dużo. Podają gotowe odpowiedzi i wykonują całą pracę, nie zostawiając młodym użytkownikom nic, z czym mogliby się zmierzyć. Ciekawi jesteśmy, co pewna grupa tych produktów zrobi z dziecięcą wyobraźnią i umiejętnością rozwiązywania problemów.

Na przekór tym nowym, efekciarskim rozwiązaniom, podawanym na srebrnej tacy, i skutkom, jakie mogą wyniknąć z korzystania z nich, zachęcamy rodziców, by „powrócili do źródeł" i podsunęli dzieciom bardzo proste zabawy, wspaniale rozpalające wyobraźnię. Jednym ze sposobów, aby w młodym organizmie zaczęły krążyć twórcze soki, jest postawienie dziecku zadania, by najzwyklejszy przedmiot zamieniło w fajną zabawkę. Przypuśćmy, że dajemy mu jakąś bardzo prozaiczną rzecz i pytamy, czy potrafi bawić się nią na przynajmniej dziesięć różnych sposobów. My sami najczęściej bawimy się powłoczką na poduszkę. Niżej podajemy rezultaty z ponad tygodnia twórczej zabawy (i rozwiązywania problemów).

Dziesięć wspaniałych zabaw, do których można wykorzystać powłoczkę na poduszkę

1. *Wyścigi syren.* Udawajcie, że powłoczka jest ogonem syreny (możecie go nawet tam narysować). Dzieci wchodzą do środka i poruszają się, jakby brały udział w wyścigu w workach. Syreny ścigają się do linii końcowej, skacząc na ogonach.

2. *Pełzające gąsienice.* Tutaj będziecie potrzebować dwóch poszewek. Przetnijcie zszyty koniec tak, żeby dziecko mogło wślizgnąć się do środka, a głowę i nogi mieć na zewnątrz. Nogi powinno włożyć do drugiej poszewki, a następnie położyć się na podłodze i czołgać się jak gąsienica. Można starać się pokonać określony dystans w jak najkrótszym czasie albo ścigać się z drugą gąsienicą do mety (bez pomocy ramion i nóg).

3. *Sztafeta drużyn powłoczkowych.* Dwoje dzieci i jedna powłoczka. Jeden zawodnik siedzi na poszewce, podczas gdy drugi trzyma za koniec i ciągnie. Najlepsza zabawa jest wtedy, gdy można urządzić wyścig pomiędzy drużynami dzieci (ze zmianą miejsc, gdy dojdą do końca) lub zawody w pokonaniu dystansu na czas.

4. *Skoki przez lawę.* Dajcie dziecku dwie poszewki i umówcie się, że podłoga stała się gorącą lawą. Za pomocą powłoczek trzeba przejść przez cały pokój, skacząc z jednej na drugą, podnosząc je, a następnie rzucając jak najdalej przed siebie.

5. *Sztafeta na trzy nogi.* Dwoje dzieci, a między nimi jedna poszewka. Każde z nich wkłada do środka jedną nogę i próbują razem iść.

6. *Podróż czarodziejskim dywanem.* Powłoczka przemienia się w czarodziejski dywan, który zabiera dzieci w podróż pełną fantastycznych przygód. Maluchy siedzą na poszewce położonej na gołej podłodze i, odpychając się nogami, uciekają na niej wokół pokoju.

7. *Powłoczkowa siatkówka.* Wspaniała zabawa dla czterech graczy. Jedna poszewka na drużynę. Dwuosobowa drużyna mocno naciąga między sobą poszewkę. Piłkę umieszczamy pośrodku i „serwujemy" do drugiego zespołu, który próbuje ją złapać w swoją powłoczkę. Rzucamy piłką w tę i z powrotem, starając się, by jak najdłużej nie spadła na ziemię.

8. *Zrzuć przeciwnika.* Dwóch graczy i jedna powleczona poduszka. Zawodnicy stają na linii wyznaczonej szeroką taśmą maskującą przyklejoną do podłogi. Zabawa polega na tym, by używając poduszki, zrzucić przeciwnika z linii, nie spadając z niej samemu.

9. *Powłoczkowa kometa.* Jedna powłoczka i dużo przestrzeni (najlepiej na dworze). Do poszewki wkładamy piłkę i wokół niej mocno zawiązujemy sprężynę. (Piłka ma teraz „ogon" z poszewki). Trzymając za ogon, kręcimy mocno piłką i wypuszczamy ją w powietrze. Próbujemy złapać ogon, zanim piłka spadnie na ziemię.
I oczywiście...

10. *Bitwa na poduszki.* Najlepszy sposób, żeby porządnie się zmęczyć, to zabawić się w starą, dobrą bitwę na poduszki!

PS Z okazji wszelkich świąt hojni dziadkowie naszych dzieci zasypują je nowymi zabawkami. Zgadnijcie, którymi z nich najbardziej lubią się bawić? Żadnymi! Z dumą możemy powiedzieć, że zawsze największe uznanie zdobywają w ich oczach pudełka, w które zapakowano zabawki – zwłaszcza te bardzo duże! Nie wyrzucajcie tych pudeł. Może się okazać, że będą to najtrwalsze ze wszystkich zabawek!

Wykorzystajmy telewizję i komputery
Aby lekcje, jakie dają techniki wideo, były bardziej wartościowe.
wiek: od 2 lat

Namówcie dziecko, żeby spróbowało zastosować coś, czego nauczyło się z gier komputerowych lub telewizji w prawdziwym życiu. Chodzi o to, by płaski świat z ekranu zamienić w trójwymiarowe doświadczenie, gdzie młody człowiek może widzieć, dotykać, czuć i wąchać. Wiele z gier wykorzystujących CD-ROM, przeznaczonych dla młodszych dzieci, można zaadaptować do rzeczywistości. Na przykład to, czego maluch nauczył się z komputera na temat przyrody, zostanie pogłębione i, co ważniejsze, urzeczywistnione, kiedy po odejściu od ekranu udamy się na wycieczkę do muzeum, zoo, parku lub chociażby na spacer dookoła bloku. Lubimy, jak komputery i media uczą dzieci rozwiązywania problemów, ale przy okazji dzieje się coś jeszcze – rozwiązywanie problemów staje się jednowymiarowe.

Spróbujcie wraz z dzieckiem znaleźć takie sposoby wykorzystania komputerów i telewizji, żeby rozwijały twórcze myślenie. Zastanówcie się, jak można dopasować je do prawdziwego życia.

Myślenie wychodzące poza standard
Zachęćcie dziecko, aby wyszło poza normalne, sztampowe myślenie. Dostrzegajcie i komentujcie oryginalne myśli.
wiek: od 3 lat

Kreatywne i ekspansywne myślenie nazywamy „wychodzeniem poza standard". Kiedy przyłapiecie swoją pociechę na tym, że patrzy na coś w zupełnie nowy sposób, koniecznie to skomentujcie. Nowatorskie pomysły zapiszcie i przechowujcie w specjalnym pudełku. Jeśli w przyszłości będziecie mieli do rozwiązania jakiś problem, sięgnijcie do tego zbioru, a być może znajdziecie tam pomysły lub inspiracje, które pomogą wam wymyślić twórcze rozwiązanie.

Jedenastoletni David Levitt miał wyrzuty sumienia z powodu ilości marnującego się jedzenia w szkolnym bufecie. Jednak gdy zaproponował przekazanie go potrzebującym, dowiedział się, że przed nim wielu dorosłych próbowało przeprowadzić taką akcję, ale wszyscy poddali się, zniechęceni przeszkodami biurokratycznymi, jakie z tym się wiązały. David, bynajmniej niezrażony, przedstawił swoją prośbę radzie szkoły. Komisja zgodziła się przekazać niewykorzystane jedzenie ze wszystkich dziewięćdziesięciu dwóch szkół w Pinellas County na Florydzie na potrzeby biednych.

Ale chłopiec nie poprzestał na tym. Namówił właścicieli restauracji i gospodarzy innych prywatnych lokali, żeby oddawali nieużyte produkty agencji żywnościowej. Przekonał drobnych przemysłowców, żeby ofiarowali kontenery do ich przechowywania, i nawet zorganizował transport darowizn z lokalnych supermarketów do organizacji dobroczynnej.

Z okazji swojej bar micwy David zwrócił się do zaproszonych gości z prośbą, aby przynieśli jedzenie i w tej sposób wsparli jego akcję. Ofiarowano ponad pięćset funtów pożywienia.

Twórcza burza mózgów

Popracujcie razem nad znalezieniem twórczych pomysłów i rozwiązań.
wiek: od 4 lat

Kiedy kilka głów pracuje wspólnie nad jedną sprawą, może dojść do prawdziwej burzy pomysłów, sugestii, wątpliwości, inspiracji, spostrzeżeń i rozwiązań. Ale atmosfera powinna być podporządkowana twórczemu działaniu. A to oznacza, że nie wolno ograniczać czyjegoś myślenia, trzeba zabronić cenzorowania innych i przepełnić całą grupę entuzjazmem.

Burza mózgów możliwa jest wtedy, gdy zespół, pracując nad wspólnym celem, swobodnie poddaje różne pomysły, rozwiązania, sugestie i myśli. Podajemy niżej kilka propozycji ćwiczenia się w burzy mózgów grupy osób. Przedstawcie zebranym problem, po czym postępujcie zgodnie z podanymi fazami:

Faza pierwsza, eksplozja mózgów – otwórzcie chmury burzowe i pozwólcie wytrysnąć wspaniałym pomysłom. Zapiszcie je.

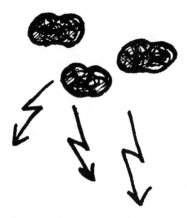

Faza druga, skoki przez kałuże – przez jakiś czas pobawcie się tymi pomysłami, wyobraźcie sobie różne możliwości, jakie wiążą się z każdym z nich.

Faza trzecia, tęcza – jeden pomysł lub kombinacja kilku z nich pojawi się jako rozwiązanie postawionego problemu. Postępujcie zgodnie z nim, aby sięgnąć po złote runo.

Kiedy będziecie gotowi do burzy mózgów, zbierzcie swoją grupę. Wyjaśnijcie, na czym polega problem, i zachęćcie wszystkich do zaproponowania jakiegoś rozwiązania, bez względu na to, jak bezsensowne mogłoby się wydawać. Zapiszcie każdy pomysł. Inną metodą może być nakrycie stołu papierowym obrusem, po czym każdy uczestnik wpisuje swój pomysł bezpośrednio na nim. Postarajcie się zapełnić obrus jak największą liczbą mądrych myśli. Przyjrzyjcie się dokładnie każdej z nich i zapiszcie wszelkie możliwości, jakie z niej wynikają. W końcu cały zespół powinien wybrać najlepsze rozwiązanie.

Karty pomysłów

Inna zabawa ucząca twórczego rozwiązywania problemów.
wiek: od 6 lat

Jest to bardzo popularna metoda służąca rozwiązywaniu problemów i wspomagająca proces rodzenia się pomysłów, którą wykorzystują kreatywni projektanci pracujący w Disney and Hasbro Toy Company. Na dużym kawałku papieru wypiszcie szczególne wyzwania lub problemy, przed którymi stanęła wasza rodzina lub któryś z jej członków. Przyklejcie to na ścianie. Następnie każdemu z domowników wręczcie przynajmniej po dziesięć kartoników i poproście ich, żeby zapisali tam wszelkie pomysły, które mogą pomóc w znalezieniu rozwiązania. Pamiętajcie o naczelnej zasadzie – żaden pomysł nie jest zły... – więc zachęćcie ich, żeby zapisywali wszystko, co tylko przyjdzie im do głowy. Każdą z kartek pomysłów przyklejcie na ścianie i głośno odczytajcie. Niektóre myśli będą stanowić jakąś całość, zatem połączcie je. Całą rodziną zdecydujcie, które z nich będą do siebie pasować. Wybierzcie wspólnie te, które wykorzystacie do rozwiązania problemu albo znalezienia sposobu, w jaki można sprostać wyzwaniu. Teraz już wiecie, jak ci wszyscy utalentowani ludzie z Disney i Hasbro wpadają na wspaniałe, twórcze pomysły!

Rupiecie dają do myślenia
Zachęcajcie dzieci, żeby same spróbowały wymyślić odpowiedzi na własne pytania.
wiek: od 3 do 12 lat

Zawsze rozglądamy się za czymś, co mogłoby pobudzić wyobraźnię naszych dzieci i zachęcić je do samodzielnego rozwiązania problemu, bez wskazówek z naszej strony. Jeśli na przykład bawią się na podwórku i znajdą coś dziwnego, mogą przyjść do nas i zapytać, co to jest. Zanim pospieszymy z odpowiedzią, pytamy, co same o tym sądzą. Nakłaniamy je, aby rozważyły wszelkie możliwości, prosimy, żeby zastanowiły się, skąd to mogło się wziąć i do czego może służyć. Dziewczynki wiedzą, że jest to ich klucz do rozwinięcia wyobraźni, i próbują odpowiedzieć na swoje własne pytania.

Czasami zatrzymujemy różne dziwne przedmioty, które kiedyś gdzieś znaleźliśmy, wyłącznie do tego celu. Uwierzcie nam, stworzyliśmy całą powieść z wymyślonymi historiami na temat rupieci, które znaleźliśmy na tyłach naszego domu!

Narzuta lub prześcieradło do burzy mózgów

Nowy sposób przeprowadzenia burzy mózgów w rodzinie.

wiek: od 3 lat
materiały: dużych rozmiarów białe prześcieradło lub narzuta

Kiedy sprawy, którym musicie stawić czoło, zaczynają was przerastać i potrzebne jest wam przerwanie wywołanego nimi napięcia, znaczy to, że nadszedł czas, by wyciągnąć narzutę lub prześcieradło do burzy mózgów. Rozłóżcie materiał na podłodze i poproście, aby każdy napisał bezpośrednio na nim swoje rozwiązanie problemu. Następnie owińcie się nim lub przeczołgajcie pod spodem, wykrzykując własne pomysły. Ważne jest, żeby dobrze się bawić. Gdy następnym razem będziecie mieli trudny problem, wyciągnijcie płachtę, dodajcie nowe myśli i przypatrzcie się uważnie starym. Może okazać się, że w ten sposób znajdziecie wyjście z sytuacji.

Tylko połowa

Dzieci wymyślają zakończenie książki lub filmu.
wiek: od 2 do 12 lat

Zabawa ta jest bardzo prosta, ale przynosi wiele pożytku. Kiedy dziecko ogląda nowy film na wideo lub czyta nową bajkę, przerwijcie mu w połowie. Wyłączcie magnetowid lub zamknijcie książkę i poproście, aby wymyśliło własne zakończenie. Nie popędzajcie go, niech spokojnie spróbuje wyobrazić sobie prawdopodobne wydarzenia i przygody, jakie mogą prowadzić do rozwiązania akcji. Zachęćcie malucha do wymyślenia nowych postaci, sytuacji i perypetii.

Na początku takie zadanie może wydawać się dziecku nieco frustrujące, ale po jakimś czasie zacznie sprawiać mu przyjemność, a może nawet okaże się ciekawsze od historii, którą ogląda lub czyta.

My odkryliśmy tę zabawę z naszymi dziećmi, kiedy musieliśmy wyłączyć wideo, żeby położyć je spać. Ponieważ miały głowy naładowane wydarzeniami z filmu, przeżywały go dalej w kąpieli i wymyślały dalszy ciąg. To było fascynujące. Teraz dziewczynki same zamykają książki i wyłączają magnetowid, gdyż w ten sposób mogą stworzyć własne zakończenie.

Wynalazcy, Spółka z o.o.
Dziecięcy Klub Wynalazców.
wiek: od 4 lat

Naczelnym celem Klubu Wynalazców jest wymyślanie wynalazków, które mogą udoskonalić codzienne życie. Widzieliśmy, jak coś takiego robi się w szkołach, i rezultaty nas zadziwiły. Jedno dziecko wymyśliło specjalne gąbki, które zakładało na stopy, tak że mogło myć podłogę i jednocześnie tańczyć. Inne z kolei stworzyło „system alarmowy złotej rybki", który informował rodzinę, kiedy nadchodziła pora karmienia rybek. Wy możecie spróbować wprowadzić w życie wersję Klubu Wynalazców na mniejszą skalę we własnym domu i sami zostać wynalazcami. Mimo wszystko postarajcie się nie kierować dzieckiem. Pozwólcie mu, żeby samo pracowało nad swoimi wynalazkami. Poddawajcie mu pomysły, na przykład: „Jak możemy zapobiec gubieniu skarpetek?" albo „Czy mógłbyś wynaleźć coś, co ścieliłoby za ciebie łóżko?". Nawet jeśli maluch nie ma materiału niezbędnego do „zrobienia wynalazku", zachęćcie go do przemyślenia problemu i wykonania rysunków ewentualnych wynalazków.

Ośmioletni Aaron Gordon postanowił potrząsnąć kilkoma urzędnikami w Dade County na Florydzie, kiedy jakaś potężna siła wyrzuciła go z siedzenia w szkolnym autobusie, który ledwo uniknął wypadku. Chłopiec zebrał cztery tysiące podpisów pod petycją, w której domagał się zainstalowania pasów bezpieczeństwa w szkolnych autobusach. Przedstawił sprawę radzie szkoły, argumentując, że na terenie Stanów Zjednoczonych rocznie ponad sześć tysięcy dzieci doznaje obrażeń w wypadkach tych pojazdów. Jednakże rada postanowiła, że nie będzie wydawać pieniędzy na ten cel.

Aaron następne dwa lata poświęcił naciskaniu federalnych, państwowych oraz miejscowych urzędników. Sam nawet zaprojektował pas bezpieczeństwa, wzorując się na pewnym typie zabezpieczeń samolotowych, które stosuje się przy starcie i lądowaniu. W roku 1991 kongresmen Daryl Jones zlecił Center for Urban Transportation Research rozpoczęcie prac nad nowymi pasami bezpieczeństwa, a wiele elementów projektu wykonano według propozycji Aarona. Centrum przyjęło projekt, ale rząd nie ma chęci na wydanie wyliczonej sumy czterdziestu milionów dolarów, potrzebnej do zainstalowania ich w autobusach w całym kraju.

Jednakże kongresmen Andy Jacobs Jr. z Indiany poszedł za radą chłopca, żeby wydać ustawę zabraniającą produkcji i importu autobusów szkolnych niewyposażonych w pasy bezpieczeństwa. „Mam nadzieję, że inne dzieci wyciągną z tego wniosek, że jeśli komuś naprawdę na czymś zależy, prawodawcy w końcu go wysłuchają" – powiedział Aaron.

Wspaniała wyprawa

Zaproponujcie dziecku niebezpieczną przygodę, w której będzie musiało wykorzystać własny spryt, żeby uciec przed zagrożeniem i uniknąć niebezpieczeństwa.

wiek: od 4 lat

Ta zabawa może przydać się w czasie długiej jazdy samochodem lub czekania w restauracji na kelnera. Młodszym dzieciom proponujemy prostą i wesołą przygodę, na przykład: „Jedziesz sobie na rolkach po chodniku, aż nagle wielki, przyjaźnie nastawiony pies zaczyna galopować tuż obok ciebie. Wtem jego smycz owija się wokół ciebie, pies zaczyna biec i zabiera cię w dziwną, szaloną podróż do...". Zadaniem malucha jest dokończyć opowiadanie i znaleźć sposób wybrnięcia z tej sytuacji.

W przypadku starszego dziecka możecie uczynić przygodę bardziej ekscytującą, wprowadzić jakieś elementy zagrożenia, na przykład trzęsienie ziemi, zaginięcie w czasie śnieżycy w górach albo uprowadzenie przez przybyszów z obcej planety. Wszystko można jeszcze bardziej skomplikować, jeśli dodamy określone przedmioty, których dziecko musi użyć, aby przeprowadzić udaną ucieczkę. Niektóre, jak na przykład liny lub sieci, mogą być całkiem przydatne. Inne nie muszą być aż tak oczywiste (widelec czy wykałaczka). Dzięki temu młody człowiek musi pogimnastykować własny twórczy umysł po to, by wskazane rekwizyty włączyć w akcję opowiadania.

Powróćmy do prostoty – specjalne pudełko

Włóżcie do pudła różne proste zabawki oraz materiały do robót ręcznych i wyjmujcie je za każdym razem, kiedy będziecie chcieli oderwać dziecko od komputera lub telewizora.
wiek: od 3 lat

My nazywamy tę zabawę „alternatywnym pudełkiem", ponieważ zachęca ona dzieci do zajęcia się czymś innym niż tylko tkwieniem godzinami przy produktach wyspecjalizowanej technologii elektronicznej. Znajdźcie duże pudło i pomalujcie je mocnymi, jaskrawymi kolorami. Wielkimi literami napiszcie na froncie: „Alternatywne pudełko". Do środka włóżcie fajne, atrakcyjne zabawki, na przykład klocki lego, ciastolinę, puzzle, łyżworolki, piłkę do futbolu, gry planszowe oraz materiały do robótek artystyczno-rzemieślniczych. Dołóżcie kilka rzeczy nadających się dla dorosłych na wypadek, gdyby wasze dziecko zapałało chęcią ujrzenia was przy innym przyjemnym zajęciu, nie przy oglądaniu telewizji. „Alternatywne pudełko" umieśćcie na telewizorze lub obok komputera, aby łatwiej przekonać swoją pociechę, że mogłaby raczej uruchomić własną wyobraźnię zamiast urządzenia elektroniczne. Od czasu do czasu dokładajcie kilka nowych intrygujących przedmiotów, aby pudełko było atrakcyjne i konkurencyjne w stosunku do nowoczesnych produktów przemysłu elektronicznego.

Stos jabłek
Zbudujcie jabłkową wieżę.
wiek: od 4 lat
materiały: jabłka

Do przeprowadzenia tej zabawy potrzebne wam będzie kilka tuzinów jabłek i grupa dzieci (do zabawy, a potem do pomocy w jedzeniu jabłek). Każda grupa, składająca się z od czworga do dziesięciorga uczestników, próbuje zbudować jak najwyższą jabłkową wieżę w jak najkrótszym czasie. Jeśli stos się przewróci, zawodnicy muszą zaczynać od nowa.

zbudujcie jabłkową wieżę

Twórcze pudełko
Pudełko wypełnione różnymi dobrami z gospodarstwa domowego, z których można zrobić fajne rzeczy.
wiek: od 4 lat

Do pudła kartonowego włóżcie różne rzeczy używane w gospodarstwie domowym, jak kartony po jajkach, pudełka po mące i kaszach, sznurki i inne rupiecie. Dodajcie do tego trochę kolorowego papieru, klej, nożyczki i inne różności, które waszym zdaniem mogą pobudzić wyobraźnię dziecka. Wręczcie mu pudełko i pozwólcie, aby stworzyło wszystko, czego zapragnie jego twórczy umysł. Oczywiście pudło kartonowe także można wykorzystać!

Produkcja obiektów latających
Twórcze zadanie wykorzystujące papierowe obiekty latające.
wiek: od 5 lat
materiały: duży arkusz papieru

Spróbujcie zrobić to sami, a potem zaproponujcie zabawę swoim dzieciom, przyjaciołom i tak dalej. Używając arkusza papieru, zróbcie samolot lub inny obiekt latający, który można by rzucić na mniej więcej trzy metry. Macie do wykorzystania tylko jeden arkusz. Skorzystajcie ze zdolności do kreatywnego myślenia i stwórzcie wspaniały projekt. Drobna uwaga: nie powiedzieliśmy wcale, że to ma wyglądać jak tradycyjny papierowy samolot, jeśli więc zgnieciecie papier w kulę i dobrze ją podrzucicie, z powodzeniem możecie uznać, że jest to wasz najlepszy projekt!

Zbieranie NIP [angielski skrót NIT od *Nonsense, Incentive, Truth*]
Gra w karty polegająca na tym, że uczestnicy wybierają trzy różne stwierdzenia z kompletu kart własnoręcznej roboty i na ich podstawie tworzą opowieść, wynalazek lub rozwiązanie postawionego problemu.
wiek: od 7 lat
materiały: kartoniki

Wymyśliliśmy grę w zbieranie NIP pięć lat temu, aby nauczyć dzieci, jak sprawić, żeby twórcze soki krążyły cały czas w ich organizmach. Paczkę kartoników podzielcie na trzy części, po dwadzieścia sztuk każda. Jedną z nich oznaczcie: „Nonsens", drugą „Impuls", a trzecią „Prawda" (NIP). Na przodzie każdej z kart z grupy nonsensu napiszcie coś, co jest kompletnym absurdem: „Gorące lody", „Papier toaletowy z waty cukrowej", „Fabryka uszu". Na kartach oznaczonych słowem „Impuls" zanotujcie stwierdzenia, które będą łączyły cel z działaniem: „Uczyć się, żeby dobrze napisać klasówkę", „Sprzątnij swój pokój, ponieważ zaprosiłaś koleżanki do wspólnej zabawy", „Nakarmić psa, jest głodny". Karty prawdy opiszcie truizmami : „Jabłka rosną na drzewach", „Zanieczyszczenia szkodzą środowisku", „Rybom potrzebna jest woda".

Grę rozpoczynamy, układając wszystkie karty napisami do dołu. Każdy uczestnik podnosi po jednej z każdej kupki. Zanim odczyta zdanie, musi zadecydować, czy chce wymyślić opowieść, rzecz czy rozwiązanie problemu. Teraz dopiero może popatrzeć na kartę. Jego zadanie polega na takim połączeniu trzech stwierdzeń, żeby dojść do tego, na co się zdecydował. Przypuśćmy, że wybrałeś „Gorące lody", „Oblanie testu" i „Rybom potrzebna jest woda". Postanowiłeś już, że ułożysz historyjkę, zatem musisz ją wymyślić, wykorzystując wszystkie trzy zdania! W miarę upływu czasu dodawajcie nowe zdania do istniejącego kompletu. Dzieci, z którymi przeprowadzaliśmy tę zabawę, naprawdę ją uwielbiały, dostarcza bowiem nie tylko wielu powodów do śmiechu, ale w jej trakcie rodzą się często wspaniałe pomysły. Będziecie zadziwieni tym, co się stanie, kiedy wysilicie maksymalnie swoje twórcze możliwości.

Audrey Chase wyobrażała sobie, że mogłaby zaoszczędzić ponad pięć i pół miliona dolarów przeznaczanych na kontrolę zanieczyszczenia powietrza, zanim zdążyłaby osiągnąć sędziwy wiek. Wystarczyłoby, żeby każdego roku sadziła jedno drzewo.

Dziewczynka była w czwartej klasie, kiedy jej szkołę odwiedził przedstawiciel leśnictwa, który powiedział dzieciom, że pojedyncze drzewo wytwarza taką ilość tlenu i wody, która równoważy sumę sześćdziesięciu dwóch tysięcy dolarów, przeznaczaną na kontrolę zanieczyszczenia powietrza.

Audrey tak bardzo wzięła sobie do serca cudotwórczą moc jednego drzewa, że pomogła w utworzeniu grupy Leaf It to Us, powstałej w Salt Lake City, gdzie mieszka. Członkowie organizacji przekonali zarówno miasto, jak i stan Utah do pomocy przy zakupie drzew, które zamierzali posadzić. Aktualnie Utah przeznacza pięćdziesiąt tysięcy dolarów rocznie na dziecięce plantacje drzew.

Konstrukcja z gazet

Ta zabawa pomoże dziecku dostrzec różne możliwości ukryte w nawet najbardziej prozaicznych rzeczach.

wiek: od 3 lat
materiały: stos gazet i klej

Nie wyrzucajcie gazet, gdyż do tej zabawy potrzebna wam będzie ich solidna sterta. Pokażcie dziecku, jak z pojedynczego arkusza zrobić wąską rurę, zwijając go wzdłuż dłuższego boku, a następnie sklejając w tym miejscu. Zadaniem malucha będzie zbudowanie wskazanego mebla przy użyciu wyłącznie gazetowych rur i taśmy klejącej. Jeśli zrobicie staranny projekt, taka konstrukcja może osiągnąć kilka stóp wysokości. Ostatnio przeprowadzaliśmy tę zabawę z grupą ośmiolatków, które stworzyły budowlę o wysokości prawie ośmiu stóp.

Zabawy, które pomagają w kształtowaniu instynktu samozachowawczego i sztuki radzenia sobie w sytuacjach kryzysowych

Nieustraszony Dzieciak

W miły i zabawny sposób pomaga dzieciom przezwyciężyć paraliżujący strach i rozwinąć umiejętność uniknięcia zagrożenia oraz zdobyć szacunek i zaufanie do samego siebie.

wiek: od 5 do 10 lat
materiały: długi kawałek materiału lub duży ręcznik

Niech wasze dziecko stanie się Nieustraszonym Dzieciakiem, Zwycięzcą Lęków i Nieprzyjaciół! Wspólnie wykonajcie kostium supermena (pelerynę można zrobić nawet z ręcznika kąpielowego pospinanego bezpiecznymi agrafkami). Jest to wspaniały sposób przekonania dziecka o jego własnej sile, a w praktyce może nauczyć je, jak zachować się w sytuacji wywołującej strach i dać mu pomysł do wielogodzinnej zabawy.

Usiądźcie razem (dziecko powinno być przebrane w kostium) i zróbcie listę jego obaw, ale także tych przymiotów i umiejętności, które mogą być przydatne w przypadku zagrożenia. Wśród nich będą znajdować się: szybki, sprytny, silny, twórczy, szybko myślący, potężny, zwinny, dumny, przekonywający, lubiący samego siebie, troskliwy, zdolny, budzący respekt, mocarny, spostrzegawczy, mądry, rozważny, głośny, dobrze krzyczy, myśli, zanim zacznie działać, hałaśliwy, umie właściwie ocenić sytuację, ostrożny, przenikliwy, słucha własnych uczuć, umie powiedzieć „nie", wynalazczy, myślący, energiczny, zręczny, pracowity, nie poddaje się, przebiegły, umie się uspokoić, wezwie pomoc, gdy potrzeba, duży, otrzaskany, dobry obserwator, świadomy.

Przypominajcie mu, że nie posiada magicznej mocy: nie potrafi latać, chwytać przestępców wiązkami promieni ani rozkładać na łopatki złych typów potężnymi uderzeniami pięści. Jest normalnym dzieckiem, obdarzonym sprytem i wieloma prawdziwymi zdolnościami.

Odegrajcie różne sytuacje budzące jego strach, w których młody człowiek będzie musiał szybko działać i myśleć, żeby uniknąć niebezpieczeństwa. Udawajcie, że któreś z rodziców jest porywaczem albo handlarzem narkotyków lub też że właśnie zbliża się huragan. Gdy skończycie się bawić, przypomnijcie dziecku, że nawet bez kostiumu supermena nadal posiada wszystkie przymioty i umiejętności Nieustraszonego Dzieciaka. Maluchy bardzo wiele uczą się, kiedy same stają się nauczycielami, poproście więc Nieustraszonego Dzieciaka, by podzielił się swoją „potęgą" z młodszym rodzeństwem, które wtedy także może zamienić się w Zwycięzcę Lęków i Nieprzyjaciół.

Co by było, gdyby...

Gra ćwicząca wyobraźnię, pomaga dzieciom rozwijać zdolność spojrzenia w głąb siebie, rozwiązywania problemów i podejmowania decyzji.
wiek: od 4 do 12 lat

Spiszcie wszelkie możliwe niebezpieczeństwa, jakie czyhają na wasze dziecko, a następnie zamieńcie listę zagrożeń w listę dwudziestu pięciu do pięćdziesięciu pytań. Każde z nich powinno zaczynać się od: „Co by było, gdyby...". Na przykład: „Co by było, gdybyś zobaczył człowieka uważnie przyglądającego ci się w parku?" albo „Co by było, gdyby twój przyjaciel spadł ze schodów, a w domu nie byłoby nikogo dorosłego?". Niech dziecko dobrze się zastanowi, zanim odpowie na pytanie. Sprowokujcie rozmowę na temat różnych możliwych scenariuszy. Skoncentrujcie się na tym, co mówi wasza pociecha, i postarajcie się nie korygować jej odpowiedzi. Zamiast tego możecie zapytać, co jeszcze mogłaby zrobić, żeby poradzić sobie z daną sytuacją, albo zaproponować własne rozwiązanie i zapytać ją o opinię.

Jest to wspaniała zabawa w czasie długiej podróży samochodem i można ją wykorzystać zarówno z jednym, jak i z grupą maluchów. Jeśli lubicie urządzać przedstawienia, możecie spróbować odegrać te scenki, stosując różne urozmaicenia i rozwiązania.

Oto kilka przykładowych pytań. Co by było, gdyby...

1. Sympatycznie wyglądająca pani podeszła do ciebie i poprosiła, żebyś pomogła jej poszukać kotka, który jej zginął?

2. Do drzwi zapukał nieznajomy i zapytał, czy może skorzystać z telefonu?

3. Ze snu obudził cię alarm przeciwpożarowy?

4. Gdybyś zgubiła się w wielkim centrum handlowym i nie mogła znaleźć rodziców?

5. Ktoś podjechał samochodem i zapytał cię o drogę, powiedział, że nie słyszy, co mówisz, i poprosił, żebyś podeszła bliżej?

6. Ktoś, kogo znasz, chciał dotknąć cię w intymne części ciała?

7. Ktoś zadzwonił do domu, kiedy nie ma nikogo dorosłego, i chciał rozmawiać z twoją mamą?

8. Ktoś, kogo nawet znasz, przyszedł po ciebie do szkoły i powiedział, że twoja mama prosiła, żebyś z nim poszła?

9. Ktoś cię złapał, kiedy spokojnie spacerowałabyś ulicą?

10. Kolega spadł z roweru i zaczął krwawić?

11. Gdybyś wracała ze szkoły do domu i zauważyła samochód jadący powoli za tobą?

12. Rodzice podwieźli cię na zajęcia i odjechali, a okazałoby się, że pomyliły wam się dni?

Rodzinny plan pogotowia przeciwpożarowego
Celem tej zabawy jest sprawienie, żeby rodzina czuła się bardziej związana z domem i była przygotowana na wypadek pożaru albo innej klęski żywiołowej.
wiek: od 2 lat
materiały: papier na plakat

Na dużym arkuszu papieru plakatowego wypiszcie lub wyrysujcie instrukcję, co każdy z domowników powinien zrobić w razie pożaru lub innego niebezpieczeństwa, jak trzęsienie ziemi lub huragan. Pamiętajcie o planie mieszkania, na którym zaznaczycie drogi pożarowe oraz bezpieczne schronienie na zewnątrz. Dzieci uwielbiają robić mapy i więcej zyskają na wykonaniu projektu niż na stworzeniu doskonałego planu bezpieczeństwa.

W całym domu zamontujcie różne urządzenia związane z nagłymi wypadkami, na przykład wykrywacz dymu, światła awaryjne, gaśnice i drabiny sięgające okien na piętrze. Od czasu do czasu sprawdźcie swój plan – urządźcie symulowane alarmy przeciwpożarowe. Zadbajcie o to, by były zabawne i nikogo nie wystraszyły.

Klub Krzykaczy pod hasłem „Lepiej z nami nie zaczynaj"
Zachęca dzieci do zachowań asertywnych.
wiek: od 2 do 12 lat

Witamy w Klubie Krzykaczy pod hasłem „Lepiej z nami nie zaczynaj". Ciche głosy zostawcie za drzwiami. Naszym celem jest krzyczeć, tupać i robić tak wiele hałasu, żeby powietrze zaczęło drgać, a wibracje włączyły wszystkie alarmy samochodowe w promieniu kilku mil.

Raz w miesiącu zaproście do siebie grupę dzieci z sąsiedztwa na niewielką przekąskę i wielkie wrzaski. Wykorzystajcie hasło podobne do tego, które podaliśmy wyżej. W ten sposób wyraźnie ustalicie klimat spotkania. Zbyt często mówi się dzieciom, by zachowywały się ciszej. I słusznie, krzyczenie bowiem nie jest właściwym sposobem porozumiewania się. Ale musimy również pamiętać, że mocny głos jest także silną bronią w razie niebezpieczeństwa. Pomóżcie dzieciarni wyszkolić się w tej sztuce. Pobawcie się w odgrywanie sytuacji, które będą wymagały jak najgłośniejszych wrzasków. Co miesiąc możecie próbować pobić rekord głośności. Nagrajcie krzyki na taśmę magnetofonową i puśćcie je maluchom, żeby mogły przekonać się, jak potężnymi głosami są obdarzone. Nie zapomnijcie włożyć zatyczek do uszu i – miłej zabawy!

Film wideo o zasadach bezpieczeństwa

Napiszcie scenariusz, wyreżyserujcie i zagrajcie w filmie wideo o zasadach bezpieczeństwa.
wiek: od 6 lat
materiały: kamera wideo

Wytłumaczcie dziecku, jak powstają filmy, i wymyślcie wspólnie scenariusz filmu wideo na temat zasad bezpieczeństwa. Przykłady mogą być bardzo różne. Na przykład: co zrobić, jeśli zaczepia cię ktoś obcy, jak być bezpiecznym samemu w domu albo jak się zachować, gdy wybuchnie pożar? Zadbajcie o to, by maluch sam znalazł właściwy sposób postępowania, na przykład szperając w książkach albo przeprowadzając rozmowę z policjantem lub strażakiem.

Kiedy film będzie gotowy, namówcie dziecko, by pokazało go przyjaciołom, uczniom w szkole albo młodszym kolegom. Dzięki temu nie tylko lepiej utrwali mu się to, czego się nauczyło, ale także pogłębi jego szacunek dla samego siebie.

Zestaw ratunkowy

Przygotujcie się na wypadek zagrożenia i zróbcie specjalny domowy zestaw ratunkowy.
wiek: od 4 lat

Zróbcie z dziećmi burzę mózgów i zastanówcie się, co trzeba włożyć do domowego zestawu ratunkowego. Pomyślcie o różnych sytuacjach, które mogą was zaskoczyć. Na przykład, jeśli elektrownia wyłączy światło, będziecie potrzebowali latarki, świec, zapałek i radia na baterie. W razie klęski żywiołowej, w opanowanie której włączone będą służby miejskie, musicie mieć wodę w butelkach oraz zamrożony lub suchy prowiant. Do zestawu dołączcie plan mieszkania oraz numery ważnych telefonów.

Całą rodziną wymyślcie i napiszcie poradnik zachowania się w sytuacji zagrożenia, w którym pokażecie, co zrobić na wypadek huraganu lub gdy zawiedzie wykrywacz dymu. Upewnijcie się, że wszyscy wiedzą, gdzie jest przechowywany zestaw ratunkowy oraz poradnik. Umówcie się, że pod żadnym pozorem nigdy nie wolno otwierać pudełka bez rzeczywistej potrzeby ani bawić się nim, ale co miesiąc przeglądajcie jego zawartość, żeby przypomnieć sobie, co tam jest, oraz ewentualnie uzupełnić, jeśli czegoś brakuje.

Ludzie, którzy mogą ci pomóc

Pomagamy dzieciom rozpoznać ludzi, do których mogą się zwrócić o pomoc, jeśli rodziców nie ma w pobliżu.
wiek: od 2 do 12 lat

Kiedy chodzicie z dzieckiem na wycieczki, pokażcie mu ludzi, do których może się zwrócić o pomoc na wypadek, gdybyście zostali rozdzieleni. Wśród nich będą sprzedawcy w sklepach (łatwi do rozpoznania, bo zazwyczaj mają identyfikatory z nazwiskiem i firmowe ubranie), policjanci, sąsiedzi i przyjaciele.

Gdy maluch ogląda w telewizji sprawozdanie z jakiegoś tragicznego wydarzenia, pokażcie mu wszystkich ludzi, którzy udzielają pomocy. To odciągnie jego uwagę od zła, jakie się stało, i pozwoli skupić bardziej na dobru, które tkwi w ludziach.

Osobisty system ostrzegawczy

Daje nowe rozumienie pojęcia „strach" – jako korzystnej reakcji na zagrożenie, a także pozwala na wyzwolenie energii, która zamienia panikę w zdecydowane działanie.
wiek: od 4 do 12 lat

materiały: kwadrat o boku trzydziestu centymetrów z papieru na plakaty, karton, guziki

Sporządźcie system ostrzegawczy, w którym każdy guzik i dźwignię oznaczycie następującymi etykietkami: „Krzycz", „Uciekaj", „Wezwij pomoc", „Sprawdź z rodzicami", „Myśl szybko", „Wezwij policję – 997", „Walcz", „Powiedz nie", „Oddychaj głęboko", „Przypomnij sobie plan ucieczki". Planszę kontrolną zawieście na tasiemce na szyi dziecka. Uruchomcie alarm, opisując hipotetyczną sytuację, która wymaga szybkiego myślenia i natychmiastowego działania. Maluch niech naciśnie guzik lub pociągnie ze dźwignię z najlepszą odpowiedzią. Porozmawiajcie z nim o reakcjach, na które się zdecydował, i zasugerujcie własne rozwiązanie, jeśli wydaje wam się, że byłoby lepsze. Potem zamieńcie się rolami i wy także spróbujcie działać według systemu alarmowego. Poproście swoją pociechę, żeby krytycznie spojrzała na to, co wybraliście. To doświadczenie w metaforyczny sposób pokazuje, jak pracuje mózg, kiedy stajemy w obliczu sytuacji wywołującej strach. Kiedy dziecko praktycznie ćwiczy tę umiejętność, w jego mózgu utrwala się wizualny obraz planszy kontrolnej, która będzie gotowa do wykorzystania w razie rzeczywistej konieczności.

Zestaw do zabawy
Pozwala dziecku na rozpoznanie bezpiecznych i niebezpiecznych sytuacji w sposób odpowiedni dla jego wieku.
wiek: od 2 do 8 lat

Do niewielkiego pudełka włóżcie takie zabawki, które odpowiadają „prawdziwym" wersjom przedmiotów używanych zwykle w sytuacji zagrożenia, a więc zabawkowy telefon, latarkę, bandaże, czapki policyjne, fartuch lekarski i lalki. Cały komplet niech zawsze znajduje się w miejscu dostępnym dla dziecka, tak by mogło korzystać z niego przy zabawie z wyobraźni. Zaproponujcie malcowi, by odegrał sytuacje, które w jego pojęciu są bezpieczne albo groźne. Bez pośpiechu, spokojnie obserwujcie lub weźcie udział w grze. Przy odpowiedniej okazji możecie interweniować lub ukierunkować działanie swojej pociechy, kiedy określone sytuacje odbiera niewłaściwie. Pobudzicie jej wyobraźnię i wskażecie stosowną drogę postępowania, jeśli zaproponujecie temat odgrywanej scenki lub zaczniecie opowiadać historyjkę na temat bezpieczeństwa, na przykład: „Udawajmy, że chłopiec został sam w domu i poczuł dym... dzidziuś niedźwiadek zgubił się w sklepie... udawajmy, że wzywamy policję".

997
Uczymy dziecko, jak korzystać z telefonów alarmowych.
wiek: od 3 do 12 lat

Im więcej będziecie ćwiczyć korzystanie z numeru policji na spokojnie, tym szybciej dziecko wykorzysta tę umiejętność w razie rzeczywistego zagrożenia. Korzystając z telefonu zabawki, udawajcie, że jesteście ranni i nie możecie dostać się do telefonu (zróbcie to w sposób zabawny, żeby nie wystraszyć malucha). Dziecko powinno wiedzieć, który numer należy wykręcić, jak się przedstawić i podać swój wiek, adres i opowiedzieć, co się stało. [W Polsce w opisywanym przypadku dziecko powinno wezwać pogotowie, czyli wykręcić numer 999 – przyp. tłum.]. Na prawdziwym telefonie wodoodpornym flamastrem możecie zaznaczyć odpowiednie cyfry.

Dzieci poniżej czwartego roku życia mogą jeszcze nie być w stanie nauczyć się korzystania z telefonów alarmowych, ale powinny znać na pamięć swój numer telefonu, adres i pełne imiona i nazwiska rodziców. Łatwiej i przyjemniej będzie im zapamiętać te dane, jeśli ułożycie je w rymowaną piosenkę.

Sposób na tych, którzy mają swoje sposoby
Zaznajamia dziecko z podstępami, do jakich mogą uciekać się niektórzy ludzie, chcąc wyrządzić mu krzywdę.
wiek: od 3 do 12 lat
materiały: kartoniki

Wspólnie z dzieckiem sporządźcie listę sposobów, jakich podstępnie mogą użyć niektórzy dorośli, aby namówić je, żeby poszło z nimi. Oto przykłady: „Zgubiłam lalkę. Czy mogłabyś mi pomóc jej szukać?" albo: „Twoja mama jest ciężko ranna i natychmiast potrzebuje twojej pomocy. Poprosiła mnie, żebym cię przyprowadził". Poszczególne zdania zapiszcie na oddzielnych kartonikach. Następnie zróbcie drugi komplet kart, gdzie umieścicie właściwe i skuteczne reakcje, na przykład: „Posłuchaj swojego instynktu" (co oznacza, że jeśli wydaje ci się, że coś jest nie w porządku, to prawdopodobnie masz rację); „Uciekaj szybko i wołaj o pomoc"; „Krzycz głośno" i „Sprawdź to najpierw u kogoś, komu naprawdę ufasz".

Karty z reakcjami rozłóżcie przed dzieckiem i przeczytajcie napis z karty z podstępem. Poproście je, żeby odpowiednio zareagowało na podstępne działanie i wybrało kartę z właściwą odpowiedzią. Niech wyjaśni, dlaczego właśnie tak zadecydowało. Jest to kolejne ćwiczenie, które bardzo dobrze sprawdza się zarówno z jednym, jak i z grupą dzieci.

Co jest w porządku, a co nie
Uczymy dzieci, że są panami własnego ciała.
wiek: od 2 do 12 lat

Pokażcie dziecku na lalce różne części ciała. Zupełnym maluchom wyjaśnijcie dokładnie, które rejony są tak bardzo osobiste, że nikt nie ma do nich dostępu bez jego lub jej pozwolenia. Starsze dzieci mogą zagrać w „w porządku i nie w porządku", żeby ustalić własne granice swojego ciała. Przypuśćmy, że młody człowiek nie lubi, kiedy się go głaszcze po głowie. Gra w „w porządku i nie w porządku" pomoże mu ustalić zasadę, że nikt nie może dotykać jego głowy bez pozwolenia. W ten sposób dobitnie podkreślamy, że dziecko jest wyłącznym panem własnego ciała.

Korzystaj z chwili
Jak dostrzec momenty, z których można się wiele nauczyć.
wiek: bez ograniczeń

Parę lat temu, gdy kupowaliśmy dziewczynkom nowe łóżka, podszedł do nich sprzedawca i poprosił, żeby poszły z nim po balony.

Ku naszemu bezbrzeżnemu zdumieniu Arielle i Emily bez chwili wahania udały się za nim. Kiedy Denise zawołała: „Przepraszam! Czy znacie tego pana?", wszyscy troje odwrócili się, a dziewczynki stanęły jak wryte. Pomimo iż mówimy im, że ludzie noszący na ubraniu plakietki z nazwiskiem należą do tych, którzy mogą służyć pomocą, namawiamy je także, by dobrze się zastanowiły, zanim pójdą za kimkolwiek.

Arielle popatrzyła na sprzedawcę i powiedziała: „Przepraszam, ale ja pana nie znam, a pan chce mnie dokądś zabrać i nie wiem dokąd". Mężczyzna poczerwieniał na twarzy, ale nasze córki dostały szybką lekcję życia na temat odchodzenia gdzieś z nieznajomymi. (Podziękowaliśmy biednemu, miłemu człowiekowi za okazane poświęcenie).

Wiele miesięcy później przekonaliśmy się, jak wartościowe i kształcące są takie chwile nauki. Znów byliśmy w sklepie i Denise poszła za właścicielką, która zaoferowała się, że pomoże jej coś znaleźć. Arielle zawołała wtedy: „Przepraszam! Czy znasz tę panią?".

System kumpelski
Uczymy dzieci, że w grupie można czuć się bezpieczniej.
wiek: od 2 do 14 lat

Jest to system dobrze znany specjalistom od zapobiegania przemocy. Polega na tym, by nauczyć dziecko, że zawsze, gdy znajduje się poza domem (idzie do kolegi, do szkoły, jedzie na rowerze), powinno przebywać w towarzystwie jeszcze jednej osoby – kumpla. Pomóżcie młodszym dzieciom, by wzięły sobie do serca ten ważny środek bezpieczeństwa, spróbujcie zorganizować im kogoś do kompanii, kiedy wychodzą z domu lub bawią się w sąsiedztwie. Nauczcie je, że bezpieczeństwo tkwi w grupie.

Zasada „Najpierw zapytaj"
Podkreślamy, jak ważne jest, żeby poprosić o pozwolenie.
wiek: bez ograniczeń

Ustanówcie żelazną zasadę, że dziecko, jeśli chce dokądkolwiek wyjść, musi najpierw zapytać was o pozwolenie. Syn czy córka muszą zawsze zapytać o zgodę, między innymi w następujących sytuacjach: kiedy osoba dorosła albo inne dziecko prosi o pomoc w poszukiwaniu zaginionego zwierzątka, sąsiad zaprasza na oglądanie nowego komputera, koleżanka ze szkoły proponuje podwiezienie do domu przez swoją matkę. Zasada: „Najpierw zapytaj" pełni funkcję strażnika bezpieczeństwa, który powinien zapewnić dziecku wewnętrzny spokój, gdyż wie ono, że odpowiedzialność za podjęcie decyzji spoczywa na rodzicach.

Hasło

Słowo lub zdanie, którym się posłużycie, jeśli ktoś inny – nie rodzice – będzie odbierał wasze dziecko ze szkoły lub jakiegokolwiek innego miejsca.
wiek: od 2 lat

Wybierzcie lub wymyślcie hasło, którym będzie mogła posłużyć się osoba, która, w waszym zastępstwie, będzie odbierać wasze dziecko ze szkoły lub innych zajęć. Uprzedzona wcześniej pociecha będzie wiedziała, że ma zapytać o hasło i w ten sposób sprawdzić, czy należy z tym kimś wsiadać do samochodu. Zadbajcie o to, by hasło nie było oczywiste, a kiedy już zostanie wykorzystane, zmieńcie je i zachowajcie w tajemnicy.

ROZDZIAŁ 7

Humanitaryzm

Empatia.
Wdzięczność.
Szacunek.
Tolerancja dla inności.

Co roku w okresie świątecznym całą rodziną pracujemy ochotniczo przy organizacji wieczerzy wigilijnej dla ludzi samotnych lub takich, którym źle się wiedzie w ciężkich czasach. Pewnego razu tak wiele osób pomagało w wydaniu kolacji (co stwierdziliśmy z dużą przyjemnością), że z ledwością wcisnęliśmy się do kuchni. Ponieważ nie mieliśmy tam nic do roboty, zamiast bezczynnie stać z boku, weszliśmy z dziećmi do jadalni i wmieszaliśmy się w tłum gości. Wędrując od stołu do stołu, życzyliśmy wszystkim wesołych świąt.

Nasze dziewczynki miały wtedy trzy i cztery latka i, co zrozumiałe, na początku trochę się wstydziły. Wtedy wydarzyło się coś interesującego. Kiedy zbliżaliśmy się do trzeciego stołu, starsza, samotna kobieta otworzyła szeroko ramiona, chcąc uścisnąć Arielle. Zanim zdążyliśmy zareagować (i ku naszemu zdziwieniu), Arielle ochoczo wpadła w ramiona tej kobiety i słodko się do niej przytuliła. Trzeba tu powiedzieć, że obie nasze córki są bardzo utalentowane w dziedzinie przytulania. Potrafią uścisnąć kogoś w bardzo uspokajający i przyjemny sposób. Starsza pani z pewnością to odczuła.

Pierwszą naszą reakcją było oczywiście chronić dziecko. Szybciut-ko wyjaśniliśmy dziewczynkom, że mają prawo powiedzieć „nie", jeśli czyjeś dotknięcie nie sprawia im przyjemności lub po prostu go sobie nie życzą, wspomnieliśmy także o postępowaniu wobec obcych. Byliśmy w pobliżu, gotowi do interwencji, kiedy druga córka, Emily, idąc za przykładem siostry, podeszła do innego gościa w podeszłym wieku i mocno go przytuliła. Powstrzymując instynktowną chęć, żeby położyć kres temu obściskiwaniu, staliśmy obok i uważnie patrzyliśmy, jak wszyscy goście przy stoliku, jeden po drugim, otrzymywali wspaniały uścisk od naszych dzieci, co sprawiało, że na ich twarzach pojawiał się szczery uśmiech i, bez wątpienia, dawało im to cudowne, ciepłe uczucie, jakie pozostaje po dotknięciu dziecka.

Zanim zbliżyliśmy się do następnego stołu, Denise nie powstrzy-mała się od zaingerowania i powiedziała dziewczynkom, że nie muszą przytulać się do gości, jeśli nie sprawia im to przyjemności. Ale zanim zdołała skończyć, przerwała jej Arielle: „Nie martw się, mamusiu, ja wiem, że to obcy ludzie. My możemy dać im ciepłe jedzenie, żeby ich brzuchom było dobrze, i możemy ich przytulić, żeby dobrze było ich sercom". Emily przytaknęła. Jako początkujący uczniowie dołączyliśmy do naszych córek i także zaczęliśmy poda-wać gościom ręce, przedstawiając jednocześnie siebie i dziewczynki każdemu z nich. Ściskaliśmy delikatne, miękkie, wiekowe dłonie i przyjmowaliśmy wyrazy wdzięczności, kiedy składaliśmy życzenia wesołych świąt. Tego wieczora razem z dziećmi uściskaliśmy chyba sto osób.

Ów dzień pracy w charakterze wolontariuszy stał się bardzo kształ-cącym doświadczeniem dla wszystkich, ale najwięcej nauczyliśmy się my, jako rodzice i ludzie dorośli. Przezwyciężyliśmy naturalną dla dorosłych tendencję do zachowywania dystansu w stosunku do in-nych osób, a zwłaszcza ludzi starszych, i zdaliśmy sobie sprawę, jak niewiele trzeba, żeby sprawić komuś przyjemność. Przez całe lata pomagaliśmy w kuchni w przygotowywaniu i podawaniu jedzenia i w tym wszystkim zagubili się ludzie, dla których to robiliśmy. Dzię-ki naszym córkom udało nam się napełnić nie tylko głodne żołądki gości, ale także ich wygłodniałe serca, a i my sami odebraliśmy cenną lekcję. Żeby nauka nie poszła w las, zaproponowaliśmy utworzenie specjalnej grupy wolontariuszy „od składania życzeń i ściskania rąk". Jedynym zadaniem tych osób jest spotkanie się z zaproszonymi na wieczerzę gośćmi i danie im czegoś z siebie – uścisku dłoni, przytulenia lub po prostu serdecznego uśmiechu.

Jak udowodniły to nasze córki, dzieci posiadają wrodzoną zdolność do opiekowania się innymi, obdarzania ich miłością oraz pocieszania serc i dusz tych, którzy najbardziej tego potrzebują. Tak samo instynktowne jest ich uparte dążenie do zaspokojenia własnych potrzeb. Ten skupiony na własnej osobie punkt widzenia czasami nazywany bywa egocentryzmem, ale jest tak samo normalny, jak i niezbędny, ponieważ przygotowuje dziecko do troszczenia się o siebie samego. Jednakże malec, któremu pozwala się na myślenie wyłącznie o sobie, jest niezrównoważony i samolubny, odpowiada wizerunkowi tych dzieci, które na ogół nazywamy „zepsutymi bachorami".

Jeśli chcemy, by nasze dziecko nauczyło się, jak być humanitarnym, najpierw musimy pokazać mu, na czym polega empatia i jak ją odczuwać, jak zrozumieć uczucia i potrzeby innych oraz kiedy należy myśleć o czymś więcej niż tylko o sobie. Cechy związane z humanitaryzmem – zrozumienie, empatia i szacunek – nie wykluczają skupienia się na sobie, a raczej łączą się z nim i je uzupełniają. Zalążki tych cennych cech powinny być starannie pielęgnowane przez rodziców, opiekunów i nauczycieli ich odpowiedzialnym działaniem i właściwą postawą.

Istotne jest, by pamiętać, że rozwój tych cech postępuje z natury rzeczy powoli i stopniowo, równocześnie z innymi, których osiągnięcie jest także dla dziecka niezbędne. Nie można się tego nauczyć w konkretnym czasie ani na żadnym szczególnym etapie życia. Udaje się je posiąść dzięki rozumnemu spojrzeniu na codzienne zdarzenia i sytuacje, kształtują się bowiem w rutynie dnia powszedniego. Dzieci ciągle zachowują się empatycznie, ze zrozumieniem i szacunkiem dla innych, najczęściej jednak przeoczamy lub źle interpretujemy ich działania. Na przykład, jeśli dziecko chce pomóc w pracach domowych mamie, która bardzo się spieszy, albo troskliwie opiekuje się pluszowym zwierzakiem, który został ranny, lub też pomaga wstać koledze, który upadł, bądź wyraża zrozumienie, wręczając prezent lub przytulając się, ewentualnie bez wahania mówi „proszę" i „dziękuję", wykorzystuje wtedy pozytywne wzorce postaw i jednocześnie wzbogaca własną osobowość o humanitarne cechy.

Opiekunowie i wychowawcy muszą zwracać szczególną uwagę na każdą sytuację, która mogłaby pomóc dziecku wprowadzić te zachowania w życie. Powinni szukać i wykorzystywać wszystkie nadarzające się okazje, kiedy tylko mogą pokazać mu, jak jego zachowanie wpłynęło na kogoś innego – zarówno pozytywnie, jak i negatywnie. W takich chwilach nie chodzi o to, by nasze pociechy miały wykazać się kryształowym charakterem. Po prostu robią wielki krok naprzód w procesie uczenia się. Jak wszystkim dzieciom, będą zdarzały im się okresy egoistycznych: „Chcę, chcę", „Daj mi, daj mi" i „Eee, tam!". W takich chwilach desperacko potrzebują naszej uwagi, żebyśmy mogli zawrócić je na właściwą drogę.

W tym rozdziale pokazujemy, jak możemy pomóc swoim dzieciom w wykształceniu humanitarnych cech, zdolności do empatii, szacunku i zrozumienia innych. Zagadnienia te poruszamy na samym końcu nie dlatego, że mają najmniejsze znaczenie, ale dlatego że są one konsekwencją zachowań, cech i umiejętności, o których mówiliśmy w rozdziałach poprzednich.

Empatia

Słowo „empatia" oznacza umiejętność identyfikowania się z czyimiś uczuciami, z położeniem, w jakim ktoś się znalazł, i zrozumienie pobudek jego działania. Aby to było możliwe, trzeba wczuć się w sytuację drugiej osoby. My naszym dzieciom często mówimy, że „trzeba włożyć czyjeś buty". Dzięki temu zaczynamy widzieć sprawy tak, jak nam się wydaje, że postrzega je dana osoba. Nie jest empatią, jeśli źle się czujemy, lub gdy ktoś inny znajduje się w ciężkiej sytuacji – wtedy odczuwamy sympatię. Kiedy reagujemy empatycznie, wykorzystujemy zdolność do dzielenia uczuć i myśli drugiego człowieka.

Empatia uwrażliwia dziecko na uczucia innych ludzi, wzbogaca jego świadomość i porusza sumienie. Ktoś, kto posiądzie te cechy, nie będzie miał skłonności do okrucieństwa i wyrządzania krzywdy bliźnim. Dzieci i dorośli, którzy nie są nimi obdarzeni, często zachowują się samolubnie i brutalnie. Maluchom, które potrafią wczuwać się w doznania innych ludzi, łatwiej będzie również wyrażać prawdziwe zrozumienie, przywiązanie i szacunek, ponieważ będą potrafiły się domyślić, że tego właśnie potrzebuje dana osoba.

Empatia pomaga dziecku stać się lepszym przyjacielem, lepszym przywódcą, lepszym członkiem społeczeństwa. W środowisku, w którym ludzie reagują w ten sposób, staje się ona zaraźliwa, rozprzestrzenia się na tych, którzy wcześniej nie znali jej zbyt dobrze. Tym samym prowadzi do powstania świata, gdzie liczy się szacunek dla drugiego człowieka i panuje pokój.

Wdzięczność
Odkąd zostaliśmy rodzicami, chcieliśmy nauczyć nasze dzieci wdzięczności za to, co inni dla nich robią, a więc dla kelnerki, która przyniosła im szklankę wody, dla nas, kiedy im pomagamy, i dla wielu

podobnych osób. Nauczenie się doceniania czegoś to nie to samo, co nauczenie się, że trzeba powiedzieć „dziękuję". Aby rzeczywiście odczuwać wdzięczność, dziecko musi naprawdę zrozumieć istotę i wartość tego, co się dla niego zrobiło. To może być coś tak konkretnego jak nowa zabawka albo dom, ale też zupełnie nieuchwytnego, jak zaufanie rodziców lub przyjaźń. Młody człowiek, który rozumie wartość tego, co mu ofiarowano, powie „dziękuję" nie dlatego, że przypominało mu się o tym tysiąc razy, ale dlatego, że faktycznie czuje wdzięczność i wie, że może ją wyrazić, wypowiadając te słowa. Ma także świadomość, że w ten sposób wzmacnia się więź z drugim człowiekiem.

Jeśli chcemy, by nasze pociechy potrafiły być wdzięczne, musimy wyposażyć je w wiedzę, która umożliwi im rozróżnienie, co jest wartościowym działaniem na ich korzyść, a co nie. Informacje na ten temat w sposób automatyczny przekazywane są bezpośrednio przez opiekunów. Przypuśćmy, że w czasie meczu siatkówki dwoje dzieci dzięki zespołowemu działaniu zdobędzie rozstrzygający punkt. Z pewnością zareagują podobnie – entuzjastycznie „przybiją sobie piątkę". Jednakże każde z nich może inaczej zinterpretować wartość tej sytuacji – zgodnie z tym, czego zostało nauczone. Jedno może zachwycić się działaniem zespołowym i osiągnięciem drużyny, podczas gdy drugie będzie radować się swoim własnym dokonaniem: „to już dwadzieścia pięć punktów w tym roku." Oprócz tej wiedzy dzieci powinny rozwinąć umiejętność wyrażania wdzięczności w różny sposób, a więc powiedzieć „dziękuję", szczególnie dbać o cenny podarunek, zrewanżować się okazaniem miłości i przywiązania do rodziny, przyjaciół i sąsiadów. Tego mogą się nauczyć przez kształcenie, powtarzanie i praktykę.

Szacunek

Pojęcie szacunku często jest błędnie interpretowane jako posłuszeństwo. W rzeczywistości oznacza respekt, uznanie, poważanie lub miłość. Istniejący w naszej świadomości bardzo silny związek pomiędzy szacunkiem i posłuszeństwem wynika prawdopodobnie z tego, że posłuszeństwo przez długi czas egzekwowano strachem

(„zrobisz to, bo jak nie...”), a dzieci szanują siłę, której się obawiają. Problem polega na tym, że w takiej sytuacji uczą się bardziej szanować siłę, władzę i potęgę niż człowieka, wiedzę i więzi międzyludzkie. Jeśli dorastają w rodzinach, w których hołduje się takiemu systemowi wychowania, często uczą się bić młodszych i słabszych, ponieważ, jak wszyscy inni ludzie, także szukają szacunku, a znają tylko jedną drogę prowadzącą do zdobycia go.

Jeśli chcemy nauczyć nasze dzieci poszanowania dla innych ludzi, zasad i obyczajów społecznych, autorytetów i wiedzy, musimy im uświadomić, co nazywamy „prawdziwym szacunkiem”. Tu właśnie chodzi o szacunek dla innych (empatię) i wartości, dzięki którym dziecko podejmuje takie, a nie inne decyzje i działania (moralność), nie zaś o strach i siłę. Nauczone prawdziwego szacunku dziecko będzie przywiązywało wagę do uczuć drugiego człowieka, do dobra i zła oraz zasad działania w społeczeństwie i środowisku. W związku z tym będzie na ogół posłuszne, ponieważ wie, że tak należy się zachowywać, dba o to, jak jego czyny mogą odebrać inni ludzie, i potrafi zastanowić się nad konsekwencjami swojego działania. Prawdziwy szacunek to pojęcie bardzo szerokie, obejmujące uznanie dla życia, dla własności, dla nas samych, dla dorosłych, dla dzieci, dla naszej planety oraz dla praw, jakie mają inni ludzie.

Najszybszym sposobem, żeby zyskać czyjś szacunek, jest okazanie go tej osobie. Uwagę tę szczególnie powinni wziąć sobie do serca ci, którzy sądzą, że respekt opiera się wyłącznie na sile. Rodzice, nauczyciele i opiekunowie zyskują sobie poważanie dzieci właśnie wtedy, kiedy traktują je z szacunkiem i w zamian oczekują tego samego. W ten sposób nie tylko pokazują, co to takiego, ale jednocześnie uczą okazywania wzajemności, troskliwości i wrażliwości. Matka czy ojciec, którzy przestaną karać dziecko, także mogą zdobyć jego szacunek, jeśli zadbają raczej o to, by je czegoś nauczyć, niż by je zawstydzić lub upokorzyć.

Malec, którego dorośli nie poważają, będzie prawdopodobnie tak samo traktować innych. I odwrotnie, młoda osoba, obdarzana szacunkiem i troską, będzie miała dobrą motywację, by zachowywać się tak w stosunku do bliźnich. Pewna matka opisuje sytuację, która mówi właściwie sama za siebie. Usłyszała kiedyś, jak jej mąż krzyczy na syna, wyrzucając, że zachowuje się jak niedojrzały idiota, ponieważ wciąż dokucza młodszemu bratu i przezywa go. Mimo najlepszych intencji ojciec właśnie udzielał dziecku raczej mało chwalebnej lekcji, jak nie szanować innych.

Tolerancja dla inności

Ta cecha, tak samo jak szacunek, opiera się na systemie wyznawanych wartości i przekonań. Ponieważ chcemy pomóc naszym dzieciom w zbudowaniu takiego świata, gdzie liczy się uznanie dla drugiego człowieka i panuje pokój, musimy nauczyć je tolerancji i szacunku dla inności. Między ludźmi na całym świecie, między kulturami, wyglądem, religiami i stylem życia istnieją ogromne różnice – częste przyczyny nieporozumień, konfliktów, przemocy i wojen. I dzieci, i dorośli mają z nimi jednakowy kłopot. Niektórzy próbują radzić sobie w ten sposób, że ludzi, którzy różnią się od nich, klasyfikują jako złych i niemoralnych. O wiele bardziej konstruktywnym rozwiązaniem byłoby nauczenie dzieci, że inność jest naturalnym składnikiem życia.

Aby rzeczywiście zacząć myśleć w ten sposób, młode pokolenie musi otrzymać z pierwszej ręki właściwe informacje na temat ludzi, obyczajów i kultur odmiennych od tej, w której akurat przyszło mu żyć. Wychowane w ten sposób, zdobywa wiedzę, dzięki której potrafi sprzeciwić się przekonaniom wynikającym z uprzedzeń („wszyscy... tak się zachowują"). Wie bowiem z doświadczenia, że wcale tak nie jest. Rzetelna informacja pozwoli naszym dzieciom dokładniej poznać nowe rzeczy i ludzi, którzy różnią się od nich. Tolerancja jednak nie powinna być utożsamiana z uległością i pobłażliwością. W zasadzie jest czymś przeciwnym, ponieważ cecha ta zmusza dziecko do wydawania sądów i podejmowania decyzji w sposób odpowiedzialny i zgodny z własnym kodeksem moralnym, a nie na podstawie powierzchownej oceny ubioru, mowy, wiary, wyglądu, sposobu jedzenia itp.

Jak stymulować u dziecka rozwój cech humanitarnych

Przeczytajcie przewodnik „Poprzez lata", żeby upewnić się, czy wasze oczekiwania są zgodne z wiekiem i możliwościami rozwojowymi dziecka. Jako punkt odniesienia wykorzystajcie „Pytania, na które trzeba sobie odpowiedzieć" – niech posłużą wam do oszacowania jego mocnych i słabych stron. Jeśli na którekolwiek z pytań odpowiedzieliście twierdząco, dobrze byłoby dodatkowo pomóc mu w rozwinięciu tych umiejętności.

POPRZEZ LATA

Wskazówki pomagające w rozwijaniu charakteru dziecka

Uwaga: Ten przewodnik ma służyć jako zbiór pewnych ogólnych informacji, dających orientację, czego i kiedy możecie oczekiwać od dziecka. Nie ma żadnych ścisłych norm i granic wyznaczających, jak i kiedy powinny pojawiać się dane właściwości, charakterystyczne dla określonego przedziału wiekowego. Każde dziecko jest jedyne w swoim rodzaju, a my podajemy tutaj pewien przekrój etapów rozwojowych, które charakteryzują się ogólnie podobnymi i prawdopodobnymi wzorcami zachowań i predyspozycji. Pamiętajcie, że rozwój osobowości jest z natury rzeczy dynamiczny i powtarzalny, co oznacza, że bez przerwy się zmienia, a cechy i umiejętności mogą pojawiać się, znikać i znów się pojawiać w trakcie rozwoju.

Humanitaryzm – empatia, wdzięczność, szacunek i tolerancja dla inności

Etap I – Niemowlęctwo: od urodzenia do 24 miesięcy
Okres życia od noworodka do dwulatka

Okres ten ma fundamentalne znaczenie dla kształtowania się wielu wzorców zachowań, postaw i ekspresji emocjonalnej. Wychowanie w ciągu pierwszych 12 miesięcy polega przede wszystkim na karmieniu i podstawowej opiece pielęgnacyjnej.

Czego można oczekiwać od małego dziecka: wynikającego z natury egocentryzmu („Ja chcę, ja chcę"), nieumiejętności zrozumienia, co czują inni (maltretowanie zwierzaków domowych, ciągnięcie ich za ogony), oraz tego, że jest zbyt niedojrzałe, by pojąć, co kryje się za takimi zachowaniami; okazywania pierwszych przejawów empatii – będzie naśladowało opiekunów i próbowało karmić młodsze rodzeństwo, pluszowe zabawki, lalki i dorosłych.

Nie oczekujcie od dziecka: rozumienia lub okazywania wdzięczności, empatii lub szacunku, dopóki cechy te nie trafią na wyższy poziom samoświadomości, obiektywnego spojrzenia na świat, wejrzenia w głąb siebie i odpowiedniego dystansu, a nie nastąpi to przed końcem wieku wczesnoprzedszkolnego (3–4 lata).

Etap II – Wczesne dzieciństwo i wiek przedszkolny: od 2 do 6 lat
Okres życia od dwulatka do starszaka

Etap ten często bywa nazywany okresem zabawy, ponieważ wtedy właśnie przypada szczytowe zainteresowanie zabawkami i grami, wyrażające się dążnością do poszukiwań, twórczej zabawy, myślenia abstrakcyjnego, z wykorzystaniem wyobraźni, niestrudzonej walki o niezależność i zwiększonych kontaktów społecznych. Jest to okres przygotowawczy do nauki podstaw zachowań społecznych, niezbędnych w nadchodzących latach pobytu w szkole.

Między 2 a 4 rokiem życia oczekujmy od dzieci: przejawów gwałtownego wzrostu osobistego potencjału, kiedy chcą wszystko robić samodzielnie; okazywania pewnej obawy czy rezerwy w podejmowaniu nowych zadań i działań; dumy z nowo zdobytych umiejętności motorycznych, nawet jeśli nie osiągnęły jeszcze całkowitej wprawy (zawiązywanie butów, nalewanie napojów, samodzielne ubieranie się i jedzenie); traktowania tego, co mówią dorośli, jako ingerencję w ich życie wewnętrzne i zamach na ich autonomię oraz upartego stawiania na swoim. Ze względu na te cechy, pojawiło się miano „koszmarny dwulatek".

Pomiędzy 2 a 4 rokiem życia oczekujmy od dzieci: egoizmu i egocentryzmu – skupienia się wyłącznie na sobie, co za tym idzie, niedbania o czyjeś uczucia („nie zależy mi", „co mnie to obchodzi", „teraz moja kolej"); rozumienia poczucia wdzięczności jako zapłaty, zależnej od tego, na ile inna osoba spełniła ich oczekiwania lub sprawiła im przyjemność; łączenia pojęcia szacunku z ewentualnym autorytetem, jaki ma (lub nie) dana osoba, z jej mocą karania i nagradzania, wzrostem i siłą fizyczną, pozycją wśród rówieśników i relacją między nią a dzieckiem.

Nie oczekujmy od dzieci: rozumienia myśli i uczuć innych ludzi, dopóki maluchy nie skończą 3 lat, doceniania myśli i znaczenia, jakie kryje się za podarunkiem lub przysługą; darzenia szacunkiem kogoś, kto sam im go nie okazuje.

Pomiędzy 4 a 6 rokiem życia możemy spodziewać się, że dzieci zaczną: zauważać wartość więzi z rodziną, nauczycielami i bliskimi przyjaciółmi; przejawiać większą hojność i ochotę do dzielenia się; rozumieć uczucia innych; szanować ludzi za ich talenty i umiejętności.

Nie oczekujmy od dzieci: rozwijania tych cech z pełną świadomością i konsekwencją ani też w niesprzyjających okolicznościach (kiedy są zmęczone, rozkapryszone, pod wpływem stresu lub nadmiernie pobudzone), jeśli opiekunowie nie będą im o tym przypominać.

Etap III – Wiek wczesnoszkolny: od 6 do 11 lat
Ten etap życia zaczyna się podjęciem nauki, a kończy wejściem w okres dojrzewania

Okres ten objawia się głównie wielkim zainteresowaniem i koncentracją na nawiązaniu kontaktów z rówieśnikami, uczestniczeniu w popularnych grach zespołowych oraz wzrastającą motywacją do nauki, przyswojenia wiedzy technicznej, dużej ilości informacji i osiągania sukcesów w szkole. Jest to niezwykle ważny czas dla ustabilizowania się postaw i nawyków w stosunku do nauki, pracy i wykorzystania osobistego potencjału.

Oczekujmy od dzieci: jedynie niewielkich postępów w rozwijaniu tych cech i umiejętności; doświadczania okrucieństwa i braku szacunku ze strony rówieśników; ignorowania instynktownych sygnałów empatycznych, jeśli tak jest im wygodniej; większego zaangażowania w opiekę i uznanie dla przyjaciół niż dla rodzeństwa; zachowań humanitarnych, jeśli znajdują się w otoczeniu, które kładzie nacisk na moralne i uprzejme zachowanie.

Nie oczekujmy od dzieci: przywiązywania wagi do tych spraw, jeśli nie widzą tego w zachowaniu opiekunów, starszego rodzeństwa i wychowawców; wykształcenia poczucia szacunku dla innych i empatii w atmosferze przymusu lub zastraszenia.

Etap IV – wczesnonastoletni: wiek od 11 do 15 lat

Ten etap życia zaczyna się w czasie, gdy dziecko kończy szkołę podstawową, trwa przez okres nauki w szkole średniej, a zamyka go jej zakończenie i wstąpienie do szkoły wyższej*

Ten okres charakteryzuje ogromny chaos. Wraz z gwałtownym wejściem w okres dojrzewania następuje nagła zmiana wyglądu, wzrasta zainteresowanie rówieśnikami płci przeciwnej i zaczyna się bezwzględna walka o własną osobowość i niezależność.

Od młodszych nastolatków możemy oczekiwać: większego skupienia uwagi na istocie więzi międzyludzkich; bardziej świadomego spojrzenia na sprawy uprzedzeń i dyskryminacji oraz podziału na bogatych i biednych; chęci podejmowania działań na rzecz pokrzywdzonych lub znajdujących się w ciężkiej sytuacji życiowej (na przykład nowo przybyłych imigrantów, zwierząt, żyjątek morskich, dzieci); okazywania wzrastającego lekceważenia w stosunku do przekonań i zwyczajów dorosłych; pogardliwego traktowania i poniżania członków rodziny, zwłaszcza rodzeństwa.

Nie oczekujmy od młodszych nastolatków: wkładania wysiłku w traktowanie członków rodziny z szacunkiem i empatią, dopóki rodzice nie postarają się zrozumieć ich świata wartości i zainteresowań – nawet jeśli nie w pełni je aprobują.

Pytania, na które trzeba sobie odpowiedzieć

Czy dziecko zachowuje się samolubnie, niechętnie dzieli się tym, co ma, albo koniecznie musi być w centrum zainteresowania? (Kiedy inny maluch przyciąga uwagę dorosłych, wasz obraża się albo próbuje skupić ją na własnej osobie).

Czy dziecko jest okrutne lub niewrażliwe w stosunku do słabszych lub mniej sprawnych od siebie, a więc zwierząt, młodszych

---

* Według polskiego systemu edukacyjnego okres ten obejmuje czas nauki w wyższych klasach szkoły podstawowej, jej ukończenie i wstąpienie do szkoły średniej – przyp. tłum.

kolegów albo ludzi starszych? Czy zachowuje się apodyktycznie i brutalnie, nie zdając sobie sprawy, że krzywdzi innych? (Kiedy bawi się z młodszymi dziećmi, zmusza je do robienia tylko tego, na co samo ma ochotę, nie zwracając uwagi na ich uczucia).

Czy dziecko nie przejmuje się faktem, że to, co posiada lub co mają inni, może mieć jakąś wartość, cenę lub walory sentymentalne? (Mawia: „To już mi się nie podoba, jest stare i brudne" albo „To tylko rower").

Czy wydaje się, że dziecko nie kieruje się wewnętrznym poczuciem dobra i zła, a raczej powodowane jest chęcią otrzymania nagrody materialnej lub obawą przed negatywnymi konsekwencjami swojego zachowania? (Jego sposób myślenia: „Jeśli nie będę miał kłopotów lub nikt mnie nie przyłapie, mogę to zrobić").

Czy dziecko nie czuje szacunku dla dorosłych i ważnych osobistości? Czy ignoruje lub śmieje się z nauczycieli lub osób starszych od siebie, mówi do nich po imieniu bez pozwolenia? (Uważa, że wie więcej od dorosłych, i nie ma poszanowania dla ich pozycji w społeczeństwie).

Czy dziecko wyraża z góry powzięte sądy i uogólnienia na temat każdego, kto jest inny, czy to z powodu koloru skóry, przekonań religijnych, wzrostu lub faktu, że dana osoba nosi okulary? (Takie dziecko wyraża powierzchowne sądy, na przykład: „Wszystkie dzieci, które noszą okulary, są zdolne" albo „Wszystkie grube dzieciaki są głupie").

Czy dziecko sprawia wrażenie, że wyraża wdzięczność z wyrachowaniem, chcąc coś osiągnąć? (Wysyła dziadkowi kartkę z podziękowaniem za prezent, bo ma nadzieję, że w przyszłym roku dostanie coś cenniejszego).

Czy dziecko, będące w wieku szkolnym, nie interesuje się losem ludzi, którym się źle powodzi, jak gdyby to, co ich spotkało, było nierealne? (Nie obchodzi ich los bezdomnych ani dzieci żyjących w ubóstwie lub rejonie objętym wojną).

Czy często trzeba dziecku przypominać o podstawowych zasadach grzeczności? (Ciągle zapomina o formach towarzyskich, jak zachowanie się przy stole, czekanie na swoją kolej, mówienie „dzień dobry", „proszę" i „dziękuję").

Czy dziecko rzadko okazuje zachwyt, kiedy ma możliwość zatroszczenia się o innych i przysłużenia się im, na przykład gdy pomaga przy nakrywaniu do stołu, obchodzi Dzień Matki lub Dzień Ojca, ma zaśpiewać na urodzinach innego dziecka? (Przeważnie mówi: „Nie chcę tego robić, nie bawi mnie to. Kiedy będą moje urodziny?")

Jak wzmacniać dziecięcy humanitaryzm

1. Stale doskonalcie sztukę humanitarnego zachowania się. Ciągle starajcie się wybiegać myśleniem poza własną osobę. Tego samego wymagajcie od swojej rodziny. Pokazujcie na własnym przykładzie, jak ważni są dla was inni ludzie, podejmujcie więc dodatkowy wysiłek (nawet jeśli wydaje się, że już nie jesteście w stanie) tylko po to, by stać się lepszymi ludźmi. Najprostsze sprawy, jak podziękowanie kelnerce za miłą obsługę, mają długotrwały wpływ na pojmowanie całego zagadnienia przez dziecko. Jeśli chcecie, aby wasza pociecha była darzona miłością, troską i akceptacją nie tylko przez was, ale także przez innych ludzi, zwróćcie uwagę, czy widać po niej, żeby chciała odwzajemnić się tym samym.

2. Często mówimy o tym, by stawiać dziecku ograniczenia i karać je, ale tylko z pełną miłością. I chociaż może to wyglądać na sprzeczność, jednak jeśli rodzice określają swoje wymagania z szacunkiem i zrozumieniem dla małego człowieka, zmniejsza się prawdopodobieństwo, że dzieci będą miały później skłonności do obwiniania ich. Raczej należy się spodziewać, że poczują się odpowiedzialne za własne czyny. Kiedy musicie zastosować

karę lub pozbawić dziecko jakiejś przyjemności, pokażcie mu, że wierzycie w to, co robicie: „Na tym polega mamy (taty) zadanie, czasem muszę sprawić ci przykrość, żebyś na przyszłość wiedział, jak zrobić to, co do ciebie należy". Okażcie także zrozumienie dla jego uczuć w takiej chwili: „Pamiętam sama, jak bardzo nie lubiłam, gdy za karę pozbawiano mnie deseru lub gdy musiałam wcześniej iść spać". W ten sposób uczycie, co to znaczy troszczyć się o kogoś i żyć odpowiedzialnie.

3. Szacunku uczymy także wtedy, gdy dostarczamy dziecku okazji do samodzielnego rozwiązywania różnych problemów. W ten sposób dajemy dowód uznania dla jego możliwości i potrzeby niezależności. Jako opiekunowie możemy zacząć stosować tę ideę w praktyce już z dwuletnimi maluchami. Trzeba wtedy tylko zadbać o to, aby czas, gdy brzdąc jest pod naszą pieczą, pozostawał we właściwych proporcjach z okresami, kiedy sam może się sobą zająć.

4. Jeśli chcemy, aby nasze dziecko umiało odczuwać wdzięczność, nie możemy natychmiast spełniać każdej jego zachcianki, kaprysu czy pomysłów na przyszłość. Wielokrotnie w zwykłym, codziennym życiu spotykamy się z sytuacjami, które dają nam szansę na wykształcenie tej cechy. Jeśli na przykład któreś z was rozmawia przez telefon, zamiast pozwalać dziecku, by mu przeszkadzało (wygląda na to, że każdy maluch na świecie potrzebuje rodzica najbardziej właśnie w tym momencie), wytłumaczcie jasno, że będzie musiało poczekać, dopóki nie skończycie rozmawiać z osobą przy telefonie. Wyjaśnijcie, że wasza uwaga jest czymś, co ofiarowujecie drugiemu człowiekowi, czymś wartościowym i godnym szacunku. Zniecierpliwienie, jakie będzie zapewne odczuwało, czekając, aż skończycie rozmowę, pomoże mu w docenieniu was i innych ludzi oraz tego, co dla niego robicie. Dziecko, którego wszystkie zachcianki są spełniane natychmiast, bez żadnego wysiłku z jego strony, nie będzie umiało tego uszanować, a jego życie stanie się uboższe, gdyż ograniczone tylko do własnej osoby. Oczywiście nie należy mu żałować wyrazów miłości, ale z umiarem trzeba dawać prezenty i nie stawiać się na każde zawołanie. Wtedy nauczymy naszą pociechę

wdzięczności za te miłe gesty z naszej strony. Traktujcie z respektem myśli, uczucia i osobiste prawa swojego dziecka. To prowadzi do wzajemnego poszanowania i uznania, które jest podstawą zaufania i nienaruszalności więzi w relacji rodzice – dziecko.

5. Kiedy będziecie pracować nad rozwinięciem u dziecka cech humanitarnych, koniecznie weźcie pod uwagę jego temperament, predyspozycje, poziom rozwoju i negatywne czynniki zewnętrzne. Dzięki tym informacjom łatwiej wam będzie zrozumieć, dlaczego z trudem pojmuje, na czym polega empatia, szacunek i wdzięczność, oraz co powstrzymuje je przed (instynktownie zakodowanym!) jak najlepszym zachowaniem, zgodnym z waszymi wymaganiami.

6. Aby rzeczywiście nauczyć dzieci myślenia z empatią i szacunkiem, trzeba poświęcić temu sporo czasu i uzbroić się w cierpliwość. Tempo rozwoju tych cech zależy od tempa dojrzewania. W tym czasie dziecko może popełnić wiele błędów. Żeby jednak opanować tę trudną, skomplikowaną sztukę, musi podejmować ciągle nowe próby w przyjaznym środowisku, w atmosferze akceptacji i miłości. Podzielcie się z nim tym, czego sami nauczyliście się na własnych błędach, pomóżcie skonfrontować je z pomyłkami waszej pociechy (na przykład kiedy zachowuje się bezmyślnie, samolubnie lub niewdzięcznie). Może wyciągnie z tego wnioski dla siebie.

7. Okazujcie miłość otwarcie, bez zahamowań, i to nie tylko wobec dziecka, ale także wobec siebie nawzajem. Poprzez takie działanie przekazujecie mu informację, że szczere wyrażanie uczuć jest dobre i nie należy się z nimi kryć ani ograniczać wyłącznie do tych chwil, kiedy jesteście sami. Czasami może to sprawiać trudność, możecie czuć się skrępowani, zwłaszcza jeżeli wasi rodzice nie zachowywali się w ten sposób. Wobec tego zacznijcie jak najszybciej. Jeśli nawiążecie z dzieckiem prawdziwe porozumienie, dużo łatwiej będzie wam wyrażać publicznie swoje uczucia. Gdyby ogarnęła was wielka nieśmiałość, rozejrzyjcie się uważnie dookoła, a zobaczycie, że ludzie wcale nie patrzą, a nawet jeżeli, to czynią to z aprobatą. Dzieci potrzebują fizycznego doznawania uczuć.

8. Uczcie tolerancji dla inności, pokazując i tłumacząc, na czym polegają różnice między ludźmi. To o wiele lepszy sposób niż

udawanie, że niczego szczególnego nie zauważamy, lub przyglądanie się w milczeniu. Spróbujcie na przykład przypomnieć sobie, kiedy złapaliście się (lub dziecko) na natarczywym przyglądaniu się komuś lub czemuś, co wyglądało obco. Następnie z zainteresowaniem, szacunkiem i ciekawością porozmawiajcie o tym, co zauważyliście. Rzeczowo odpowiedzcie na pytania dziecka, a jeżeli nie macie żadnych konkretnych wiadomości na dany temat, postarajcie się je zdobyć i odpowiednio informować siebie i swoją pociechę.

9. Pomóżcie dziecku dostrzec, że poza nim samym istnieje wielki, wspaniały świat. Podzielcie się z nim informacjami na temat spraw i zagadnień, którymi żyją ludzie zarówno w waszej społeczności, jak i na innych kontynentach. Wykorzystajcie każdą możliwość, jaka się nadarzy, żeby wzbogacić jego wiedzę i doświadczenie potrzebne do zrozumienia innych ludzi, ich zwyczajów i sposobu życia. Jeśli uczeń starszej klasy szkoły podstawowej dowie się, z jak ogromnymi problemami (zdrowotnymi, edukacyjnymi, żywieniowymi, wojennymi) borykają się ludzie w innych częściach świata, łatwiej wykształci się u niego poczucie odpowiedzialności, gdyż będzie już wystarczająco dojrzały, by uświadomić sobie te okrutne realia. Takie doświadczenie może być szczególnie cenne, jeśli dziecko jest w stanie podjąć jakiekolwiek próby zapobieżenia tym zjawiskom.

10. Jako rodzice musimy udzielić samym sobie pozwolenia na wychowanie dzieci, które będą popełniały błędy, a od czasu do czasu zachowywały się niewłaściwie i samolubnie. Błąd jest nieodłącznym składnikiem procesu uczenia się.

Zabawy, które uczą empatii

Ludzie z plakatów
W humorystyczny sposób uczymy dziecko, jak to jest być kimś innym.

wiek: od 4 do 10 lat
materiały: karton lub plakat o wymiarach dziecka

Narysujcie sylwetkę osoby, wobec której dziecko ma poczuć empatię. Wizerunek powinien być naturalnej wielkości. Może to być na przykład ktoś niepełnosprawny, osoba należąca do grupy mniejszości narodowej, inny dzieciak z sąsiedztwa, któremu dokuczał wasz malec, a nawet zwierzę – przedstawiciel zagrożonego gatunku. Zróbcie otwór na twarz. Dziecko niech włoży tam głowę i zacznie opowiadać, jak czuje się, będąc w tym ciele. Przedstawcie scenariusz prawdopodobnych zdarzeń, które mogły spotkać tę osobę, i namówcie młodego człowieka, żeby spróbował naprawdę wczuć się w jej doznania. Jeśli na przykład człowiek z plakatu jest nieśmiałym kolegą z klasy, opiszcie sytuację, w której inni go odrzucają i wyśmiewają. Zapytajcie swoje dziecko, jak to jest, kiedy rówieśnicy mu dokuczają i nie chcą się z nim bawić. Zachęćcie je, żeby powiedziało, co chciałoby zrobić, żeby tak się nie działo. Później zamieńcie się miejscami – zobaczycie, jakiego typu scenariusze pociecha wymyśli dla was.

Książki ułatwiające reakcje empatyczne
Rozwijanie empatii przez czytanie dziecku książek, które pozwalają mu doświadczyć uczuć bohaterów.
wiek: bez ograniczeń

Książki dają cudowną możliwość znalezienia się w świecie innych ludzi (z zachowaniem bezpieczeństwa dla własnej osoby). Wybierzcie takie, które mogą mieć cokolwiek wspólnego z życiem waszego dziecka, ale jednocześnie pozwolą na zastanowienie się nad losem innych.

„Każdy gotuje ryż" [*Everybody Cooks Rice*]
Historia na temat różnic i podobieństw kulturowych.
wiek: od 4 do 10 lat

Książka Norah Dooley opowiada losy małej dziewczynki o imieniu Carrie, która chodzi od domu do domu w poszukiwaniu młodszego brata. Nasza bohaterka wszędzie próbuje wieczornego posiłku i stwierdza, że choć gospodarstwa różnią się kulturowo, to w każdym z nich ludzie jedzą ryż. Nigdzie jednak nie smakuje on tak samo. Ta książka może zaprowadzić was i wasze dziecko w podróż po wielu kulturach z przygodami podobnymi do tych, których doświadczyła Carrie. Pójdźcie razem do kilku różnych etnicznych sklepów po ryż. Na miejscu spróbujcie znaleźć podobieństwa i różnice pomiędzy różnymi jego odmianami. Przynieście ryż do domu i ugotujcie kilka różnych potraw – każdą z innej kultury. Skosztujcie wszystkich przygotowanych dań i porównajcie smaki. Wyjaśnijcie dziecku, że jeśli nawet każde danie smakuje inaczej, to podstawowy składnik jest taki sam w każdym z nich. Analogicznie ludzie – wyglądamy inaczej, ale wszyscy jesteśmy tacy sami.

Rodzinne przedsięwzięcie
Niech empatia stanie się sposobem na życie.
wiek: od 2 lat

Poszukajcie jakiejś oficjalnej działalności, w której moglibyście wykazać troskę o tych, którym los nie sprzyja. Może zechcecie całą rodziną pracować w takiej organizacji jak UNICEF albo w schronisku dla bezdomnych. Zostańcie prawdziwymi wolontariuszami, pracującymi przez określoną liczbę godzin w tygodniu lub miesiącu. Nawet zrobienie czegoś raz do roku (na przykład przygotowanie paczek świątecznych dla osób starszych) znaczy o wiele więcej niż nic.

Najważniejsze, żeby każdy członek rodziny zaangażował się we wspólną sprawę. Upewnijcie się, że dzieci dobrze rozumieją, iż nie robicie tego dla popularności czy uspokojenia sumienia, ale że czerpiecie prawdziwą radość z uszczęśliwiania innych. Łatwiej będzie wam znaleźć odpowiednie zajęcie, jeśli zwrócicie się z tym pomysłem do parafii, synagogi, szkoły albo do organizacji dobroczynnych na terenie całego kraju.

Oto kilka propozycji rodzinnych przedsięwzięć:

- Pomóżcie ochotniczo w kuchni przygotowującej posiłki dla bezdomnych i głodnych.
- Pomóżcie w stworzeniu spiżarni z jedzeniem – zbierajcie datki pieniężne i rzeczowe (żywność) od sąsiadów oraz miejscowych biznesmenów, układajcie jedzenie na półkach i rozdzielajcie je pomiędzy potrzebujących.
- Pomóżcie w założeniu gratisowego sklepiku z odzieżą na zapleczu kościoła lub w innym udostępnionym do tego celu miejscu. Zbierajcie ubrania, które następnie trzeba wyprać i w razie potrzeby wyreperować, a potem posegregować według rozmiarów. Zawsze potrzebne są rzeczy dla niemowląt i małych dzieci oraz dla kobiet w ciąży. Jeśli to możliwe, dołączcie do asortymentu zabawki dziecięce, otrzymane z darów.
- Pomóżcie swoim dzieciom zrozumieć, w jak ciężkim położeniu są często zwierzęta – w tym celu poświęćcie nieco czasu na pracę w najbliższym schronisku. Możecie na przykład zgłosić się do opieki nad każdym młodym kociakiem, który potrzebuje ciągłego karmienia smoczkiem.
- Zaproponujcie w swojej parafii lub synagodze sponsorowanie rodziny pochodzącej z kraju objętego wojną. Pomoc uciekinierom osiedlającym się w Ameryce wymaga znaczących nakładów finansowych i naprawdę trzeba zebrać środki na ten cel. [W warunkach polskich można wesprzeć Polską Akcję Humanitarną – przyp. tłum.] Nie ma lepszego sposobu, żeby uświadomić dzieciom, jak cenna jest wolność.
- Wiele organizacji charytatywnych organizuje świąteczne akcje kupowania zabawek dzieciom potrzebującym. Możecie w tym pomóc, a także napisać listy do lokalnej gazety, w której zachęcicie innych do dołączenia się. Namówcie dziecko, żeby przez rok zbierało pieniądze na ten cel i zachęciło swoich przyjaciół do tego samego.

Antena empatii

W uczeniu dziecka empatii pomoże nam specjalna antena zakładana na głowę.

wiek: od 3 do 12 lat
materiały: opaska na głowę, gruby drut i małe poliestrowe
piłeczki

Robimy antenę empatii. Dwa grube kawałki drutu przyczepiamy jednym końcem do opaski, a na drugim mocujemy po jednej
poliestrowej piłeczce. Udajemy razem z dzieckiem, że nasza
antena potrafi wyłowić „sygnały uczuć" wysyłane przez drugą
osobę.

Kiedy wasza pociecha zrani czyjeś uczucia, na przykład nie zechce podzielić się swoimi zabawkami, niech założy antenę empatii
i nastroi ją na emocje pokrzywdzonego dziecka. Zapytajcie, jakie
informacje odebrała antena. Sami też ją zakładajcie, kiedy chcecie
wczuć się w sytuację kogoś innego.

Kiedy Christian Miller wraz z rodziną przeprowadził się do Palm
Beach na Florydzie, znalazł pewnego dnia na plaży martwego morskiego żółwika. Wkrótce dowiedział się, że maleńkie stworzenie należy
do gatunku zagrożonego wyginięciem, i postanowił pomóc przeżyć
innym żółwim niemowlętom. Chociaż miał zaledwie siedem lat, przez
rok uczęszczał na zajęcia organizowane przez State Department of Environmental Resourcers, na których monitorowano zagrożone gniazda
żółwi morskich. Był najmłodszym mieszkańcem Florydy, który dostał
pozwolenie na pracę z tymi zwierzętami. Do jego zadań należało patro-
lowanie trzymilowego odcinka plaży i ochrona gniazd na tym obszarze.
Przez osiem lat, od kwietnia do października, chłopiec przemierzał plażę.
Zaczynał wcześnie rano i podążając śladami gadów, wyszukiwał ich
siedziby. Kiedy znalazł gniazdo, zaznaczał jego lokalizację, a następnie
przez czterdzieści do sześćdziesięciu dni uważnie obserwował. Gdy
tylko dostrzegł, że z jaj wykluły się już młode, wykopywał gniazdo
i zanosił maleńkie żółwiki tuż nad wodę.

Swoje znaleziska Christian opisywał w szczegółowych raportach,
które wysyłał do Department of Natural Resources.

„Kiedy patrzę na ocean, wiem, że żyje tam siedemnaście tysięcy
żółwi, które nie miałyby szans na przeżycie, gdybym im nie pomógł"
– powiedział chłopiec, obecnie student college'u. „Nie wiem, czy całe
siedemnaście tysięcy przeżyło. Wiem jednak, że dałem im szansę".

Inni na jeden dzień

Uczy dzieci tolerancji dla inności przez odczucie jej na własnej skórze.

wiek: od 8 lat

Denise pracowała kiedyś w pewnej szkole, w której utworzono eksperymentalną klasę integracyjną. Uczyły się w niej dzieci zdrowe oraz głuche i niedosłyszące. Podstawowym celem Denise było, aby zarówno głusi, jak i słyszący uczniowie zaakceptowali swoją inność, umieli pracować ze sobą jako zespół i darzyli siebie nawzajem szacunkiem. Jedno z zadań polegało na tym, by na siedemdziesiąt dwie godziny zdrowi „stali się głusi", a głusi z kolei „stali się inni". Dzieci z obu grup połączono w zróżnicowane pary, w których pomagały sobie „być innym". Chodziło o to, by uczniowie nauczyli się jak najwięcej na temat swojej świeżo nabytej „inności", co pozwoliłoby im w pełni ją odczuć i w wiarygodny sposób przeżyć te trzy doby. Słyszący uczyli się języka migowego, korzystania ze specjalnych przedmiotów użytku codziennego, próbowali obyć się bez dźwięku i korzystać z różnych urządzeń, na przykład wibrujących budzików. Mogli odczuć na własnej skórze, z jakimi emocjonalnymi problemami boryka się człowiek, który nie słyszy. Głusi natomiast próbowali wczuć się w rolę osoby niepełnosprawnej, pochodzącej z innego kręgu kulturowego, a co odważniejsi przymierzyli się nawet do roli przedstawiciela odmiennej płci! Cały proces przygotowawczy okazał się równie ważny, jak sam siedemdziesięciodwugodzinny eksperyment. Więzi pomiędzy obiema grupami zacieśniły się gwałtownie chociażby dlatego, że dzięki przeprowadzeniu eksperymentu na temat różnic między nimi bardzo wiele nauczyły się o sobie nawzajem. Konieczność skutecznej komunikacji zmusiła dzieci słyszące do nauczenia się języka migowego. Ich głusi koledzy musieli natomiast ćwiczyć się w cierpliwości i tolerancji dla swoich partnerów, którzy dopiero próbowali przyswoić sobie wiedzę i wykształcić wrażliwość w stosunku do upośledzenia słuchu.

Taki „spacer w cudzych butach" może być wielce pouczający. Uważamy, że eksperyment tego typu powinien być włączony do każdego programu szkolnego, ale można go także przeprowadzić w domu. Domownicy mogą na przykład nagle „stracić wzrok" i na jakąś godzinę zawiązać sobie oczy. Jak znaleźć właściwą drogę w swoim własnym domu? Jak podróżować? Jakie to uczucie, kiedy nie można oglądać telewizji, tylko słyszeć dźwięk? Takie doświadczenie może dać wam równie wiele jak uczniom Denise.

W twoich butach
Jakie to uczucie – założyć czyjeś buty?
wiek: od 3 lat
materiały: buty

Każdy zakłada buty innego członka rodziny i opisuje, co czuje jako ta osoba. Odgrywajcie różne sytuacje. Niech jedno z was „założy" na przykład buty swojego dziecka i zagra rolę samolubnego i kapryszącego malucha. Ten z kolei, zakładając buty mamy lub taty, powinien zachować się jak dorosły i w dojrzały sposób wpłynąć na zmianę zachowania dziecka. I na odwrót, zagrajcie scenkę, która pokaże, że wy także rozumiecie, co to znaczy być w butach dziecka, kiedy ono chce czegoś od was.

Kiedy Sarah Acheson miała osiem lat, bardzo poruszyła ją wizyta w hospicjum dla chorych na AIDS. Natychmiast wygrzebała z kieszeni dolara, którego przeznaczyła na ten cel. Później jednak zaczęła szukać bardziej skutecznego sposobu pomocy ludziom, którzy tam przebywają. Zaczęła pracować jako wolontariuszka, przynosiła rysunki, ręcznej roboty kartki z życzeniami i utarg ze stoiska z lemoniadą, które prowadziła. W szkole zebrała grupę dzieci i dorosłych, którzy upiekli ciasta dla mieszkańców hospicjum i namalowali obrazki do powieszenia na ścianach.

Większość pacjentów, z którymi Sarah zaprzyjaźniła się, umarła, ale dziewczynka dobrze wie, że uczyniła ich życie chociaż troszeczkę przyjemniejsze. „Jeśli kiedyś zachorowałabym na AIDS, chciałabym, by dzieci opiekowały się mną, żeby rysowały mi obrazki" – powiedziała. „Po prostu wiem także, jak oni to odbierają".

I co wtedy?

Zabawa pomagająca dzieciom zrozumieć, że to, co robią, ma jakieś konsekwencje.

wiek: od 2 lat

Ta zabawa jest zwyczajem, który powinien być wprowadzany w życie przez wszystkich rodziców i nauczycieli, jeśli chcą oni nauczyć dzieci empatii. Kiedy młoda osoba zrobi coś drugiemu – zarówno pozytywnego, jak i negatywnego – ważne jest, żeby zrozumiała, co może z tego wyniknąć. Poproście ją, by spróbowała zastanowić się nad tym i wyobrazić sobie, co dalej stanie się z tą osobą. Jeśli na przykład wyśle kartki z podziękowaniami do ludzi, od których dostała prezenty, zapytajcie, co może nastąpić potem. Czy sprawi tym osobom przyjemność? Czy uśmiechną się i dobrze się poczują „od środka"? Czy będą miały wrażenie, że są docenione? Przykładem negatywnym można posłużyć się wtedy, gdy wasz malec brzydko przezywa innego brzdąca. Co dzieje się z uczuciami tego dziecka chwilę potem? A kilka dni później?

Zabawy, które rozwijają poczucie wdzięczności i szacunku

Deklaracja wzajemnego szacunku

Deklaracja, w której wszyscy członkowie rodziny zobowiązują się traktować innych tak, jak chcieliby, żeby robili to inni względem nich.

wiek: od 3 lat

Deklaracja wzajemnego szacunku powinna zawierać zarówno opis zachowań, których mają przestrzegać członkowie rodziny, jak i tych, których nie będą tolerować. Swoją deklarację wzajemnego szacunku możecie ułożyć na wzór Deklaracji Niepodległości: „Uważamy za oczywiste następujące prawdy: wszyscy członkowie rodziny powinni być szanowani, gdyż są obdarzeni przez Stwórcę pewnymi niezaprzeczalnymi prawami, łącznie z prawem do »dziękuję«, »proszę« i »przepraszam«".

Zróbcie własną listę zachowań, którymi wyrażacie szacunek, i postępujcie zgodnie z nią. Niech znajdzie się tam także czekanie na swoją kolej przy stole, ustępowanie starszym miejsca w autobusie i niepożyczanie niczego bez uzyskania wcześniejszej zgody właściciela. Na pewno przyciągniecie uwagę dzieci, jeśli uwzględnicie wśród zachowań niewskazanych bekanie przy stole i dłubanie w nosie. Dopilnujcie, żeby one także złożyły własne propozycje. To skłoni je do zastanowienia się, jak należy (lub jak nie należy) zachowywać się w towarzystwie innych ludzi.

Zadbajcie o to, by każdy z domowników (włącznie ze zwierzakami) podpisał dokument. Następnie wywieście go na ścianie. Kiedy ktoś nie będzie przestrzegał zasad wzajemnego szacunku, przypomnijcie mu, że przecież podpisał zobowiązanie.

Dobre maniery, czyli ukończenie szkoły

W zabawny sposób uczymy dzieci dobrych manier.
wiek: od 3 do 8 lat

Ukończenie szkoły..., co za zabawne stwierdzenie. My jednak sądzimy, że to wspaniały pomysł. Słowo „ukończenie" znaczy w zasadzie tyle, co „zrobione, finał, doszedłeś do końca". I to jest to, o co chodzi w nabyciu dobrych manier. Jeśli mówimy o kimś, że ukończył jakąś szkołę, znaczy to, że posiada wszelkie niezbędne umiejętności, jakich się w niej naucza. Wyślijcie więc dziecko do specjalnej szkoły, gdzie przejdzie przez niemodny obecnie kurs dobrych manier. Ułóżcie scenkę dramatyczną, w której wyjaśnicie mu, że zacznie brać udział w takich wyjątkowych lekcjach. Wytłumaczcie, że kelnerzy, pracownicy hotelowi i przedstawiciele wielu innych zawodów przechodzą specjalne szkolenie, na którym instruuje się ich, jak mają odnosić się do klientów. Wyobraźcie sobie sytuację (na przykład wyjście do restauracji), w której dziecko będzie w nienaganny sposób postępowało zgodnie z etykietą. Niech

bawi się w „gościa", a wy będziecie je traktować iście po królewsku – otworzycie przed nim drzwi, powiecie „proszę wybaczyć",
„dziękuję", „proszę" i tak dalej. Odegrajcie także inne scenki, jak
odbieranie telefonów lub przyjmowanie prezentów. Na zakończenie
kursu wręczcie abiturientowi dyplom. Później, w prawdziwym życiu,
przypomnijcie mu o starannym wykształceniu, jakie odebrał.

> Kristen Belanger twierdzi, że ma szczęście. Mieszka w przytulnym
> domu i śpi w wygodnym łóżku. Ale świadomość, że inni ludzie są
> głodni lub bezdomni, nie pozwala jej czuć się prawdziwie zadowoloną
> z życia.
>   Zanim skończyła dwanaście lat, pomagała w prowadzeniu jadłodajni
> dla biednych i utworzeniu „banku żywności". Zorganizowała rozprowa-
> dzanie odzieży. Zebrała i rozdzieliła zabawki oraz siedemset siedemdzie-
> siąt książeczek dla dzieci między sześćdziesięciu pięciu maluchów. „To są
> ludzie, którzy potrzebują tych samych rzeczy, co my – powiedziała. – Są
> dokładnie tacy sami, tylko nie mają przytulnych domów i wygodnych
> łóżek. Rozpoczęłam tę działalność, ponieważ nie widziałam nikogo, kto
> robiłby dla nich cokolwiek".

Lista dobrych manier

Pomaga dzieciom pamiętać o dobrych manierach.
wiek: od 5 do 12 lat

Spiszcie na jednej kartce wszystkie podstawowe zasady grzeczności, obok których umieśćcie instrukcję, jak i kiedy należy ich używać.
Na przykład: „Dziękuję – mówimy komuś, kto nam pomógł" albo:
„Proszę – mówimy do osoby, od której czegoś chcemy". Kartkę
należy wywiesić na ścianie.

Pudełko-kalejdoskop

*Niech wasze dziecko poznaje różne kultury, narodowości i rasy
dzięki odpowiednio dobranym zabawkom i książkom.*
wiek: od 1 do 12 lat

Oto jeden ze sposobów zaprezentowania dziecku odmienności etnicznych i kulturowych. Do wielkiego pudła wkładamy takie gry i zabawki, które ilustrować będą całą gamę różnic między ludźmi. Jak w kalejdoskopie przewijać się będą lalki o innym kolorze skóry, gry planszowe na temat innych kultur, książki i czasopisma opowiadające o specyfice rozmaitych grup etnicznych oraz stroje do przebierania się i szczególne przedmioty, pochodzące z innych kultur. (Wiele z nich można znaleźć w sklepach z zabawkami oraz z materiałami edukacyjnymi, a także w katalogach dużych sklepów). Całą rodziną możecie także celebrować różne religijne i etniczne święta.

Jeśli dziecko jest od najmłodszych lat przyzwyczajane do tego, że ludzie różnią się między sobą, jego horyzonty myślowe i spojrzenie na świat znacznie się poszerzają.

Podziękować naprawdę

Dbamy o to, by należycie okazać wdzięczność za urodzinowe i świąteczne prezenty.

wiek: bez ograniczeń

Nic bardziej nie uprzyjemnia urodzinowego lub świątecznego przyjęcia niż to gorączkowe podniecenie, jakie zwykle towarzyszy rozpakowywaniu prezentów. Czasami dochodzi do tego, że niemalże nie widać dziecka spomiędzy latających wstążeczek i opakowań. Nierzadko zdarza się, że jeszcze dobrze nie rozpakuje jednego podarunku, a już bierze się za zdzieranie papieru z następnego. Nie ma nic złego w tym, że malucha ogarnia urodzinowa lub świąteczna gorączka. Nie powinno to jednak odbywać się z krzywdą dla uczuć ofiarodawcy.

Nam udało się nauczyć dzieci dziękowania za prezenty. Rozpakowując każdy z nich, uważają, od kogo go dostały. Przed uroczystością rozmawiamy z dziewczynkami na temat uczuć, jakie dołączone są do każdego podarku. Przypominamy im, że należy oglądać je po kolei, najpierw przeczytać kartkę z życzeniami, potem porozmawiać o upominku, o tym, jak zamierzają z niego skorzystać i dlaczego cieszą się z niego. Zwracamy także uwagę, by dzieci ładnie podziękowały, najczęściej wspaniałym uściskiem lub buziakiem. Jeśli zadbamy, by nasze pociechy wyrażały wdzięczność za otrzymane prezenty, damy im wspaniałą szansę, żeby ich ulubiona część przyjęcia trwała jeszcze dłużej.

Karty z podziękowaniami
Zaprojektujcie własne karty z podziękowaniami.
wiek: od 3 lat
materiały: ładny papier

Niech dziecko zaprojektuje i wykona kartki z podziękowaniami (może wykorzystać również takie, które już są profesjonalnie wydrukowane). Kiedy na przykład nauczycielka zabierze klasę na wspaniałą wycieczkę do lasu, wyślijcie jej taką kartkę. Kiedy dziadek weźmie dziecko na cały dzień, zrewanżujcie się podobnym podziękowaniem. Dajcie je nawet samemu maluchowi, jeśli zrobi dla was coś miłego. Kartki wysyłajcie pocztą, dzięki temu będą miały jeszcze większą wartość.

Zróbmy czasem coś znienacka
Zróbmy czasem coś miłego tylko po to, by być miłym.
wiek: bez ograniczeń

Widzieliście na pewno naklejkę na tylną szybę w samochodzie [w USA – przyp. tłum.] z napisem „Practice Random Acts of Kindness and Senseless Acts of Beauty" („Bądźmy mili z głupia frant i bezsensownie piękni w czynach"). Przekażcie to przesłanie swoim dzieciom. Zachęćcie je, by spontanicznie i bezinteresownie uprzyjemniły komuś życie. Największą skuteczność osiągniecie, jeśli sami będziecie tak postępować.

Pomysły mogą być bardzo różne. Wrzućcie parę drobnych do parkometru, żeby ten, kto przyjdzie po was, nie musiał płacić za postój. Wyręczcie sąsiadów i odstawcie na miejsce ich pojemniki na śmieci, już opróżnione przez zakłady oczyszczania miasta. Powierzajcie dziecku wiele zadań i pozostawcie mu trochę inicjatywy – wtedy łatwiej będzie mu okazywać spontaniczną uprzejmość bez waszego udziału.

Specjalne przyjęcie w dowód wdzięczności

Wydajcie przyjęcie na cześć kogoś, komu jesteście za coś wdzięczni.

wiek: od 3 lat

O tej zabawie dowiedzieliśmy się w niewielkim przedszkolu w Massachusetts. Raz na kilka miesięcy placówka organizowała przyjęcie, zapraszając na nie gościa, który w jakiś sposób przysłużył się lokalnej społeczności. Wśród fetowanych osób były pielęgniarki, strażacy, nauczyciele, mamy, tatusiowie, a nawet listonosz, który doręcza pocztę od ponad trzydziestu pięciu lat. Dzieci z opiekunami dekorowały salę w przedszkolu okolicznościowymi proporczykami i transparentami, piekły ciasto i śpiewały piosenki dla swojego specjalnego gościa. Wszystkie maluchy wręczały mu kartki z podziękowaniem oraz po kolei wyrażały swoją wdzięczność.

Wydaje nam się, że to wspaniały pomysł, jeden z tych, które należałoby zacząć wykorzystywać w szkołach.

> Teddy Andrews miał w głowie zupełny zamęt. Zdawał sobie sprawę, że istnieje wiele dziecięcych organizacji, ale nie zauważył, by dzieci pracowały dla którejkolwiek z nich. W związku z tym w wieku ośmiu lat zapoczątkował działalność SAY YAY! (Save American Youth, Youth Advocates for Youth!) na terenie Berkeley w Kalifornii, gdzie mieszka.
>
> SAY YAY! doręcza bezdomnym dzieciom przybory szkolne, żeby mogły odrabiać prace domowe. Organizacja rozprowadza także zabawki i współpracuje z Berkeley's Gray Panthers, wspomagając dziadków, którzy wychowują swoje wnuki.
>
> Oprócz działalności w SAY YAY! Teddy codziennie po szkole spędza dwie godziny na pracy w Berkeley Youth Commisioner. Jako honorowy komisarz tej organizacji niezmordowanie prowadzi kampanie na rzecz bezdomnych dzieci i organizuje dla nich specjalne programy rekreacyjne.

Poniedziałkowe prezenty
Prezent bez okazji, który ułatwia wdrożenie się w nowy tydzień nauki lub pracy.
wiek: bez ograniczeń

Kiedy Denise poznała Marka, co tydzień dawała mu poniedziałkowe prezenty. Drobne niespodzianki zostawiała na biurku, przy którym pracował, albo na siedzeniu pasażera w samochodzie, którym jechał do pracy. Zawsze dołączała kartkę z życzeniami miłego nowego tygodnia.

Bądźmy szczodrzy
Niech dzielenie się z innymi stanie się nieodłącznym składnikiem życia.
wiek: bez ograniczeń

Niech stanie się waszym zwyczajem, że tym, co macie, dzielicie się z innymi ludźmi. Kiedy na przykład pieczecie ciasteczka, zróbcie kilka więcej dla sąsiadów. Gdy pakujecie dziecku drugie śniadanie, dołóżcie parę smakołyków, którymi będzie mogło poczęstować kolegów i nauczycieli. Znamy taką rodzinę, która robi różne rzeczy dla sąsiadów w tajemnicy przed nimi. Uzupełnia karmniki dla ptaków, odstawia na miejsce pojemniki na śmieci, podrzuca skromne upominki... W ten sposób uczy dzieci, jak przyjemnie jest ofiarować coś anonimowo i że dawanie samo w sobie jest już nagrodą.

Pudełko „Do podziału"

Pudełko z zabawkami, które muszą być podzielone między dzieci.
wiek: od 3 do 9 lat
materiały: duże pudło kartonowe i różne zabawki

Na kartonowym pudle napiszcie: „Do podziału". Włóżcie do niego zabawki, którymi dziecko może bawić się pod warunkiem, że podzieli się nimi z innymi. Niech się tam znajdą gry planszowe, wymagające przynajmniej dwóch graczy, albo guma do skakania, ale upewnijcie się, by nie zabrakło także rzeczy, którymi można bawić się w pojedynkę, na przykład lalek czy układanek. W ten sposób maluch będzie musiał zgodnie dzielić się zabawką i spokojnie czekać na swoją kolej, zanim dostanie ją z powrotem. W naszej rodzinie dwa razy do roku robimy z pudłem „Do podziału" jeszcze coś innego. Wybieramy takie gry i zabawki, którymi chcemy obdarować innych, a więc przekazać je do schroniska lub domu dziecka. Najpierw upewniamy się, czy rzeczy są w dobrym stanie. Często zachwyca nas ogromne pragnienie naszych dziewczynek, by podzielić się z innymi dziećmi. To zawsze sprawia, że dawanie staje się działaniem na o wiele wyższym poziomie i nadaje całkiem nowe znaczenie temu słowu.

Złote serca

Nagroda dla dziecka za troskę o innych.
wiek: od 2 lat

Powiedzcie dzieciom, że urodziły się ze złotym sercem i dlatego mogą nieść radość innym ludziom. Im więcej dają z siebie, tym więcej blasku nabierają ich złote serduszka. Dlatego należy im się nagroda – oficjalnie wręczone złote serce, prawdziwy medal.

Kiedykolwiek zdarzy się, że wasza pociecha będzie potrzebowała delikatnego napomnienia, żeby zechciała pomyśleć o innych, przypomnijcie jej o złotym sercu, jakie bije w jej piersi.

Zabawy, które uczą szanować własne ciało

Moje niezwykłe ciało

Tydzień odkrywania tajników ludzkiego ciała.
wiek: od 4 lat

Na temat ludzkiego ciała ukazało się wiele dobrych książek, na przykład „The Magic School Bus: Inside the Human Body", autorstwa Joanny Cole (Scholastic, 1987) oraz „The Body Book" Sary Stein (Workman Publishing, 1992). [Na polskim rynku także dostępnych jest wiele książek na ten temat, konkretne tytuły mogą polecić nauczyciele w szkole lub pracownicy biblioteki – przyp. tłum.] Pomagają one zrozumieć dziecku, jak zadziwiające jest jego własne ciało. Podstawowe informacje na temat funkcjonowania ludzkiego organizmu oraz sposobów, dzięki którym odzyskuje dobrą kondycję, gdy zostanie uszkodzony, wprawią młodego człowieka w zdumienie. Pozwolą mu nabrać nowego rodzaju szacunku dla samego siebie.

Na zakończenie tygodnia lektury na temat ciała zabierzcie dziecko na wystawę, gdzie będzie mogło dokładnie je obejrzeć.

Prywatny czas

Dzieciom, które mają trudności z uszanowaniem prywatności innych osób, poniższe zabawy pomogą odczuć potrzebę własnego kąta.
wiek: od 2 lat

- Zróbcie wywieszki na drzwi, na wzór takich, jakich używa się w hotelach, na przykład: „Najpierw zapukaj, chcę być sam" z jednej strony oraz: „Wejdź, pragnę towarzystwa" z drugiej.
- Wyznaczcie jakiś przedział czasu w ciągu dnia, kiedy każdy z domowników będzie mógł być tylko sam na sam ze sobą. W zależności od wieku dziecka niech to będzie okres od piętnastu minut do godziny. Wtedy wszyscy rozejdą się do swoich pokoi, będą mogli usiąść sobie gdzieś, gdzie nikt im nie będzie przeszkadzał, albo pójdą sobie na długi samotny spacer.

- Nauczcie dziecko, że istnieją pewne granice, których nie należy naruszać. Pokazujcie mu stopniowo, na czym polega prywatność. Zacznijcie od namacalnych granic własności (obcy nie mają prawa chodzić po naszym trawniku), potem uświadomcie mu, że pewne bariery istnieją w waszym domu (ludzie, którzy z wami nie mieszkają, muszą pytać, czy mogą wejść do środka), aż dojdziecie do emocjonalnych granic własnego ciała (nikt nie ma prawa dotykać cię bez pozwolenia). Zagrajcie w wymyślanie, w jaki sposób można wyrazić, że pragniemy odrobiny prywatności (na przykład zamykanie drzwi, przyciemnianie światła albo własny styl ubierania się). Dziecko powinno umieć wymyślić od dziesięciu do dwudziestu takich sposobów.
- Młodszemu potomkowi dajcie pudełko, do którego wy nie będziecie mieli prawa dostępu. Powiedzcie mu, że może tam przechowywać, co tylko zechce, a wy nigdy nie zajrzycie do środka. Starszemu wręczcie pamiętnik i obiecajcie, że nigdy go nie przeczytacie.

- Zróbcie listę rzeczy, do których nikt oprócz właściciela nie będzie miał dostępu. Można tam wpisać także ciało. Naklejcie na jakiś krótki czas na tych przedmiotach niewielkie plakietki z napisem „Zakaz dotykania". W przyszłości łatwiej będzie zrozumieć, że są one czyjąś prywatną własnością.
- Dziecko nauczone poprzez zabawę, na czym polega prywatność i granice, których nie należy przekraczać, łatwiej zrozumie, jak należy bronić się przed niechcianymi dotknięciami innych osób.

Stanie się tak dzięki temu, że większe będzie jego poczucie własnej wartości, świadomość społeczna i asertywność. Dobrą książkę na temat dopuszczalnego i niedopuszczalnego dotykania ciała, którą wraz z dzieckiem warto by przeczytać, napisała Linda Walvoord Girard – „My Body Is Private" (Albert Whitman & Company, 1984).

Rodzinne uzdrowisko

Niech nasz dom stanie się uzdrowiskiem.
wiek: od 3 lat

Udawajcie razem z dzieckiem, że przez weekend przebywacie w uzdrowisku, miejscowości, do której ludzie jeżdżą po to, by poprawić swoją fizyczną i psychiczną kondycję. Na dwa dni zaplanujcie sobie jak najwięcej „kurortowych" atrakcji. Niech uczestniczy w tym cała rodzina. W harmonogramie waszych zajęć na ten weekend koniecznie powinny znaleźć się przyjemne masaże, kąpiele parowe, spacery na łonie natury i drzemki popołudniowe. Zabierzcie dziecko do fryzjera, stylisty i manikiurzystki. Pójdźcie kupić mu coś fajnego do ubrania (adidasy, dżinsy itd.). Na zakończenie uzdrowiskowego weekendu zróbcie kilka zdjęć młodej osoby w nowej postaci, wystrojonej w nowe ciuchy i prosto od fryzjera. Jeśli chcecie, możecie powtarzać tę zabawę co kwartał lub dwa razy do roku, zamieniając się wtedy rolami – czasem niech wasza pociecha pełni rolę gospodarza. (W ten sposób możecie znaleźć wolne chwile na parę drzemek i masaży).

Ostrożnie!

Niech każdy się dowie, że jesteś w nie najlepszej formie.
wiek: od 3 lat

Któż z nas od czasu do czasu nie czuje się psychicznie słaby i delikatny? Zawsze ostrzegacie pocztę, kiedy zawartość wysyłanej przez was paczki łatwo się tłucze, dlaczego więc nie przyczepić sobie naklejki z napisem „Ostrożnie", kiedy potrzebujecie, by obchodzono się z wami jak z jajkiem?

Trzymaj pod ręką parę takich nalepek. Mogą się przydać. Inni domownicy także mogą je sobie nakleić, żeby ostrzegać pozostałych, kiedy są w kiepskiej kondycji. Można je także przyczepić komuś – jako delikatne przypomnienie, że powinniśmy być dobrzy dla samych siebie.

Zabawy, które uczą szacunku dla środowiska

Humanitaryzm odnosi się nie tylko do ludzi, ale także do ziemi i wszystkich stworzeń, które razem z nami korzystają z jej łask.

Zobaczyć piękno
Postarajcie się dostrzec piękno w całkiem zwyczajnych rzeczach.
wiek: bez ograniczeń

Dzieci są obdarzone tak wielką fascynacją i ciekawością świata, że zaspokojenie jej często wydaje się niemożliwością. Spacer z takim maluchem przypomina wycieczkę krajoznawczą po zupełnie nieznanej, ale cudownej krainie. Kiedy dorosły przechodzi przez trawnik, widzi przede wszystkim trawę wymagającą skoszenia, podczas gdy kroczący obok dwulatek dostrzega, jak wiatr porusza źdźbłami, a trawnik staje się nagle falującym morzem.

Korzystajcie z tych chwil, są one wyśmienitą okazją, żeby przekazać dziecku wartości, które sami cenicie i chcielibyście, żeby je od was przejęło. Natrafiamy na nie co krok, nawet w najbardziej niepozornych zdarzeniach. Pewnego razu, przechadzając się z dziewczynkami po okolicy, Denise zauważyła mrówkę. Zaraz podniosła ją z ziemi, żeby nikt jej nie nadepnął. Maleńkie stworzonko wędrowało sobie po jej palcu, podczas gdy ona sama zastanawiała się głośno, co dzieje się z resztą mrówczej rodziny. Pochwaliła urodę owada i puściła na trawę. Od tego czasu nasze córki zaczęły bardzo uważać, by nie zgnieść żadnej mrówki. Kiedy znalazły jakąś w domu, najpierw uważnie się jej przyglądały, a potem wynosiły do ogrodu, żeby mogła odnaleźć swoją rodzinę.

W ten sposób – dzięki zabawie – dwoje dzieci nauczyło się reagować empatycznie, a zajęło to zaledwie piętnaście sekund. Wyłącznie od was zależy, czy wykorzystacie takie sytuacje i będziecie potrafili zatrzymać się na parę chwil w codziennym pośpiechu po drodze do kształtowania charakterów swoich pociech.

Spróbujcie popatrzeć na otoczenie z perspektywy dwulatka i podzielcie się swoimi odkryciami z dziećmi. Bardzo możliwe, że wasz dziesięcioletni syn (albo córka) w pierwszym odruchu będzie chciał zmiażdżyć mrówkę butem. Powstrzymajcie go i opowiedzcie o życiu społecznym owadzich kolonii. Pokażcie mu, jak stworzonko taszczy okruch chleba, i zastanówcie się, jak wiele innych mrówek zdoła nim wykarmić.

Piękno tkwi w każdej rzeczy. Czasami tylko powinniśmy poprosić tego dwulatka, który ciągle w nas siedzi, żeby nam je pokazał.

Sprzątanie plaży/parku
Zajęcie sezonowe.
wiek: od 2 lat

Dwa albo, jeśli to konieczne, cztery razy do roku zorganizujcie społeczne sprzątanie. Dajcie ogłoszenie do lokalnej gazety lub po prostu zbierzcie tyle osób, ile się tylko da, do sprzątnięcia śmieci w parku lub na plaży. Możecie z tego nawet zrobić rodzinną specjalność. Takie wspólne sprzątanie daje tę wspaniałą korzyść, że bez względu na to, jak duża jest grupa, wszyscy dobrze się bawią i widzą konkretne efekty swojej pracy.

Księga kory, kwiatów i liści
Robimy zielnik.
wiek: od 2 do 8 lat

Jeśli macie to szczęście, że mieszkacie w okolicy, gdzie jesień purpurą i złotem maluje liście na drzewach, na pewno dobrze znacie tę ogromną potrzebę zbierania i suszenia pięknych, kolorowych liści. Zabawa, którą proponujemy, polega na gromadzeniu wszelkich liści, niezależnie od koloru, a także kory, pąków i kwiatów. Najciekawsza staje się wtedy, gdy zielnik przemieni się w baśń opowiadającą o niezwykłych bohaterach – okolicznych drzewach.

księga kory, kwiatów i liści

Zaopatrzcie się w przewodnik po roślinach i zacznijcie wspólnie z dzieckiem zbierać próbki z różnych drzew. Kiedy wrócicie do domu, niech młody botanik spróbuje na podstawie liści, kory i kwiatów, które będzie naklejał na papier, odtworzyć nazwy odpowiednich drzew. Każde z nich powinno zostać podpisane. Na koniec ułóżcie razem opowiadanie lub baśń, w której uwzględnicie jak najwięcej szczegółów na temat ich wzrastania, procesów, jakie w nich zachodzą w każdej z czterech pór roku, oraz wszystkich zwierząt, ptaków i owadów, które założyły tam swoje domy. „Księga kory, kwiatów i liści" będzie przypominać waszemu dziecku, że drzewa to coś więcej niż tylko kora, kwiaty i liście.

Suplement

**Formularz postępowania
przy rozwiązywaniu problemów w rodzinie**

Krok I: Nazwijcie problem

Dorosły (dorośli) w tej rodzinie widzi problem w: . . . .

. . . .

. . . .

Dziecko (dzieci) w tej rodzinie widzi problem w: . . . .

. . . .

. . . .

Wszyscy zgodnie uznajemy, że problemem wymagającym rozwiązania jest: . . . .

. . . .

. . . .

Krok II: Jakie cechy pomogą wam go rozwiązać?

Należy sporządzić listę umiejętności, talentów, cech osobistych, możliwości i zdolności, jakie posiada(ją) dziecko (dzieci) w tej rodzinie, przydatnych w rozwiązywaniu problemów.

1. . . . .   7. . . . .

2. . . . .   8. . . . .

3. . . . .   9. . . . .

4. . . . . 10. . . . .

5. . . . . 11. . . . .

6. . . . . 12. . . . .

Krok III: Zapiszcie wyznaczony cel

„Możemy rozwiązać problem. . . . .
(problem dyskutowany w pkt I)
. . . .

. . . .

wykorzystując następujące umiejętności: . . . .
(umiejętności wymienione w pkt II)
. . . .

. . . ., aby stać się szczęśliwszą rodziną!"

Podpisano:

. . . .

. . . .

Krok IV: Praktyka i zabawa

Bawcie się, wykorzystując swoje umiejętności do osiągnięcia wyznaczonego celu.

Krok V: Omówcie i oceńcie swoje wysiłki

Hurrra! Wiwat! Niech żyje! Jeśli wydajecie teraz takie okrzyki, to znaczy, że osiągnęliście sukces. Spokojnie omówcie to, czego dokonaliście zarówno na dużą, jak i na małą skalę:

1. . . . .

2. . . . .

3. . . . .

4. . . . .

Zapytajcie sami siebie:

A. Czy osiągnęliście cel?   Tak . . . . Nie . . . .

B. Czy potrzeba wam więcej praktyki?

Tak . . . . Nie . . . .

Czy przydałoby się wypróbować inną receptę

na rozwiązywanie problemów?

Tak . . . . Nie . . . .

C. Czego nauczyło to doświadczenie każdego z was?

. . . .

. . . .

Kilkaset umiejętności, cech, talentów i zdolności, które zaobserwowaliśmy u dzieci

Związane z ciałem
dbanie o ciało
  mycie się
  porządne mycie zębów
  staranne uczesanie
  czyszczenie paznokci
dbanie o ubrania
ładny styl ubierania się
zjadanie do końca
świadomość, kiedy jest się najedzonym
prawidłowe korzystanie z łazienki
czyste włosy
ładne paznokcie
muskuły
ładne oczy
wdzięczne dołki w policzkach
przyjazna twarz
wspaniałe piegi
silne ramiona
  nogi
  brzuch
  dłonie
wspaniały uśmiech
miły zapach
drobna postura
wysoki wzrost

Zdolności fizyczne
(*duża motoryka*)
wysoko skacze
szybko biega
prędko chodzi
porusza się ładnie i powoli
potrafi na długo wstrzymać oddech
kręci się wokół własnej osi
potrafi utrzymać równowagę
ma dużo wdzięku
dobrze rzuca

zręcznie łapie
jest giętki
dobrze chodzi po drzewach
dobrze wspina się po linie
dobrze kręci hula-hoop
umie skakać na skakance
dobrze jeździ konno

Zdolności fizyczne
(drobna motoryka)
ma ładny charakter pisma
dobrze układa puzzle
ładnie rysuje
zręczny w stolarce
buduje modele

Zdolności artystyczne
dobry w:
  malowaniu
  kolorowaniu
  wycinankach
  naklejankach
  bazgraniu
  rysowaniu linii, kół, kwadratów
  lepieniu z gliny
  ceramice
  dekorowaniu ciast
  robieniu świec
  rysowaniu na kartonie
  robieniu lalek
  robótkach na drutach
  makramie
  tkaninie artystycznej
  kaligrafii
  tkactwie
  szyciu
  pikowaniu kołder
  fotografii

origami
haftowaniu
garncarstwie
drukowaniu
cieniowanym farbowaniu materiału
wyszywaniu
szydełkowaniu
rzeźbie
kręceniu filmów

Osobiste cechy charakteru

twórczy
przyjazny
ostrożny
odważny
ciekawy
czujny
aktywny
szczęśliwy
dowcipny
zabawny
komiczny
sprytny
szczodry
nieustraszony
władczy
z wyobraźnią
uroczy
słodki
opiekuńczy
artysta
beztroski
pełen werwy
wytrwały
cierpliwy
szybko się uczy
sumienny
metodyczny
posłuszny
uważny
działa bezpiecznie
uprzejmy

doceniający innych
nie poddaje się
dojrzały
odpowiedzialny
rozjemca
dobrze współpracuje z innymi
szybko myśli
stanowczy
utalentowany
zwinny
nie rywalizuje
pogodny
pełen szacunku
zgodny
pobudliwy
niezależny
wybaczający
hojny
krasomówca
ciekawski
radosny
ma dobrą pamięć
zdeterminowany
negocjator
godzien zaufania
pewny siebie
liczy na siebie
organizator
elastyczny
zachowuje zimną krew
przyjmuje krytykę
lubi pochwałę
spokojny
delikatny
skryty
rozważny
silny fizycznie
wnikliwy
rozumny
prawdomówny
ładnie opowiada
ładnie mówi

ma dobre maniery
dumny
empatyczny
wyrozumiały
wspaniały prześmiewca
ma cudowny śmiech
umie rozwiązywać trudne sprawy
działa z motywacją

Cechy społeczne
przywódca
zwolennik
ładnie się bawi
umie przegrywać
umie wygrywać
ładnie się przedstawia
mówi „dziękuję"
mówi „proszę"
umie się dzielić
słucha innych
grzeczny
umie przeprosić
czeka na swoją kolej
dobry przyjaciel korespondencyjny
należy do organizacji młodzieżowych
    podejmuje działanie
    zdobywa wyróżnienia
    przestrzega regulaminu
pomaga innym
wspiera innych
spokojnie się bawi
pamięta nazwiska
mówi „dzień dobry"
mówi „do widzenia"
miło wyraża się o innych
miły gość na przyjęciu
dobry gospodarz
ładnie rozmawia przez telefon
dobra siostra/brat/kuzyn
gra fair

Zdolności dramatyczne

dobry w:
    sztukach dramatycznych
    mimice
    śpiewach chóralnych
    improwizacji
    teatrze lalkowym
    odgrywaniu ról
    brzuchomówstwie
    pisaniu sztuk
    przygotowaniu kostiumów
    charakteryzowaniu twarzy
    czarodziejskich sztuczkach, sztuczkach
      karcianych
    tworzeniu dekoracji scenicznych
    produkcji i reżyserii
      sztuk
    uzdolniony tanecznie
      balet
      jazz
      taniec nowoczesny
      stepowanie

Uzdolnienia związane ze światem natury
dobry w:
    opiece nad zwierzętami
    obserwacji ptaków
    pakowaniu się
    życiu na campingu
    autostopie
    wspinaczce
    obserwacji motyli
    zbieraniu kamieni
    wycieczkach górskich
    pracach w ogrodzie
    grach na boisku
    zbieraniu muszelek
    obserwacji wielorybów
    podróżowaniu
    ochronie środowiska
    segregowaniu odpadków
    ochronie dzikiej przyrody
    astronomii

odkrywca
dobry farmer

Zdolności sportowe
dobry w:
   aerobiku
   łucznictwie
   badmintonie
   baseballu
   sztafecie
   koszykówce
   kolarstwie
   motorowodniactwie
   kajakarstwie
   żeglarstwie
   narciarstwie
   trafianiu rzutkami do celu
   szermierce
   hokeju na trawie
   hokeju na lodzie
   futbolu
   golfie
   jeździectwie
   joggingu
   tenisie
   piłce nożnej
   surfingu
   windsurfingu
   pływaniu
   jeździe na deskorolce
   jeździe na łyżworolkach
   puszczaniu latawców
   karate
   judo
   skokach na linie elastycznej
   samoobronie
   grze w piłkę
   kibicowaniu drużynowym
   zapasach
   jodze
   narciarstwie wodnym
   lekkoatletyce

racquetball [odmiana lepiej znanego
   w Polsce squasha]

Uzdolnienia muzyczne
umie grać na jakimś instrumencie
ma dobry słuch
autor dobrych tekstów
dobrze gra w zespole
dobrze gra w orkiestrze
śpiewa w chórze
czyta nuty

Uzdolnienia szkolne
matematyka
przyroda
historia
ortografia
czytanie
pisanie
zdolność koncentracji
spokojne siedzenie w ławce
ładny charakter pisma
języki obce
mała ekonomia
komputery
geografia
religia
badania naukowe
dobrze rozwiązane testy
starannie przygotowane prace
dobre sprawozdania
dobry mówca
zgłasza się do odpowiedzi
odpowiada na pytania
włącza się w dyskusje klasowe
pamięta, żeby przynieść książki do domu
grzeczny w autobusie
szanuje nauczycieli
lubi się uczyć
wytrwale pracuje
odrabia lekcje
terminowo oddaje prace

umie korzystać z biblioteki
punktualny
ma dobre stopnie
opuszcza mało lekcji

Szczególne uzdolnienia
gry planszowe
krzyżówki
gotowanie
gry wideo
zbieranie rzeczy typu:
    karty baseballowe
    znaczki
    lokomotywy
    mebelki dla lalek
zdobywanie wiadomości na temat:
    samochodów
    dinozaurów
    elektryczności
    zespołów muzycznych
oszczędzanie pieniędzy
dawanie prezentów
wyprowadzanie psa
znajomość mapy
opieka nad zwierzętami
naprawa różnych rzeczy

składanie rzeczy razem
rozkładanie rzeczy na elementy
czytanie wskazówek

Uzdolnienia związane z pracą w domu
dobry w:
    sprzątaniu
    myciu naczyń
    wycieraniu naczyń
    sprzątaniu pokoju
        łazienki
        na zewnątrz domu
        szaf
    myciu okien
    polerowaniu
    odkurzaniu podłóg i dywanów
    myciu sprayem
    odkurzaniu mebli
    pamiętaniu o obowiązkach
    wynoszeniu śmieci
    składaniu ubrań
    odwieszaniu ubrań
    wycieraniu do połysku
    odkładaniu rzeczy na miejsce
    gaszeniu światła

Podziękowania

„Co dzień mądrzejsze" to książka o charakterze i z charakterem. Z prostego pomysłu rozrosła się w dużą pracę. Zadawaliśmy sobie wiele pytań, a również z wieloma pytaniami zwracaliśmy się do innych osób, dzięki którym mogliśmy poświęcić wystarczająco dużo czasu, energii i siły, żeby sprostać temu ogromnemu przedsięwzięciu. Innymi słowy, książka „Co dzień mądrzejsze" stała się owocem zespołowego wysiłku, w który zaangażowani byli w równej mierze nauczyciele i opiekunki naszych dzieci, jak i nasi współpracownicy oraz wydawcy. Wszystkim osobom, które ofiarowały nam swój czas, mądrość i wsparcie, wyrażamy ogromne, z serca płynące podziękowania.

Naszemu wydawcy, Jeremy'emu Tarcherowi, który był inspiratorem i siłą przewodnią naszej pisarskiej kariery i który zachęcił nas do napisania następnej książki, co zaowocowało powstaniem poradnika „Co dzień mądrzejsze"; jego żonie i współpracowniczce, Shari Lewis, za otuchę i entuzjazm, którymi hojnie nas obdarzała, oraz za pomysły na rodzicielstwo pełne zabawy.

Sharron Kahn, za cierpliwość i niewzruszone poczucie humoru, które przynosiły nam ogromną ulgę w momentach napięcia i stresu, oraz za trud włożony w uporządkowanie i zwięzłe opracowanie niektórych partii materiału.

Robinowi Cantorowi Cooke, którego dbałość o szczegóły kazała nam pracować w ciągłym skupieniu i baczyć na detale, dzięki czemu książka jest starannie i przejrzyście napisana.

Irenie Prokop, za kierownictwo i przenikliwość w Jeremy P. Tarcher, Inc.

Zespołowi Putnama (Jennifer Greene, Robertowi Welshowi, Donnie Gould), który udzielił nam wszelkiego rodzaju pomocy w stworzeniu książki, z której jesteśmy ogromnie dumni.

A. T. Birminghamowi z Giraffe Project, którego rozliczne opowieści o wyjątkowych bohaterach, zarówno młodych, jak i starych, teraz wzbogacają karty naszej książki w wartość szczególną – nadzieję.

Megan Collins, której młodzieńczy entuzjazm, nieocenione odkrycia i zaangażowanie sprawiły, że stała się wzorem osoby o wspaniałym charakterze zarówno dla nas, jak i dla naszych dzieci.

Rhode Island School for the Deaf oraz South Shore Mental Health Center za stworzenie nam możliwości przyjrzenia się i zrozumienia, na czym polega zabawa, kim są uczęszczające tam dzieci i ich rodziny.

Rodzinom, z którymi pracowaliśmy, rodzicom i nauczycielom, którzy przychodzili na szkolenia i wykłady, ufając naszym umiejętnościom i pragnąc słuchać tego, co mieliśmy do powiedzenia, oraz wykorzystali proponowane przez nas zajęcia do wprowadzenia w swoje życie pozytywnych zmian. To naprawdę wielki zaszczyt być częścią życia tak wielu ludzi.

Naszym nowym kolegom i przyjaciołom z „zabawowego" biznesu, którzy całymi dniami i nocami pracowali nad stworzeniem przyborów do gier i miejsc, gdzie rodziny wspólnie mogą się rozwijać i bawić.

Scottowi Nadelowi i jego matce Marii za szczerą i wzruszającą opowieść na temat ich wzajemnych relacji.

Przyjaciołom, którzy dodawali nam otuchy: Lauren i Dave'owi Ganslerom, Fredowi i Cheri Ruffolo, Sharon Welk, Nunie Albert, Taunyai Villcana, Rickowi Briggsowi i Debbie Muther, którzy po prostu wiedzą, co to znaczy pisać książkę, i towarzyszyli nam w trudnych chwilach próby.

Rodzinie Knotts – dziękujemy wam za wasze opowieści, waszą przyjaźń i wasz przykład. Jesteście rodziną, której zawsze będziemy chcieli dorównać.

Rodzinie McConnell: Michelle, Dave'owi, Kari, Colleen, Mattowi i Annie – sprawiliście, że napisanie tej książki stało się dla nas możliwe, ponieważ ofiarowaliście naszej rodzinie swoją bezgraniczną miłość i troskę.

Znakomitym nauczycielom z Animal Crackers – dziękujemy wam za to, że kochacie nasze dzieci!

Naszym rodzicom Audrey i Cliffowi oraz Hermine i Arthurowi, którzy zapewnili nam takie dzieciństwo, jakiego potrzeba, by wykształcić silne charaktery. Ten dar możemy teraz przekazywać swoim dzieciom. (Mamo i Tato, dziękujemy wam za poświęcenie swojego czasu naszym dzieciom, abyśmy mogli pracować nad książką!)

Naszym przyrodnim braciom i siostrom, dzięki którym nasze życie jest pełniejsze. Szczególne podziękowania dla Terri, która stale służyła nam pomocą – wystarczyło sięgnąć po słuchawkę telefonu.

A także, oczywiście, wielkie „dziękuję" dla naszych dzieci, Arielle Mae oraz Emily Sarah Weston, które sprawiły, że w ogóle warto było podjąć tę pracę. Dziękujemy, że potrafiłyście czasem odłożyć na bok swoje potrzeby, dzięki czemu mama i tata mogli więcej czasu poświęcić pisaniu tej ważnej książki.

O autorach

Denise Chapman Weston

Denise bliżej zainteresowała się grami edukacyjnymi, gdy przez osiem lat pracowała jako kierowniczka obozów dla dzieci, wychowawczyni w przedszkolu oraz nauczycielka. W Simmons College zdobyła tytuł MSW [Master of Social Work, czyli magister służby socjalnej – przyp. tłum.] i prowadzi teraz prywatną praktykę jako psychoterapeuta w Massachusetts. Zdobyte wcześniej ogromne doświadczenie w uczeniu wypowiadania się przez sztukę w połączeniu z teorią gier zaowocowało stworzeniem oryginalnego podejścia do pracy z dziećmi, rodzinami, szkołami i ośrodkami kultury. Denise biegle zna amerykański język migowy i jest szkolnym konsultantem do pracy z dziećmi specjalnej troski.

Mark S. Weston

Mark jest dyplomowanym psychoterapeutą i od dziesięciu lat prowadzi prywatną praktykę, pracując z dziećmi i rodzinami. Działał w przeróżnych placówkach związanych ze swoim zawodem, od przedszkoli do szkół, i jest stałym konsultantem w wielu college'ach i szkołach z internatem. Mark uczył się u najwyższej klasy ekspertów w dziedzinie terapii rodzinnej, teorii gier i zapobiegania nadużyciom. Posiada dyplom MSW zdobyty w Simmons College.

Westonowie zyskali sobie opinię zaangażowanych wykładowców, a ich styl „zejścia z obłoków na ziemię" został wysoko oceniony zarówno przez rodziców, jak i przez nauczycieli. Poprzednia ich książka „Playfull Parenting" cieszy się bardzo szerokim zainteresowaniem. Poza tym stworzyli i prowadzili szkolenia dla grup zarządzających instytucjami zajmującymi się opieką nad dziećmi oraz dla ich pracowników. Denise i Mark często występują w telewizji w programach informacyjnych. Napisali wiele książek dla dzieci, a ich artykuły na temat rodzicielstwa, gier, wartościowych zabawek, rodzinnych rozrywek i podróży systematycznie ukazują się w różnych czasopismach. Są członkami komisji Playskool/Hasbro Advisory.

Dzięki działalności prowadzonej przez nich firmy „Play Works!" Westonowie konsultują i tworzą programy i materiały pomocnicze dla rodzinnych centrów kultury, muzeów, przedszkoli oraz firm produkujących zabawki. „Play Works!" ma także swoją własną linię produktów służących wspólnej z rodzicami zabawie i radości dzieci.

Giraffe Project

Giraffe Project jest organizacją honorową, skupiającą i poszukującą ludzi, którzy chcą i potrafią ciężko pracować dla wspólnego dobra. Członkowie zgłaszają przykłady takiej działalności złożonemu z wolontariuszy jury, które decyduje, kto zdobędzie nagrodę Giraffe. Wyróżnienie to przyznaje się zarówno na podstawie osobistego wkładu nominowanych, jak i udowodnionego w działaniu pragnienia, aby świat stał się lepszy.

Program „Standing Tall" pomaga nauczycielom i młodym wychowawcom kształcić odwagę, troskę i odpowiedzialność u dzieci w wieku od sześciu do osiemnastu lat oraz pokazuje, jak planować i wprowadzać w życie opracowywane w ramach tego programu projekty.